2026
年度版

東京都・特別区[Ⅰ類]
教養・専門試験
過去問500

JN058776

【試験ガイド】

【令和6年度試験出題例】

◆本書は、平成28年度から令和6年度の過去問（東京都については、Ⅰ類B 行政（一般方式）の問題）を収録しています。

◆令和6年度の東京都Ⅰ類B（一般方式）の教養試験は技術以外の区分が共通問題です。

◆東京都Ⅰ類の問題については都、特別区Ⅰ類の問題については区と表示しています。

◆問題は、東京都人事委員会と特別区人事委員会が公開したものを掲載しています。

◆公開された問題のうち、一部の問題については、試験問題掲載の許諾を得られなかったため、掲載をしておりません。

◆本書では、人事院が作成・公開した試験問題文に合わせて、令和5年度の問題・解説から、読点については「、」を使用しています。それ以前の問題・解説等では、人事院の問題文に合わせて「, 」を使用していたため、両者が混在しています。ご了承ください。

資格試験研究会編
実務教育出版

東京都・特別区 [Ⅰ類]
試験ガイド

地方上級の統一実施日とは別日程で実施される東京都Ⅰ類・特別区Ⅰ類の両試験は、それぞれ独自の内容であり、対策には注意が必要だ。令和6年度の情報をもとに、試験の仕組みを解説していこう。

■東京都と特別区

「地方上級」とは都道府県・政令指定都市等の職員を採用するための大卒程度試験の総称で、大半の自治体は6月中〜下旬に共通問題をベースにした一次試験を実施している。しかし、近年は別日程で独自試験を実施する自治体が増えており、東京都と特別区はその代表格である。

東京都の職員採用試験にはⅠ類AとⅠ類Bがある。専門試験はⅠ類Aが大学院修了程度、Ⅰ類Bは大学卒業程度の内容となっている（併願可）。さらにⅠ類Bには教養試験、専門試験、論文試験、口述試験を実施する［一般方式］のほか、日程や試験種目が異なる［新方式］試験を実施する区分がある。

特別区Ⅰ類では教養試験、専門試験、論文試験、口述試験(個別面接)を実施するが、土木造園(土木)、土木造園(造園)、建築、機械、電気区分では専門試験と口述試験(個別面接)のみが課される。

なお、東京都・特別区ともに、技術系の一部の区分では秋試験も導入されている。また、特別区Ⅰ類では、7年度に「早期SPI枠」が新設される。

以下では、東京都Ⅰ類Bと特別区Ⅰ類の春試験の概要をまとめる。

■試験の日程（令和6年度）

【東京都Ⅰ類B】

	一般方式	新方式
申込期間	2月27日〜3月13日	
一次試験	4月21日（日）	
二次試験	6月14日〜27日の間で指定する1日	5月15日〜21日の間で指定する1日
三次試験	なし	6月5日〜12日の間で指定する1日
最終合格発表	7月10日	6月28日

【特別区Ⅰ類】

申込期間	3月8日〜25日
一次試験	4月21日（日）
二次試験	7月8日〜18日の間で指定する1日
最終合格発表	【土木造園（土木）、土木造園（造園）、建築、機械、電気】：7月22日 【事務（一般事務）、事務（ICT）、福祉、心理、衛生監視（衛生）、衛生監視（化学）、保健師】：7月30日

■試験区分と受験資格（令和6年度）

【東京都Ⅰ類B】

区 分	年齢要件
行政（一般方式・新方式）、土木（一般方式・新方式）、建築（一般方式）、機械（一般方式）、電気（一般方式）、環境検査、林業、畜産、水産、造園、心理、衛生監視、栄養士、ICT（新方式）	平成7.4.2〜平成15.4.1生の者 ※衛生監視、栄養士には資格・免許の取得要件あり
獣医、薬剤B	平成7.4.2〜平成13.4.1生の者 ※免許の取得要件あり

【特別区Ⅰ類】

区 分	年齢要件
事務(一般事務)、事務(ICT)、土木造園（土木）、土木造園（造園）、建築、機械、電気	平成5.4.2〜平成15.4.1生の者
福祉	平成7.4.2〜平成15.4.1生の者 ※資格の取得要件あり
衛生監視（衛生）、衛生監視（化学）	昭和59.4.2〜平成15.4.1生の者 ※資格の取得要件あり
心理	昭和60.4.2以降生の者 ※大学の心理学科の卒業（見込）要件あり
保健師	昭和60.4.2〜平成15.4.1生の者 ※免許の取得要件あり

■試験種目・内容（令和6年度）

試験種目と内容は下表のとおり。東京都I類B［新方式］においては教養試験に代えて、適性検査（SPI3）が導入されている。

6〜12ページに教養試験および専門試験（特別区の択一式試験）の過去3年分の出題内訳表を掲載したので、内容を確認してほしい。188〜189ページには東京都I類B［一般方式］行政区分の専門記述式試験の出題例を掲載している。

■最終合格から採用まで

【東京都I類B】

最終合格者は採用候補者名簿に登録され、採用面談等を経て内定→採用という運びになる。

【特別区I類】

最終合格者は、採用候補者名簿に登載され、特別区人事委員会は、原則として採用候補者の希望を考慮し、特別区等へ高点順に提示する。特別区等は面接を行い、採用候補者に内定を出す。

東京都I類B　試験構成

		試験種目	解答時間	内容
一般方式	一次試験	教養試験（択一式）	130分	【行政、その他の試験区分*】 *…土木、建築、機械、電気を除く　40問（知能分野24問、知識分野16問）必須解答
			150分	【土木、建築、機械、電気】必須解答：30問（知能分野27問、社会事情3問）選択解答：14問中10問（知識分野）
		専門試験（記述式）	120分	【行政】10題中3題選択　【土木、建築、機械、電気、その他の試験区分】5題中3題選択
		論文試験（課題式）	90分	1題（1,000〜1,500字程度）
	二次試験	口述試験	―	個別面接
新方式	一次試験	適性検査等	70分	SPI3（GAT-U）※ICTは情報通信技術についての教養試験（択一式・10問）も課される
		プレゼンテーション・シート作成	90分	【行政、ICT】都政課題に関するプレゼンテーション・シート作成
	二次試験	口述試験	―	プレゼンテーション、個別面接
	三次試験	口述試験	―	グループワーク、個別面接

特別区I類　試験構成

	試験種目	解答時間	内容
一次試験	教養試験（択一式）	120分	【事務（一般事務）、福祉、心理、衛生監視（衛生）、衛生監視（化学）、保健師】必須解答：28問（知能分野）、選択解答：20問中12問（知識分野）【事務（ICT）】必須解答：35問（知能分野28問、知識分野〈社会事情〉7問）
	専門試験（択一式）	90分	【事務（一般事務）】55問中40問選択解答　【事務（ICT）】45問中30問選択解答
	専門試験（記述式、語群選択式）	90分	【土木造園（土木）、土木造園（造園）、建築、機械、電気、福祉、心理、衛生監視（衛生）、衛生監視（化学）】6題中4題選択解答
		60分	【保健師】3題必須解答
	論文試験（課題式）	80分	2題中1題選択（1,000〜1,500字程度）
二次試験	口述試験	―	個別面接　※土木造園（土木）、土木造園（造園）、建築、機械、電気は自己PRシートによるプレゼンテーション含む

② 出題内訳

6年度 出題内訳	東京都 I 類 B [一般方式]	教養試験	4月21日実施

No.	科 目		出 題 内 容（130分、40問必須解答）
1	文章理解 (現代文)		内容把握（外山滋比古『日本語の個性』）
2			内容把握（植田和弘『環境経済学への招待』）
3			文章整序（大森荘蔵『言語・知覚・世界』）
4			空欄補充（藤原正彦『国家と教養』）
5	英文理解		内容把握（日米開戦を巡るチャーチルの回顧録）
6			内容把握（ピッピとおまわりさんの会話〈長くつ下のピッピ〉）
7			内容把握（職場環境が良いと失敗の報告が増える理由）
8			内容把握（カパルディさんを訪問するジョジー親子〈クララとお日さま〉）
9	判断推理		要素の個数（社員100人の3か所の観光地への旅行経験）
10	数的処理		4次魔方陣（図のマスに1～16を入れるときにマスAとBに入る数字の和）
11			確率（卓球大会の決勝戦でAチームが先に3勝して優勝する確率）
12	判断推理		対応関係（4人の歌舞伎、能、オペラの鑑賞経験）
13	数的処理		ニュートン算（遊園地への入場で行列がなくなるまでにかかる時間）
14			数列（奇数列の和）
15			面積（正方形の対角線の交点で作る四角形EFGHの面積）
16			面積（円に内接する三角形BCDの面積）
17			場合の数（客20人のランチ3種類の注文数の組合せ）
18	資料解釈		日本における在留資格別外国人労働者数の推移（実数値、グラフ）
19			日本における運輸業5分類の売上高の推移（実数値、グラフ）
20			日本における楽器4種の販売額の対前年増加率の推移（指数・増減率、グラフ）
21			日本の放送コンテンツ海外輸出額の権利別構成比の推移（割合・構成比、グラフ）
22	空間概念		正八面体（各面に任意に定めた1点を相互に結ぶ直線の本数）
23			軌跡（2線分の交点Qが描く軌跡の長さ）
24			軌跡（正三角形の頂点Pが描く軌跡）
25	人文科学	文化	東京の文化財建造物（旧東宮御所、浅草寺、東京駅丸の内駅舎等）
26		歴史	化政文化（最盛期、十返舎一九、「南総里見八犬伝」、俳諧、歌川広重）
27			世界恐慌またはファシズムの台頭（アメリカ、スペイン、ドイツ等）
28		地理	ヨーロッパ（山脈、気候、民族、デンマークの農業、フランスの農業）
29	社会科学	法律	参議院の緊急集会（要件、手続、議決事項の制限、効力）
30		政治	アメリカ合衆国の政治制度（連邦議会、大統領の選出、違憲審査権等）
31		経済	日本の会社法における会社（株主への配当、株式会社の設立要件、株主総会等）
32	自然科学	物理	電池、電球、スイッチからなる5回路の消費電力の比較（図）
33		化学	物質の分離（蒸留、昇華法、再結晶、還元、ろ過）
34		生物	魚類、両生類、ハ虫類、ホ乳類に属する動物の正しい組合せ
35		地学	地球の資源（水、鉄鉱床、石油、メタンハイドレート、地熱発電）
36	社会事情		『令和4年度 食料・農業・農村白書』（食料自給率、DX、食品ロス等）
37			「知的財産推進計画2023」（基本認識、生成AI、著作権侵害等）
38			岸田内閣総理大臣所信表明演説（「成長型経済」、物価高対策、改憲等）
39			刑事訴訟法等の一部を改正する法律（位置測定端末装着命令等）
40			国際情勢（「キャンプ・デービッドの精神」、「ゴールデンゲート宣言」等）

※この出題内訳表は、公開問題をもとに作成したものです。

No.	科	目	出 題 内 容 （120分、No.1～No.28必 須 解 答、No.29～No.48のうち12問選択解答）
1	文章理解	現代文	要旨把握（村上春樹『村上春樹雑文集』）
2			要旨把握（本田健『「うまくいく」考え方』）
3			要旨把握（渡辺和子『幸せはあなたの心が決める』）
4			文章整序（柳宗悦『茶と美』）
5			空欄補充（鷲田清一『しんがりの思想』）
6		英文	内容把握（老人と海）
7			内容把握（サンタクロースってほんとにいるの？）
8			空欄補充（剣の修行における諸段階）
9			四字熟語（竜虎相搏、一石二鳥、羊頭狗肉、画竜点睛、狡兎三窟）
10	判断推理		試合の勝敗（6チームによるサッカーの総当たり戦）
11			暗号（同じ暗号の法則で「黒色」を表すもの）
12			操作の手順（寿司屋か焼肉屋のどちらかに行きたい5人の意見調整結果）
13			命題（生徒会役員の選挙の投票）
14			操作の手順（7枚のカード2組を使ったゲーム）
15			数量相互の関係（環状線のA駅からの所要時間が最も短い経路）
16	数的処理		円の面積（点をそれぞれ結んだときにできる斜線部の面積）
17			比、割合（11両編成で運行している電車の座席数）
18			旅人算（ロードレースでAがゴールするまでに要した時間）
19			流水算（上流のP地点と下流のQ地点を往復する船）
20			比、割合（商品bが企業全体の売上げに占める割合）
21	資料解釈		診療種類・制度区分別国民医療費の推移（実数値、数表）
22			農産品5品目の輸入量の対前年増加率の推移（指数・増減率、数表）
23			在留外国人数の推移（実数値、グラフ）
24			地方財政の扶助費の目的別内訳の推移（割合・構成比、グラフ）
25	空間把握		経路と位相（一筆書きを可能にするとき消去する太線の最短の長さ）
26			平面分割（14枚の入場券をつながったままの形で切り取る方法）
27			立体構成（直方体の点Aと点Bを直線で結んだとき貫いた立方体の数）
28			軌跡（正五角形が台形の外側を回転し2周したときの頂点Pの位置）
29	社会科学	法律	国際法（グロティウス、国際人道法、国際慣習法、国際司法裁判所等）
30		政治	日本の公害防止・環境保全（環境基本法、循環型社会の形成等）
31			国際連盟・国際連合（集団安全保障、国際連合憲章、安全保障理事会等）
32		経済	国際経済体制の変遷（ブレトンウッズ体制、キングストン合意、プラザ合意等）
33	人文科学	倫理・哲学	実存主義の思想家と主著（キルケゴール、ニーチェ、ハイデガー等）
34		歴史	室町文化（太平記、観阿弥・世阿弥、村田珠光、御伽草子、慈照寺銀閣）
35			フランス革命・ナポレオン戦争（国民議会、トラファルガーの海戦等）
36		地理	世界地図とその図法（ホモロサイン図法、サンソン図法、モルワイデ図法）
37	社会事情		2023年5月の主要7か国首脳会議（広島平和記念資料館、広島AIプロセス等）
38			デフレ完全脱却のための総合経済対策（宇宙戦略基金、電気・ガス料金の補助等）
39			物流革新緊急パッケージ（再配達削減の実証事業、モーダルシフト等）
40			第76回カンヌ国際映画祭（役所広司氏、パーフェクト・デイズ、坂元裕二氏等）
41	自然科学	物理	鉄製の容器と中の水が熱平衡に達したときの温度（計算）
42			電流が流れているときコイルに蓄えられるエネルギー（計算）
43		化学	芳香族化合物の構造式と名称の組合せ（図）
44			物質の状態（圧力の単位、大気圧、沸騰、気液平衡、蒸発熱）
45		生物	生物の科学史（シュペーマン、ワトソン、岡崎令治、山中伸弥等）
46			動物の行動（定位、走性、ミツバチのダンス、フェロモン等）
47		地学	恒星の進化（星間物質、散光星雲、原始星、主系列星、赤色巨星）
48			先カンブリア時代（時代区分、全球凍結、縞状鉄鉱層、真核生物等）

※この出題内訳表は、公開問題をもとに作成したものです。

No.	科　目	出　題　内　容（90分、55問中40問選択解答）
1	憲　法	労働基本権（全逓名古屋中郵事件、岩手県教組学力テスト事件等）
2		外国人の人権（福祉的給付における処遇、永住者等への選挙権の付与等）
3		衆議院の優越（法律案の可決、予算および決算、内閣総理大臣の指名等）
4		内閣または内閣総理大臣（無任所大臣の設置、閣議の議決方法、罷免権等）
5		違憲審査権（司法権の発動、国会議員の立法行為、衆議院の解散等）
6	行　政　法	行政行為の分類（特許、確認、認可、許可、下命）
7		行政行為の瑕疵（明白性の意義、無効原因の主張、無効、瑕疵の治癒）
8		代執行（証票の携帯、非常・危険切迫時の手続の省略、費用の徴収等）
9		取消訴訟の原告適格（文化財の学術研究者、地方鉄道の利用者等）
10		損失補償（特別の犠牲、立法指針説、補償の方法、補償の時期等）
11	民　法　① [総則・物権]	行為能力（成年被後見人、未成年者、保佐人、制限行為能力者、被保佐人）
12		意思表示（心裡留保、強迫、錯誤、通謀虚偽表示、意思表示の到達）
13		地上権（地代の支払い、土地の原状回復、地下・空間の地上権等）
14		占有権（自主占有、直接占有、動物の占有、果実の取得、占有改定）
15		抵当権（順位の変更、譲渡、順位の放棄、地上権の放棄、効力の範囲）
16	民　法　② [債権・親族・相続]	債務不履行（不確定期限付債務、善管注意義務、帰責事由の存在等）
17		債権者代位権（被代位権利、相手方の抗弁、相手方の履行等）
18		請負または委任（利益の割合に応じた報酬、委任終了後の応急処分義務等）
19		賃貸借（賃貸借の存続期間、更新料の性質、法人との賃貸借契約等）
20		遺言（成年被後見人、未成年者、撤回、自筆証書遺言、共同遺言）
21	ミクロ 経済学	最適労働供給（計算）
22		完全競争企業の利潤最大化（計算）
23		ラーナーの独占度（計算）
24		マーシャル的安定（グラフ）
25		リカードの比較生産費説（計算）
26	マクロ 経済学	完全雇用の実現に必要な減税の大きさ（計算）
27		トービンのq理論（空欄補充）
28		信用創造（計算）
29		$AD-AS$モデル（完全雇用水準下での物価水準）（計算）
30		国民経済計算（GDP統計）（計算）
31	財　政　学	日本の財政投融資制度（財政投融資計画、財政融資、財投債等）
32		財政健全化法（財政健全化計画、資金不足比率、勧告、変更）
33		地方税の原則（普遍性の原則、安定性の原則、負担分任の原則等）
34		公共財の理論（準公共財、サミュエルソン・ルール、リンダール・メカニズム等）
35		ジニ係数（計算）
36	経　営　学	モチベーション理論（マズロー、マグレガー、ハーズバーグ、アルダファー等）
37		企業のM＆A（LBO、TOB、クラウン・ジュエル、パックマン・ディフェンス等）
38		賃金制度（労働基準法の定義、職務給、職能給、年功給、ベースアップ）
39		コトラーの競争戦略（リーダー、フォロワー、ニッチャー、チャレンジャー）
40		国際経営の理論（パールミュッター、ドーズ、バーノン、フェアウェザー等）
41	政　治　学	エスピン＝アンデルセンの福祉国家論（著書、類型、収れん理論等）
42		比例代表制選挙（ドント式による4党の議席配分）
43		イデオロギー（自由主義、社会主義、保守主義、ファシズム）
44		近代日本の政治思想家（福沢諭吉、徳富蘇峰、中江兆民、陸羯南等）
45		現代政治学（ウォーラス、コーンハウザー、ベントレー、リースマン）
46	行　政　学	内閣府設置法規定の委員会（個人情報保護委員会等）
47		NPM（PFI、独立行政法人、エージェンシー制度）
48		アリソンの政策決定論（決定の本質、3つのモデルの内容）
49		バーナードの組織論（組織編成の3原理、機能の権威と地位の権威等）
50		直接請求制度（条例の制定・改廃、事務監査、長の解職、議会の解散）
51	社　会　学	社会集団（生成社会と組成社会、第一次集団と第二次集団等）
52		ブルデューの階級理論（著書、文化資本の3分類、文化的再生産）
53		社会変動論（コント、スペンサー、オグバーン、ロストウ、ベル）
54		ラベリング理論（H.S.ベッカー、社会集団、規則、違反者）
55		社会調査（参与観察法、面接調査法、標本調査、留置法、生活史法）

※この出題内訳表は、公開問題をもとに作成したものです。

No.	科 目		出題内容（130分、40問必須解答）
1	文章理解（現代文）		内容把握（谷崎潤一郎『陰翳礼讃』）
2			内容把握（今西錦司『私の自然観』）
3			文章整序（野中郁次郎、竹内弘高『知識創造企業』）
4			空欄補充（戸部良一ほか『失敗の本質』）
5	英文理解		内容把握（犬のように飼い主と親密な関係を築けるホシムクドリの飼育）
6			内容把握（作者の本から得た知識の活用の場として井戸端会議を想定する理由）
7			内容把握（カナダからアメリカに移住した母のガーデニングの変遷）
8			内容把握（過去の幻想にしがみついていたホーが新しいチーズを得た話）
9	判断推理		要素の個数（留学生への3つの都市に行ったことがあるかのアンケート結果）
10	数的処理		確率（サイコロを3回投げたとき、出た目の数の和が素数になる確率）
11			確率（袋の中から4個の玉を取り出すとき白玉が2個以上含まれる確率）
12	判断推理		対応関係（ボランティアサークルメンバーの運転免許と加入年数）
13	数的処理		連立不等式（テニスボールの個数）
14			比、割合（物質xと物質yの質量の合計が140kgであるとき、物質yの質量）
15			三角形（2つの三角形）
16			三平方の定理（長方形を折ったときの線分の長さ）
17			記数法（A、B、Cを5進法で表す）
18	資料解釈		日本の魚種別漁獲量の推移（実数値、グラフ）
19			日本における5か国（地域）への商標出願件数の推移（実数値、グラフ）
20			学校区分別肥満傾向児の出現率の対前年度増加率の推移（指数・増減率、グラフ）
21			日本における発生場所別食品ロス発生の構成比の推移（割合・構成比、グラフ）
22	空間概念		折り紙（正方形の紙を続けて5回折ったときの4回目の折り目）
23			立体の回転（矢印が描かれた立方体がマス目の上を回転したときの立方体の状態）
24			軌跡（ひし形の頂点Pの描く軌跡の長さ）
25	人文科学	文化	日本の生活文化（年中行事、「ケ」の日、厄年、サブカルチャー等）
26		歴史	江戸幕府の政策（武家諸法度、人返しの法、公事方御定書、棄捐令、異学の禁）
27			第一次世界大戦後の国際秩序（パリ講和会議、ヴェルサイユ条約、国際連盟等）
28		地理	世界の資源・エネルギー（レアアース、石油輸出国機構、都市鉱山等）
29	社会科学	法律	生存権（プログラム規定説、抽象的権利説、朝日訴訟判決等）
30			日本の裁判制度（裁判官、裁判所、再審制度、行政裁判、裁判員制度）
31		経済	金融のしくみ（直接金融、間接金融、プライムレート、信用創造等）
32	自然科学	物理	鉛直上向きに発射した小球の最高点と初速度の関係（計算）
33		化学	化学の法則（ファントホッフ、ヘス、ヘンリー、ボイル・シャルル等）
34		生物	酵素（アミラーゼ、リパーゼ、ペプシン、カタラーゼ、マルターゼ）
35		地学	火山活動と災害（ホットスポット、水蒸気噴火、火砕流、三宅島等）
36	社会事情		『令和4年版少子化社会対策白書』（総人口、出生数、結婚新生活支援事業等）
37			物価高克服・経済再生実現のための総合経済対策
38			法人等による寄附の不当な勧誘の防止等に関する法律
39			銃砲刀剣類所持等取締法の一部を改正する法律（クロスボウ等）
40			国際情勢（ASEAN＋3首脳会議、APEC首脳会議、G20パリ・サミット等）

※この出題内訳表は、公開問題をもとに作成したものです。

No.	科 目		出題内容（120分、No.1～No.28必須解答、No.29～No.48のうち12問選択解答）
1	文章理解	現代文	要旨把握（千住博『芸術とは何か』）
2			要旨把握（長田弘『読書からはじまる』）
3			要旨把握（亀山郁夫『人生百年の教養』）
4			文章整序（森博嗣『面白いとは何か？ 面白く生きるには？』）
5			空欄補充（原研哉『デザインのめざめ』）
6		英文	内容把握（アインシュタインの人生を変えた空想）
7			内容把握（赤毛のアンとダイアナの出会い）
8			空欄補充（ボブ・ディランのノーベル文学賞受賞スピーチ）
9			ことわざ・慣用句（犬猿の仲、猫も杓子も、猫に鰹節、窮鼠猫を嚙む等）
10	判断推理		試合の勝敗（6チームによるソフトボールのトーナメント戦）
11			暗号（「1・2・5、（3・2・10）、1・2・10」が表す言葉）
12			対応関係（4人の大学生が選択した外国語の科目）
13			順序関係（6人が参加した区民マラソンで着順が1位の選手）
14			位置関係（道路に面した8つの家の位置と住んでいる人物）
15			要素の個数（ボクシングの試合の観客のうち、同行者と来た人の数）
16	数的処理		面積（長方形の内部にある三角形ACEの面積）
17			商と余り（4で割ると1余り、5で割ると2余り、6で割ると3余る自然数）
18			速さ・距離・時間（移動する2人の到着時間の差）
19			確率（サイコロを6回振ったときに3の倍数が5回以上出る確率）
20			比、割合（3駅の利用者数の増加率と現在のA駅の利用者数）
21	資料解釈		アジア5か国の外貨準備高の推移（実数値、数表）
22			葉茎菜類の収穫量の対前年増加率の推移（指数・増減率、数表）
23			書籍新刊点数の推移（実数値、グラフ）
24			高齢者の消費生活相談件数の構成比の推移（割合・構成比、グラフ）
25	空間把握		正六面体（サイコロを4個並べたときに指定の位置にくる目の数の和）
26			折り紙（正方形の紙を折って一部を切り落とした図形の形状）
27			立体の切断（直方体をある平面で切断したときの断面の面積）
28			図形の回転（回転した図形中の点Pの軌跡の長さ）
29	社会科学	法律	日本における労働者の権利の保障（団結権、団体交渉権、争議権等）
30		政治	日本の地方自治（法定受託事務、地方交付税交付金、オンブズパーソン制度等）
31			東西冷戦（トルーマン＝ドクトリン、COMECON、新冷戦、マルタ会談等）
32		経済	日本の農業と食料問題（減反政策、農地法改正、6次産業化、準主業農家等）
33	人文科学	世界史・思想	中国の思想家（荀子、墨子、朱子、老子、荘子）
34		歴史	国風文化（浄土教、和歌、寝殿造、定朝、仮名文字）
35			イギリスの産業革命（ニューコメン、紡績機、オーウェン、ラダイト運動等）
36		地理	ラテンアメリカ（山脈、植生、インディオの文明、日系人、ブラジル等）
37	社会事情		2022年のイギリスの首相就任（リズ・トラス氏、リシ・スナク氏等）
38			2022年7月の参議院議員選挙（期日前投票者数、女性当選者数等）
39			経済安全保障推進法（重要設備導入時の国の事前審査、特許非公開等）
40			令和4年度の文化勲章受章者・文化功労者（松本白鸚氏、池端俊策氏）
41	自然科学	物理	ボールが滑らかな床と衝突するときの反発係数（計算）
42			電圧計に直列に接続する倍率器の抵抗値（計算）
43		化学	周期表（遷移元素、ケイ素、リンの同素体、酸素と硫黄、ハロゲン）
44			元素と炎色反応（Na、Mg、Ca、Cu、Ba）
45		生物	生物集団におけるハーディ・ワインベルグの法則
46			ヒトの脳（大脳新皮質、間脳、中脳、延髄、小脳）
47		地学	太陽系の惑星（水星、金星、火星、木星、天王星）
48			地層（褶曲、背斜、向斜、地層累重の法則、整合）（空欄補充）

※この出題内訳表は、公開問題をもとに作成したものです。

No.	科目	出題内容（90分、55問中40問選択解答）
1	憲法	プライバシーの権利（京都府学連事件、「石に泳ぐ魚」事件等）
2		人身の自由（逮捕の要件、抑留・拘禁の要件、被告人の権利等）
3		国会議員の特権（不逮捕特権、免責特権）
4		国会、議院の権能（役員の選任、条約の承認、憲法改正の発議等）
5		裁判の公開（民事訴訟における速記の禁止、出版犯罪の非公開等）
6	行政法	行政計画（定義、法律の根拠、拘束的計画、抗告訴訟等）
7		行政行為の効力（拘束力、自力執行力、不可争力、実質的確定力等）
8		行政文書の開示（開示請求者、開示請求の拒否等）
9		審査請求（請求の期間、審査請求書の提出、執行停止等）
10		国家賠償法（損害賠償の外国人への適用、規制権限の不行使等）
11	民法① [総則・物権]	法人、権利能力のない社団（法人格否認の法理、南九州税理士会事件等）
12		取得時効（所有権の取得時効期間、占有の継続、自主占有等）
13		即時取得（原始取得、山林の伐採、盗品の善意買い受け等）
14		所有権の取得（建設途中の建物への第三者の工事と所有権の帰属等）
15		根抵当権（元本確定前の債権範囲変更、根抵当権の消滅請求等）
16	民法② [債権・親族・相続]	弁済（受領権者としての外観を有する者に対する弁済、代物弁済等）
17		詐害行為取消権（行使の範囲、取消後の返還請求等）
18		贈与（諾成契約、解除権、贈与者の担保責任、定期贈与等）
19		契約の解除（受領時以後に生じた果実の返還、解除不可分の原則等）
20		親権（共同行使の原則、子の監護および教育する権利と義務等）
21	ミクロ経済学	均衡における需要の価格弾力性（計算）
22		操業停止点における価格（計算）
23		２市場で供給する独占企業が利潤最大化したときの価格（計算）
24		パレート最適（エッジワースのボックス・ダイアグラム）（グラフ）
25		外部不経済と複数企業の利潤最大化行動（計算）
26	マクロ経済学	消費関数（ケインズ、クズネッツ、フリードマン等）
27		加速度原理（第２期の投資額）（計算）
28		クラウディング・アウト効果による国民所得の減少分（計算）
29		1970年代のスタグフレーション（空欄補充）
30		成長会計（実質GDP成長率）（計算）
31	財政学	戦後の日本財政史（ドッジ・ライン、公債発行、1990年度の予算等）
32		地方財政計画（定義、役割、歳入、歳出等）
33		租税理論（能力説、税負担の公平、アダム・スミス、ラムゼイ等）
34		財政の機能（ミル、資源配分機能、所得配分機能、経済安定化機能）
35		財政理論（ルーカス、ピグー、ブキャナン、マネタリスト等）
36	経営学	リーダーシップ理論（三隅二不二のPM理論）（空欄補充）
37		経営戦略論（資源ベース論、ポジショニング論、VRIOフレームワーク等）
38		投資決定論（投資利益率、ポートフォリオ理論、正味現在価値法、回収期間法）
39		マーケティング（PPM、プロダクト・ライフサイクル、SWOT分析等）
40		SECIモデル（暗黙知と形式知、知識変換の４つのモード）
41	政治学	ウェーバーの支配の３類型（３つの理念型と混合型等）
42		議会の類型（アリーナ型議会と変換型議会、委員会中心主義等）
43		政党・政党制（デュヴェルジェ、凍結仮説、ミヘルス、機能等）
44		近代の西洋政治思想（ボダン、ロック、モンテスキュー、ルソー等）
45		アーモンドとヴァーバの政治文化論（参加型政治文化等）
46	行政学	ストリート・レベルの行政職員（例、エネルギー振り分けの裁量等）
47		能率概念（ワルドー、客観的能率、規範的能率等）（空欄補充）
48		行政統制の類型（職務命令、官房系統組織、私的諮問機関等）
49		アメリカ行政学史（ペンドルトン法、グッドナウ、ホワイト等）
50		広域行政（役場事務組合、事務委託、一部事務組合、広域連合等）
51	社会学	家族（バダンテール、グード、パーソンズ、リトワク等）
52		ホーソン実験（レスリスバーガー、科学的管理法等）（空欄補充）
53		社会運動論（集合行動論、資源動員論、新しい社会運動論等）
54		デュルケームの自殺論（定義、アノミー、自己本位的自殺等）
55		社会集団（中根千枝、資格、場、単一集団）（空欄補充）

※この出題内訳表は、公開問題をもとに作成したものです。

東京都Ⅰ類B [一般方式] 教養試験

No.	科 目	出 題 内 容 （130分、40問必須解答）
1	文章理解（現代文）	内容把握（柳田国男『野草雑記・野鳥雑記』）
2		内容把握（小宮豊隆編『寺田寅彦随筆集 第4巻』）
3		文章整序（和辻哲郎『古寺巡礼』）
4		空欄補充（中村真一郎『源氏物語の世界』）
5	英文理解	内容把握（チャーチルが学生時代に英語を学んだ思い出）
6		内容把握（科学の発展を支える莫大な資金）
7		内容把握（繁殖するための広葉樹林の工夫）
8		内容把握（トムとおじさんによる時についての会話）
9	判断推理	要素の個数（早朝ヨガ、ハイキング、ナイトサファリの参加状況）
10		経路（地点Aから地点Xを通って地点Bまで行く経路数）
11	数的処理	確率（白、赤、青組から1人ずつ選ばれる確率）
12	判断推理	操作の手順（3つの容器による水の移し替え）
13	数的処理	方程式（S席、A席、B席のうちS席のチケットの料金）
14		濃度（果汁8％のジュースにしたとき、水を加える前のジュースの重さ）
15		円（内接円の面積比）
16		数列（整数を反時計回りに並べた表で、400の隣の数）
17	資料解釈	日本における二輪車生産台数の推移（実数値、グラフ）
18		種類別4学校における卒業者数の対前年増減率の推移（指数・増減率、グラフ）
19		日本における4か国からの合板輸入量の構成比の推移（構成比、グラフ）
20		貯蓄の種類別貯蓄現在高の状況（指数・増減率、グラフ）
21	空間概念	一筆書き（始点と終点が一致する一筆書きの図）
22		展開図（円錐台の展開図）
23		軌跡（図形の頂点Pが描く軌跡の長さ）
24	数的処理	円（円の内側に接する長方形が通過する部分の面積）
25	人文科学	文化	ヨーロッパの芸術（耽美主義、写実主義、印象主義、ロマン主義等）
26		歴史	鎌倉仏教（一遍、栄西、親鸞、日蓮、法然）
27			モンゴル帝国・元（チンギス＝ハン、元の支配体制、駅伝制等）
28		地理	世界の農業（輸送園芸農業、オアシス農業、混合農業、地中海式農業等）
29	社会科学	法律	債務不履行による損害賠償（損害賠償の対象、違約金、金銭賠償、履行遅滞等）
30		政治	国際連合（総会の決議に基づく勧告、加盟国、常任理事国、国際司法裁判所等）
31		経済	景気変動（コンドラチェフ、フリードマン、ビルトイン・スタビライザー等）
32	自然科学	物理	熱量の保存（比熱の異なる2種類の液体を混合後の温度変化）
33		化学	炭素（黒鉛、活性炭、ダイヤモンド、一酸化炭素、二酸化炭素）
34		生物	ヒトの腎臓（体内での位置、尿素、ろ過と濃度調整、腎単位、腎小体）
35		地学	太陽の進化（主系列星、赤色巨星、白色矮星、惑星状星雲）
36	社会事情		ヤングケアラーの支援（早期発見・把握、社会的認知度、実態調査、家族介護等）
37			『環境白書／循環型社会白書／生物多様性白書』（大阪ブルー・オーシャン・ビジョン等）
38			「まち・ひと・しごと創生基本方針2021」（地方創生テレワーク交付金、DX等）
39			デジタル庁設置法（個人等を識別する番号、デジタル大臣、デジタル監等）
40			経済連携協定等（TPP、日EU・EPA、日米貿易協定、日英EPA、RCEP）

※この出題内訳表は、公開問題をもとに作成したものです。

特別区Ⅰ類 教養試験

No.	科 目	出 題 内 容 （120分、No.1～No.28必須解答、No.29～No.48のうち12問選択解答）
1	文章理解	現代文	要旨把握（岡本太郎『自分の運命に楯を突け』）
2			要旨把握（平尾誠二『人は誰もがリーダーである』）
3			要旨把握（梅棹忠夫『知的生産の技術』）
4			文章整序（岸田劉生『美の本体』）
5			空欄補充（渋沢栄一：守屋淳『現代語訳 論語と算盤』）
6		英文	内容把握（絵の受賞者発表を見に来たネロ）
7			内容把握（日本人がスピーチの前に謝る理由）
8			空欄補充（詩の暗記を勧める理由）
9			文章整序（日本のカレーライス）
10	判断推理		試合の勝敗（8チームによる野球のトーナメント戦）
11			暗号（「ＡラードＤドレＡミファＡソシＣララＢドレＤミファ」が表す暗号）
12			対応関係（5人の間の商品の売買）
13			発言推理（音楽コンクールで1位～5位になった5人の順位）
14			数量相互の関係（A～Dの4人が受けたテストでのCの正解数）
15			位置関係（ある地域における6つの施設の位置関係と距離）
16	数的処理		三角形（円内の三角形の面積）
17			数の計算（分数 $\frac{5}{26}$ を小数で表したときの小数第100位の数字）
18			流水算（川沿いを走る自転車と同時に出発した船の静水時の速さ）
19			仕事算（2人が倉庫整理にかかった日数）
20			連立不等式（ある催し物の出席者の人数）
21	資料解釈		国産木材の素材生産量の推移（実数値、数表）
22			政府開発援助額の対前年増加率の推移（指数・増減率、数表）
23			品目分類別輸入重量の推移（実数値、グラフ）
24			港内交通に関する許可件数の構成比の推移（構成比・割合、グラフ）
25	空間把握		展開図（同一の正六面体の展開図）
26			平面構成（3種類の型紙を組み合わせて作る六角形）
27			投影図（ある立体の見取図）
28			軌跡（2つの扇型の中心点の軌跡と直線で囲まれた面積の和）
29	社会科学	法律	法の分類（条約、公法、社会法、自然法、成文法）
30		政治	日本が批准している国際人権条約（難民の地位に関する条約、障害者権利条約等）
31			世界の政治体制（アメリカ、フランス、中国）
32		経済	日本における現代の企業（資金の調達、中小企業基本法、有限会社の存続等）
33	人文科学	歴史	江戸時代の儒学者（林羅山、貝原益軒、中江藤樹、伊藤仁斎、荻生徂徠）
34			室町幕府（足利尊氏、守護大名、観応の擾乱、鎌倉府、足利義満）
35			大航海時代（エンリケ、ヴァスコ・ダ・ガマ、コロンブス、マゼラン）
36		地理	世界の交通（時間距離、船舶、鉄道、自動車、航空機）
37	社会事情		2021年のドイツ連邦議会選挙と新政権発足（社会民主党、メルケル氏の引退等）
38			2021年5月に成立したデジタル改革関連法（個人情報保護委員会等）
39			2022年に発効したRCEP協定（参加国、巨大経済圏の誕生、共通ルール等）
40			2021年7月の世界文化遺産への登録（三内丸山遺跡、大湯環状列石等）
41	自然科学	物理	媒質の境界で屈折するときの波の速さと波長（屈折の法則）（計算）
42			電気と磁気（クーロンの法則、オームの法則、レンツの法則等）
43		化学	金属（金、銀、銅、鉄、アルミニウム）
44			物質の三態と熱運動（状態変化と温度、温度の下降、拡散、昇華等）
45		生物	細胞の構造（真核細胞、細胞質基質、細胞壁、ミトコンドリア等）
46			ヒトのホルモン（バソプレシン、インスリン、アドレナリン等）
47		地学	太陽の表面（光球面温度、黒点、粒状斑、彩層、コロナ、フレア等）
48			日本の四季の天気（冬、春、梅雨、夏、台風）

※この出題内訳表は、公開問題をもとに作成したものです。

No.	科　目	出題内容（90分、55問中40問選択解答）
1	憲　法	職業選択の自由（薬局の適正配置規制、小売市場の許可規制等）
2		生存権（朝日訴訟、塩見訴訟、堀木訴訟等）
3		内閣（条約締結権、政令制定権、総辞職、連帯責任、予備費）
4		裁判官（国民審査、公の弾劾、任命、分限裁判等）
5		条例、特別法（条例と規則、上乗せ条例、財産権の制約、売春取締条例等）
6	行政法	法律による行政の原理（法律の優位の原則、法律の留保の原則、権力留保説等）
7		行政行為の附款（条件、期限、負担、附款の目的、附款の取消訴訟）
8		意見公募手続等（公示方法、提出意見の考慮、実施義務、意見の公示等）
9		行政事件訴訟（主観訴訟と客観訴訟、無名抗告訴訟、民衆訴訟等）
10		損害賠償責任（公の営造物の設置、管理の瑕疵）
11	民法① ［総則・ 物権］	代理（顕名、非顕名、無権代理、復代理等）
12		無効、取消し（追認、取消権者、相手方に対する意思表示等）
13		共有（分割と不分割、管理、明渡し、原状回復等）
14		地上権（無断譲渡、地下・空間の地上権、地代、時効取得）
15		抵当権（物上保証人、目的、抵当権の順位、転抵当、消滅）
16	民法② ［債権・親 族・相続］	連帯債務（絶対的効力と相対的効力、履行の請求、相殺、求償等）
17		債権の譲渡（更改、供託の通知、将来の債権、第三者対抗要件）
18		不当利得（非債弁済、錯誤による弁済、不法原因給付等）
19		不法行為（非財産的損害、緊急避難、過失相殺、共同不法行為、時効消滅）
20		遺言（遺言能力、自筆証書遺言、遺言執行者等）
21	ミクロ 経済学	消費者の最適消費（計算）
22		長期均衡における財の価格（計算）
23		利得表を用いたゲーム理論（ナッシュ均衡）
24		市場の安定性（ワルラス的、マーシャル的、クモの巣）（グラフ）
25		公共財の最適供給量（計算）
26	マクロ 経済学	$IS-LM$モデル（流動性のわな、クラウディング・アウト等）（空欄補充）
27		ライフサイクル仮説（15年後の年間貯蓄額）（計算）
28		インフレと失業率（フィリップス曲線、自然失業率と摩擦的失業等）
29		産業連関分析（国内需要、総投入額の変化率）（空欄補充、計算）
30		ハロッド＝ドーマーの成長モデル（労働人口の増加率等）（計算）
31	財政学	日本の予算制度（予算の内容、国庫債務負担行為、補正予算等）
32		公債の負担（ラーナー、ブキャナン、ボーエン＝デービス＝コップ等）
33		日本の租税分類（課税目的による分類、課税ベースによる分類等）
34		ピーコックとワイズマンの経費論（転位効果、集中過程等）
35		所得再分配政策前後のジニ係数の差（計算）
36	経営学	経営における意思決定（サイモン、アンゾフ、バーナード、ごみ箱モデル）
37		経営組織（プロジェクトチーム、ファンクショナル組織、ライン・アンド・スタッフ組織、事業部制組織等）
38		人的資源管理（フレックスタイム制、ジョブローテーション、ワークシェアリング、OJT等）
39		生産管理（テイラー・システム、フォード・システム、ジャスト・イン・タイム、セル生産方式等）
40		日本的経営（アベグレン、ヴォーゲル、オオウチ、「三種の神器」）
41	政治学	政治的無関心（現代型、伝統型、脱政治的態度、反政治的態度等）
42		イギリスの政治制度（裁判所、下院選、下院優位、内閣、影の内閣）
43		マスメディアの影響（培養理論、フレーミング効果、沈黙の螺旋等）
44		ロールズ、ノージックの政治思想（正義の第1原理、第2原理等）
45		一元的国家論・多元的国家論（ラスキ、ヘーゲル、国家の優位性等）
46	行政学	行政委員会・庁（独任制、位置づけ、閣議の請求権、長官の命令権）
47		会計検査院（独任制、検査官の任命、3E基準、検査対象機関等）
48		行政責任（足立忠夫、フリードリッヒ、ファイナー、ジレンマ）
49		シュタイン行政学（警察学、影響、国家観、憲政と行政の関係）
50		中央地方関係（大陸型・英米型、分権・分離型、集権・融合型）
51	社会学	マッキーヴァーによる社会集団の類型（都市、国家等）（空欄補充）
52		都市（フィッシャー、ワース、バージェス、ハリスとウルマン、ホイト）
53		社会構造・機能（ハーバーマス、マートン、ギデンズ、ルーマン等）
54		文化（リントン、タイラー、任意的、特殊的、芸術等）（空欄補充）
55		社会調査（全数調査、標本調査、留置き法、生活史法）

※この出題内訳表は、公開問題をもとに作成したものです。

次の文章で述べられていることとして、最も妥当なのはどれか。

　どこの国の言葉をみても、必要にして充分なだけのことを表現しているものはない。百のことを言いたいときにはかならず百五十とか百八十とかのことを言っている。両者の差が言語の冗語性（リダンダンシイ）である。いかなる言語も冗語性をもっていないものはない。この冗語性は、言語の授受における相互の関係で大きく変化する。親しい人同士が小さくて静かな部屋で話し合っているときには、どちらかというと冗語性は小さくてすむ。しゃれた、さらりとした、ときには以心伝心の話でもわかる。ところが、戸外の騒々しいところではそうはいかない。大声で念を押してくりかえさなくてはならなくなる。また、利害の対立している二者のあいだでは理詰めにこまかく表現しなくては、相手を納得させられない。こういう場合には冗語性が高くなるのである。

　このように、冗語性の大小は一様ではないが、いずれにしても、言語はかならずムダな部分をもっている。しかも、それがかなり大きなものであるのに、われわれはほとんど気づいていない。クロスワード・パズルが可能なのも、また試験問題で空所に適当な語を入れよというような出題ができるのも、まったく冗語性のおかげである。でなければ、復元できるわけがない。

　人間はそういう冗語性の大きな、ムダの多い言葉を毎日使って、言語生活をつづけている。言葉を使っているかぎり、いかなる人もムダから無縁ではあり得ないわけだ。食べるものにこと欠くような人々ですら、言語を使うことによってのムダはすることができる。いいかえると人間らしい営みをすることができるのである。機械にはムダがすくないが、人間のすることが人間らしいのはこのムダがあるからだ。

　平面は三点によって定まると物理学は教える。したがって、椅子には三つ脚があれば必要・充分の条件を満たしていることになる。それで椅子は倒れないはずである。ところが、実際に三脚の椅子はまず人目にふれるところにはない。四脚が普通だが、これだと、どれか一本は“遊んで”いるのである。リダンダンシイである。椅子にもムダがあるわけだ。ムダがあるから実際に椅子として役立つ。

　言語も椅子に似て三脚だけでは実際的ではない。ムダが必要なのだが、椅子の脚のように一本くらいの余裕ではまだ充分でない。いわば五脚の椅子である。人間は言語という五脚の椅子に坐っている。その二本の脚はムダだから切ってしまえといったら、たちまちひっくりかえってしまう。

（外山滋比古「日本語の個性」による）

1　気のおけない間柄にある人同士が話をする場合には、話が弾み、会話が展開するので、それに伴い多弁になってリダンダンシイが大きくなる傾向がある。

2　理詰めでこまかい表現は、利害の対立している二者のあいだでは必要なものと言えるから、本来リダンダンシイの問題ではない。

3　生きるのに最低限必要な環境が揃わないと、人間らしい営みはできず、そのような状況のもとでは、会話におけるリダンダンシイが存在する余地はない。

4　実際にまず人目に触れるところにはない「三脚の椅子」のような、充分なリダンダンシイのない言語のもとでは、人間らしい営みは期待できない。

5 リダンダンシイにも、物理学から導かれる普遍の法則が存在し、これに照らせば、言語における「五脚の椅子」の五脚目は過剰であり、意思疎通の障害となる。

解 説 ━━━━━━━━━━━━━━━━━━━━━━━━━━━━━━━━━━━━━

いかなる言語も、大小は状況に応じて変わるが、リダンダンシイ（冗語性）を持っており、言葉を使うことによるムダは人間らしい営みであることを、三脚の椅子がないことをたとえに挙げて述べた文章。

1. 第1段落で、「親しい人同士が小さくて静かな部屋で話し合っているときには」リダンダンシイは小さくてすむ、とある。「話が弾み、会話が展開する」から多弁になるという記述はない。

2. 第1段落によると前半は正しいが、利害の対立している二者の間ではリダンダンシイが高くなるとあるから、「本来リダンダンシイの問題ではない」とするのは誤り。

3. 第3段落で、「食べるものにこと欠くような人々」でも言語使用においてリダンダンシイというムダはできるとあり、それを人間らしい営みと述べているため、「人間らしい営みはできず」「リダンダンシイが存在する余地はない」とするのは誤り。

4. 妥当である。

5. 物理学は、平面は三点によって定まると教えているだけで、ムダに見える四本目の脚のリダンダンシイに物理法則が存在するわけではないため、誤り。また、言語にはムダ（リダンダンシイ）があるが、だからといって「意思疎通の障害」が生じるとは述べていない。なお、第5段落では、言語という「五脚の椅子」では五脚目だけでなく「二本の脚」がムダであるとしている。

正答 4

次の文章で述べられていることとして、最も妥当なのはどれか。

　環境は価格のつかない価値物であるが、価格がつかないことと関連してもう一つ重要な特徴は、社会にとっての共通の基盤として共同性を持つことでもある。歴史的には、世界や日本の各地で、森林、漁場、土地などの領域で、それを個別に私的に所有するのとは異なる形でマネージメントする仕組みが作られてきたが、それはしばしばコモンズと呼ばれてきた。

　ところが、生物学者のG. ハーディンが雑誌『サイエンス』の誌上でコモンズの悲劇（tragedy of commons）と題する論文（1968年）を発表したことをきっかけに、コモンズのあり方がさかんに議論されるようになった。ハーディンは一つの寓話を用いて、農民が共有地（コモンズ）を自由に利用できる限り、共有地の荒廃は防ぐことができないと主張した。そこで用いられた寓話は要約すれば次のようなものである。すなわち、まず、共有地に農民が牛を放牧するという状況を設定し、農民がそれぞれより多くの利益を求めて一頭でも多くの牛を共有地に放牧しようとすると想定する。その結果として共有地は過放牧となって、結果的にすべての農民が被害を被るというものである。

　ハーディンが想定したモデルが歴史的事実に合致しているか否かについては議論の余地があるが、その後のコモンズの悲劇に関する論争は、再生可能な環境資源をはじめとするコモンズの管理組織や管理形態の重要性を気づかせた点で貴重であった。

　この問題は、宇沢弘文氏らによって社会的共通資本の理論を基礎においたコモンズ論として展開されている。コモンズとは、さしあたりは私有化されておらず地域社会の共通基盤となっている自然資源や自然環境を指すものと考えられてきたが、注目すべきは、近年環境や資源そのものではなく、その管理のための組織やルールのあり方の問題として議論されるようになってきたことである。

　従来コモンズは、「コモンズの悲劇」論を根拠として、私的所有権が明確に規定されていないため必然的に過剰利用されてしまうと評価されがちであった。そこから、コモンズは管理形態として適切ではなく、私有化をすすめなければ環境資源の効率的な利用はできないことが示唆されてきた。ところが、コモンズを解体して私有化した場合にも数多くの問題が生じることが明らかになってきたし、そもそも「コモンズの悲劇」の議論には、コモンズの性格や機能に関する多くの誤謬が含まれていたのである。現在では、コモンズではむしろ、自然資源や自然環境の持続的利用（sustainable use）、管理が可能であった、という点が認められ、コモンズの機能に着目した再評価が行われているのである。

（植田和弘「環境経済学への招待」による）

1　コモンズは、価格のつかない価値物であり、世界や日本の各地で、それを個別にマネージメントする仕組みが作られてきた。

2　コモンズの悲劇と題する論文では、農民がコモンズを自由に利用できる限りその荒廃は免れ得ないとしているが、論文中の想定は現代では成立しない。

3　社会的共通資本の理論を基礎としたコモンズ論では、それらの管理のための組織やルールのあり方の問題として、コモンズを定義した。

4 コモンズの悲劇の解決策としてのコモンズの解体は、環境資源の効率的な利用のために必要であり、コモンズに関する多くの誤謬を修正する契機になった。

5 森林、漁場、土地などをマネージメントする仕組みとしてのコモンズは、自然資源や自然環境の持続的な利用や管理に関するルールとして再評価されている。

解説

森林、漁場、土地などを共同性に基づきマネージメントする仕組みとしてのコモンズは、農民がコモンズを自由に利用できる限り荒廃は免れない「コモンズの悲劇」論を根拠に評価されてきたが、近年自然資源や自然環境の持続的な利用や管理に関するルールとして、その機能が再評価されている、と述べた文章。

1. 第1段落に、コモンズは「個別に私的に所有するのとは異なる形でマネージメントする仕組み」とあるため、「個別にマネージメントする」というのは誤り。

2. 前半は正しい。しかし、第3段落では、ハーディンが想定したモデルが「歴史的事実に合致しているか否かについては議論の余地がある」と述べているだけである。論文中の想定が「現代」において成立しないとする明確な言及はない。

3. 第3・4段落によると、社会的共通資本の理論を基礎においたコモンズ論では、コモンズの定義についての議論ではなく、コモンズの「管理組織や管理形態の重要性」の問題として議論が展開されたとある。

4. 第5段落では、コモンズを解体しても「数多くの問題が生じることが明らかに」なるとともに、「コモンズの悲劇」の議論に多くの誤謬があったことが明らかになったとあるため、「誤謬を修正する契機になった」とするのは誤り。

5. 妥当である。

正答 **5**

次の文につながるようＡ～Ｆを並べ替えて一つのまとまった文章にする場合、最も妥当なのはどれか。

　行動主義はこう述べる。ある人が「優しい心を持つ」ということは、その人が時に応じて優しい「振舞」をすること以外にはない。「悲しい」とは悲しい振舞をすることにつき、「怒っている」とは怒りの所作をすることそのことである、と。要するに、他人の心について語ることは実はその振舞について語ることに他ならない、と言うのである。

Ａ　こうして、「悲しみ」という言葉の意味は、悲しみの振舞の無限集合をまとめあげる役割を持つ。

Ｂ　簡単に言えば、「悲しい振舞」のパターンを知っていることなのである。もしその判別があやふやであれば、それは「悲しみ」の意味の了解があやふやなのであり、「悲しみの振舞」のパターン認識があやふやなのである。

Ｃ　しかし、いかなる振舞がこの無限集合に属し、いかなる振舞がそうでないかをどうして判別できるのだろうか。それはまさに「悲しみ」の意味によってである以外にはあるまい。

Ｄ　そして振舞という物体運動の他に、非物質的な「悲しみ」というものがあるのではない。他人には心もあれば意識もある。ただし、心ある振舞、意識的振舞をする、というその意味において心があり意識があるのである。

Ｅ　「悲しみ」の意味を了解しているということがとりも直さず、この判別ができることに他ならない。この判別ができるということそのことが、「悲しみ」の意味を知っていることなのである。

Ｆ　では例えば、悲しみの振舞とはどのような振舞なのだろうか。それは恐らく無数の振舞の無数のバリエーションであろう。悲しげな顔、悲しげな足どり、悲しみの表白等々。そして数限りない悲しみの顔があり、悲しみの足どりがあるはずである。それら悲しみの振舞は、振舞の無限集合を作るだろう。

（大森荘蔵「言語・知覚・世界」による）

1　Ｃ－Ｂ－Ａ－Ｅ－Ｆ－Ｄ
2　Ｄ－Ｂ－Ｃ－Ｅ－Ｆ－Ａ
3　Ｄ－Ｅ－Ｆ－Ｂ－Ｃ－Ａ
4　Ｆ－Ａ－Ｃ－Ｂ－Ｅ－Ｄ
5　Ｆ－Ｃ－Ｅ－Ｂ－Ａ－Ｄ

行動主義では、他人の心について語ることは、その人の振舞について語ることであり、たとえば、悲しみの振舞は、振舞の無限集合を作るが、いかなる振舞がそこに属すか判別できるということは、「悲しみ」という言葉の意味を知っているということで、「悲しみ」という言葉の意味が、悲しみの振舞の無限集合をまとめ上げる役割を持つ、と述べた文章。

　重複する語、指示語、接続語を手がかりに、つながりが見つけやすいものをグループ分けし、選択肢と比較して考える。「振舞の無限集合」に当たる言葉はA、C（「振舞がこの無限集合に」）、F、『悲しみ』の意味」に当たる言葉はA（「『悲しみ』という言葉の意味」）、B、C、E、「判別」はB、C、Eに出てくる。Cはこれら3つの語すべてを含むとともに、「しかし」で始まっていることから、前半と後半を「しかし」でつなぐ、重要な部分だといえる。Cの内容から、「しかし」の前には「振舞の無限集合」の話題、「しかし」の後には「悲しみの意味」の話題が来ることが推測される。Aには「振舞の無限集合」と「悲しみの意味」の両方が出てくるため、まずは「振舞の無限集合」しか含まないCとFを見ると、冒頭で「悲しい」とは悲しい振舞をすることだと述べ、Fで「悲しみの振舞とはどのような振舞なのだろうか」と話題を展開し、「悲しみの振舞は、振舞の無限集合を作る」と述べ、Cの「この」でFの「振舞の無限集合」を受けているため、冒頭→F→Cとなる。ここで該当する選択肢は**5**となる。Cでは、振舞の「判別」をするのが「悲しみ」の意味だと述べ、「判別」と「悲しみの意味」について述べたBとEが後に来ることが予想される。Cの「判別」を「この」で受けるEがCの後に来て、「判別ができるとは悲しみの意味を知っていること」と、Cの内容を別の表現で繰り返し、Bでは「簡単に言えば」とまとめているため、E→Bとなり、冒頭→F→C→E→Bとなる。

　5を見ると、Aは「こうして」と、F、C、E、Bで述べたことをまとめ、「悲しみの意味」が「振舞の無限集合をまとめあげる」と要点を述べている。最後に、Dでは冒頭の「心」と関連させ、行動主義における心と意識が、あくまで振舞としての心と意識である、とまとめている。

　よって、F→C→E→B→A→Dとなり、正答は**5**である。

正答　**5**

次の文章の空欄に当てはまる語句の組合せとして、最も妥当なのはどれか。

これからの教養とは無論、インターネットにある雑多な情報の集合体ではありません。情報を論理的に体系化したものが [A] とすると、これからの教養は書斎型の [A] でなく、現実対応型のものでなくてはなりません。現実対応型の [A] とは、屍のごとき [A] ではなく、生を吹き込まれた [A]、情緒や [B] と一体となった [A] です。

ここで言う情緒や [B] とは一体何でしょうか。まず情緒ですが、ほぼ先天的に備わっている喜怒哀楽ではありません。それなら [C] にもあります。より高次元とも言える、後天的に得られるもの、[D] その人が生まれ落ちてからこれまでにどんな経験をしてきたか、によって培われる心です。どんな親に育てられたか、どんな友達や先生と出会ってきたか、どんな美しいものを見たり読んだりして感動してきたか、どんな恋や失恋や片思いをしてきたか、どんな悲しい別れに会ってきたか……などにより形成されるものです。美的感受性やもののあわれなどの美的情緒、宗教によって得られる宗教的情緒なども含まれます。

また [B] とは、日本人としての [B]、[D] 弱者に対する涙、卑怯を憎む心、正義感、勇気、忍耐、誠実、などです。論理的とは言えないものの価値基準となりうる、[C] ではない人間のあり方です。こう書いてくると、これからの教養とはプラトンからカントまで、様々な哲学者が語った知情意や真善美に似ています。これらを荒っぽく要約すると、知（真）が [A]、情（美）が情緒、意（善）が意志や道徳ですから、私の言う教養、[D] 情緒や [B] と一体になった [A]、とはそれらに近いと言えます。

（藤原正彦「国家と教養」による）

	A	B	C	D
1	知識	形	赤子	例えば
2	知識	形	獣	すなわち
3	知識	癖	獣	例えば
4	知恵	形	獣	例えば
5	知恵	癖	赤子	すなわち

これからの教養とは、後天的に経験してきたことにより培われる心である「情緒」や、価値基準となりうる人間のあり方である「形」と一体となった現実対応型の知識でなくてはならない、と述べた文章。

空欄Aには「情報を論理的に体系化したもの」が入る。ものごとの道理をわきまえ、適切に判断するという意味の「知恵」は、必ずしも情報を論理的に体系化したものとは限らないため、不適切。経験や学習によって得られた情報や認識という意味の「知識」が当てはまる。Bは、第3段落の「弱者に対する涙、卑怯を憎む心、正義感、勇気、忍耐、誠実」のことであり、「人間のあり方」であると述べられている。偏った好みや習慣という意味である「癖」は、不適切。「形」には、表面上の姿という意味以外に、事物を分類する際、それぞれに共通した特徴を表している形態という意味があるので、Bに当てはめることができる。Cは、第2段落のCの前の「それ」が、前の文の「喜怒哀楽」をさしているので、先天的に喜怒哀楽を備えているものが入る。第3段落のCから、人間はCに当てはまらないことがわかるので、「赤子」は不適切。「獣」が当てはまる。Dは、Dの後の文がDの前の文の言い換えになっていることから、「すなわち」が当てはまる。

よって、Aは「知識」、Bは「形」、Cは「獣」、Dは「すなわち」となり、正答は**2**である。

正答　**2**

〔No.5～8〕の英文理解については、試験問題掲載の許諾を得られなかったため、掲載しておりません。

なお、〔No.5～8〕は次のような出題内容でした。

〔No.5〕　内容把握　龍口直太郎「現代随筆論文選　Sir Winston Churchill『The Grand Alliance』」

〔No.6〕　内容把握　Astrid Lindgren「Pippi Longstocking」

〔No.7〕　内容把握　Ron Friedman「The Best Place to Work」

〔No.8〕　内容把握　Kazuo Ishiguro「Klara and the Sun」

ある商社のバンコク現地法人の社員100人について、タイ国内の3か所の観光地アユタヤ、チェンマイ、プーケットへの旅行経験を調べたところ、次のことが分かった。

ア　チェンマイへの旅行経験がない社員の人数は56人であった。

イ　2か所以上の観光地への旅行経験がある社員のうち、少なくともアユタヤとチェンマイの2か所の旅行経験がある社員の人数は18人であり、少なくともチェンマイとプーケットの2か所の旅行経験がある社員の人数は17人であった。

ウ　旅行経験がプーケットのみの社員の人数は20人であり、旅行経験がアユタヤのみの社員の人数は旅行経験がアユタヤとプーケットの2か所のみの社員の人数の3倍であった。

エ　アユタヤ、チェンマイ、プーケットの3か所の旅行経験が全てある社員の人数は8人であり、アユタヤ、チェンマイ、プーケットの3か所の旅行経験がいずれもない社員の人数は12人であった。

以上から判断して、旅行経験がアユタヤのみの社員の人数と、旅行経験がチェンマイのみの社員の人数の差として、正しいのはどれか。

1　1人　**2**　2人　**3**　3人　**4**　4人　**5**　5人

解説

キャロル表を利用し、ア～エの条件に従ってそれぞれの人数を記入していく。旅行経験がアユタヤとプーケットの2か所のみの社員の人数を x、旅行経験がアユタヤのみの社員の人数を $3x$ としておく。ここまでで表Ⅰとなる。旅行経験がプーケットのみの社員の人数が20人、アユタヤ、チェンマイ、プーケットの3か所の旅行経験がいずれもない社員の人数は12人なので、この両者で32人となる。ここから、$4x+32=56$、$4x=24$、$x=6$ となるので、旅行経験がアユタヤのみの社員の人数は、$6×3=18$ より、18人である。また、$100-56-18=26$ より、チェンマイに行ったことがあるがアユタヤに行ったことがない社員は26人、チェンマイとプーケットの2か所のみに行ったことがある社員は、$17-8=9$ より、9人である。ここから、旅行経験がチェンマイのみの社員の人数は、$26-9=17$ より、17人である。したがって、旅行経験がアユタヤのみの社員の人数と、旅行経験がチェンマイのみの社員の人数の差は、$18-17=1$ より、1人であり、正答は**1**である。

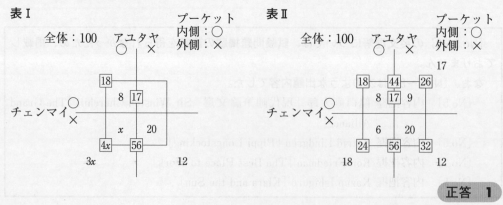

正答　**1**

東京都・特別区

教養試験

都

No. 10 数的処理　4次魔方陣　令和6年度

下の図のように配置されたマスに、1〜16の異なる数字を一つずつ記入して、縦、横、対角線のいずれにおいても、数字の和が同じ値となるようにするとき、マスA及びBに入る数字の和として、正しいのはどれか。

		5	16
14			
A			3
1	B	8	13

1　19
2　21
3　23
4　25
5　27

解説

1〜16までのそれぞれ異なる整数を、縦、横、対角線の和がいずれも等しくなるようにマス目に入れると、その和はそれぞれ34になる。1〜16の和は$\frac{16\times(16+1)}{2}=136$で、その$\frac{1}{4}$である34が縦、横、対角線4数の和にならなければ条件を満たせないからである。図Ⅰにおいて、1＋B＋8＋13＝34より、B＝12、16＋C＋3＋13＝34より、C＝2である（図Ⅱ）。また、図Ⅲにおいて、同じ記号の4か所の数の和も必ず34となる。ここから、14＋A＋2＋3＝34より、A＝15である。したがって、A＋B＝15＋12＝27であり、正答は**5**である。

図Ⅰ

		5	16
14			C
A			3
1	B	8	13

図Ⅱ

		5	16
14			2
A			3
1	12	8	13

図Ⅲ

○	△	△	○
□	×	×	□
□	×	×	□
○	△	△	○

正答　5

ある卓球大会の決勝戦でAチームとBチームが試合をし、先に3勝したチームが優勝すること
になっている。1回の試合でAチームが勝つ確率を$\frac{1}{4}$、Bチームが勝つ確率を$\frac{3}{4}$とするとき、
Aチームが優勝する確率として、正しいのはどれか。

1 $\frac{53}{512}$

2 $\frac{7}{64}$

3 $\frac{15}{128}$

4 $\frac{31}{256}$

5 $\frac{1}{8}$

解説

まず、3勝0敗でAチームが優勝する確率は、$\left(\frac{1}{4}\right)^3 = \frac{1}{64}$である。3勝1敗となる確率は、3

試合目までにBチームが1勝するので、$\left(\frac{1}{4}\right)^3 \times \frac{3}{4} \times 3 = \frac{9}{256}$である。そして、3勝2敗とな

る確率は、4試合目までにBチームが2勝するので、$\left(\frac{1}{4}\right)^3 \times \left(\frac{3}{4}\right)^2 \times {}_4C_2 = \frac{54}{1024} = \frac{27}{512}$である。

したがって、Aチームが優勝する確率は、$\frac{1}{64} + \frac{9}{256} + \frac{27}{512} = \frac{8}{512} + \frac{18}{512} + \frac{27}{512} = \frac{53}{512}$であり、

正答は**1**である。

正答 **1**

A〜Dの4人の大学生は、それぞれ、歌舞伎、能、オペラのいずれか一つのみを鑑賞したことがあり、次のア〜ウのことが分かっている。

ア　Aは、一度は歌舞伎を鑑賞してみたいと思い、歌舞伎を鑑賞したことがあるDに相談した。

イ　Bは、来月、初めて能を鑑賞する予定である。

ウ　4人のうち2人だけが同じものを鑑賞したことがあり、その2人が鑑賞したのは歌舞伎又は能のいずれかである。

以上から判断して、確実にいえるのはどれか。

1 Aが鑑賞したのが能であれば、Bが鑑賞したのはオペラである。

2 Aが鑑賞したのが能であれば、Cが鑑賞したのは歌舞伎である。

3 Bが鑑賞したのが歌舞伎であれば、Aが鑑賞したのはオペラである。

4 Cが鑑賞したのが能であれば、Aが鑑賞したのはオペラである。

5 Cが鑑賞したのがオペラであれば、Bが鑑賞したのは歌舞伎である。

解　説

まず、ア〜ウから判明している内容を表Ⅰのように表し、この表Ⅰを利用して、各選択肢を検討すればよい。

1. Aが鑑賞したのが能であることが確定しても、B、Cについては判断できない（表Ⅱ−1）。

2. **1**と同様で判断できない（表Ⅱ−2）。

3. Bが鑑賞したのが歌舞伎であることが確定しても、A、Cについては判断できない（表Ⅱ−3）。

4. Cが鑑賞したのが能であることが確定しても、A、Cについては判断できない（表Ⅱ−4）。

5. 正しい。Cが鑑賞したのがオペラであることが確定すれば、Aが鑑賞したのは能、Bが鑑賞したのは歌舞伎と判断することができる（表Ⅱ−5）。

よって、正答は**5**である。

表Ⅰ

	歌舞伎	能	オペラ
A	×		
B		×	
C			
D	○	×	×

表Ⅱ−1

	歌舞伎	能	オペラ
A	×	○	×
B		×	
C			
D	○	×	×

表Ⅱ−2

	歌舞伎	能	オペラ
A	×	○	×
B		×	
C			
D	○	×	×

表Ⅱ−3

	歌舞伎	能	オペラ
A	×		
B	○	×	×
C	×		
D	○	×	×

表Ⅱ−4

	歌舞伎	能	オペラ
A	×		
B		×	
C	×	○	×
D	○	×	×

表Ⅱ−5

	歌舞伎	能	オペラ
A	×	○	×
B	○	×	×
C	×	×	○
D	○	×	×

正答　**5**

ある遊園地では、開園前から入場ゲートに来園者の行列ができており、その後も毎分決まった人数の来園者が行列に加わっている。開園と同時に一つの入場ゲートで来園者を受け入れた場合、行列がなくなるまで30分かかり、二つの場合、10分かかることが分かっている。開園と同時に三つの入場ゲートで来園者を受け入れた場合、行列がなくなるまでにかかる時間として、正しいのはどれか。ただし、いずれの入場ゲートも毎分の受入可能人数は同じとする。

1 4分

2 5分

3 6分

4 7分

5 8分

解説

行列が減っていく（解消する）時間の比と、行列が減っていく速さの比は逆比の関係になる。つまり、1つの入場ゲートでは行列がなくなるまで30分、2つのゲートでは10分かかるので、その時間の比は3：1、ここから、行列が減っていく速さの比は1：3となる（図Ⅰ）。ここから、図Ⅱのように、ゲート1か所と、ゲート3か所の場合では、行列が減っていく速さの比は1：5となる。したがって、行列が解消するのにかかる時間の比は5：1であり、5：1＝30：6より、6分である。

よって、正答は**3**である。

図Ⅰ

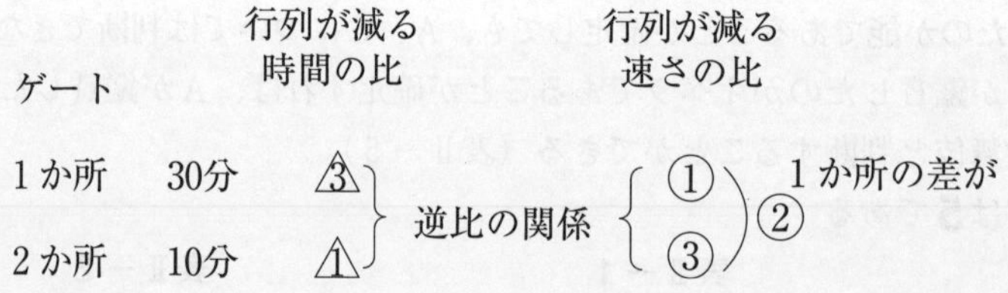

ゲート		行列が減る 時間の比			行列が減る 速さの比	
1か所	30分	③	} 逆比の関係	①	} 1か所の差が ②	
2か所	10分	①		③		

図Ⅱ

ゲート		行列が減る 時間の比			行列が減る 速さの比	
1か所	30分	⑤ ③		①	} 1か所の差が ②	
2か所	10分	①	} 逆比の関係	③	} 2か所の差は ④	
3か所	6分	⑤		⑤		

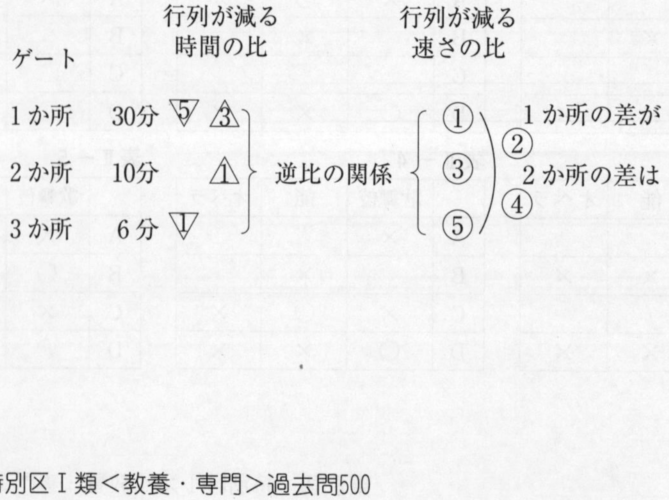

正答 3

No. 14 数的処理　　数　列　　令和 6 年度 都

下のような数列において、677は第何項となるか、正しいものを選べ。

第1項	第2項	第3項	第4項	第5項	第6項	第7項	・・・
1	2	5	10	17	26	37	・・・

1 第27項

2 第28項

3 第29項

4 第30項

5 第31項

解　説

この数列の階差数列は、1、3、5、7、9、11、……となっており、1を初項とする奇数列である。1を初項とする奇数列において、初項から第 n 項までの和は n^2 となる。ここから、$1+n^2=677$、$n^2=676$、$n=26$ となるので、677は第27項である。

　よって、正答は **1** である。

正答　**1**

下の図のように、線分 AB＝$4\sqrt{3}$、線分 BC＝8、∠ABC＝60°の平行四辺形 ABCD の外側に、各辺を一辺とする正方形があり、それぞれの正方形の対角線の交点を E、F、G、Hとするとき、四角形 EFGH の面積として、正しいのはどれか。

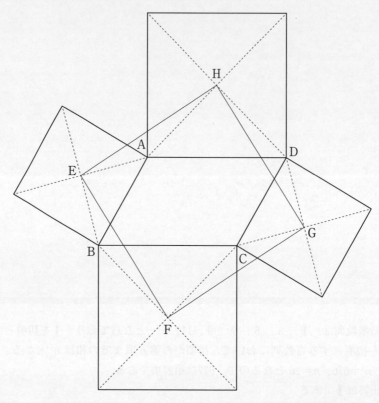

1 54

2 64

3 98

4 104

5 108

図 I において、△AEH≡△BEF（∵2辺夾角相等）、△AEJ≡△BEK（∵2角夾辺相等）、△AHI≡△BFL（∵2角夾辺相等）である。ここから、△AIJ≡△BLK である。また、△AEJ≡△BEK より、□EKAJ＝△EAB である。ほかの正方形部分でも同様なので、求める面積は、図 II の太線部分である。△HAD＝△FBC＝$8^2 \times \frac{1}{4}$＝16、△EAB＝△GCD＝$(4\sqrt{3})^2 \times \frac{1}{4}$＝12である。平行四辺形 ABCD の面積は、頂点 A から辺 BC に垂線 AM を下ろすと、△ABM は（30°、60°、90°）型直角三角形なので、$4\sqrt{3} \times \frac{\sqrt{3}}{2}$ より、AM＝6。よって、平行四辺形 ABCD＝8×6＝48である。したがって、16×2＋12×2＋48＝104 となり、正答は **4** である。

図 I

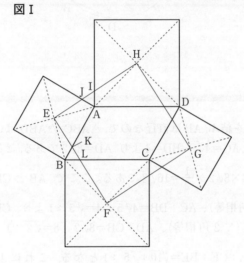

図 II

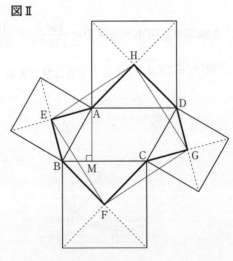

正答　**4**

下の図のように、AB を直径とする半径 6 の円があり、円周上の点を C、D とし、線分 BC＝8、線分 BD＝4 であるとき、△BCD の面積として、正しいのはどれか。

1 $\dfrac{4(4\sqrt{2}+\sqrt{5})}{3}$

2 $\dfrac{16(4\sqrt{2}+\sqrt{5})}{9}$

3 $2(4\sqrt{2}+\sqrt{5})$

4 $\dfrac{8(4\sqrt{2}+\sqrt{5})}{3}$

5 $\dfrac{32(4\sqrt{2}+\sqrt{5})}{9}$

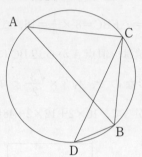

解 説

図のように、点 A と点 D を結ぶ。AB は直径なので、△ABC、△ABD はいずれも直角三角形である。AB＝12、BC＝8 より、AC＝$4\sqrt{5}$、BD＝4 より、AD＝$8\sqrt{2}$ である。ここから、△ABC＝$8 \times 4\sqrt{5} \times \dfrac{1}{2} = 16\sqrt{5}$、△ABD＝$4 \times 8\sqrt{2} \times \dfrac{1}{2} = 16\sqrt{2}$ である。ここで、AB と CD の交点を E とすると、△ACE∽△DBE（∵ 2 角相等）、AC：DB＝$4\sqrt{5}$：4＝$\sqrt{5}$：1 より、CE：BE＝$\sqrt{5}$：1 である。また、△ADE∽△CBE（∵ 2 角相等）、AD：CB＝$8\sqrt{2}$：8＝$\sqrt{2}$：1 より、AE：CE＝$\sqrt{2}$：1 である。ここから、AE：CE：BE＝$\sqrt{10}$：$\sqrt{5}$：1 となる。これにより、△BCE＝$\dfrac{16\sqrt{5}}{\sqrt{10}+1}$、△BDE＝$\dfrac{16\sqrt{2}}{\sqrt{10}+1}$ である。△BCE＋△BDE＝△BCD＝$\dfrac{16\sqrt{5}}{\sqrt{10}+1} + \dfrac{16\sqrt{2}}{\sqrt{10}+1} = \dfrac{16\sqrt{5}+16\sqrt{2}}{\sqrt{10}+1} = \dfrac{(16\sqrt{5}+16\sqrt{2})(\sqrt{10}-1)}{(\sqrt{10}+1)(\sqrt{10}-1)} = \dfrac{16(4\sqrt{2}+\sqrt{5})}{9}$ であり、正答は **2** である。

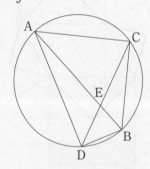

正答 **2**

No. 17　数的処理　　場合の数　　令和6年度

あるレストランのランチの税込価格は、Aランチ1,800円、Bランチ2,200円、Cランチ2,600円である。ランチを注文した客20人の合計金額が40,400円だったとき、A、B、Cの注文数の組合せは全部で何通りあるか。ただし、客は1人につき一つのランチを注文し、誰も注文しなかったランチはないものとする。

1　2通り
2　3通り
3　4通り
4　5通り
5　6通り

解説

いずれのランチも、1,800円引きしてみればよい。そうすると、Aランチ0円、Bランチ400円、Cランチ800円となり、20人の合計金額は4,400円となる。この状態で、最も金額の高いCランチの人数から考える。Cランチを6人が注文すると4,800円となり、4,400円を超えてしまう。Cランチを注文できる最大人数は5人（＝4,000円）で、Bランチを1人が注文すれば合計金額が4,800円となる。残り14人がAランチの注文者数である。ここからは、表のようにCランチの注文者を4→3→2→1人としてみればよい。このように、全部で5通りあり、正答は**4**である。

A	¥1,800	¥0	14	13	12	11	10
B	¥2,200	¥400	1	3	5	7	9
C	¥2,600	¥800	5	4	3	2	1
計	¥40,400	¥4,400	¥4,400	¥4,400	¥4,400	¥4,400	¥4,400

正答　**4**

次の図から正しくいえるのはどれか。

日本における在留資格別外国人労働者数の推移

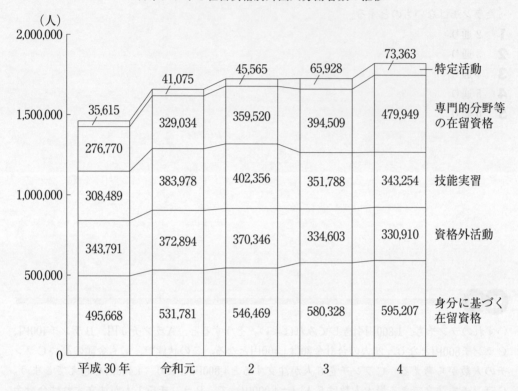

1 平成30年における「技能実習」による外国人労働者数を100としたとき、令和元年から令和 4 年までの「技能実習」による外国人労働者数の指数は、いずれの年も125を下回っている。

2 平成30年から令和 4 年までの各年についてみると、5 種類の資格の外国人労働者数の合計に占める「資格外活動」による外国人労働者数の割合は、いずれの年も20％を上回っている。

3 平成30年から令和 4 年までの各年についてみると、「身分に基づく在留資格」による外国人労働者数は、いずれの年も「特定活動」による外国人労働者数を 9 倍以上、上回っている。

4 平成30年から令和 4 年までの 5 か年の「特定活動」と「技能実習」を合わせた外国人労働者数の合計は、平成30年から令和 4 年までの 5 か年の「専門的分野等の在留資格」による外国人労働者数の合計を下回っている。

5 令和 2 年における外国人労働者数の対前年増加率を在留資格別にみると、最も大きいのは「特定活動」による外国人労働者数であり、次に大きいのは「専門的分野等の在留資格」による外国人労働者数である。

解 説

1. 令和2年の場合、308489×1.25≒386000＜402356であり、125を上回っている。

2. 令和3年の場合、外国人労働者の総数は、少なく見積もっても、580000＋330000＋350000＋390000＋60000＝1710000である。1700000×0.2＝340000＞334603であるから、20％を下回っている。

3. 令和4年の場合、少なく見積もっても、70000×9＝630000であることから、9倍未満である。

4. 平成30年から令和3年までの4年間は、「特定活動」と「技能実習」を合わせた外国人労働者数が「専門的分野等の在留資格」による外国人労働者数を上回っている。令和4年は「専門的分野等の在留資格」による外国人労働者数が「特定活動」と「技能実習」を合わせた外国人労働者数を約63,000人上回っているが、令和元年だけでも、「特定活動」と「技能実習」を合わせた外国人労働者数が「専門的分野等の在留資格」による外国人労働者数を約96,000人上回っている。したがって、平成30年から令和4年までの5か年の「特定活動」と「技能実習」を合わせた外国人労働者数の合計は、平成30年から令和4年までの5か年の「専門的分野等の在留資格」による外国人労働者数の合計を上回っている。

5. 正しい。令和2年における「特定活動」による外国人労働者数の対前年増加率は、41075×1.1＜45565より、10％を超えているが、ほかに増加率が10％を超えている在留資格はないので、「特定活動」による外国人労働者数の対前年増加率が最も大きい。「専門的分野等の在留資格」による外国人労働者数の対前年増加率は、329034×1.1≒362000より、9％程度である。残りの3資格の対前年増加率はいずれも5％未満である。したがって、令和2年における外国人労働者数の対前年増加率を在留資格別に見ると、最も大きいのは「特定活動」による外国人労働者数であり、次に大きいのは「専門的分野等の在留資格」による外国人労働者数である。

正答 **5**

次の図から正しくいえるのはどれか。

日本における運輸業5分類の売上高の推移

1 2017年の道路貨物運送業の売上高を100としたとき、2018年から2021年までの各年における道路貨物運送業の売上高の指数は、いずれの年も105を上回っている。

2 2018年から2021年までの4か年における鉄道業の売上高の年平均は、65,000億円を下回っている。

3 2019年から2021年までの各年についてみると、5分類の運輸業の売上高の合計に占める鉄道業の売上高の割合は15%を上回っている。

4 2020年と2021年についてみると、倉庫業の売上高に対する道路旅客運送業の売上高の比率は、いずれの年も55%を下回っている。

5 2021年における売上高の対前年増加率を分類別にみると、最も大きいのは水運業であり、最も小さいのは道路旅客運送業である。

1. 2020年の場合、223684×1.05＞234000 より、105を下回っている。

2. 65,000億円を基準として、各年の数値との誤差を計算すると、＋17505＋18118－14656－17101＞0 であり、年平均は65,000億円を上回っている。

3. 2021年の場合、5分類の運輸業の売上高の合計は400,000億円を上回っているので、その15％を上回るためには、60,000億円を上回っていなければならない。

4. 2020年の場合、42000×0.55＝23100 であることから、55％を上回っている。

5. 正しい。水運業の場合、2021年における対前年増加額は6,021億円であり、その増加率は10％を超えている。道路貨物運送業、倉庫業の増加率は10％未満なので、対前年増加率が最も大きいのは水運業である。売上高が2020年より減少している鉄道業、道路旅客運送業のうち、鉄道業の減少額は約2,500億円なので、その減少率は5％程度である。一方、道路旅客運送業の減少額は約2,500億円で、その減少率は約10％となる。したがって、対前年増加率が最も小さいのは道路旅客運送業である。

正答 **5**

次の図から正しくいえるのはどれか。

日本における楽器４種の販売額の**対前年増加率**の推移

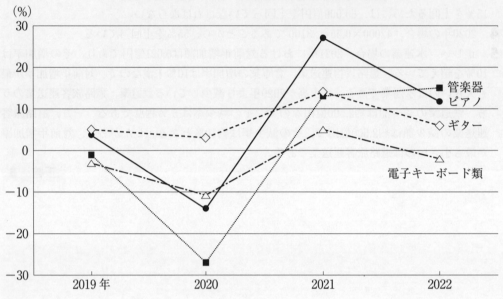

1　2018年におけるピアノの販売額を100としたとき、2021年におけるピアノの販売額の指数は110を下回っている。

2　2019年から2022年までのうち、管楽器の販売額が最も多いのは2019年であり、最も少ないのは2020年である。

3　2020年と2021年の各年についてみると、ギターに対するピアノの販売額の比率は、いずれの年も前年に比べて減少している。

4　2021年における楽器４種についてみると、販売額が2019年に比べて増加しているのは、ギターのみである。

5　2022年における電子キーボード類の販売額は、2019年から2021年までの３か年における電子キーボード類の販売額の年平均を上回っている。

1. 2018年におけるピアノの販売額を100とすると、2021年は、$100 \times (1+0.05) \times (1-0.13) \times (1+0.28) = 105 \times 0.87 \times 1.28 \fallingdotseq 117$ より、110を上回っている。

2. 正しい。最も少ないのは2020年というのは正しい。2019年を100とすると、2020年は73、2021年は $73 \times 1.13 \fallingdotseq 82.5$、2022年は $82.5 \times 1.16 = 95.7$ であり、最も多いのは2019年である。

3. 2021年の場合、ギターの対前年増加率よりピアノの対前年増加率のほうが大きいので、ギターに対するピアノの販売額の比率は、2020年より増加している。

4. ピアノの場合、2019年の販売額を100とすると、2021年は $100 \times (1-0.13) \times (1+0.28) \fallingdotseq 111.4$ であり、ピアノも増加している。

5. 2019年における電子キーボード類の販売額を100とすると、2020年は $100 \times (1-0.11) = 89$、2021年は $89 \times (1+0.05) \fallingdotseq 93.5$、2022年は $93.5 \times (1-0.02) \fallingdotseq 91.6$ である。$100+89+93.5 = 282.5 > 91.6 \times 3 = 274.8$ であり、2022年における電子キーボード類の販売額は、2019年から2021年までの3か年における電子キーボード類の販売額の年平均を下回っている。

正答　**2**

次の図から正しくいえるのはどれか。

日本の放送コンテンツ海外輸出額の権利別構成比の推移

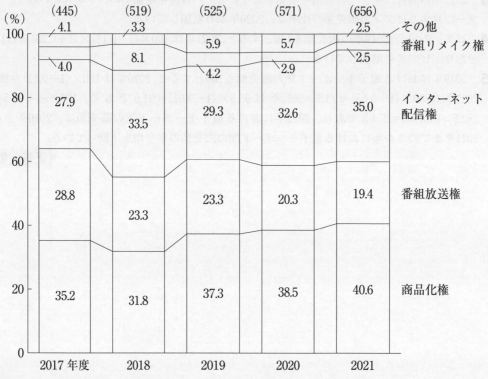

(注) （　）内の数値は、放送コンテンツ海外輸出額の合計（単位：億円）

1 2017年度から2020年度までのうち、番組放送権の輸出額が最も多いのは2017年度であり、最も少ないのは2018年度である。

2 2017年度における番組リメイク権の輸出額を100としたとき、2021年度における番組リメイク権の輸出額の指数は、85を下回っている。

3 2018年度についてみると、番組リメイク権の輸出額の対前年度増加率は、インターネット配信権の輸出額の対前年度増加率を下回っている。

4 2019年度から2021年度までの3か年におけるその他の輸出額の年度平均は、25億円を上回っている。

5 2019年度から2021年度の各年についてみると、商品化権の輸出額はインターネット配信権の輸出額を、いずれの年度も40億円以上、上回っている。

1. 2018年度における番組放送権の輸出額は、519×0.233≒121〔億円〕である。これに対し、2020年度は、571×0.203≒116〔億円〕であり、2018年度より2020年度のほうが少ない。

2. (656×0.025)÷(445×0.040)≒0.92であり、85を上回っている。

3. ここでは、構成比だけで比較すれば足りる。番組リメイク権の場合、8.1÷4.0＞2、インターネット配信権の場合は、33.5÷27.9＜2であり、番組リメイク権の輸出額の対前年度増加率は、インターネット配信権の輸出額の対前年度増加率を上回っている。

4. 正しい。525×0.059＋571×0.057＋656×0.025≒31＋33＋16＝80＞25×3＝75であり、2019年度から2021年度までの3か年度におけるその他の輸出額の年度平均は、25億円を上回っている。

5. 2020年度の場合、571×(0.385−0.326)≒34であり、その差は40億円未満である。

正答　**4**

下の図のような正八面体において、各面に任意にそれぞれ1点を定めたとき、それらの点を相互に結ぶ直線の本数として正しいのはどれか。ただし、いずれの点も辺の上にはないものとする。

1　20本
2　24本
3　28本
4　32本
5　36本

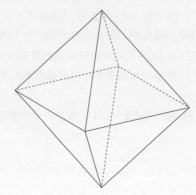

解 説

要するに、異なる8個の点から2点を選んで結べばよい。つまり、$_8C_2 = \dfrac{8 \times 7}{2 \times 1} = 28$ より、28本である。

　よって、正答は**3**である。

正答　**3**

下の図のように、長さ18cmの線分ABがあり、点Pは線分AB上をAからBまで動く。線分APと線分BPをそれぞれ一辺とする正三角形APC及び正三角形BPDを線分ABに対して同じ側に作り、線分ADと線分BCの交点をQとするとき、点Qの軌跡の長さとして、正しいのはどれか。ただし、円周率はπとする。

1 3π cm
2 $2\sqrt{3}\pi$ cm
3 $3\sqrt{3}\pi$ cm
4 6π cm
5 $4\sqrt{3}\pi$ cm

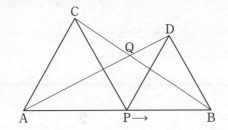

解説

まず、△APD≡△CPB（∵2辺夾角相等）である。ここで、∠PAD=∠PCB=aとすると（図Ⅰ）、∠AQB=∠CAQ+∠ACQ=$(60-a)+(60+a)=120$より、120°である。つまり、点Qは∠AQB=120°で一定のまま、点Aから点Bまで移動するので、点Qの軌跡は弧になる。ここで、線分ABを1辺とする正三角形ABRを点Qの反対側に作ると、∠ARB=60°、∠AQB=120°より、4点A、B、Q、Rは同一円周上にあり、この円は、正三角形ABRの外接円で、弧AQBはその円周の$\frac{1}{3}$となる（図Ⅱ）。1辺18の正三角形の外接円は、その半径が、$18\times\frac{1}{2}\times\sqrt{3}\times\frac{2}{3}=6\sqrt{3}$なので、その円周は$12\sqrt{3}\pi$となる。したがって、弧AQB=$12\sqrt{3}\pi\times\frac{1}{3}=4\sqrt{3}\pi$であり、正答は**5**である。

図Ⅰ

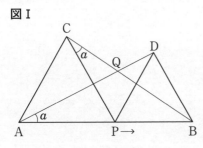

図Ⅱ

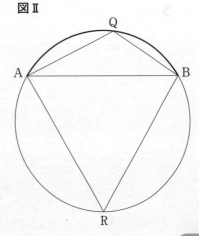

正答 **5**

下の図のように、一辺の長さ a の正方形の外側を、同じく一辺の長さ a の正三角形が矢印の方向に滑ることなく回転しながら3周して元の位置に戻るとき、正三角形の頂点Pの描く軌跡として、正しいのはどれか。

1
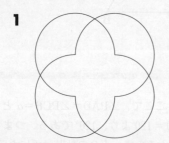

2
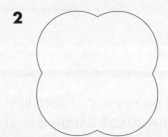

3
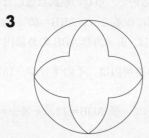

4
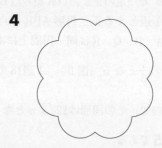

5
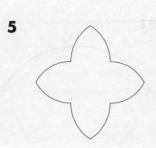

1周ずつに区切ってみると、1周目は図Ⅰ、2周目は図Ⅱ、3周目は図Ⅲのようになる。これらの軌跡を合わせると図Ⅳのようになり、正答は**1**である。

図Ⅰ

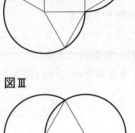

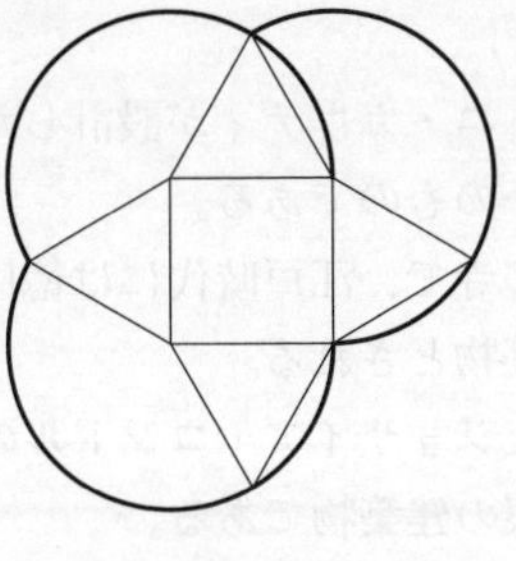

図Ⅱ

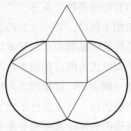

図Ⅲ

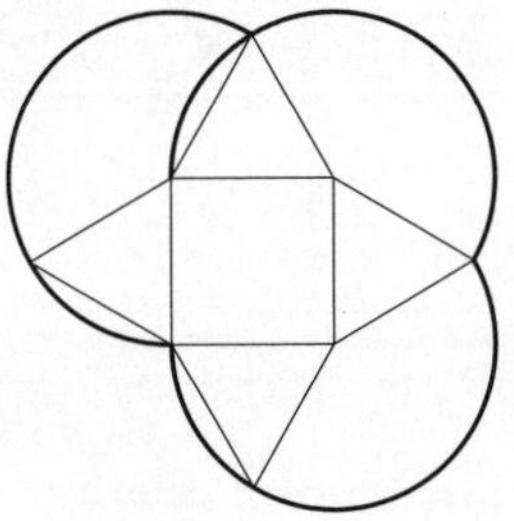

図Ⅳ

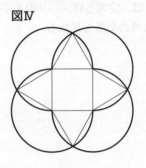

正答　1

No. 25 教養試験 都

文化 **東京の文化財建造物** 令和 6 年度

東京の文化財建造物に関する記述として、妥当なのはどれか。

1 旧東宮御所（迎賓館赤坂離宮）は、明治時代に片山東熊の設計により建設された、ネオ・バロック様式の宮殿建築物である。

2 国立西洋美術館本館は、スペインの建築家アントニ・ガウディが設計した建築物で、世界遺産である彼の建築作品群のうち日本における唯一のものである。

3 浅草寺は、平安時代後期に創建された都内最古の寺で、江戸時代には徳川家康の庇護を受けて栄え、本堂（観音堂）は権現造の代表的な建築物とされる。

4 東京駅丸の内駅舎は、日本銀行本店等を手掛けたジョサイア・コンドルの設計図により建設された、煉瓦造の躯体に瓦屋根を乗せた和洋折衷の建築物である。

5 東京タワーは、完成当時、パリのエッフェル塔に次ぎ世界第二位の高さであった電波塔で、戦後日本の復興の象徴とされる。

解 説

1. 妥当である。

2. 国立西洋美術館本館は、フランスの建築家ル・コルビュジエの建築作品である。国立西洋美術館は、ル・コルビュジエが日本に残した唯一の建築作品であり、世界遺産である彼の7か国17作品のうちの一つである。アントニ・ガウディはスペインの建築家でサグラダファミリアなどが有名である。

3. 浅草寺は飛鳥時代の創建である。都内最古の寺であり、徳川家康の庇護を受けて栄えたことは正しい。権現造とは日本の神社建築様式の一つであり、寺院建築の様式を取り入れたものである。江戸時代初期の権現造の代表的建築物は本堂東隣の浅草神社である。

4. 東京駅丸の内駅舎の設計者は、日本銀行本店等を手掛けた明治・大正期を代表する建築家辰野金吾である。レンガ造の躯体であることは正しいが、ドーム屋根を乗せた西洋建築である。ジョサイア・コンドルの代表作は、鹿鳴館、ニコライ堂などである。

5. 東京タワーの完成当時（1958年）の高さは333mで、それまで世界一だったパリのエッフェル塔の約320mを抜き、世界一の高さだった。電波塔であり、戦後日本の復興の象徴とされたことは正しい。

正答 **1**

化政文化に関する記述として、妥当なのはどれか。

1 化政文化は、上方を中心として開花した文化であり、田沼意次が幕政の実権を握った田沼時代に最盛期を迎えた。

2 恋愛ものを扱った人情本が庶民に受け入れられたが、「春色梅児誉美」の作者である十返舎一九は、緊縮政策と風紀の刷新を図った寛政の改革で処罰された。

3 文章主体の小説で歴史や伝説を題材にした読本が読まれ、曲亭（滝沢）馬琴は、勧善懲悪・因果応報を盛り込んだ「南総里見八犬伝」を書いて評判を得た。

4 俳諧では、松尾芭蕉が故郷である信濃に生きる民衆の生活を詠み、庶民の主体性を強く打ち出した。

5 錦絵の風景画が流行し、歌川（安藤）広重が制作した「富嶽三十六景」などの作品が町人の間で高額で取引された。

解説

1. 化政文化は江戸を中心とした文化である。また、田沼時代とは田沼意次が幕政を握った10代将軍徳川家治（在職1760〜86）の治世であり、化政文化の特色である江戸中心の民衆的性格を持った文化の芽生えの時期である。化政文化の最盛期は、それより後の11代将軍徳川家斉の大御所時代に当たる文化・文政期（1804〜30）を中心とする。

2. 『春色梅児誉美』の作者は為永春水であり、天保の改革で処罰された。十返舎一九は滑稽本の『東海道中膝栗毛』の作者である。

3. 妥当である。

4. 信濃に生きる民衆の生活を詠んだ俳人は小林一茶である。松尾芭蕉は江戸中期の元禄文化の俳人である。

5. 錦絵（多色刷版画）が流行したことは正しく、風景画、美人画、役者絵などが人気を博した。しかし「富嶽三十六景」の作者は葛飾北斎であり、歌川広重は「冨士三十六景」「東海道五十三次」の作者として有名である。また、版画は印刷して大量に複製することができるため、かなり安価に販売され、それが流行の要因の一つともなった。

正答 **3**

世界恐慌又はファシズムの台頭に関する記述として、妥当なのはどれか。

1 アメリカでは、セオドア＝ローズヴェルト大統領が、ニューディールと呼ばれる経済復興政策を行い、業種ごとの価格協定を撤廃した。

2 イギリスでは、恐慌対応としてワグナー法が制定され、イギリス連邦以外の国に高率な保護関税をかけるスターリング＝ブロックを結成した。

3 イタリアでは、ムッソリーニが組織したファシスト党が一党独裁を確立し、軍事力による市場の拡大を目指してエチオピアに侵攻したが、併合には失敗した。

4 スペインでは、人民戦線政府とフランコ将軍の率いる勢力との内戦が始まり、フランコ側が、ドイツ・イタリアからも軍事的支援を得て内戦に勝利した。

5 ドイツでは、ナチ党の党首ヒトラーが、ミュンヘン一揆によりヒンデンブルク大統領を追放して政権を奪取し、大統領と首相を兼ねる総統に就任した。

解説

1. アメリカの世界恐慌に対する不況克服策がニューディール政策であったことは正しい。しかし、ニューディール政策を実施した大統領は第32代のフランクリン＝ローズヴェルト大統領であり、その内容はT.V.A、全国産業復興法、農業調整法等々である。セオドア＝ローズヴェルトは20世紀初めの第26代米大統領であり、経済の発展とともに独占が進展する中で、独占禁止のための反トラスト法の強化などに努めた人物である。

2. ワグナー法はアメリカのニューディール政策の一つとして施行された全国労働関係法である。スターリング＝ブロックについての記述は正しい。

3. ムッソリーニ政権は経済危機を打開するためにエチオピアに侵入し（1935年）、翌年に併合を宣言した。それ以外の記述は正しい。

4. 妥当である。

5. ナチ党はミュンヘン一揆で政権獲得を狙ったが失敗し、ヒトラーらは投獄された。この失敗後、ナチ党は合法路線に転じ、ヴェルサイユ条約の破棄などを唱え、精力的な大衆宣伝によって支持を集めた。1932年の総選挙で第一党に躍進すると、翌年ヒトラー内閣を樹立し、34年にヒンデンブルク大統領が死去すると、ヒトラーが大統領と首相を兼ねて総統と称し、第三帝国を形成した。

正答 **4**

ヨーロッパに関する記述として、妥当なのはどれか。

1 ヨーロッパ北部には、古期造山帯に属するピレネー山脈やアルプス山脈等の険しい山々が連なり、ヨーロッパ南部には、新期造山帯に属するスカンディナヴィア山脈が連なる。

2 大西洋や北海の沿岸地域は、日本の東北地方よりも低緯度に位置しているが、寒流の北大西洋海流と偏西風の影響により、冬の寒さが厳しい。

3 ヨーロッパの民族は大きく三つに分けられ、イギリスやドイツなど北西部の国々ではスラブ系、スペインやイタリアなど南西部や地中海沿岸の国々ではラテン系、ポーランドやチェコなど東部の国々ではゲルマン系の人々が大半を占める。

4 デンマークでは、ポルダーと呼ばれる高地で野菜や花卉が栽培されるなど、大都市近郊の特性を生かした園芸農業が盛んである。

5 フランスは、農業の大規模化や機械化が進み、単位面積当たりの収穫量が多いのが特徴であり、特に小麦の自給率は100％を超えるなど、世界有数の小麦生産国として有名である。

解　説

1. ヨーロッパ北部には古期造山帯に属するスカンディナヴィア山脈が走る。ヨーロッパ南部には新期造山帯に属するピレネー山脈やアルプス山脈が走る。

2. 日本の東北地方の秋田県や岩手県は北緯約40度だが、ヨーロッパ西岸地域でそれと同緯度に当たるのはポルトガルの中部である。イギリスのロンドンは北緯約52度だが、日本列島周辺でそれと同緯度に当たるのは樺太北部である。また、北大西洋海流は暖流である。ヨーロッパ西岸地域はかなり高緯度である割に、暖流の北大西洋海流と偏西風の影響で温和な西岸海洋性気候となっている。

3. 北西部にゲルマン系、東部にスラブ系の人々が多い。スペイン、イタリアなどの南部にラテン系の人々が多いという記述は正しい。

4. ポルダーとはオランダの干拓地のことであり、ポルダーで園芸農業が盛んな国はオランダである。デンマークは模範的酪農王国と呼ばれている。

5. 妥当である。

正答　5

No. 29 法律　参議院の緊急集会　令和6年度

参議院の緊急集会に関する記述として妥当なのはどれか。

1 緊急集会は、衆議院が解散されて総選挙が施行され、特別会が召集されるまでの間に、国会の開会を要する緊急の事態が生じた場合に、それに応えて国会を代行する参議院の集会である。

2 緊急集会を求める権限は、内閣又は参議院議員がそれぞれ有しており、参議院議員が求める場合には、参議院議員の総議員数のうち4分の1以上の賛成を要する。

3 緊急集会は、特別会や臨時会といった、常会以外の国会の召集と同様に、内閣の助言と承認により、天皇が召集する。

4 緊急集会は、国会を代行する制度であることから、議決事項には制限が設けられていない。

5 緊急集会において採られた措置は、臨時のものとされており、次の国会開会の後20日以内に衆議院の同意が得られない場合には、当該措置は初めから無効であったものとみなされる。

解説

1． 妥当である。「衆議院が解散されたときは、参議院は、同時に閉会となる。但し、内閣は、国に緊急の必要があるときは、参議院の緊急集会を求めることができる」（憲法54条2項）。

2． 緊急集会を求める権限は、内閣にのみ認められている（憲法54条2項）。なお、参議院または衆議院のいずれかの総議員数のうち4分の1以上の要求があった場合、内閣は「臨時会」の召集を決定しなければならないとされている（同53条）。

3． 緊急集会は、常会以外の国会の召集とは異なり、内閣による請求を受けた参議院議長がこれを各議員に通知し、各議員が参議院に集会するという形をとる（国会法99条2項）。

4． 緊急集会の議決事項には制限があり、案件の性質から見て、参議院の単独の議決のみでは許されないものや緊急の必要性があると考えられないものは議決できないと解されている。

5． 緊急集会において採られた措置は、臨時のものとされており、次の国会開会の後「10日以内」に衆議院の同意がない場合には、その「効力を失う」（憲法54条3項）。なお、効力を失うとは、「初めから無効であったものとみなされる」という意味ではなく、「将来に向かって効力を失う」という意味だと解されている。

正答　**1**

No. 30 教養試験 法律 アメリカ合衆国の政治制度 令和6年度 都

アメリカ合衆国の政治制度に関する記述として、妥当なのはどれか。

1 連邦議会は、各州から人口に比例して選出された議員によって構成される上院と、各州から2名ずつ選出された議員によって構成される下院からなる。

2 下院は、大統領が締結した条約に対する同意権や大統領に対する不信任決議権を有するなど、上院に対する優越が認められている。

3 大統領は、間接選挙によって4年の任期で選出され、行政府の長というだけでなく国家元首でもあり、軍の最高司令官という重い責任を負っている。

4 大統領は、法案提出権は有しないが、連邦議会が可決した法案に対する拒否権を有しており、大統領が拒否権を行使した場合、その法案は自動的に廃案となる。

5 連邦最高裁判所は、連邦議会や行政府に対して強い独立性を有しているが、違憲審査権は認められていない。

解 説

1. 上院と下院の説明が逆である。連邦議会は、各州から人口に比例して選出された議員によって構成される「下院」と、各州から2名ずつ選出された議員によって構成される「上院」からなる。

2. 大統領が締結した条約に対する同意権を有するのは、「下院」ではなく「上院」である。大統領に対する不信任決議権は、上院、下院のいずれも有していない。また、「下院の優越」は定められておらず、両院の権限は対等とされている。たとえば、法律が成立するためには両院で同一内容の法案を可決しなければならず、さらに上院と下院はそれぞれ他院にはない権限を有するものとされている。

3. 妥当である。大統領は、アメリカ合衆国の国家元首、行政府の長、軍の最高司令官として高い地位にある。また、大統領は選挙人を介した間接選挙によって選出され、任期は4年とされているが、2期8年を超えてその職にとどまることはできない。

4. 大統領は、連邦議会が可決した法案に対する拒否権を有している。しかし、大統領が拒否権を行使したからといって、その法案は自動的に廃案となるわけではなく、連邦議会の両院が出席議員の3分の2以上の賛成で再可決すれば、法律として成立する。

5. 連邦最高裁判所の判事は、職務を遂行するに当たり強い独立性が保障されている。しかし、その任命は連邦議会上院の同意を得て大統領が行うものとされており、その点では必ずしも独立性が強いとはいえない。また、連邦最高裁判所は、判例の積み重ねによって違憲立法審査権が認められている。

正答 **3**

日本の会社法における会社に関する記述として、妥当なのはどれか。

1　会社には、株式会社、合名会社、合資会社及び合同会社の4種類があり、このうち、合名会社及び合同会社は、出資者の全員が無限責任社員で構成される。

2　株式会社の出資者は株主と呼ばれ、会社が上げた全ての利益は、全ての株主に均等に分配されなければならない。

3　株式会社が負債を抱えて倒産したとき、株主は、有限責任として、その保有する財産を限度に会社の負債を引き受ける義務を負う。

4　株式会社の設立には、取締役を3人以上置くこと、資本金を1,000万円以上としなければならないことなどの要件がある。

5　株主総会は、株式会社の最高議決機関であり、株主は所有する株式数に応じて株主総会で議決権を行使する権利を持つ。

解 説

1. 出資者の全員が無限責任社員で構成されるのは、合名会社の場合である。これに対して、株式会社および合同会社の場合は、出資者の全員が有限責任社員とされる。また、合資会社の場合は、事業を手掛ける無限責任社員と出資を行う有限責任社員によって構成される。

2. 株式会社が上げた利益は、すべて株主に分配されるわけではなく、役員報酬や内部留保などにも回される。また、株主への配当金は、全株主に均等に分配されるわけではなく、保有する株式数に応じて分配される。

3. 株式会社が負債を抱えて倒産しても、株主は出資額を限度として責任を負うにとどまる。したがって、株主は出資金を失うものの、保有する財産を追加で提供することはない。

4. 株式会社の設立要件は、発起人が1人以上いること、資本金が1円以上あることなどとされている。なお、取締役会を設置する場合は、取締役を3人以上置くことという要件も追加される。

5. 妥当である。株主総会は、株式会社の最高議決機関であり、株式会社の組織・運営・管理その他株式会社に関する一切の事項について決議することができる。株主は所有する株式数に応じて議決権を持ち、議決権の総数に対して過半数の賛成を得ることで決議が成立する。

正答　**5**

下の図のように電池、電球及びスイッチからなる五つの回路がある。五つの回路のスイッチを同時に入れたとき、最初に電球が消灯する回路はどれか。ただし、各回路とも電池、電球及びスイッチは同一の仕様であり、スイッチ及び導線の抵抗並びに電池の内部抵抗は無視できるものとする。

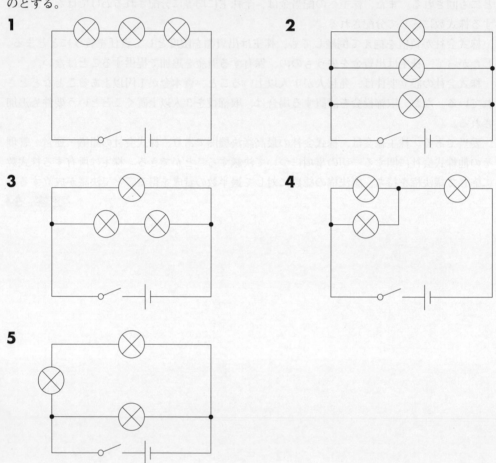

解説

各回路における電池、電球およびスイッチの仕様は同一で、スイッチおよび導線の抵抗ならびに電池の内部抵抗は無視できるので、回路の電球部分の抵抗を R〔Ω〕、電池の起電力を V〔V〕として、各回路で消費される電力を比較すればよい。今、**1**〜**5**の回路における合成抵抗をそれぞれ R_1〔Ω〕、R_2〔Ω〕、R_3〔Ω〕、R_4〔Ω〕、R_5〔Ω〕、消費電力をそれぞれ P_1〔W〕、P_2〔W〕、P_3〔W〕、P_4〔W〕、P_5〔W〕 とすると、

1. 回路の合成抵抗は $R_1 = R + R + R = 3R$、消費電力 $P_1 = \dfrac{V^2}{R_1}$

2. 回路の合成抵抗は $\dfrac{1}{R_2} = \dfrac{1}{R} + \dfrac{1}{R} + \dfrac{1}{R} = \dfrac{3}{R}$ より $R_2 = \dfrac{R}{3}$、消費電力 $P_2 = \dfrac{V^2}{R_2}$

3. 回路の合成抵抗は $\dfrac{1}{R_3} = \dfrac{1}{2R} + \dfrac{1}{R} = \dfrac{3}{2R}$ より $R_3 = \dfrac{2R}{3}$、消費電力 $P_3 = \dfrac{V^2}{R_3}$

4. 回路の合成抵抗は $R_4 = R + \dfrac{R}{2} = \dfrac{3R}{2}$、消費電力 $P_4 = \dfrac{V^2}{R_4}$

5. （見かけは異なるが実は**3**の回路と同じ構成）

　　回路の合成抵抗は $\dfrac{1}{R_5} = \dfrac{1}{R} + \dfrac{1}{2R} = \dfrac{3}{2R}$ より $R_5 = \dfrac{2R}{3}$、消費電力 $P_5 = \dfrac{V^2}{R_5}$

　ここで、回路における消費電力は分母の合成抵抗の値が小さいほど大きくなるが、$R_2 < R_3 = R_5 < R_4 < R_1$ となっているので、消費電力が最大であるのは**2**の回路である。したがって、**2**の回路は、電池が最も早く消耗してしまい、電球が消える。

［注意1］ 直流回路における合成抵抗

　直列接続では $R = R_1 + R_2 + R_3 + \cdots\cdots$

　並列接続では $\dfrac{1}{R} = \dfrac{1}{R_1} + \dfrac{1}{R_2} + \dfrac{1}{R_3} + \cdots\cdots$

［注意2］

　抵抗 R に電圧 V をかけて、電流 I が流れているとき、R で消費される電力 P は、$P = VI = RI^2 = \dfrac{V^2}{R}$

正答　2

物質を分離する操作に関する記述として、妥当なのはどれか。

1 液体を含む混合物を冷却し、目的の物質を固体に変えてから分離する操作を蒸留という。

2 固体が液体にならずに直接気体になる変化を昇華といい、昇華しやすい物質を含む混合物を加熱し、気体となった物質を冷却して分離する操作を昇華法という。

3 不純物を含む固体を低温の溶媒に溶かし、濃度によって溶解度が異なることを利用して、より純粋な物質を析出させ分離する操作を再結晶という。

4 溶媒に対する溶けやすさの差を利用して、混合物から目的の物質を溶媒に溶かして分離する操作を還元という。

5 ろ紙やシリカゲルのような吸着剤に、物質が吸着される強さの違いを利用して、混合物から物質を分離する操作をろ過という。

解 説

1．本肢は、再結晶という操作に関する記述である。蒸留は、沸点の異なる混合物を、沸点の差を利用して分離する操作である。液体を含む混合物を沸騰させ、生じた蒸気を再び冷却すると、沸点の低い物質をより多く含む液体が得られる。

2．妥当である。

3．再結晶は、温度によって物質の溶解度が異なることを利用して分離する操作である。不純物を含む固体を高温でなるべく少量の溶媒に溶かしてから冷却すると、溶解度の温度変化に対応して、より純粋な物質を結晶として析出させることができる。

4．本肢は、抽出という操作に関する記述である。還元は、酸化還元反応において用いられる用語で、一般に、ある元素に着目してその元素の酸化数を減少させることをいう。

5．本肢は、クロマトグラフィーという操作に関する記述である。ろ過は、粒子の大きさの差を利用して物質を分離する操作をいい、実験室ではろ紙を用いるのが一般的である。

正答 **2**

魚類、両生類、は虫類、哺乳類に属する動物の組合せとして、正しいのはどれか。

	魚類	両生類	は虫類	哺乳類
1	サメ	カエル	カモノハシ	クジラ
2	クジラ	イモリ	トカゲ	ウサギ
3	コイ	カメ	トカゲ	コウモリ
4	サメ	イモリ	カメ	ウサギ
5	コイ	ヤモリ	カエル	カモノハシ

解　説

選択肢に挙げられている動物の正しい分類は、

魚類：サメ、コイ

両生類：カエル、イモリ

は虫類：ヤモリ、トカゲ、カメ

哺乳類：クジラ、ウサギ、コウモリ、カモノハシ

となる。

　よって、正答は**4**である。

正答　**4**

No. 35 地学　地球の資源

地球の資源に関する記述として、最も妥当なのはどれか。

1　地球は、表面の約80％を水で覆われているが、地球上の水の約50％は海水などの塩水で、陸地の水の大部分は氷河の氷であり、淡水で人が利用しやすい場所にある水は湖沼や河川など限られている。

2　世界の鉄鉱床の大部分は、カンブリア紀にストロマトライトとして鉄が酸化し、沈殿してできたものである。

3　中生代にリンボク等のシダ植物が繁栄し、大森林が形成され、それらの遺骸が世界各地の沼地に大量に堆積し、石油のもとになった。

4　メタンハイドレートは、メタンと水でできた氷状の物質で、低温高圧の環境で形成され、シベリアの永久凍土の下や大陸周辺の海底面下に分布し、日本近海にも存在が確認されており、将来のエネルギー資源の一つとして期待されている。

5　地熱発電は、地下のマグマや高温の火成岩体の熱を利用して、その熱で発生した蒸気を用いて発電を行うもので、利用に際して二酸化炭素の排出を伴うため、環境への影響が大きいエネルギー資源である。

解説 ━━━━━━━━━━━━━━━━━━━━━━━━━━

1.　地球は、表面の約70％が海洋で覆われている。地球上に存在する水は約14億 km^3 と推定されているが、その内訳は海水などの塩水が97.5％、淡水が2.5％となっている。さらに、淡水の大部分は、氷河などの氷や地下水として存在し、湖沼や河川など人が利用しやすい状態で存在する水は約0.008％にすぎない。

2.　世界の鉄鋼床の大部分を占める重要な鉄鋼床は、先カンブリア時代の岩石中に層状に分布する縞状鉄鉱層で、これは海底に堆積した酸化鉄を主体とする堆積鉱床である。ストロマトライトは、生物起源の石灰質または珪質の岩石の一種で、縞状や同心円など特徴的な堆積構造を持ち、主に光合成を行うシアノバクテリアによって先カンブリア時代に形成された。

3.　リンボク等のシダ植物が繁栄し大森林を形成したのは古生代の石炭紀である。そしてそれらの遺骸は石炭のもとになった。

4.　妥当である。

5.　地熱発電では地下から得られる水蒸気を利用するので、火力発電のように水蒸気を得る過程で二酸化炭素を発生するということはない。地熱発電は原理的に燃料を必要とせず、燃料の燃焼に伴う環境汚染はないので、ほぼクリーンエネルギーといってよい。

正答　**4**

昨年5月に農林水産省が公表した「令和4年度 食料・農業・農村白書」に関する記述として、妥当なのはどれか。

1 世界的な食料情勢の変化に伴う食料安全保障上のリスクが高まる中でも、日本の供給熱量ベースの食料自給率は60％を超え、将来にわたり食料を安定的に供給していくためのターニングポイントを既に通過したとしている。

2 農林水産物・食品の輸出額は、令和4年には過去最高を更新したが、今後は気候変動による生産量の減少への対応に迫られることが想定されるため、政府は自国の食料の安定確保に軸足を移し、輸出の制限に取り組むとしている。

3 「みどりの食料システム戦略」の実現に向けて、化学肥料の使用拡大や遺伝子組換え農作物の栽培の推進等、全国各地で農業生産を増大させる取組が始動しているとしている。

4 農業者の高齢化や労働力不足が進む中、日本の農業を成長産業としていくために、スマート農業や農業のデジタルトランスフォーメーション（DX）の実現に取り組んでいくとしている。

5 過疎地域に特有の問題として、高齢者等を中心に食料品の購入や飲食に不便や苦労を感じる人が増えてきており、「食品ロス問題」として社会的な課題になっていることから、食品へのアクセスの確保に向け対応していくとしている。

解説

1. 日本の供給熱量ベースの食料自給率は38％（令和3年度）であり、近年は40％を下回り続けている。そのため、将来にわたり食料を安定的に供給するためには、食料自給率の向上が必要であり、政府は令和12年度を目標年度として、供給熱量ベースの食料自給率を45％に向上させる目標を定めていることが紹介されている。

2. 農林水産物・食品の輸出額は、令和4年には過去最高を更新したが、輸出拡大は生産者の所得向上などに寄与することから、今後も輸出拡大を強力に進めていくことが重要であるとしている。

3. 「みどりの食料システム戦略」の実現に向けて、令和4年にはKPI2030年目標が設定され、化学肥料使用量20％低減や農林水産業のCO_2排出量10.6％削減などの取組みが始動しているとしている。また、遺伝子組換え食品については、特に言及されていない。

4. 妥当である。「農業者の高齢化や労働力不足が続いている中、我が国の農業を成長産業としていくためには、デジタル技術を活用して、効率的な生産を行いつつ、消費者から評価される価値を生み出していくことが不可欠」として、スマート農業や農業のデジタルトランスフォーメーション（DX）の実現に取り組んでいくとしている。

5. 高齢者等を中心に食料品の購入や飲食などに不便や苦労を感じる人が増えており、「食品アクセス問題」として社会的な課題となっていることから、食品へのアクセスの確保に向け対応していくとしている。また、令和4年に公表した調査では、約9割の市区町村が食品アクセス問題への対策が必要と認識しており、この問題は全国規模の問題であることが示されている。なお、「食品ロス問題」とは、大量の食品が消費されずに廃棄されている問題をさす。

正答 **4**

昨年6月に決定された「知的財産推進計画2023」に関する記述として、妥当なのはどれか。

1 本計画は、5年ごとに策定される知的財産に関する総合的な計画で、「急速に発展する生成AI時代における知財の在り方」等を重点施策とし、内閣府総合科学技術・イノベーション会議で決定された。

2 本計画では、最近のAIをめぐる動向として着目すべきものの一つに生成AIの技術の急速な進歩を挙げ、「我が国が諸外国の後塵を拝さないように、大胆な投資を行い、AI技術の進展をリードすべき」との基本認識が示された。

3 AIによる生成物は、利用者が思想感情を創作的に表現するための道具としてAIを使用したものと考えられ、当該AI生成物には著作物性が認められると整理した上で、著作権保護のための必要な法整備を今後検討するとした。

4 AIによりオリジナルに類似した著作物が生成され、著作権侵害事案が大量に発生するといった懸念を指摘し、学習用データとして用いられた元の著作物と類似するAI生成物の著作権侵害に関する考え方の明確化を図ることが望まれるとした。

5 AIが著作権者の許可なしで著作物を自由に学習できる旨規定した著作権法の規定について、著作権保護の観点から、著作権者の利益を不当に害することとなる場合には利用することができない旨を新たに記載するとした。

解説

1. 知的財産推進計画は、知的財産に関する総合的な計画であるが、5年ごとではなく毎年度策定されている。また、同計画を策定しているのは、内閣府総合科学技術・イノベーション会議ではなく、内閣に設置された知的財産戦略本部である。

2. AIについては、「急速な技術発展とともに様々なAIツールが開発され、普及していく中で、それらのAIと知財の関係についての検討を改めて行う必要がある」との基本認識が示された。AI技術への大胆な投資という方針が示されたわけではない。

3. AIによる生成物については、さまざまな論点を「具体的事例に即して整理し、考え方の明確化を図ることが望まれる」とした。AI生成物には著作物性が認められると断定されたわけではない。

4. 妥当である。「AI生成物が著作物と認められるための利用者の創作的寄与に関する考え方、学習用データとして用いられた元の著作物と類似するAI生成物が利用される場合の著作権侵害に関する考え方、AI（学習済みモデル）を作成するために著作物を利用する際の、著作権法第30条の4ただし書に定める『著作権者の利益を不当に害することとなる場合』についての考え方などの論点を、具体的事例に即して整理し、考え方の明確化を図ることが望まれる」とした。

5. 著作権法30条の4ただし書により、「著作権者の利益を不当に害することとなる場合」には、AIによる著作物の自由学習は行うことができないとされている。同条は、デジタル化・ネットワーク化の進展に対応した権利制限規定の整備のため、2018年の著作権法改正で導入されたものである。

正答 **4**

昨年10月に召集された第二百十二回国会（臨時会）における岸田内閣総理大臣所信表明演説に関する記述として、妥当なのはどれか。

1 何よりも経済に重点を置くことを強調し、「コストカット型経済」から「成長型経済」への移行を目指すため、今後3年程度を経済の変革期間と位置付け、半導体や脱炭素への大型投資などを集中的に支援するとした。

2 税収の増収分の一部を還元し、物価高による国民の負担を緩和するため、全世帯を対象とした価格高騰緊急支援給付金を、マイナンバーと紐付けた公金受取口座を活用するなどして迅速に支給するとした。

3 物価高対策として、令和5年末に期限を迎えるガソリン価格及び電気・ガス料金の補助を1年間延長するとともに、補助率も引き上げるとした。

4 地域交通の担い手不足などの社会問題に対応するため、個人が自家用車で乗客を運ぶライドシェアを全面的に解禁するとした。

5 国会での憲法改正原案の発議に向け、政府として条文案の具体化に取り組み、自身の首相任期中の改憲を目指すとした。

解説

1. 妥当である。「この前向きな動きが続けば、新たな経済ステージへの移行が現実のものとなります。（中略）『低物価・低賃金・低成長のコストカット型経済』から『持続的な賃上げや活発な投資がけん引する成長型経済』への変革です。『コストカット型経済』からの完全脱却に向けて、思い切った『供給力の強化』を、三年程度の『変革期間』を視野に入れて、集中的に講じていきます」（第212回国会・岸田内閣総理大臣所信表明演説）。

2. 税収の増収分の一部還元については、「還元措置の具体化に向けて、近く政府与党政策懇談会を開催し、与党の税制調査会における早急な検討を、指示します」とされるにとどまった。なお、価格高騰緊急支援給付金は、住民税非課税世帯等を対象として、令和4年度に支給されたものであり、特にマイナンバーと紐づけた公金受取口座を利用したわけではない。

3. 令和5年末に期限を迎えるガソリン価格および電気・ガス料金の補助については、「来年春まで継続します」とされた。すなわち、価格・料金補助の延長期間は3か月にとどまり、補助率は従来と同水準に据え置かれた。

4. ライドシェアについては、「地域交通の担い手不足や、移動の足の不足といった、深刻な社会問題に対応しつつ、ライドシェアの課題に取り組んでまいります」とされるにとどまった。ライドシェアの全面解禁にまで踏み込んだ言及はなされていない。

5. 憲法改正については、「国会の発議に向けた手続を進めるためにも、条文案の具体化など、これまで以上に積極的な議論が行われることを心から期待します」とされるにとどまった。政府として条文案の具体化に取り組んだり、自身の首相任期中の改憲をめざすとしたわけではない。

正答 **1**

社会事情　刑事訴訟法等の一部を改正する法律　令和6年度

昨年5月に公布された「刑事訴訟法等の一部を改正する法律」に関する記述として、妥当なのはどれか。

1　裁判所は、保釈を許す場合において、被告人が国内で又は国外へ逃亡することを防止するため、その位置等を把握する必要があると認めるときは、被告人に対し、位置測定端末をその身体に装着することを命じなければならない。

2　裁判所は、保釈を許す場合において、被告人の親族等、刑事訴訟法に列挙されている者の中から、被告人の監督者を選任しなければならない。

3　控訴裁判所は、拘禁刑以上の刑に当たる罪で起訴されている被告人であって、保釈等をされているものについては、事由を問わず、判決を宣告する公判期日への出頭を命じなければならない。

4　保釈等された被告人は、あらかじめ裁判所に届け出た期間を超えて住居を離れてはならず、当該期日を超えて当該住居に帰着しないときは、1年以下の拘禁刑に処する。

5　位置測定端末装着命令を受けた者が、裁判所の許可を受けないで、正当な理由がなく所在禁止区域内に所在したときは、1年以下の拘禁刑に処する。

解説

1. 裁判所は、保釈を許す場合において、被告人が「国外」に逃亡することを防止するため、位置測定端末をその身体に装着することを命ずることが「できる」（刑訴法98条の12）。

2. 裁判所は、保釈を許す場合において、「適当と認める者」を監督者として選任することができる（刑訴法98条の4）。被告人の監督者となりうる者は、特に刑事訴訟法に列挙されているわけではなく、裁判所が適宜判断する。

3. 重い疾病または障害その他やむをえない事由により被告人が当該公判期日に出頭することが困難であると認めるときには、控訴裁判所は出頭を命じなくてもよい（刑訴法390条の2）。

4. 保釈等された被告人が住居を離れてはならない期間は、被告人が届け出るのではなく、裁判所が指定する（刑訴法93条4項）。また、当該期日を超えて当該住居に帰着しないときは、「2年以下」の拘禁刑に処する（同95条の3）。

5. 妥当である。位置測定端末装着命令を受けた者が、①裁判所の許可を受けないで、正当な理由がなく所在禁止区域内に所在したとき、②裁判所の許可を受けないで、正当な理由がなく、位置測定端末を自己の身体から取り外し、または装着しなかったときなどは、1年以下の拘禁刑に処する（刑訴法98条の24）。

正答　5

No. 40 教養試験 社会事情 国際情勢 都 令和6年度

国際情勢に関する記述として、妥当なのはどれか。

1 昨年8月、岸田首相、米国のバイデン大統領及び韓国の尹錫悦大統領は、米国で会談し、中国や北朝鮮の動向を念頭に日米同盟と米韓同盟の戦略的連携の強化等で合意し、日米韓首脳共同声明「キャンプ・デービッドの精神」を発表した。

2 昨年11月、バイデン大統領は2年ぶりに中国の習近平国家主席と会談し、AIの安全性を高めるための政府間対話や台湾問題に関する国防当局及び軍高官による対話の枠組みの創設で合意した。

3 昨年11月、岸田首相は米国で習近平国家主席と会談し、日本産食品の輸入規制の撤廃では合意できなかったが、両国間の政治的な懸案事項は棚上げし経済を軸に共通の利益を追求する「戦略的互恵関係」の推進について再確認した。

4 昨年11月に開催されたAPEC首脳会議では、自由で開かれた貿易・投資環境の実現に向けて協働することや、ウクライナや中東情勢に積極的にコミットすることなどを明記した、2023年APEC首脳宣言「ゴールデンゲート宣言」が発表された。

5 昨年12月、日本とASEANの友好50周年を記念した特別首脳会議が東京で開催され、中国による不法な海洋権益に関する主張について、これを後押しする危険かつ攻撃的な行動に強く反対することなどを明記した共同声明が発表された。

解説

1. 妥当である。2023年8月、日米韓3か国の首脳は、アメリカのキャンプ・デービッドで会談し、「キャンプ・デービッド原則」や「キャンプ・デービッドの精神」（日米韓首脳共同声明）などを発表した。日米韓3か国の首脳会議が、国際会議の場を借りずに単独で開催されたのは、これが初めてであった。

2. 2023年11月、米国のバイデン大統領と中国の習近平国家主席は、アジア太平洋経済協力（APEC）首脳会議に合わせてサンフランシスコ郊外で会談したが、この会談は約1年ぶりに開催されたものであった。また、両首脳は国防当局および軍高官による対話の再開で合意したが、これは台湾問題に関する対話の枠組みという性格のものではなく、台湾問題に関する話し合いは平行線のまま終わった。

3. 2023年11月、APEC首脳会議に合わせて岸田首相と習近平国家主席は会談を行い、戦略的互恵関係の推進について再確認するとともに、引き続き首脳レベルを含むあらゆるレベルで緊密に意思疎通を重ねていくことで一致した。その中には外交や防衛などの問題も含まれており、政治的な懸案事項の棚上げを決めたわけではない。

4. 2023年11月、APEC首脳会議で「ゴールデンゲート宣言」が発表され、自由で開かれた貿易・投資環境の実現に向けた協働などがうたわれた。しかし、APECは地政学的な問題を議論するフォーラムではないとする一部首脳の意見もあり、同宣言でウクライナや中東情勢に言及することは見送られた。

5. 2023年12月、日本ASEAN友好協力50周年特別首脳会議が東京で開催され、海洋も含めた安全保障協力を推進していくことなどで合意した。しかし、ASEAN諸国の中には中国と経済的な結びつきが強い国も多く、共同声明において中国を名指しで批判することは避けられた。

正答 1

次の文の主旨として、最も妥当なのはどれか。

　おそらくご存じだとは思うけれど、小説家が（面倒がって、あるいは単に自己顕示のために）その権利を読者に委ねることなく、自分であれこれものごとの判断を下し始めると、小説はまずつまらなくなる。深みがなくなり、言葉が自然な輝きを失い、物語がうまく動かなくなる。

　良き物語を作るために小説家がなすべきことは、ごく簡単に言ってしまえば、結論を用意することではなく、仮説をただ丹念に積み重ねていくことだ。我々はそれらの仮説を、まるで眠っている猫を手にとるときのように、そっと持ち上げて運び（僕は「仮説」という言葉を使うたびに、いつもぐっすり眠り込んでいる猫たちの姿を思い浮かべる。温かく柔らかく湿った、意識のない猫）、物語というささやかな広場の真ん中に、ひとつまたひとつと積み上げていく。どれくらい有効に正しく猫＝仮説を選びとり、どれくらい自然に巧みにそれを積み上げていけるか、それが小説家の力量になる。

　読者はその仮説の集積を——もちろんその物語を気に入ればということだが——自分の中にとりあえずインテイクし、自分のオーダーに従ってもう一度個人的にわかりやすいかたちに並べ替える。その作業はほとんどの場合、自動的に、ほぼ無意識のうちにおこなわれる。僕が言う「判断」とは、つまりその個人的な並べ替え作業のことだ。それは別の言い方をするなら、精神の組成パターンの組み替えのサンプルでもある。そしてそのサンプリング作業を通じて、読者は生きるという行為に含まれる動性＝ダイナミズムを、我がことのようにリアルに「体験」することになる。どうしてわざわざそんなことをしなくてはならないのか？　「精神の組成パターン」を実際に組み替えることなんて、人生の中で何度もできることではないからだ。だから我々はフィクションを通して、まず試験的に仮想的に、そのようなサンプリングをおこなう必要がある。

（村上春樹「村上春樹雑文集」による）

1　小説家が自分であれこれ物事の判断を下し始めると、小説はつまらなくなる。

2　良き物語を作るために小説家がなすべきことは、結論を用意することではなく、仮説をただ丹念に積み重ねていくことである。

3　どれくらい有効に正しく仮説を選び取り、どれくらい自然に巧みにそれを積み上げていけるかが小説家の力量になる。

4　読者は仮説の集積を、ほぼ無意識のうちにわかりやすい形に並べ替えている。

5　精神の組成パターンを実際に組み替えることは、人生の中で何度もできることではない。

解説

良き物語を作るために小説家がなすべきことは、仮説を丹念に積み重ねていくことであり、読者は小説家が積み上げた仮説の集積を、個人的にわかりやすいかたちに並べ替えることで、人生を仮想的に体験することができる、と述べた文章。

1. 話題の中心は「良き物語」であるため、小説がつまらない場合に焦点を当てている記述は、主旨とはいえない。

2. 妥当である。

3. 「良き物語を作るために小説家がなすべきこと」としての仮説の集積について、さらに展開して述べている内容であるため、主旨には当たらない。

4. 読者が行う個人的な並べ替え作業を端的に述べた文であるが、小説家がやるべきではない「判断」と関連づけて述べているのであり、文章全体の主旨としては小説家の立場に焦点を当てる必要がある。

5. 読者が行う「精神の組成パターン」の組み替えについて、さらに詳しく述べた内容であり、主旨には当たらない。

正答　**2**

次の文の主旨として、最も妥当なのはどれか。

運命は、自分で選び取ることができます。

「この瞬間から、自分の運命を変えてみよう」と思うことが、最初のステップです。

これまでのあなたがどれだけ不運だったとしても、今日からその運の流れを変えることはできるのです。

結果はすぐに変わらなくても、いまこの瞬間から、自分が楽しいと感じること、ワクワクすることを毎日やっていけば、どんな人でも面白い人生を生きられます。

自分が好きなことを探して、誰にも気兼ねせず、夢や目標を思い切り追いかけていけばいい。

そのためには、まわりの人の意見ではなく、自分の直感を信じて動く姿勢が大切です。そのうえで、ものごとに真剣に取り組み、楽しんで生きていけばいいのです。

さらに、自分の行動によってもたらされる人生の出来事を、すべて受け入れましょう。たとえ後悔や失敗があっても、それもまた自分の人生を彩るスパイスとして、肯定的にとらえたら、ずいぶんと楽になります。

人生を変える選択肢は、毎日あなたに与えられています。

あなたがいま何歳であっても、どんな場所にいても、どんな状況にあっても、いまここから人生を変えていけます。

自分らしく生きることが、あなたの人生における、なによりの目的なのです。

そして、あなたの自由な生き方に触れて、勇気づけられたり、癒やされたりする人がきっと現れてくるでしょう。人は、幸せに生きている人と会うと、自然に影響を受けるものなのです。

（本田健『「うまくいく」考え方』による）

1　これまでどれだけ不運だったとしても、今日からその運の流れを変えることはできる。

2　自分が楽しいと感じること、ワクワクすることを毎日やっていけば、どんな人でも面白い人生を生きられる。

3　まわりの人の意見ではなく、自分の直感を信じて動く姿勢が大切である。

4　人生を変える選択肢は、毎日与えられている。

5　人は、幸せに生きている人と会うと、自然に影響を受ける。

解説

自分の人生は思い立った時から自分で変えることができる。周りの人の意見ではなく自分の直感を信じて自分が楽しいと感じることを毎日やっていけば、自分らしい「面白い人生」を生きることができ、ほかの人にも良い影響を与えることができる、と述べた文章。筆者は表現を変えながら、言いたいことを何度も繰り返し述べていることに注意しよう。

1. 人生は自分で変えることができる、という問題文の主旨を、「これまで」「不運だった」場合に焦点を当てて具体的に述べている文であり、主旨そのものではない。

2. どのように自分を変えればどのように人生が変わるかを、具体的に述べているので、主旨には当たらない。

3. 2と同様に、自分を変えるときに何が大切かを具体的に述べているため、主旨には当たらない。

4. 妥当である。

5. 人生を自分で変えて自由な生き方をすることによる、他者への影響が焦点となっているため主旨には当たらない。

正答 4

次の文の主旨として、最も妥当なのはどれか。

「親の意見となすびの花は、千に一つも無駄はない」という諺を引き合いに出され、口答えをいっさい許さない母親に育てられた私は、幼い時は、一見、人の意見によく聞き従う子どもでした。

ところが十代後半ともなると、親にも批判的になり、それまで抑えつけられていたものが一挙に噴き出して、今度は無闇やたらに自己主張する人間に変わってしまいました。

好きな人の意見なら、素直に聞くけれども、嫌いな人の意見には耳を貸さない。または、相手が嫌いというだけで、正論に対しても反撥する私でした。

その私に、意見というものは、「相手」を離れて、客観的に受けとめるものだと教えてくれた人がいました。

「誰が言おうと、正しい意見には従いなさい。間違った意見に従う必要はない」

と、その人は、はっきり言ってくれました。

相手の意見を検討するためには、まず自分が自分なりの意見、判断を持っていなくてはなりません。さらに、自分の考えのみが正しいとは限らないという謙虚さと、他人には他人の考えがある、という相手の人格への尊敬も必要なのです。

自分のがそうであるように、他人の意見もまた、その人が辿ってきた人生の歴史から生まれたものであり、その人の価値基準に基づいて形成されているということを、頭に入れて聞くことがたいせつです。

いくら人の意見を聞いたとしても、最終的に決断をくだすのは、他ならぬ自分であり、したがって、その決断の結果に対する責任は、あくまでも自分が取らなければならないのだというきびしさも、忘れたくないと思います。

自分が「聞きたくない意見」を言ってくれる人をたいせつにしないといけません。そういう意見こそが、案外、自分の取るべき道を、より明確にしてくれるものだからです。

（渡辺和子「幸せはあなたの心が決める」による）

1 意見は、相手を離れて、客観的に受け止めるものである。

2 相手の意見を検討するためには、自分が自分なりの意見、判断を持っていなくてはならない。

3 他人の意見は、その人の価値基準に基づいて形成されていることを頭に入れて聞くことが大切である。

4 いくら人の意見を聞いたとしても、最終的に決断するのは自分である。

5 自分が聞きたくない意見こそが、案外、自分の取るべき道を、より明確にしてくれるものである。

解　説

相手が誰であれ正しい意見には従うようアドバイスされたが、相手の意見を検討するには自分なりの意見・判断を持たなければならず、自分が間違えることがあるという謙虚さと相手の人格への尊敬も必要であるし、決断の結果に対する責任も伴うことを忘れてはいけない。自分が「聞きたくない意見」こそが自分が取るべき道をより明確にしてくれるものなので、それを言ってくれる人を大切にしなければいけない、と述べた文章。

1．内容は正しいが、全体の主旨としては、どのような意見を聞くかについて触れる必要がある。

2．「自分なりの意見、判断」を持つことは、相手の意見を検討するために必要なことの一つに過ぎないため、主旨には当たらない。

3．**2**と同様に「他人の意見は、その人の価値基準に基づいて形成されていることを頭に入れて聞く」ことは、相手の意見を検討するために必要なことの一つに過ぎない。「相手の人格への尊敬も必要」の「も」に注意。

4．「最終的に決断するのは自分である」ということは、相手の意見を検討し受け入れるという内容を、視点をずらして展開させているのであり、全体の主旨には当たらない。

5．妥当である。

正答　**5**

次の短文A～Gの配列順序として、最も妥当なのはどれか。

A　仮りに見棄てられた器物があるとしよう。

B　同じようにここに美しい器物があったとしよう。

C　落ちる林檎にも宇宙の法則が働くのは、ニュートンの力によると、そういえるであろう。

D　見る者が見たら甦るのである。

E　だが見得ない者にとって、美しさはどこにも存在しない。

F　彼以前にも法則は働いていたといい張られるかも知れぬ。

G　だがその法則を思うのもニュートンが見出してくれたからに過ぎない。

（柳宗悦「茶と美」による）

1　A－B－D－F－C－G－E

2　A－D－C－F－G－B－E

3　A－D－F－B－E－C－G

4　A－E－B－D－G－F－C

5　A－E－C－F－D－B－G

解　説

　見棄てられた器物でも美しさを見出せる者が見れば美しい器物として甦るということを、ニュートンの法則を例えに挙げて述べた文章。

　選択肢はすべてAから始まっており、まず、前提として「見棄てられた器物がある」ことを想定している。さらに選択肢を見ると、B、Eでは「美しさ」について言及されており、Bで「美しい器物があったとしよう」と仮定を述べ、Eで見ようとしない者が美しい器物を見ても、「美しさはどこにも存在しない」と述べているので、B→Eとなる。ここで選択肢は**2**と**3**に絞られる。また、C、F、Gでは「法則」、CとGでは「ニュートン」について言及しており、Fはニュートンを受けて「彼」と述べ、Gは「その法則」と述べていることから、CはFとGより前に来る。したがって、**3**は否定され、正答は**2**となる。

　2を見ると、A→Dで、見棄てられた器物であっても、「見る者が見たら」その器物は甦ると述べている。さらに、見る人が見れば甦るということの例えとして、Cで宇宙の法則とニュートンが登場し、F、Gでニュートン以前にも法則が働いていたが、働いていても気づかれなかった法則をニュートンが見出したからこそ、落ちる林檎を見て法則が思い浮かぶ、と述べている。C、F、Gの法則を「同じように」と受けて、Bでは美しい器物があると仮定し、Eではたとえ美しくても見ることができない者には美しさは見出せない、という流れになっている。

正答　2

次の文の空所A～Cに該当する語の組合せとして、最も妥当なのはどれか。

　地域の力というのは、行政あるいは企業のサービス業務に地域での共同生活の大半を委託するのではなく、日々の暮らしのなかで、他者に心を配る、世話をする、面倒をみるといったインターディペンデンス interdependence のネットワークをいつでも始動できるよう準備しておくなかでついてくるものであり、それが起こりうる不測の事態を回避するためにいちばん大事なことであるのに、その力が地域生活から削がれていった。高度なアメニティを得ることの　　A　　はそれほどに重く、また一人ひとりの暮らしに大きなダメージを与えるものだった。アメニティ優先の社会が生みだしたアイロニーである。

　ここでつけ加えておけば、初期の団地には現在、注目しておいてよい新しい動きもある。創設時はたしかにしがらみのない機能的な暮らしに憧れる若い世帯の　　B　　の空間だった。それがやがて、鉄の扉で封印された核家族の孤立のシンボルのように言われだした。そしていま、急激な高齢化とともに過疎地のようになりつつある。が、そこに身を置くと、都心の高密度でセキュリティ完備のマンション生活と比べ、コミュニティは団地のほうが生きているようにも感じる。

　わたしのいた桃山台の団地に、二回りほど若い友人たちが遊びに来たことがある。眼を輝かせて仕様の細部まで見て回るので、逆にこちらが驚いた。幼少のときの「昭和」の空気を懐かしく感じたのか、それともむきだしの配管、タイルやデコラ張りの感触、がたついた襖や開き戸、そして平均身長がいまより低い時代の、ちょっと縮んだ空間を　　C　　に感じたのか。

（鷲田清一「しんがりの思想」による）

	A	B	C
1	対価	希望	新鮮
2	対価	理想	斬新
3	代償	希望	窮屈
4	代償	希望	新鮮
5	代償	理想	斬新

アメニティ優先の社会になることで地域生活から地域の力が削がれていったが、都会のマンション生活に比べコミュニティが生きている初期の団地には、現在、新しい動きがあり注目したいと述べた文章。

A：Aの前には「高度なアメニティを得ること」、後ろには「また一人ひとりの暮らしに大きなダメージを与える」とあることから、「暮らしに大きなダメージを与える」と同じように、高度なアメニティを得ることについてのネガティブな内容が入ることがわかる。人に与えた利益に対して受け取る報酬という意味の「対価」は、ネガティブな内容ではないため、不適切。目的を達成するために払った犠牲という意味の「代償」が当てはまる。ここで、選択肢は**3**、**4**、**5**に絞られる。

B：Bを含む文では、創設時の団地が若い世帯にとってどのような空間であったか、を形容する語が入る。若い世帯が「憧れる」空間であるから、将来実現してほしいと期待することである「希望」と、考えうる最高の状態という意味の「理想」は、いずれも当てはまる。

C：Cの前の文で、筆者より二回りも若い友人たちが団地を「眼を輝かせて仕様の細部まで見て回る」とあり、Cを含む文では筆者が考える、その理由が述べられている。「懐かしく感じたのか、それとも」に続いているので、Cには若い友人たちが団地をどのように感じたから「眼を輝かせて見て回」っていたのか、の「どのように」の部分が入る。「窮屈」は興味を惹かれる理由として不適切。極めて独創的で革新的であるという意味の「斬新」は、古い団地を形容する言葉としては適切でない。平均身長が低い時代のちょっと縮んだ空間に若い人が感じたこととして、「新鮮」が適している。

よって、正答は**4**である。

正答 **4**

次の英文中に述べられていることと一致するものとして、最も妥当なのはどれか。

In the dark the old man could feel the morning coming and as he rowed he heard the trembling* sound as flying fish left the water and the hissing that their stiff set wings made as they soared away in the darkness.　He was very fond of flying fish as they were his principal friends on the ocean.　He was sorry for the birds, especially the small delicate dark terns* that were always flying and looking and almost never finding, and he thought, 'The birds have a harder life than we do except for the robber birds and the heavy strong ones.　Why did they make birds so delicate and fine as those sea swallows when the ocean can be so cruel?　She is kind and very beautiful.　But she can be so cruel and it comes so suddenly and such birds that fly, dipping and hunting, with their small sad voices are made too delicately for the sea.'

He always thought of the sea as *la mar* which is what people call her in Spanish when they love her.　Sometimes those who love her say bad things of her but they are always said as though she were a woman.　Some of the younger fishermen, those who used buoys as floats for their lines and had motor-boats, bought when the shark livers had brought much money, spoke of her as *el mar* which is masculine.　They spoke of her as a contestant or a place or even an enemy.　But the old man always thought of her as feminine and as something that gave or withheld great favours and if she did wild or wicked things it was because she could not help them.　The moon affects her as it does a woman, he thought.

(Ernest Hemingway：林原耕三・坂本和男「対訳ヘミングウェイ(2)」による)

＊ trembling……震えること　　　＊ tern……アジサシ（カモメの類）

1　老人は、飛魚が海上で一番の友達だからとても好きであったが、いつも飛び回っているので可哀そうだと思っていた。

2　老人は、泥棒鳥や大きくて強い鳥は別だが、鳥は、私達よりつらい生活をしていると思った。

3　老人は、海がとても優しくなれるのに、なぜ海燕のようなひ弱い華奢な鳥を造ったのかと思った。

4　若い漁師たちのある者は、海のことをエル・マルと女性風に呼んだ。

5　老人は、海が荒々しい邪悪なことをしたときは、海を男性と考えていた。

解 説

英文の全訳は以下のとおり。

〈暗闇の中、老人は朝が近づいてくるのを感じ、漕いでいると飛魚が水から出るときの身を震わせる音や、暗闇の中に飛び立つとき硬い翼が立てるシューッという音が聞こえた。海上で一番の友達だったから、彼は飛魚がとても好きだった。彼は鳥を、特に、いつも飛び回って獲物を探しているのにほとんど見つけられない、小さくてひ弱で暗い色のアジサシを、かわいそうだと思っていた。「泥棒鳥や大きくて強い鳥は別だが、鳥は、私たちよりつらい生活をしている。なぜ、海はあんなに残酷になれるのに、なぜ海燕（アジサシ）のようにひ弱な華奢な鳥が造られたのだろう。海は優しく、とても美しい。しかし、海は非常に残酷になれるしそれも突然にやってくることがある。小さく悲しげな声で飛び回り、急降下して獲物を捕ろうとする鳥たちは、海に対してあまりにひ弱に造られている。」

　彼にとっていつも海は海を愛する者たちがスペイン語の女性名詞で呼ぶようにラ・マルであった。時には、海を愛する者たちが海の悪口を言うこともあったが、そういうときも彼らは海のことを女性であるかのように言うのだった。若い漁師の中には、ブイを釣網の浮きとして使ったり、サメの肝臓が高く売れたときに買ったモーターボートを所有したりしている者がおり、彼らは海のことをエル・マルと男性名詞で呼んだ。彼らは海のことを競争相手や場所、場合によっては敵ですらあるかのように話した。しかし老人は、いつも海を女性と考え、すばらしく良いものを与えてくれることもあれば与えてくれないこともあるかのように考えていた。たとえ海が荒々しく冷酷なことをするとしても、それは仕方のないことだからだ。月が女性に影響を与えるように、海にも影響を与えていると彼は思った。〉

1. 前半は正しいが、老人がかわいそうだと思っていたのは鳥、特にアジサシのような小さな鳥のことである。

2. 妥当である。

3. 老人は、海が残酷になれるのに、なぜ海燕のようにひ弱な華奢な鳥が造られたのだろう、と疑問に思っている。

4. 若い漁師たちの中には、海のことをエル・マルと男性風に呼ぶ者がいた、とある。

5. 老人は、海が残酷なことをしたときでも海のことを女性と考えていた、とある。

正答 **2**

次の英文中に述べられていることと一致するものとして、最も妥当なのはどれか。

Not believe in Santa Claus! You might as well not believe in fairies! You might get your papa to hire men to watch in all the chimneys on Christmas Eve to catch Santa Claus, but even if you did not see Santa Claus coming down, what would that prove?

Nobody sees Santa Claus but that is no sign that there is no Santa Claus. The most real things in the world are those that neither children nor men can see. Did you ever see fairies dancing on the lawn? Of course not, but that's no proof that they are not there. Nobody can conceive or imagine all the wonders there are unseen and unseeable in the world.

You tear apart the baby's rattle and see what makes the noise inside, but there is a veil covering the unseen world which not the strongest man, not even the united strength of all the strongest men that ever lived, could tear apart. Only faith, poetry, love, romance, can push aside that curtain and view and picture the supernal* beauty and glory beyond. Is it all real? Ah, Virginia, in all this world there is nothing else real and abiding.

No Santa Claus! Thank God! he lives and lives forever. A thousand years from now, Virginia, nay* ten times ten thousand years from now, he will continue to make glad the heart of childhood.

(Francis Pharcellus Church：安井京子「音読して楽しむ名作英文」による)

＊ supernal……崇高な　　　＊ nay……それのみならず

1　クリスマスイブに全ての煙突を見張り、サンタクロースが降りてくるのを見ることができなかったら、サンタクロースがいないことの証明になる。

2　この世には、これまで目にすることがなかったり、見えなかったりする不思議なものがあり、その全てを理解できたり、想像できたりするわけではない。

3　赤ちゃんのガラガラは、壊さなくても中で何が音を立てているのかは分かるが、目に見えない世界には、壊すことができないベールがかかっている。

4　信じる心、詩、愛、夢のような物語だけでは、崇高で気高く美しいものを見ることはできない。

5　サンタクロースはこれからも永遠に存在し、子どもや大人の心を喜びでいっぱいにし続けるだろう。

英文の全訳は以下のとおり。

〈サンタクロースを信じないだって！　妖精を信じないようなものだね！　サンタクロースを捕まえようと、お父さんに誰かを雇ってもらって、クリスマスイブにすべての煙突を見張らせて、サンタクロースが降りてくるところを見られなかったとしても、それで何を証明したことになるのだろう？

　誰の目にもサンタクロースは見えないけれど、だからといってサンタクロースがいないという証拠にはならない。世の中で一番大切なものは、子どもにも大人にも見ることはできないのだ。妖精が芝生の上で踊っているのを見たことがあるかい？　もちろんないだろう。だからといって、妖精がそこにいないという証拠にはならない。この世には、これまで目にすることがなかったり、見えなかったりする不思議なものがあるが、そのすべてを理解できたり、想像できたりするわけではないのだ。

　赤ちゃんのガラガラを壊せば、中で音を立てているのが何かわかるだろうが、見えない世界には、最強の人でも、これまで生きてきた最強の人たち全員の力を合わせても、引き裂くことができないベールがかかっているのだ。信じる心、詩、愛、夢のような物語だけが、そのベールを払いのけて、その向こうにある崇高で気高く美しいものを見たり描いたりできる。それらはみんな本物かって？　ヴァージニア、この世界で、これほど確かでいつまでも変わらないものがほかにあるだろうか。

　サンタクロースはいない！　やれやれ、サンタクロースはいるし、これからもずっと存在する。これから千年も、ヴァージニア、いやそれのみならず、あと十万年たっても、サンタクロースは子どもたちの心を喜びでいっぱいにし続けるだろう。〉

1. 第1段落で、「すべての煙突を見張らせて、サンタクロースが降りてくるところを見られなかったとしても、それで何を証明したことになるのだろう？」と疑問を投げかけている。

2. 妥当である。

3. 第3段落で、「赤ちゃんのガラガラを壊せば、中で音を立てているのが何かわかる」とある。

4. 第3段落に、「信じる心、詩、愛、夢のような物語だけが、崇高で気高く美しいものを見たり描いたりできる」とある。

5. 第4段落に、「サンタクロースは子どもたちの心を喜びでいっぱいにし続ける」とは書かれているが、大人の心についての言及はない。

正答　**2**

次の英文の空所ア～エに該当する語の組合せとして、最も妥当なのはどれか。

A certain swordsman* in his declining years* said the following:

In one's life, there are levels in the pursuit of study.　In the lowest* level, a person studies but nothing comes of it, and he feels that both he and others are unskillful*.　At this point he is worthless.　In the middle level he is still useless but is aware of his own insufficiencies* and can also see the insufficiencies of others.　In a higher level he has pride concerning his own ability, 　　ア　　 in praise from others, and 　　イ　　 the lack of ability in his fellows. This man has worth.　In the highest level a man has the look of knowing nothing.

These are the levels in general.　But there is one transcending level, and this is the most excellent of all.　This person is aware of the endlessness of entering deeply into a certain Way and never thinks of himself as having finished.　He truly knows his own insufficiencies and never in his whole life thinks that he has succeeded.　He has no thoughts of pride but with self-abasement* knows the Way to the end.　It is said that Master Yagyū once remarked, "I do not know the way to defeat others, but the way to defeat myself."

Throughout your life advance daily, becoming more skillful than 　　ウ　　, more skillful than 　　エ　　.　This is never-ending.

（山本常朝　William Scott Wilson「（対訳）葉隠」による）

* swordsman……剣客　　　　　　* declining years……晩年
* lowest……最下の　　　　　　　* unskillful……下手な
* insufficiencies……不十分　　　* self-abasement……卑下

	ア	イ	ウ	エ
1	laments	rejoices	today	yesterday
2	laments	rejoices	yesterday	today
3	rejoices	laments	yesterday	everyday
4	rejoices	laments	yesterday	today
5	salutes	smiles	today	everyday

英文の全訳は以下のとおり。

〈ある剣客が晩年に次のように言った：人の人生において、修行にはいくつかの段階がある。最下の段階では、修行しても何も得られず、自分でも下手であると思い、人も下手であると感じる。この段階ではその人は役に立たない。中間の段階では、まだ役に立たないが、自分の不十分なところに気づいており、また、人の不十分なところもわかるようになる。上の段階になると、自分自身の能力に対して自慢する気持ちが出て、人からの賞賛に喜び（ア）、仲間の能力不足を嘆く（イ）。この段階でその人は役に立つ。最上の段階になると、知らぬふりをしている。

　これらは、一般的な段階である。しかし、その上にもう一つ超越した段階があり、すべての中でこれが最もすばらしいものである。この段階の人は、道は深く入れば入るほど終わりがないということがわかっており、やり終わったと感じることは決してない。真に、自分自身に不十分なところがあるということを知っており、一生、これで完成したと思うことはない。自慢することなく、卑下とともに（自分を卑下することもなく）、終わりへの道を知っている。柳生師はかつて、「私は人に勝つ方法は知らないが、自分に勝つ方法は知っている」と申されたということだ。

　あなたの一生を通じて、昨日（ウ）よりも技能を上達させ、今日（エ）よりも技能を上達させるよう、日々前進せよ。これは決して終わることがないのである。〉

　アの前では、上の段階の人は自分の能力を自慢する気持ちが出ると述べられており、アの後ろに「人からの賞賛」とある。lament（嘆く）は、能力を自慢していることと矛盾するため不適切。salute（挨拶する）は、文脈からはずれているため誤り。したがってアの前の文と矛盾しない rejoice（喜ぶ）が当てはまる。rejoice in〜は「〜を喜ぶ」という意味。同様に、イの後ろに「仲間の能力不足」とあるが、自分に能力があるからこそ、仲間の能力不足に気づいてしまうことから lament が当てはまる。肯定的な意味の rejoice、smile（笑う）はここでは不適切である。

　選択肢を見るとウとエには対になった語が入るが、時間の流れから考えるとウが前、エが後になることが推測されるため、ウに yesterday、エに today が入る。ウが today、エが yesterday だと時間の流れと逆になってしまう。また、ウは yesterday や today でもよいが、エが everyday だと「毎日よりも上達する」となってしまい意味が通じないため、不適切。以上から、アは rejoices、イは laments、ウは yesterday、エは today となる。

　よって、正答は**4**である。

正答　**4**

次の日本語の四字熟語と英文との組合せA〜Eのうち、双方の意味が類似するものを選んだ組合せとして、妥当なのはどれか。

A　竜虎相搏（はく）　── Diamonds cut diamonds.
B　一石二鳥　　　　 ── To fall between two stools.
C　羊頭狗肉（く）　 ── He cries wine and sells vinegar.
D　画竜点睛（せい）　── Too much of one thing is not good.
E　狡兎三窟（こうと）── Who knows most speaks least.

1　A　C
2　A　D
3　B　D
4　B　E
5　C　E

A：“Diamonds cut diamonds.（削るものと削られるものがどちらも硬いダイアモンドである
ように、強いものどうしの互角の好勝負のこと）”は、「竜虎相搏（竜と虎のように強い者ど
うしが激しく戦うこと）」と同じ意味。

B：“To fall between two stools.（二つの椅子のどちらに座るか迷っていると、その間に落ち
てしまうことになること）”は、「二兎を追うものは一兎をも得ず」と同じ意味。「一石二鳥」
は、1つのことをして2つ手に入れること。

C：“He cries wine and sells vinegar.（ワインだと叫んで酢を売る）”は、「羊頭狗肉（見かけ
や表面と中身や実際が一致しないこと）」と同じ意味。

D：“Too much of one thing is not good.（良いものでもたくさんありすぎるとかえって良く
ない）”は、日本語の「過ぎたるはなお及ばざるがごとし」と同じ意味。「画竜点睛」は、最
後の仕上げをすること。

E：“Who knows most speaks least.（知識のある者は語らない）”は、日本語の「能ある鷹は
爪を隠す（才能や実力のある者は見せびらかしたりしない）」と同じ意味。「狡兎三窟」は、
身を守るためにたくさんの逃げ場や策略を用意しておくこと。

以上から、日本語と英文の意味が類似するものはAとCである。

よって、正答は**1**である。

正答　1

A～Fの6チームが、サッカーの試合を総当たり戦で2回行った。今、2回の総当たり戦の結果について、次のア～エのことが分かっているとき、確実にいえるのはどれか。

　ア　各チームの引き分け数は、Aが5試合、Bが2試合、Cが3試合、Dが6試合、Eが2試合、Fが4試合であった。

　イ　各チームとも2チーム以上と引き分けた。

　ウ　AはBとは引き分けなかった。

　エ　Dはすべてのチームと引き分けた。

1　Aは、C、D、Eと1試合ずつ引き分けた。

2　Bは、Cと少なくとも1試合引き分けた。

3　Cは、Fと少なくとも1試合引き分けた。

4　Dは、Fと2試合とも引き分けた。

5　Fは、Aと少なくとも1試合引き分けた。

解　説

条件ア～エより、表Ⅰのようになる。この表Ⅰで、灰色部分は引き分けの可能性がないことを示している。ここで、Ｄが引き分けたもう１試合を考えてみる。ＤがＡと２試合引き分けているとすると、表Ⅱ～表Ⅳが考えられる。ＤがＦと２試合引き分けているとすると、表Ⅴ、表Ⅵの場合が考えられる。与えられている条件が抽象的なので、選択肢を絞ることができれば十分である。この表Ⅱ～表Ⅵより、**１～４**は断定できない

表Ⅰ

	A	B	C	D	E	F	引分
A				△			5
B				△			2
C				△			3
D	△	△	△		△	△	6
E				△			2
F				△			4

表Ⅱ

	A	B	C	D	E	F	引分
A			△	△△		△△	5
B							2
C	△						3
D	△△	△				△	6
E							2
F	△△				△		4

表Ⅲ

	A	B	C	D	E	F	引分
A				△	△△	△△	5
B			△		△		2
C	△				△		3
D	△△	△			△		6
E		△					2
F	△△		△	△			4

表Ⅳ

	A	B	C	D	E	F	引分
A			△	△△		△△	5
B				△		△	2
C	△						3
D	△△	△				△	6
E							2
F	△△		△				4

表Ⅴ

	A	B	C	D	E	F	引分
A			△	△	△	△△	5
B			△	△			2
C	△						3
D	△				△	△△	6
E	△			△			2
F	△△			△△			4

表Ⅵ

	A	B	C	D	E	F	引分
A			△△	△	△		5
B					△		2
C							3
D	△		△			△△	6
E				△			2
F			△	△△			4

よって、正答は**５**である。

正答　**5**

ある暗号で「緑色」が「Ⅳえ・Ⅲい・Ⅰお・Ⅰお・Ⅱう」、「赤色」が「Ⅲい・Ⅰお・Ⅱお」で表されるとき、同じ暗号の法則で「黒色」を表したのはどれか。

1 「Ⅱえ・Ⅳあ・Ⅰう・Ⅲい・Ⅰあ」

2 「Ⅲあ・Ⅲえ・Ⅱえ・Ⅰい・Ⅰお」

3 「Ⅳお・Ⅲい・Ⅰう・Ⅲあ・Ⅱう」

4 「Ⅳお・Ⅳう・Ⅴあ・Ⅰお」

5 「Ⅳお・Ⅳう・Ⅴお・Ⅲお・Ⅴう」

「緑色」、「赤色」をそれぞれ、「みどりいろ」、「あかいろ」としても、「MIDORIIRO」、「AKAIRO」としても、暗号と文字数が一致しない。そこで、「緑色」を「GREEN」、「赤色」を「RED」とすると文字数が一致し、また、R＝Ⅲい、E＝Ⅰお、となって矛盾しない。そこで、アルファベットの判明している部分をまとめると、表Ⅰのようになる。この表Ⅰから整合性を持たせてほかのアルファベットに該当するローマ数字および平仮名を当てはめると、表Ⅱとなる。この表Ⅱより、「黒色」＝「BLACK」となるのは、「Ⅳお・Ⅳう・Ⅴお・Ⅲお・Ⅴう」である。

表Ⅰ

A	B	C	D	E	F	G	H	I	J	K	L	M
			Ⅱ	Ⅰ		Ⅳ						
			お	お		え						

N	O	P	Q	R	S	T	U	V	W	X	Y	Z
Ⅱ				Ⅲ								
う				い								

表Ⅱ

A	B	C	D	E	F	G	H	I	J	K	L	M
Ⅴ	Ⅳ	Ⅲ	Ⅱ	Ⅰ	Ⅴ	Ⅳ	Ⅲ	Ⅱ	Ⅰ	Ⅴ	Ⅳ	Ⅲ
お	お	お	お	お	え	え	え	え	え	う	う	う

N	O	P	Q	R	S	T	U	V	W	X	Y	Z
Ⅱ	Ⅰ	Ⅴ	Ⅳ	Ⅲ	Ⅱ	Ⅰ	Ⅴ	Ⅳ	Ⅲ	Ⅱ	Ⅰ	Ⅳ
う	う	い	い	い	い	い	あ	あ	あ	あ	あ	

よって、正答は**5**である。

正答　**5**

寿司屋か焼肉屋のどちらかに行きたいA〜Eの5人がいる。今、意見の調整を次のア〜ウの順に実施し、最終的に5人全員が寿司屋に行く意見でまとまったとき、確実にいえるのはどれか。ただし、それぞれの意見の調整では、3回とも3人の中で意見の一致する2人の説得により、他の1人が意見を変えたものとする。

　ア　1回目は、A、B、Cで実施した。
　イ　2回目は、A、C、Dで実施した。
　ウ　3回目は、B、D、Eで実施した。

1　調整前は、寿司屋に行きたい者が2人、焼肉屋に行きたい者が3人であった。

2　調整前は、Bは焼肉屋に行きたい意見を持っていた。

3　調整前は、Cは焼肉屋に行きたい意見を持っていた。

4　調整の結果、Dは自分の意見を2回変えた。

5　Eの調整前の意見は、寿司屋であったか焼肉屋であったかはわからない。

解説

3回目に、B、D、Eで意見調整を行い、寿司屋に行くことに決まったのだから、B、D、Eのうちの2人が寿司屋、1人が焼肉屋に行きたいという意見を持っていたことになる。

　このとき、Bが焼肉屋に行きたいという意見を持っていたとすると、1回目のA、B、Cによる調整で焼肉屋に行くという意見でまとまっていることになる。この場合、2回目に意見調整を行ったA、C、Dのうち、A、Cの2人は1回目の調整で焼肉屋に行く意見でまとまっているので、2回目の意見調整の結果も、焼肉屋でまとまることになる。そうすると、3回目の意見調整ではB、Dの2人が焼肉屋に行く意見となるので、最終的に焼肉屋で決定する。3回目の意見調整で、Dが焼肉屋に行きたいという意見を持っていたとしても、結果は同様となる。1回目の意見調整で焼肉屋にまとまり、2回目に、焼肉屋に行きたいA、Cが、寿司屋に行きたいDを説得して、焼肉屋でまとまっていなければならないからである。

　したがって、3回目に焼肉屋に行きたいという意見を持っていたのはEである。1回目はA、B、Cのうちの2人が寿司屋、1人が焼肉屋に行きたい意見を持っており（ただし、各人の意見は判明しない）、調整の結果、寿司屋に行くことで意見がまとまる。次に、2回目は寿司屋に行きたいA、C（1回目の結果より）が、焼肉屋に行きたいDを説得して、寿司屋に行くという意見でまとまる。3回目は、寿司屋に行きたいB、Dが、焼肉屋に行きたいEを説得し、最終的に寿司屋に行くことで意見がまとまった、という流れとなっている。

　以上から、**2**、**3**は不明、**4**、**5**は誤りで、正答は**1**である。

正答　**1**

No.13については、特別区人事委員会より「問題に誤りがあり、正答がないことが判明した」旨の発表がありましたので、掲載しておりません。

1〜7の互いに異なる数字が1つ書かれた7枚のカードが2組ある。A、Bの2人がこの組を1つずつ手札として持って、各自が手札からカードを1枚ずつ出し合い、出したカードの数字を比較して、数字の大きいカードを出したほうを勝ち、同じ場合は引き分けとするゲームを行う。今、このゲームを手札がなくなるまで行い、次のア〜エのことが分かっているとき、確実にいえるのはどれか。ただし、一度出したカードは手札に戻さないものとする。

ア　Aが2回目に出したカードの数字は6であり、Bが最後に出したカードの数字は1であった。

イ　Aが奇数回目に出したカードの数字はすべて奇数であった。

ウ　Aは3回、Bは4回勝って、引き分けはなかった。

エ　Bが勝ったときのカードの数字の差はすべて1であった。

1 Aが勝ったときに出したカードの数字は4、5、7であった。

2 Bが偶数回目に出したカードの数字はすべて奇数であった。

3 Bは2回目と3回目を続けて勝った。

4 Bが4回目に出したカードの数字は5であった。

5 Bが6を出したときはBが勝った。

解説

「Aが2回目に出したカードの数字は6、Bが最後に出したカードの数字は1」というのは確定しているが、それ以外は、奇数回、偶数回までしか判断できないので、表Iのようにしてみる。Aが1を出したとき、Bは必ず勝つので、このときにBが出すカードは2である。また、7のカードは必ず勝つので、Bは2回目に7のカードを出して、1の差で勝っていることになる（表II）。Aが2のカードを出したとき、Bが出すカードは3以上なので、Aが2のカードを出したとき、Bは3のカードを出して、1の差で勝っている。Bの残りのカードは、4、5、6で、そのうち1回だけ勝つことになるので、表IIIのような結果となる。なお、Aが7回目（奇数回）に出すカードが1、5、7のいずれであっても、条件を満たせない。この表IIIより、**1**、**5**は誤り、**3**はBが3回目に勝ったかどうかは不明、**4**も同様にBが5のカードを出したのが4回目であるかどうかは不明である。

表I

	奇数回	2回目	奇数回	偶数回	奇数回	偶数回	7回目
A	7	6	5		1		3
B							1

表II

	奇数回	2回目	奇数回	偶数回	奇数回	偶数回	7回目
A	7	6	5	4	1	2	3
B		7		2			1

表III

	奇数回	2回目	奇数回	偶数回	奇数回	偶数回	7回目
A	7	6	5	4	1	2	3
B	6	7	4	5	2	3	1

よって、正答は**2**である。

正答　**2**

次の図のような10個の駅から成り、両方向に電車を運行させている環状線がある。各駅とも、両隣の駅までの所要時間が2分又は3分であり、A駅から各駅までの所要時間を表のとおりとするとき、所要時間が最も短い経路として妥当なのはどれか。ただし、表の所要時間はより短い経路での時間を示したものであり、同一区間であれば、所要時間は両方向とも同じであるものとする。

駅名	A駅からの 所要時間
B	11分
C	2分
D	7分
E	5分
F	10分
G	2分
H	12分
I	4分
J	8分

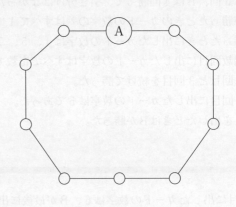

1 B駅から I 駅まで
2 D駅からE駅まで
3 D駅からJ駅まで
4 E駅から I 駅まで
5 I 駅からJ駅まで

まず、A駅からC駅、G駅までの所要時間はいずれも2分なので、C駅、G駅はA駅の隣の駅
となる（左右どちらでもよい）。次に、A駅からI駅まで4分、E駅まで5分なので、「A−C
−I」で4分、「A−G−E」で5分としてみる。A駅からD駅まで7分、J駅まで8分なので、
「A−C−I−D」で7分、「A−G−E−J」で8分でなければならない。ここまでで、I駅とE
駅を入れ替えると、その先の駅は左右反転するだけであることがわかる（各選択肢を検討する
際も問題ない）。そして、B、F、H駅までを考えると、下図のようになる。

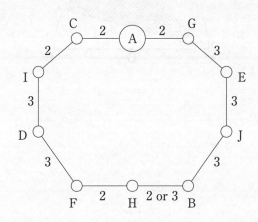

したがって、

1. B駅からI駅まで＝10分または11分

2. D駅からE駅まで＝12分

3. D駅からJ駅まで＝10分または11分

4. E駅からI駅まで＝9分

5. I駅からJ駅まで＝12分

となり、正答は**4**である。

正答 **4**

次の図のように、半径 AO が 6 cm の半円がある。今、円弧上に∠CAB が15°となる点をC、∠DAC が30°となる点をDとするとき、点Aと点C、点Aと点Dをそれぞれ結んだときにできる斜線部の面積はどれか。ただし、円周率は π とする。

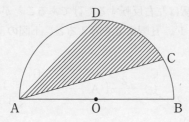

1　$\dfrac{9}{2}\pi + 9\,\text{cm}^2$

2　$6\pi + 18 - 6\sqrt{3}\,\text{cm}^2$

3　$6\pi + 9\,\text{cm}^2$

4　$9\pi\,\text{cm}^2$

5　$15\pi - 9\,\text{cm}^2$

図 I より、△OAD は、OA＝OD＝6、∠OAD＝45°の直角二等辺三角形であるから、面積は6^2 ×$\frac{1}{2}$＝18〔cm²〕である。扇形 OBD は、半径6、中心角90°なので、面積は$6^2\pi$×$\frac{1}{4}$＝9π〔cm²〕である。この合計の 9π＋18 から、図 II における扇形 OBC、△OAC の面積を除けばよい。

　△OAC は、OA＝OC の二等辺三角形なので、∠OCA＝15°、したがって∠BOC＝30°である。ここから、扇形 OBC＝$6^2\pi$×$\frac{1}{12}$＝3π〔cm²〕である。ここで、点 C から OB に垂線 CH を下ろすと、△OCH は30°、60°、90°の直角三角形なので、CH：CO：OH＝1：2：$\sqrt{3}$ の比となり、OC＝6 より、CH＝3 である。これにより、△OAC の面積は、6×3×$\frac{1}{2}$＝9〔cm²〕となる。したがって、求める面積は、9π＋18－3π－9＝6π＋9〔cm²〕となる。

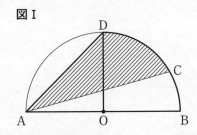

よって、正答は**3**である。

正答　**3**

東京都・特別区

教養試験

No.
17

数的処理

比、割合

区

令和 6 年度

ある電車は、乗車定員の56%が座れる同じ車両の11両編成で運行している。この電車に400人が乗ったとき、全員座ることができるが、500人が乗ったとき、座ることができない乗客がでる。この電車の座席数はどれか。

1 429席

2 440席

3 451席

4 462席

5 473席

解 説

乗車定員を x とすると、0.56x＝座席数より、x＝座席数÷0.56である。乗車定員、座席数とも自然数であるから、座席数÷0.56は自然数でなければならない。選択肢より、429÷0.56≒766.1、440÷0.56≒785.7、451÷0.56≒805.4、462÷0.56＝825、473÷0.56≒844.6となるので、座席数は462席である。

　よって、正答は**4**である。

正答　**4**

No. **18** 教養試験 **数的処理** **旅人算** 令和 **6**年度 区

A、Bの2人が、スタートから20km走ったところで折り返し、同じ道を戻ってゴールする40kmのロードレースに参加した。今、レースの経過について、次のア～ウのことが分かっているとき、Aがゴールするまでに要した時間はどれか。ただし、レースに参加したすべての選手は同時にスタートし、ゴールまでそれぞれ一定の速さで走ったものとする。

　ア　Aは、15km走ったところで先頭の選手とすれ違った。
　イ　Aが12km走る間に、Bは10km走った。
　ウ　Bは、先頭の選手がゴールしてから2時間後にゴールした。

1　2時間
2　2時間40分
3　3時間20分
4　3時間40分
5　4時間

解説

　Aは15km走ったところで先頭の選手とすれ違っているが、このとき、先頭の選手は25km走っている。ここから、Aと先頭の選手の速さの比は、A：先頭＝15：25＝3：5である。ここから、スタートしてからゴールするまでにかかる時間の比は、A：先頭＝5：3（速さの比と逆比の関係）となる。また、Aが12km走る間にBは10km走っているので、AとBの速さの比はA：B＝12：10＝6：5、時間の比は、A：B＝5：6である。この時間の比について、A：先頭＝5：3、A：B＝5：6であるから、A：先頭：B＝5：3：6であり、ここから、Bがゴールするまでに要した時間は、先頭の選手の2倍である。つまり、先頭の選手は2時間でゴールし、Bは4時間（＝240分）でゴールしたことになる。

　Aがゴールするまでに要した時間をxとすると、x：240＝5：6、x＝200となり、200分＝3時間20分である。

　よって、正答は**3**である。

正答　**3**

ある川に沿って、50km 離れた上流のP地点と下流のQ地点の２地点を往復する船A、Bがある。AはPからQへ１時間、BはQからPへ２時間かかる。今、Pを出発したAがQに着き、再びQからPへ向けて出発したが、Qを出発してから12分後に船のエンジンが停止し、そのまま川を流されたとき、AがQに戻りつくのは、Aのエンジンが停止してから何分後か。ただし、静水時におけるAの速さはBの1.5倍であり、川の流れ及び船の速さは一定とする。

1 24分

2 42分

3 60分

4 78分

5 96分

解 説

静水時におけるAの速さを $3x$、Bの速さを $2x$、流れの速さを y とすると、AはPからQへ１時間、BはQからPへ２時間かかり、速さと時間は逆比の関係になるので、$(3x+y):(2x-y)$ $=2:1$、$4x-2y=3x+y$、$x=3y$ である。ここから、Aの静水時における速さは $3x=9y$、上りの速さは $9y-y=8y$ となる。Aの上りの速さが $8y$ なので、$8y$ で進んだ距離を速さ y で戻れば、時間は８倍かかる。$8y×12÷y=96$ より、Aは96分後にQに戻りつく。

　よって、正答は**5**である。

正答　**5**

ある企業はＡとＢの２部門から構成されており、企業全体の売上げは、２部門の売上げの合計のみである。Ａ部門の商品 a は、企業全体の売上げの36％を占め、Ａ部門の売上げの54％を占めている。また、Ｂ部門の商品 b は、Ｂ部門の売上げの57％を占めている。このとき、商品 b が企業全体の売上げに占める割合はどれか。

1 14％
2 18％
3 19％
4 26％
5 38％

解 説

Ａ部門の商品 a は、企業全体の売上げの36％を占め、Ａ部門の売上げの54％を占めている。

36：54＝2：3より、Ａ部門の売上げは、企業全体の売上げの $\frac{2}{3}$ を占めていることになる。ここ

から、Ｂ部門の売上げは企業全体の売上げの $\frac{1}{3}$ となるので、Ｂ部門の商品 b がＢ部門の売上げ

の57％を占めているのであれば、企業全体の売上げに占める割合は、$57 \times \frac{1}{3} = 19$ より、19％

となる。

　よって、正答は**3**である。

正答 **3**

次の表から確実にいえるのはどれか。

診療種類・制度区分別国民医療費の推移

(単位　億円)

制 度 区 分	平成29年度	30	令和元年度	2	3
医 科 診 療	308,335	313,251	319,583	307,813	324,025
歯 科 診 療	29,003	29,579	30,150	30,022	31,479
薬 局 調 剤	78,108	75,687	78,411	76,480	78,794
入 院 時 食事・生活	7,954	7,917	7,901	7,494	7,407
訪 問 看 護	2,023	2,355	2,727	3,254	3,929
療 養 費 等	5,287	5,158	5,124	4,602	4,725

1　表中の各年度のうち、国民医療費の合計に占める薬局調剤の国民医療費の割合が最も大きいのは、令和 2 年度である。

2　令和 3 年度において、医科診療の国民医療費の対前年増加率は、療養費等の国民医療費のそれの2.5倍より大きい。

3　令和 3 年度の訪問看護の国民医療費を100としたときの平成29年度のそれの指数は、52を上回っている。

4　令和元年度において、訪問看護の国民医療費の対前年増加額は、入院時食事・生活の国民医療費の対前年減少額の25倍より小さい。

5　平成29年度から令和 3 年度までの 5 年度における歯科診療の国民医療費の 1 年度当たりの平均は、 3 兆円を下回っている。

解説

1. 「国民医療費の合計」が定義されていないが、表に示す6項目の合計を「国民医療費の合計」とすると、令和2年度の場合、76480÷(307813＋30022＋76480＋7494＋3254＋4602)＝76480÷429665≒0.178である。これに対し、平成29年度の場合、78108÷(308335＋29003＋78108＋7954＋2023＋5287)＝78108÷430710≒0.181となり、令和2年度より大きい。

2. この資料は年度単位で構成されているので、「対前年増加率」は判断できないが、一応、対前年度増加率と読み替えて検討する。医科診療の場合、324025÷307813≒1.053より、増加率は約5.3％である。療養費等の場合は、4725÷4602≒1.027より、約2.7％であり、2倍に満たない。

3. 3929×0.52≒2043＞2023であり、52を下回っている。

4. 正しい。ここでも、対前年度増加額、対前年度減少額として検討する。2727－2355＝372、7917－7901＝16、16×25＝400＞372であり、25倍より小さい。

5. 30,000を基準にすると、平成29年度は－997、30年度は－421であり、その和は－1,418である。令和元年度～3年度は30,000を超えているが、3年度だけで＋1,479となるので、平均で3兆円を上回っている。

正答　4

次の表から確実にいえるのはどれか。

農産品5品目の輸入量の対前年増加率の推移

(単位　%)

品　　目	平成29年	30	令和元年	2	3
コ ー ヒ ー 豆	△ 6.6	△ 1.3	8.8	△10.3	2.7
紅　　　　茶	5.2	4.7	13.4	△18.9	17.8
緑　　　　茶	9.7	19.1	△ 7.2	△10.8	△18.5
カ カ オ 豆	△13.2	6.9	△ 8.6	△ 9.4	△22.1
ココアペースト	19.8	7.7	△ 1.9	△22.8	18.2

(注)　△は、マイナスを示す。

1　「紅茶」の輸入量の平成29年に対する令和元年の増加率は、「コーヒー豆」の輸入量のそれの2.3倍より大きい。

2　平成29年の「緑茶」の輸入量を100としたときの令和2年のそれの指数は、100を上回っている。

3　平成30年において、「緑茶」の輸入量は、「カカオ豆」のそれを上回っている。

4　令和2年の「ココアペースト」の輸入量を100としたときの平成29年度の指数は123を上回っている。

5　令和3年において、「コーヒー豆」の輸入量及び「ココアペースト」の輸入量は、いずれも平成30年のそれを上回っている。

1. 正しい。概算で $(4.7+13.4)÷(-1.3+8.8)=18.1÷7.5≒2.41$ であり、2.3倍より大きい。実際には、「紅茶」の値は18.1より大きく、「コーヒー豆」の値は7.5より小さくなる。

2. 平成29年の「緑茶」の輸入量を100とすると、平成30年は119.1となる。ここから、$119.1×(1-0.072)×(1-0.108)=119.1×0.928×0.892≒98.6$ となり、100を下回っている。

3. この資料からは、輸入量そのものを比較することはできない。

4. 令和2年の「ココアペースト」の輸入量を100としたときの、平成29年度の指数は、$100÷(1-0.228)÷(1-0.019)÷(1+0.077)=100÷0.772÷0.981÷1.077≒122.60$ であり、123を下回っている。

5. 平成30年における「ココアペースト」の輸入量を100とすると、令和3年は、$100×(1-0.019)×(1-0.228)×(1+0.182)≒100×(1-0.019-0.228+0.182)=100×0.935<100$ であり、平成30年より減少している。

正答 **1**

次の図から確実にいえるのはどれか。

在留外国人数の推移

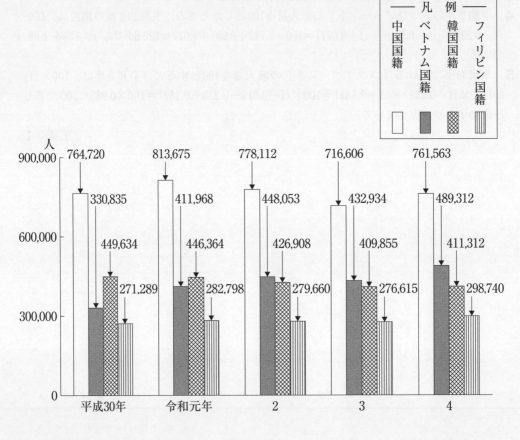

凡例

中国国籍
ベトナム国籍
韓国国籍
フィリピン国籍

1 平成30年のフィリピン国籍の在留外国人数を100としたときの令和４年のそれの指数は、111を下回っている。

2 平成30年から令和４年までの５年におけるベトナム国籍の在留外国人数の１年当たりの平均は、42万人を下回っている。

3 令和元年において、図中の在留外国人数の合計に占める中国国籍のそれの割合は、42％を超えている。

4 令和３年における韓国国籍の在留外国人数の対前年減少率は、4.2％を超えている。

5 令和４年において、フィリピン国籍の在留外国人数の対前年増加量は、韓国国籍のそれの11倍を下回っている。

解 説

1. 正しい。271289×1.11＞300000＞298740 であり、111を下回っている。

2. 420,000を基準にして各年の差を計算すると、−89165−8032＋28053＋12934＋69312≒13000 であり、平均は42万人を上回っている。

3. 813675÷（813675＋411968＋446364＋282798）＝813675÷1954805≒0.416 であり、42％を下回っている。

4. 令和3年における韓国国籍の在留外国人数の対前年減少数は、426908−409855＝17053 より、17,053人である。426908×0.042≒17930 であるから、対前年減少率は4.2％未満である。

5. 令和4年において、フィリピン国籍の在留外国人数の対前年増加数は 298740−276615＝22125 より、22,125人、韓国国籍の在留外国人数の対前年増加数は 411312−409855＝1457 より、1,457人である。1457×11＝16027＜22125 であるから、11倍を上回っている。

正答　**1**

次の図から確実にいえるのはどれか。

地方財政の扶助費の目的別内訳の推移

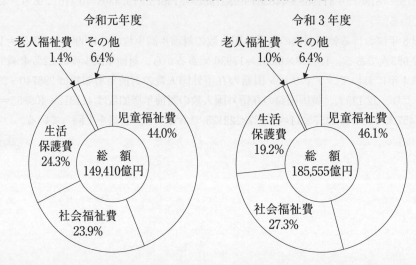

令和元年度

老人福祉費 1.4%　その他 6.4%

生活保護費 24.3%

児童福祉費 44.0%

総　額 149,410億円

社会福祉費 23.9%

令和 3 年度

老人福祉費 1.0%　その他 6.4%

生活保護費 19.2%

児童福祉費 46.1%

総　額 185,555億円

社会福祉費 27.3%

1 社会福祉費の令和元年度に対する令和 3 年度の増加率は、45％を上回っている。

2 令和元年度及び令和 3 年度の両年度とも、老人福祉費は、2,000億円を下回っている。

3 令和元年度における児童福祉費に対する老人福祉費の比率は、令和 3 年度におけるそれを上回っている。

4 地方財政の扶助費の総額の令和元年度に対する令和 3 年度の増加額に占める児童福祉費のそれの割合は、60％を超えている。

5 生活保護費の令和元年度に対する令和 3 年度の減少額は、700億円を上回っている。

解説

1. 185555÷149410≒1.24 より、令和 3 年度における総額は令和元年度の約1.24倍である。27.3×1.24≒33.9 として、これを令和元年度の23.9と比較すればよい。33.9÷23.9≒1.42 であり、増加率は45％を下回っている。

2. 令和元年度は149410×0.014≒2092 であり、2,000億円を上回っている。

3. 正しい。令和元年度と令和 3 年度を比較すると、老人福祉費の割合は令和元年度のほうが大きく、児童福祉費の割合は令和元年度のほうが小さい。したがって、令和元年度における児童福祉費に対する老人福祉費の比率は、令和 3 年度におけるそれを上回っている。

4. 地方財政の扶助費の総額の令和元年度に対する令和 3 年度の増加額は 185555−149410＝36145 より、36,145億円である。児童福祉費の増加額は、185555×0.461−149410×0.440≒85540−65740＝19800 である。36145×0.6＞20000 であるから、児童福祉費の割合は60％未満である。

5. 149410×0.243−185555×0.192≒36307−35627＝680 であり、減少額は700億円を下回っている。

正答 **3**

次の図の太線の一部を消去して、太線部分のみで一筆書きを可能にするとき、消去する太線の最短の長さはどれか。ただし、破線の1目盛を1cmとする。

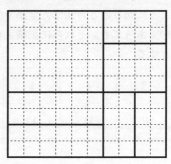

1 6 cm
2 8 cm
3 9 cm
4 10cm
5 11cm

解説

一筆書きが可能な図形は、奇点が0個（偶点のみ）または2個のどちらかである。図Ⅰのように、点A～Oとすると、奇点はE、F、G、H、I、J、K、L、N、Oの10個である。消去する距離を最短にするには、2個の奇点の距離が短い部分を消去することを考えればよい。たとえば、図ⅡのようにEF間の2cmを消去すれば、E、Fは奇点ではなくなる。このように考えると、図Ⅲのように、EF間、GH間、IO間、KL間を消去すれば、奇点はJ、Nの2個となって、一筆書きが可能となる。消去する長さは、2＋2＋2＋2＝8より、8cmである。

図Ⅰ
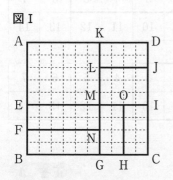

図Ⅱ
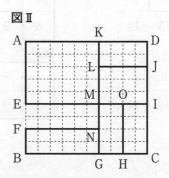

図Ⅲ
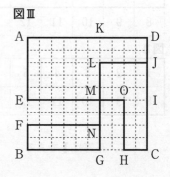

よって、正答は**2**である。

正答 **2**

次の図のように、つながったままの14枚の入場券があり、それぞれの券には 1 ～14の番号が記載されている。ここから、6 枚の入場券をつながったままの形で切り取るとき、残りの 8 枚の入場券がつながったままになるように切り取る方法は、全部で何通りか。ただし、切り取った 6 枚の入場券のつながりが同じ形であっても、それらに記載される番号が異なる場合は、それぞれ別の方法として数えるものとする。

1	2	3	4	5	6	7
8	9	10	11	12	13	14

1 14通り
2 18通り
3 20通り
4 30通り
5 38通り

解説

図Ⅰのような横一列の形で切り取る場合、6 枚の入場券は（1、2、3、4、5、6）、（2、3、4、5、6、7）、（8、9、10、11、12、13）、（9、10、11、12、13、14）の 4 通りになる。同様に、図Ⅱ、図Ⅲのような L 字形で切り取る場合もそれぞれ 4 通りずつである。図Ⅳのような長方形で切り取る場合は（1、2、3、8、9、10)、（5、6、7、12、13、14）の 2 通りとなる。したがって、全部で 4×3＋2＝14 より、14通りとなる。

図Ⅰ

1	2	3	4	5	6	7
8	9	10	11	12	13	14

図Ⅱ

1	2	3	4	5	6	7
8	9	10	11	12	13	14

図Ⅲ

1	2	3	4	5	6	7
8	9	10	11	12	13	14

図Ⅳ

1	2	3	4	5	6	7
8	9	10	11	12	13	14

よって、正答は**1**である。

正答 **1**

次の図のような、1辺の長さが2aの立方体を60個透き間なく積み重ねてできた直方体の点A
と点Bを直線で結んだとき、直線が貫いた立方体の数はどれか。

1 7個
2 8個
3 10個
4 11個
5 12個

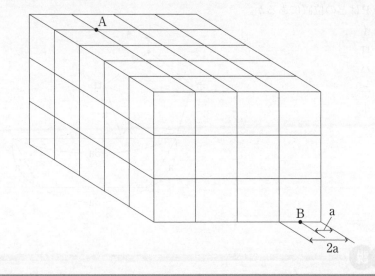

解 説

真上から見た図（平面図）で考えればよい。平面図上で点Aと点Bを直線で結ぶと、その直線
の点Aから $\frac{1}{3}$ の距離までが上段、点Bから $\frac{1}{3}$ の距離が下段部分である（その間が中段）。そう
すると、図のように、上段で2個（1、2）、中段で3個（3、4、5）、下段で3個（6、
7、8）の立方体を通過することになるので、全部で8個の立方体を通過することがわかる。

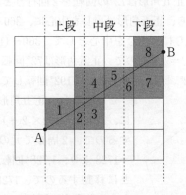

よって、正答は**2**である。

正答 **2**

次の図のように、台形の辺上に一辺の長さ a の正五角形があり、点Pはイの位置にある。今、この正五角形が台形の外側を矢印の方向に滑ることなく回転し、2周して元の位置に戻るとき、頂点Pはどの位置にあるか。

1 イ
2 ロ
3 ハ
4 ニ
5 ホ

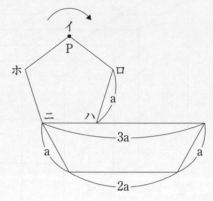

解説

図のように、台形の頂点をA、B、C、Dとする。頂点B、Cから辺 AD に垂線 BH、CK を引くと、HK＝2 a、台形 ABCD は等脚台形なので、AH＝DK＝$\frac{1}{2}$ a である。AB＝CD＝a であるから、△ABH、△DCK は30°、60°、90°の直角三角形であり、∠BAH＝∠CDK＝60°である。また、∠ABC＝∠DCB＝30＋90＝120°となる。

　次に、正五角形の外角は72°なので、点Pは72°回転するごとに、イ→ロ→ハ→…の位置に移動する。辺 AD＝3 a だから、正五角形は72°の回転を2回行うと辺 AD 上の右端に到達し、点Pは図の位置となる。ここから、正五角形は点Dを中心に、360－(108＋60)＝192 より、192°回転して辺 CD と接する。さらに、点Cを中心として、360－(108＋120)＝132 より、132°回転して辺 BC と接する。辺 BC＝2 a なので、正五角形は72°回転して辺 BC の左端となる。ここから、点Bを中心として132°、点Aを中心として192°回転して、1周することになる。

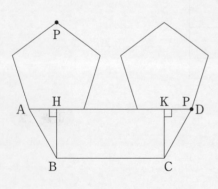

　このように、正五角形は台形 ABCD を1周するのに、72×3＋192×2＋132×2＝864 より、864°回転するので、2周して元の位置に戻るまでに、864×2＝1728 より、1,728°回転する。点Pは72°回転するごとに移動するので、1728÷72＝24 より、イ→ロ→ハ→…の移動を24回行うことになる。点Pは5回移動するごとにイの位置に戻るので、24回だとホの位置となる。

　よって、正答は**5**である。

No. 29 教養試験 法律 国際法 令和6年度 区

国際法に関する記述として、妥当なのはどれか。

1 グロティウスは、「戦争と平和の法」を著し、自然法の立場から国際法の基礎を築き、国際法の父と呼ばれた。

2 国際人道法は、平時国際法と呼ばれ、交戦・占領や中立の条件などを規定している。

3 国際慣習法は、国家間の慣行が法としで認められたものであり、外交特権や公海自由の原則があるが、成文化されたものはない。

4 国際司法裁判所は、国家間の紛争を国際法に従って解決することを目的とし、当事国の同意がなくとも裁判を始めることができる。

5 国際刑事裁判所は、オランダのハーグに設置され、人道に対する罪を犯した個人を裁く常設の裁判所であり、日本やアメリカ等が加盟している。

解説

1. 妥当である。グロティウスはオランダの法学者であり、『戦争と平和の法』『海洋自由論』などを著して、国際法の父と呼ばれた。グロティウスは、人間の理性によって導かれる自然法を重視し、自然法の理念に基づく国際法の必要性を主張した。

2. 国際人道法は戦闘行為の制限を定めたものであることから、戦時国際法の一種とされている。なお、国際人道法では、①交戦・占領や中立の条件などを定めたハーグ法と、②武力紛争の犠牲者の保護などを定めたジュネーブ法が、中核となっている。

3. 現在では国際慣習法の成文化が進んでおり、たとえば外交特権は外交関係に関するウィーン条約（外交関係条約）、公海自由の原則は国連海洋法条約などに規定されている。

4. 国際司法裁判所に強制管轄権はなく、当事国の同意がなければ裁判を始めることはできない。

5. 国際刑事裁判所は、人道に対する罪のほか、集団殺害犯罪（ジェノサイド）、戦争犯罪、侵略犯罪を犯した個人も裁く常設の裁判所である。また、日本は国際刑事裁判所に加盟しているが、アメリカやロシア、中国などは加盟していない。

正答 **1**

我が国の公害防止又は環境保全に関する記述として、妥当なのはどれか。

1 高度経済成長期に各地で産業公害が多発し、四大公害訴訟が起こされるなど大きな社会問題となったことから、1967年に環境基本法が制定され、1970年のいわゆる公害国会では、公害関係14法が制定・改正された。

2 大気汚染防止法及び水質汚濁防止法では、公害を発生させた企業に公害防止費用を負担させる汚染者負担の原則がとられているが、企業側に故意や過失が無くても被害者への賠償責任を義務付ける無過失責任の原則はとられていない。

3 1997年に環境影響評価法が制定され、地方公共団体に対して、道路やダム、発電所などの大規模な地域開発が環境にどのような影響を与えたのかを、必ず事後に調査し、評価することが義務付けられた。

4 循環型社会の形成に向けて、循環型社会の基本的な枠組みとなる循環型社会形成推進基本法が制定されたほか、環境負荷を低減するための法律として、容器包装リサイクル法や家電リサイクル法、グリーン購入法がある。

5 最高裁判所は、飛行機による騒音・振動・排気ガスなどの被害に対して、空港周辺の住民が起こした大阪空港公害訴訟において、環境権への侵害を理由に、夜間飛行の差し止めと損害賠償を認めた。

解説

1. 産業公害の発生を受けて1967年に制定されたのは、環境基本法ではなく公害対策基本法である。環境基本法は、公害対策基本法を発展的に継承するものとして1993年に施行された。公害国会の説明は、選択肢で述べられているとおりである。

2. 大気汚染防止法および水質汚濁防止法では、1972年の改正によって、無過失責任の原則が取り入れられている。また、汚染者負担の原則（PPP）は、1970年の公害防止事業費事業者負担法によって導入された原則であり、公害を発生させた企業に、公害の防止のみならず被害者救済の費用も負担させるものとされている。

3. 1997年に制定された環境影響評価法（環境アセスメント法）では、大規模な開発事業を実施する前に、事業が環境にどのような影響を与えるかを評価することが義務づけられている。また、環境影響評価を実施する主体は、原則として地方公共団体ではなく、対象事業を実施しようとする事業者とされている。

4. 妥当である。循環型社会形成推進基本法は、循環型社会の形成を推進する基本的な枠組みとなる法律である。また、容器包装リサイクル法は、家庭から出る容器包装廃棄物を資源として有効活用することにより、ごみの減量化を図る法律であり、グリーン購入法は、国等の公的機関が率先して環境に配慮した商品の調達を進めることで、環境負荷の低減や持続可能な社会の構築を推進することを目的とする法律である。

5. 大阪空港公害訴訟において、最高裁判所は一部損害賠償を認めたが、空港をどう使うかは運輸大臣（当時）の判断に任せられるとして、夜間飛行差し止め請求については却下した。また、最高裁判所は原告の主張した環境権を認めなかった。

正答 **4**

国際連盟又は国際連合に関する記述として、妥当なのはどれか。

1　国際連盟は、1920年に42か国の参加を得て発足し、集団安全保障が試みられたが、日本、ドイツ、イタリアの不参加、アメリカの脱退などで第 2 次世界大戦の勃発を防ぐことができずに崩壊した。

2　国際連合は、1945年に51か国を原加盟国として発足し、ダンバートン・オークス会議で国際社会の平和と安全を維持することを目的として、国際連合憲章が採択された。

3　安全保障理事会は、常任理事国 5 か国と、総会で選任された任期 2 年の非常任理事国10か国によって構成され、手続き事項以外の実質事項の決定については、全ての常任理事国を含む 9 か国の賛成が必要である。

4　国連平和維持活動（PKO）は、紛争当事国の同意を得て、紛争の鎮静化や再発防止のために加盟国が自発的に提供した要員を国連軍（UNF）に派遣するもので、軍事的強制措置をとることができる。

5　1950年に国連総会で「平和のための結集」決議が採択され、安全保障理事会が拒否権により機能しないときは、特別総会を開催し、加盟国の過半数の賛成で武力行使も含む集団措置を勧告できるようになった。

解説

1. 日本とイタリアは国際連盟の原加盟国であり、両国ともに国際連盟を脱退するまで理事会の常任理事国を務めた。ドイツは1926年に国際連盟へ途中加盟したが、1933年に脱退した。アメリカは連邦議会上院の反対にあって、国際連盟には終始加盟しなかった。

2. 国際連合憲章は、1945年6月のサンフランシスコ会議において採択された。その後、各国の批准を経て、同年10月には国際連合が発足した。なお、ダンバートン・オークス会議は、1944年にアメリカ、イギリス、ソ連、中国の代表者が集まって開かれた会議であり、国際連合憲章の草案づくりが行われた。

3. 妥当である。安全保障理事会は、国際の平和と安全の維持につき主要な責任を有している国際連合の主要機関である。常任理事国5か国と非常任理事国10か国が集まり、9か国以上の賛成で決定を行うが、手続き事項以外の実質事項については、常任理事国が拒否権を持つとされている。

4. 国連平和維持活動（PKO）は、紛争当事国の同意を得て、紛争の沈静化や再発防止のために加盟国が自発的に提供した要員を、国連の指揮下に置いて紛争地域に派遣する仕組みである。PKOは国連憲章に規定のない事実上の活動であり、停戦監視や兵力引き離しなどに従事するが、軍事的強制措置をとって紛争を強制的に解決することはない。これに対して、国連軍（UNF）は、国連憲章に規定された国連の軍隊であり、軍事的強制措置をとることが認められているが、これまで実際に組織されたことはない。

5. 「平和のための結集」決議により、安全保障理事会が拒否権により機能しないときは、緊急特別総会を開催することができるようになった。緊急特別総会と特別総会は異なる制度であり、特別総会は通常総会が閉会中に、安全保障理事会の要請または加盟国の過半数の要請で開催される。また、特別総会で決議が成立するためには、加盟国の過半数の賛成では不十分であり、棄権や無投票を除く3分の2以上の加盟国の賛成が必要とされている。

正答 **3**

国際経済体制の変遷に関する記述として、妥当なのはどれか。

1 　ブレトンウッズ体制は、金との交換を保証したドルを基軸通貨とする固定相場制であり、金1オンス＝38ドル、1ドル308円を平価とし、為替相場の変動は平価の上下2.25％以内とされた。

2 　1971年にニクソン大統領が金とドルとの交換を停止し、ブレトンウッズ体制は崩壊したが、同年、先進国によるルーブル合意が成立し、金価格に対してドルが切り上げられた。

3 　1976年のキングストン合意で、金の公定価格を廃止することと変動相場制への移行が正式に承認され、金に代わって IMF の SDR（特別引き出し権）の役割を拡大することが決められた。

4 　1985年に主要7か国は、レーガン政権におけるアメリカの財政赤字と貿易赤字を縮小させるため、G7を招集し、ドル安を是正するために各国が協調して為替介入を行うプラザ合意がかわされた。

5 　GATT は、自由・無差別・多角を原則として、貿易自由化を推進しており、東京ラウンドでは、知的財産権の保護について、1993年に新たなルールが合意された。

解　説

1. ブレトンウッズ体制では、金1オンス＝35ドル、1ドル＝360円を平価とし、為替相場の変動は平価の上下1％以内とされた。

2. ニクソン大統領の声明を受けて1971年に成立したのは、スミソニアン合意であり、ドルの切下げ（金1オンス＝38ドル、1ドル＝308円）と固定相場制の維持が決まった。なお、ルーブル合意とは、1987年のG7（主要7か国）財務大臣・中央銀行総裁会議で成立した合意であり、1985年のプラザ合意以降に進んだ過度なドル安状況を是正することが定められた。

3. 妥当である。1971年のスミソニアン合意後も為替相場は安定しなかったため、1973年に主要先進国は固定為替相場制から変動相場制に移行した。これを受けて、1976年のキングストン合意では、変動相場制への移行が正式に追認された。また、金に代わって IMF（国際通貨基金）の SDR（特別引き出し権）の役割を強化することも定められた。通貨危機などに際して、IMF 加盟国は自国に割り当てられた SDR を売却することで、必要な外貨を調達するものとされている。

4. 1985年のプラザ合意は、G5（主要5か国）財務大臣・中央銀行総裁会議において成立したものである。また、プラザ合意では、ドル高を是正するために各国が協調して為替介入を行うものとされた。

5. 1993年には、GATT（関税貿易一般協定）のウルグアイ・ラウンドでウルグアイ合意が成立した。ウルグアイ・ラウンドでは、農産品の関税化やサービス貿易、知的所有権の取り扱いなどについて合意が形成され、WTO（世界貿易機関）の創設も決められた。なお、東京ラウンドは、1973年から1979年にかけて開催され、関税や非関税障壁、セーフガードなどの諸問題について話し合われた。

正答　**3**

次のA～Eのうち、実存主義の思想家とその主な著書の組合せとして、妥当なのはどれか。

A　キルケゴール　──　「死にいたる病」、「理性と実存」
B　ニーチェ　　　──　「ツァラトゥストラはこう言った」、「善悪の彼岸」
C　デューイ　　　──　「哲学の改造」、「人間性と行為」
D　ハイデガー　　──　「存在と時間」、「形而上学とは何か」
E　サルトル　　　──　「存在と無」、「第二の性」

1　A　C
2　A　D
3　B　D
4　B　E
5　C　E

解説

A：キルケゴールは実存主義の先駆者である。また、『死にいたる病』は彼の主著の一つである。しかし、『理性と実存』はドイツの実存哲学者ヤスパースの著作である。

B：妥当である。

C：デューイはプラグマティズム（実用主義・有用主義）を大成したアメリカの哲学者・教育者である。主著については正しい。

D：妥当である。

E：サルトルはフランスの実存主義哲学者・文学者である。また『存在と無』は彼の主著の一つである。しかし、『第二の性』はフランスの文学者・哲学者であり、またサルトルと契約結婚を結び、生涯の伴侶であったボーヴォワールの主著の一つである。

よって、正答は**3**である。

正答　**3**

室町文化に関する記述として、妥当なのはどれか。

1　南北朝時代には、歴史書や軍記物が書かれたが、軍記物には、北畠親房が南朝の正統性を説いた「太平記」がある。

2　観世座の観阿弥・世阿弥父子は、将軍足利義満の保護を受けながら、猿楽能を完成させ、世阿弥は「風姿花伝」を著した。

3　茶の湯では、村田珠光が出て、茶室で心の静けさを求める闘茶が始まり、そののち千利休によって完成された。

4　御伽草子は、絵入りの短編物語で「一寸法師」や「浦島太郎」などがあり、宗祇が全国をめぐって普及に努めた。

5　足利義政が造営した慈照寺銀閣は、北山文化を代表する建物であり、書院造は和風住宅のもとになっている。

解説

1. 南北朝時代に歴史書や軍記物語が書かれ、歴史文学が盛んであったことは正しい。しかし、南朝側に同情的な立場に立って描かれた軍記物語の『太平記』は、小島法師の作ともいわれるが作者不詳である。北畠親房が南朝の正当性を主張した著作は、歴史書の『神皇正統記』である。

2. 妥当である。

3. 村田珠光が始めた、禅の精神を取り入れ静寂を重んずる茶道は侘茶であり、室町中期の東山文化を代表する文化の一つである。安土・桃山時代に千利休によって完成された。闘茶は産地の異なる数種類の茶の飲みわけをする競技で、賭博性を帯び、南北朝時代に武家・庶民の間で盛行したが、侘茶の流行で廃れた。

4. 『一寸法師』や『浦島太郎』などの御伽草子が室町時代に流行したことは正しい。しかし宗祇は、諸国を遊歴して連歌を正風連歌（和歌の伝統を生かした芸術的な連歌）として確立した室町時代の連歌師である。

5. 足利義政が銀閣を造営したこと、書院造が以後の和風住宅の基本様式となったことは正しい。しかし、銀閣は北山文化ではなく、東山文化を代表する建物である。

正答　**2**

教養試験

No. 35　歴史　フランス革命・ナポレオン戦争　令和 6 年度

フランス革命又はナポレオン戦争に関する記述として、妥当なのはどれか。

1　アンシャン=レジーム下のフランス国家の財政は、アメリカ独立戦争への参戦によって破産状態に陥ったため、国王ルイ16世は重商主義者コルベールや銀行家ネッケルを登用して、特権身分に対する課税などの財政改革をめざした。

2　1789年5月に国民議会が開会されると、第三身分代表は、国民公会と称して憲法制定まで議会を解散しないことを誓ったが、国王ルイ16世は武力で議会を弾圧しようとしたため、パリの民衆は7月14日にバスティーユ牢獄を襲撃した。

3　1789年8月に国民議会は封建的特権の廃止を決議し、続いて、ラ=ファイエットらが起草した独立宣言を採択したことにより、旧体制は破綻し、10月にパリの民衆はヴェルサイユに行進して国王と議会をパリに移動させた。

4　ロベスピエールを中心とするジロンド派政権は、ジャコバン派を議会から追放し、恐怖政治を行ったため、パリの民衆の不満が高まり、ロベスピエールはテルミドール9日のクーデタで権力を失い処刑された。

5　ナポレオンは、ブリュメール18日のクーデタにより総裁政府を倒し、皇帝に即位すると、トラファルガーの海戦でイギリス艦隊に敗北したが、アウステルリッツの戦いでオーストリア・ロシア連合軍を破った。

解説

1.　コルベールは、フランス絶対王朝の絶頂期を実現したルイ14世に仕え、典型的な重商主義政策を推進して経済発展に貢献した17世紀の財務総監である。それ以外の記述は正しい。

2.　1789年5月に開会されたのは三部会である。そしてその中の第三身分の議員が聖職者・貴族の議員と分離して組織し、憲法を制定するまで解散しないという球戯場の誓いを立てたのが国民議会である。それ以降の記述は正しい。

3.　ラ=ファイエットらが起草し、国民議会が採択したものは人権宣言である。それ以外の記述は正しい。

4.　ロベスピエールを中心に独裁を行った急進共和派がジャコバン派で、ジャコバン派に追放された穏健共和派がジロンド派である。それ以外の記述は正しい。

5.　妥当である。

正答　5

No.36については、試験問題掲載の許諾を得られなかったため、掲載しておりません。

昨年5月に開催された主要7か国首脳会議（G7広島サミット）に関するA～Dの記述のうち、妥当なものを選んだ組合せはどれか。

　A　G7首脳がそろって広島平和記念資料館を訪れるのは初めてで、約40分滞在し、岸田文雄首相が展示品について説明した。

　B　「核軍縮に関するG7首脳広島ビジョン」を発表し、北朝鮮を念頭に、核保有国に核戦力のデータ公表を要求した。

　C　ウクライナのゼレンスキー大統領が、アメリカ政府の専用機で来日し、サミットでウクライナ情勢の討議に対面で参加した。

　D　生成AIの国際的なルール作りとして、「広島AIプロセス」を立ち上げ、担当閣僚で議論し、令和5年内に結果を報告するとした。

1　A　B
2　A　C
3　A　D
4　B　C
5　B　D

解説

A：妥当である。G7首脳はそろって広島平和記念資料館を訪れ、続いて原爆死没者慰霊碑への献花・黙祷、被爆桜2世の植樹などを行った。過去にはオバマ米大統領などが同資料館を訪れたこともあるが、G7首脳がそろって訪問するのは、今回が初めてであった。

B：「核軍縮に関するG7首脳広島ビジョン」では、核戦力のデータを公表していない核保有国にデータ公表を要求したが、それは核軍縮を進めるためであり、特に北朝鮮を念頭においての要求ではなかった。北朝鮮に対しては、核実験や弾道ミサイル技術を使用する発射などの行動を自制するように求めた。

C：ゼレンスキー大統領は、訪問先のサウジアラビアから、フランス政府の専用機で来日し、ウクライナ情勢の討議などに対面で参加した。アメリカ政府の専用機を利用したわけではない。

D：妥当である。広島AIプロセスは、急速な発展と普及が国際社会全体の重要な課題となっている生成AIについて、その国際的なルールを作るために討議する枠組みとして提案されたものである。広島サミット終了後の2023年5月に立ち上げられ、同年12月の閣僚級会合では「広島AIプロセス包括的政策枠組み」が取りまとめられた。

よって、正答は**3**である。

正答　**3**

No. 38 社会事情 デフレ完全脱却のための総合経済対策 令和6年度

昨年11月に閣議決定された「デフレ完全脱却のための総合経済対策」に関するA～Dの記述のうち、妥当なものを選んだ組合せはどれか。

- A　1世帯当たり所得税3万円と住民税1万円の定額減税を実施し、また、住民税非課税世帯には1人当たり7万円を給付するとした。
- B　企業や大学の宇宙分野の技術開発を支援するため、宇宙航空研究開発機構（JAXA）に10年間の「宇宙戦略基金」を設置し、1兆円規模を支援するとした。
- C　海外で研究開発した特許権などの知的財産から生じる所得に対して優遇する「イノベーションボックス税制」を創設するとした。
- D　物価高対策のため、ガソリンの価格や電気・ガス料金の補助は2024年4月末まで延長し、電気・ガス料金の補助は同年5月に激変緩和の幅を縮小するとした。

1　A　B
2　A　C
3　A　D
4　B　C
5　B　D

解説

A：所得税3万円と住民税1万円という定額減税額は、1世帯当たりではなく1人当たりについてのものである。また、住民税非課税世帯に対しては、すでに給付されている重点支援地方交付金の低所得世帯支援枠を拡大し、1世帯当たり7万円を追加することで、1世帯当たり10万円を給付するとした。

B：妥当である。宇宙戦略基金の設置は、民間企業・大学等による複数年度にわたる宇宙分野の先端技術開発や技術実証、商業化を支援するためとされている。

C：イノベーションボックス税制とは、海外ではなく、国内で研究開発した特許権などの知的財産から生じる所得に対して、優遇税率を適用する制度のことである。

D：妥当である。なお、ガソリン価格の補助については、2024年4月に打ち切りの方針が見直され、5月以降も延長されることとなった。また、電気・ガス料金の補助については、予定どおり2024年5月に激変緩和の幅が縮小され、6月使用分からは廃止された。なお、2024年8月～10月に「酷暑乗り切り緊急支援」として電気・ガス料金の値引き支援が行われた。

よって、正答は**5**である。

正答　**5**

教養試験

区

No. 39 社会事情 物流革新緊急パッケージ 令和6年度

昨年10月に関係閣僚会議で、トラック運転手の人手不足が懸念される「2024問題」の対策としてまとめた「物流革新緊急パッケージ」に関するA〜Dの記述のうち、妥当なもののみを全て挙げているのはどれか。

A　政府は、再配達を減らすために、「置き配」やコンビニでの受取、ゆとりある配送日を選んだ消費者に、ポイントを付与する実証事業を行うとした。

B　政府は、物流経営責任者に、荷待ちや荷物の積み下ろし時間の短縮などの計画の作成やトラックGメンの選任を義務付けるとした。

C　政府は、船舶輸送から転換するモーダルシフトを進め、鉄道の輸送量を、今後10年で倍増させるとした。

D　政府は、トラック運転手の残業規制が適用されることで、トラックの輸送力は、2019年度比で、2024年度に14%、2030年度に34%過剰になると試算した。

1　A

2　A　B

3　C　D

4　A　B　D

5　B　C　D

解 説

A：妥当である。政府は、再配達率の半減（12%→6%）を目標に掲げ、ポイント還元を通じた消費者の行動変容を促す仕組みの社会実装に向けた実証事業を行うものとした。

B：政府は、トラックGメンを設けるとしたが、トラックGメンは企業が選任するわけではなく、政府が国土交通省の地方運輸局に設置するものとされた。

C：政府は、トラック等の自動車で行われている貨物輸送から転換するモーダルシフトを進め、鉄道（コンテナ貨物）や内航海運※1（フェリー・RORO※2等）の輸送量・輸送分担率を、今後10年程度で倍増させるとした。

※1国内の港間における海運

※2貨物を積んだトラックやシャーシ（荷台）ごと輸送する貨物船

D：政府は、トラック運転手の残業規制が適用されることで、トラックの輸送力は、2019年度比で、2024年には14%、2030年度には34%の不足になると試算した。

よって、正答は**1**である。

正答　**1**

No. 40 教養試験 **社会事情 第76回カンヌ国際映画祭** 令和 6 年度 区

昨年5月の第76回カンヌ国際映画祭に関する記述として、**妥当でない**のはどれか。

1 ヴィム・ヴェンダース監督の日本作品「パーフェクト・デイズ」に主演した役所広司氏が男優賞を受賞した。

2 「パーフェクト・デイズ」は、役所氏演じる東京都渋谷区の小学校教師、平山のつつましい日常を描いている。

3 是枝裕和監督の「怪物」は、小学校で起きた出来事を母親、教師、子どもの視点で描いた作品であり、脚本を書いた坂元裕二氏が脚本賞を受賞した。

4 日本作品が、コンペティション部門で男優賞と脚本賞を同時に受賞するのは初めてである。

5 最高賞のパルムドールは、フランスのジュスティーヌ・トリエ監督の「アナトミー・オブ・ア・フォール」が受賞した。

解説

1. 妥当である。「パーフェクト・デイズ」（監督：ヴィム・ヴェンダース）は、日本・ドイツの合作映画であり、主役を務めた役所広司氏が日本人俳優として2人目となる男優賞を受賞した。

2. 妥当でない。役所氏は、東京都渋谷区の清掃作業員、平山を演じた。

3. 妥当である。「怪物」は、「万引き家族」で2018年の同映画祭パルムドール（最高賞）を受賞した是枝裕和氏が監督を務めた作品であり、坂元裕二氏が脚本賞を受賞した。なお、音楽は坂本龍一氏が担当した。

4. 妥当である。2023年現在、男優賞を受賞した日本人は2人（柳楽優弥、役所広司）、脚本賞を受賞した日本人は3人（濱口竜介・大江崇允、坂元裕二）である。両賞を同時に受賞するのは、2023年が初めてであった。

5. 妥当である。2023年のパルムドールは、雪の中の山荘で起こった転落死事件とその裁判を描いた、フランスのジュスティーヌ・トリエ監督の「アナトミー・オブ・ア・フォール」（邦題：落下の解剖学）が受賞した。

正答 **2**

No.
41
物理 | **熱平衡に達したときの温度** | 令和 **6** 年度

区

100℃に熱した200gの鉄製の容器に、10℃の水50gを入れた。水と容器が熱平衡に達したときの温度として妥当なのはどれか。ただし、水の比熱を4.2J/(g·K)、鉄の比熱を0.45J/(g·K)とし、熱は容器と水の間のみで移動することとする。

1 23℃

2 32℃

3 37℃

4 45℃

5 58℃

解 説

熱平衡に達したときの温度を t〔℃〕とすると、鉄製容器が失った熱量は $200 \times 0.45(100-t)$〔J〕、水が得た熱量は $50 \times 4.2(t-10)$〔J〕であり、この両者が等しいので、

$$200 \times 0.45(100-t) = 50 \times 4.2(t-10)$$

が成り立つ。この方程式を解くと、

$$90(100-t) = 210(t-10)$$

$$9000-90t = 210t-2100$$

$$300t = 11100$$

$$\therefore t = 37〔℃〕$$

よって、正答は**3**である。

[注意]

質量 m_1〔g〕、比熱 c_1〔J/(g·K)〕、温度 $t_1(>t)$〔℃〕の高温物質と、質量 m_2〔g〕、比熱 c_2〔J/(g·K)〕、温度 $t_2(<t)$〔℃〕の低温物質を接触させて、熱平衡に達したときの温度を t〔℃〕とする。この両物質間以外に熱の出入りがなければ、熱量の保存が成り立ち、

$$m_1c_1(t_1-t) = m_2c_2(t-t_2)〔J〕$$

となる。ここで、左辺は高温物質が失った熱量、右辺は低温物質が得た熱量である。

正答 **3**

自己インダクタンス0.2H のコイルに0.5A の電流が流れているとき、このコイルに蓄えられているエネルギーとして、妥当なのはどれか。

1 1.0×10^{-2} J

2 2.5×10^{-2} J

3 5.0×10^{-2} J

4 1.0×10^{-1} J

5 2.5×10^{-1} J

解説

コイルに流れる電流が変化すると、その変化を打ち消すように誘導起電力が生じる。この現象を自己誘導という。自己誘導起電力の大きさは電流の変化の速さに比例する。すなわち、自己誘導起電力を V〔V〕、短い時間 Δt〔s〕の間に電流が ΔI〔A〕だけ変化したとすると、$V = -L \dfrac{\Delta I}{\Delta t}$ と表される。ここで、比例定数 L はコイルの自己誘導の大きさを表す定数で、コイルの自己インダクタンスという。自己インダクタンスの単位は、毎秒 1 A の割合で電流が変化するときの誘導起電力が 1 V である場合に 1 H とされる。

コイルに電流を流すには、誘導起電力に逆らって電荷を送り込む仕事が必要である。電流が 0〔A〕から I〔A〕になるまでに必要な仕事は $\dfrac{1}{2} L I^2$〔J〕と計算されるが、これがコイルにエネルギー U〔J〕として蓄えられる。コイルに電流が流れているとき、その周りには磁場が生じているので、エネルギー U はこの磁場に蓄えられていると考えることができる。

本問では、$L = 0.2$〔H〕、$I = 0.5$〔A〕であるから、$U = \dfrac{1}{2} \times 0.2 \times 0.5^2 = 0.025 = 2.5 \times 10^{-2}$〔J〕となる。

よって、正答は **2** である。

[注意]

コイルに蓄えられるエネルギーの式は、運動エネルギー $\dfrac{1}{2} m v^2$、コンデンサーの静電エネルギー $\dfrac{1}{2} C V^2$ などと同じ形をしているので、丸暗記しておこう。

正答 **2**

次のア～エの構造式について、該当する芳香族化合物の名称の組合せとして、妥当なのはどれか。

ア
COOH

イ
OH
COOH

ウ

エ
OH
O_2N　　　NO_2
NO_2

	ア	イ	ウ	エ
1	安息香酸	クレゾール	ナフタレン	ピクリン酸
2	安息香酸	サリチル酸	アントラセン	フタル酸
3	安息香酸	サリチル酸	ナフタレン	ピクリン酸
4	サリチル酸	安息香酸	アントラセン	フタル酸
5	サリチル酸	クレゾール	ナフタレン	フタル酸

解説

ベンゼン C_6H_6 の分子中では、6 個の C 原子が正六角形の環状に結合し、それぞれの C 原子に 1 個の H 原子が結合している。この C 原子の環をベンゼン環といい、この構造を持つ物質を芳香族化合物という。

ア：安息香酸である。このようにベンゼン環の炭素原子に、カルボキシ基－COOH が結合した化合物を、一般に芳香族カルボン酸という。

イ：サリチル酸である。このようにベンゼン環の炭素原子にヒドロキシ基－OH が結合した化合物を、一般にフェノール類という。サリチル酸は、フェノール類であると同時に芳香族カルボン酸でもある。

ウ：ナフタレンである。このようなベンゼン環を持つ炭化水素を一般に芳香族炭化水素という。

エ：ピクリン酸である。ピクリン酸はトリニトロフェノールという別名を持ちフェノール類に属するが、ニトロ基－NO_2を持っているので、芳香族ニトロ化合物にも属する。

　よって、正答は**3**である。

正答　**3**

物質の状態に関する記述として、妥当なのはどれか。

1 国際単位系（SI）による圧力の単位には、パスカル（Pa）を用い、1Paとは、面積1 m² 当たりに1 mmHgの力が働くときの圧力を表す。

2 大気による圧力を大気圧といい、海水面における標準大気圧は、760hPaである。

3 沸騰は、液体の蒸気圧が外圧より小さくなるときに起こり、標高が3,776mである富士山 の山頂では、水は約87℃で沸騰する。

4 単位時間当たりに蒸発する分子の数と凝縮する分子の数が等しくなり、見かけ上、蒸発も 凝縮も起こっていないような状態を気液平衡という。

5 液体1 molが気体になるときに放出する熱量である蒸発熱は、気体1 molが液体になると きに吸収する熱量である凝縮熱と等しい。

解 説

1. 1Paとは、面積1 m²当たりに1 Nの力が働くときの圧力である。

2. 海水面における標準大気圧（1気圧）は1013.25hPaである。かつては標準大気圧の単位 として水銀柱ミリメートル（mmHg）が用いられることもあったが、その場合は760mmHg となる。

3. 沸騰は液体の蒸気圧が外圧よりも大きくなるときに起こる。富士山の山頂での沸点（水が 沸騰するときの温度）に関する記述は正しい。

4. 妥当である。

5. 液体1 molが気体になるとき吸収する熱量を蒸発熱、気体1 molが液体になるとき放出す る熱量を凝縮熱といい、同一物質では両者の値はほぼ等しいと考えられる。

正答 **4**

No. 45 教養試験 **生物** 生物の科学史 令和6年度

生物の科学史に関する記述として、妥当なのはどれか。

1 シュペーマンらは、アフリカツメガエルの初期原腸胚の原口背唇の移植実験を行い、移植された原口背唇が形成体として働き、二次胚を形成することを発見した。

2 ワトソンとクリックは、大腸菌を用いた実験によって、DNAが半保存的に複製されることを証明した。

3 ニーレンバークらは、大腸菌をすりつぶした液に、塩基としてウラシル（U）だけを含む人工的に合成したDNAを加える実験によって、UUUというコドンがグリシンを指定している遺伝暗号であることを発見した。

4 岡崎令治は、DNAの複製でつくられる短いDNAの断片である岡崎フラグメントを発見した。

5 山中伸弥らは、ヒツジの皮膚細胞に4種類の遺伝子を導入することによって、iPS細胞（胚性幹細胞）の作製に成功した。

解説

1. シュペーマンらが移植実験に用いたのはアフリカツメガエルではなく、イモリである。これ以外の記述は正しい。

2. ワトソンとクリックはDNAの半保存的複製の仮説を提唱しただけであり、大腸菌を用いた実験によってDNAの半保存的複製を直接的に証明したのは、メセルソンとスタールである。

3. ニーレンバーグらは、塩基としてウラシル（U）だけを含む人工的なmRNA（伝令RNA）を合成し、これを大腸菌をすりつぶした液（タンパク質合成に必要な材料を含む）に加える実験によって、UUUというコドンがフェニルアラニンを指定している遺伝暗号であることを発見した。

4. 妥当である。

5. 山中伸弥らは、人間の体細胞に特定の4種類の遺伝子を導入することによって、さまざまな細胞に分化可能な能力を持ったiPS細胞（人工多能性幹細胞）を作ることに成功した。

正答 **4**

動物の行動に関する記述として、妥当なのはどれか。

1 動物に遺伝的なプログラムで備わっている定型的な行動を習得的行動という。

2 動物に特定の行動を引き起こさせる刺激を定位という。

3 動物が刺激に対して一定の方向に移動することを走性といい、刺激源に対して近づく場合を負の走性、遠ざかる場合を正の走性という。

4 ミツバチは、餌場が近い場合は 8 の字ダンス、遠い場合は円形ダンスを行い、仲間に餌場の距離や方向を伝える。

5 動物の体外に分泌され、同種の個体に特有の行動を起こさせる物質をフェロモンといい、性フェロモンや道しるべフェロモンがある。

解説

1. 遺伝的なプログラムで備わっている定型的な行動は生得的行動という。

2. 定位とは、動物が特定の刺激に基づいて一定の方向を定めることをいう。

3. 走性は、動物が刺激に対して方向性のある行動を示す場合をいい、刺激源に対して近づく場合を正の走性、遠ざかる場合を負の走性という。

4. ミツバチは、餌場が近い場合は円形ダンス、遠い場合は 8 の字ダンスを行って、仲間に餌場の距離や方向を伝える。

5. 妥当である。

正答　**5**

恒星の誕生と進化に関する記述として、妥当なのはどれか。

1 恒星と恒星の間の空間には、星間ガスと星間塵からなる星間物質があり、星間ガスが周囲より濃い部分を星間雲という。

2 星間雲が恒星の光を受けて輝くと、惑星状星雲として観測される。

3 星間雲の濃い部分が自らの重力によって収縮し、中心部に超新星ができる。

4 恒星の中心温度が高くなると、水素がヘリウムになる核融合反応が始まり、安定して輝く恒星となり、これを赤色巨星という。

5 恒星の中心で核融合をする物質がなくなると、核融合が起こる部分がその外側に移動することで、中心部が収縮して外層が膨張し、白色矮星になる。

解 説

1. 妥当である。

2. 星間雲が恒星の光を受けて輝くと、散光星雲として観察される。

3. 星間雲の濃い部分が自らの重力によって収縮すると、中心部に原始星ができる。

4. 原始星の収縮が進んで中心部の温度が極めて高くなると、内部で水素がヘリウムに変わる核融合反応が始まり、安定して輝く恒星となる。これを主系列星という。

5. 主系列星のうちその質量が太陽質量の $\frac{1}{2}$ 以上のものは、中心部で核融合の燃料である水素がなくなるとヘリウム核が形成され、核融合が起こる部分がその外側に移動することで、中心部が収縮して外層が膨張する。その結果、表面積が大きく光度が高い赤色巨星になる。なお、太陽質量の $\frac{1}{2}$ に満たないものは、そのまま核融合反応を終えて収縮し、白色矮星になる。

正答　**1**

先カンブリア時代に関する記述として、妥当なのはどれか。

1　地球が誕生した約46億年前から5億4100万年前までの時代を先カンブリア時代といい、冥王代、始生代（太古代）、原生代に分けられる。

2　始生代初期には、地球全体が氷で覆われる全球凍結が起こり、当時の赤道付近の地層から氷河堆積物が発見された。

3　海水中に溶けている鉄は、大気中の二酸化炭素と結合して酸化鉄となって海底に沈殿し、縞状鉄鉱層が形成された。

4　細胞の中に核をもつ原核生物の最古の化石は、アメリカ・ミシガン州の約19億年前の縞状鉄鉱層から発見された。

5　アフリカのエディアカラで、先カンブリア時代末期の地層から、硬い組織をもたない単細胞生物の化石が発見された。

解　説

1.　妥当である。

2.　先カンブリア時代は、古いほうから冥王代、始生代、原生代に分けられるが、地球全体が氷で覆われる全球凍結が起こったのは、原生代である。

3.　原生代の初期（25億年～20億年前）には、光合成を行うシアノバクテリアのコロニーであるストロマトライトが大規模に形成され、ストロマトライトから放出された酸素が海中に拡散し、海中に大量に溶解していた鉄イオン Fe^{2+} を酸化して沈殿させた結果、縞状鉄鉱層が生成された。

4.　細胞の中に核を持つのは原核生物ではなく真核生物である。現時点で最古の真核生物の化石とされるものは、アメリカ・ミシガン州にある約20億年前の縞状鉄鉱層から発見され、グリパニアと呼ばれる。

5.　オーストラリアのエディアカラ丘陵で原生代末期の地層から大量に発見された化石は、硬い組織を持たない大型の多細胞真核生物のものと推定され、エディアカラ生物群と呼ばれている。

正答　**1**

日本国憲法に規定する労働基本権に関する記述として、最高裁判所の判例に照らして、妥当なのはどれか。

1 全逓名古屋中郵事件において、公共企業体等労働関係法の適用を受ける五現業及び三公社の職員について、その勤務条件は、憲法上、国会において法律、予算の形で決定すべきものとされており、労使による勤務条件の共同決定を内容とする団体交渉権の保障はないが、当該共同決定のための団体交渉過程の一環として予定されている争議権は、憲法上、当然に保障されるとした。

2 山田鋼業事件において、憲法は勤労者に対して団結権、団体交渉権その他の団体行動権を保障すると共に、全ての国民に対して平等権、自由権、財産権等の基本的人権も保障しており、前者が後者に対して絶対的優位を有することを認めているので、労働者が使用者側の自由意見を抑圧し、財産に対する支配を阻止することは許されるとした。

3 政令201号事件において、国家公務員は、国民全体の奉仕者として、公共の利益のために勤務し、かつ職務の遂行に当たっては全力を挙げてこれに専念しなければならないが、国民の権利は全ての公共の福祉に反しない限りにおいて最大の尊重をすることを必要とするものであるから、団結権及び団体交渉権については、一般の勤労者と同様の取扱いを受けることは当然であるとした。

4 岩手県教組学力テスト事件において、地方公務員法の規定は、地方公務員の争議行為に違法性の強いものと弱いものとを区別して、前者のみが同法にいう争議行為に当たるものとし、また、当該争議行為の遂行を共謀し、唆し、又はあおる等の行為についても、いわゆる争議行為に通常随伴する行為は単なる争議参加行為と同じく可罰性を有しないものとする解釈は是認できないとした。

5 三井美唄労組事件において、公職選挙における立候補の自由は、憲法の保障する重要な権利であるから、組合の団結を維持するための統制権の行使に基づく制約であっても、その必要性と立候補の自由の重要性とを比較衡量して、その許否を決すべきであり、組合が立候補を思いとどまるよう、勧告または説得することは、組合の統制権の限界を超えるものとして違法であるとした。

1. 全逓名古屋中郵事件において、公共企業体等労働関係法の適用を受ける五現業および三公社の職員について、その勤務条件は、憲法上、国会において法律、予算の形で決定すべきものとされており、労使間の自由な団体交渉に基づく合意によって決定すべきものとはされていないから、団体交渉権や争議権は保障されないとした（最大判昭52・5・4）。

2. 山田鋼業事件において、憲法は勤労者に対する団結権、団体交渉権その他の団体行動権が、すべての国民に対する平等権、自由権、財産権等の基本的人権に対して絶対的優位を有することを認めておらず、労働者が使用者側の自由意見を抑圧し、財産に対する支配を阻止すること（生産管理）は許されないとした（最大判昭25・11・15）。

3. 政令201号事件において、国民の権利はすべて公共の福祉に反しない限りにおいて最大の尊重をすることを必要とするものであるから、憲法28条が保障する労働者の権利も公共の福祉のために制限を受けるのはやむをえないところであり、また、国家公務員は国民全体の奉仕者として公共の利益のために勤務する性質のものであるから、団結権および団体交渉権等についても、一般の勤労者とは違って特別の取扱いを受けることがあるのは当然であるとした（最大判昭28・4・8）。

4. 妥当である（最大判昭51・5・21）。

5. 三井美唄労組事件において、組合が立候補を思いとどまるよう、勧告または説得する域を超えて、立候補の取りやめを要求し、これに従わないことを理由に当該組合員を統制違反者として処分するのは、組合の統制権の限界を超えるものとして違法であるとした（最大判昭43・12・4）。

正答 4

日本国憲法における外国人の人権に関するA～Dの記述のうち、最高裁判所の判例に照らして、妥当なものを選んだ組合せはどれか。

A　外国人に対する憲法の基本的人権の保障は、外国人在留制度の枠内で与えられているにすぎないものと解するのが相当であるが、在留期間中の憲法の基本的人権の保障を受ける行為を在留期間の更新の際に消極的な事情として斟酌(しんしゃく)されないことについては、保障が与えられているとした。

B　社会保障上の施策において在留外国人をどのように処遇するかについては、国は、特別の条約の存しない限り、その政治的判断によりこれを決定することができるのであり、その限られた財源の下で福祉的給付を行うにあたり、自国民を在留外国人より優先的に扱うことも許されるとした。

C　我が国に在留する外国人のうちでも永住者等であってその居住する区域の地方公共団体と特段に緊密な関係を持つに至ったと認められる者について、その意思を日常生活に密接な関連を有する地方公共団体の公共的事務の処理に反映させるべく、法律をもって、地方公共団体の長、その議会の議員等に対する選挙権を付与する措置を講ずることは、憲法上禁止されているものではないとした。

D　地方公務員のうち、住民の権利義務を直接形成し、その範囲を確定するなどの公権力の行使に当たる行為を行う公権力行使等地方公務員には、外国籍を有する者が就任することが想定されていると見るべきであり、外国人が公権力行使等地方公務員に就任することは、我が国の法体系として想定しておかなければならないとした。

1　A　B
2　A　C
3　A　D
4　B　C
5　B　D

解説

A：外国人に対する憲法の基本的人権の保障は、外国人在留制度の枠内で与えられているにすぎないから、在留期間中の憲法の基本的人権の保障を受ける行為を在留期間の更新の際に消極的な事情として斟酌されないことまでの保障が与えられていると解することはできないとした（最大判昭53・10・4）。

B：妥当である（最判平元・3・2）。

C：妥当である（最判平7・2・28）。

D：地方公務員のうち、住民の権利義務を直接形成し、その範囲を確定するなどの公権力の行使に当たる行為を行う公権力行使等地方公務員には、原則として日本国籍を有する者が就任することが想定されているとした（最大判平17・1・26）。

以上より、妥当なものはBとCであるから、正答は**4**である。

正答　**4**

日本国憲法に規定する衆議院の優越に関する記述として、妥当なのはどれか。

1 衆議院で法律案を可決し、参議院でこれと異なった議決をした場合に、参議院は両院協議会を開くことを求めることができるが、衆議院はこの両院協議会の請求を拒むことができない。

2 予算及び決算は、先に衆議院に提出しなければならないが、予算及び決算について、参議院で衆議院と異なった議決をした場合において、両院協議会を開いても意見が一致しないときは、衆議院の議決を国会の議決とする。

3 条約の締結に必要な国会の承認について、参議院で衆議院と異なった議決をした場合は、両院協議会を開かずに、衆議院の議決を国会の議決とすることができる。

4 内閣総理大臣の指名について、衆議院が指名の議決をした後、国会休会中の期間を除いて10日以内に参議院が指名の議決をしないときは、衆議院の議決を国会の議決とする。

5 衆議院で内閣の不信任の決議案を可決したときは、内閣は衆議院の解散又は総辞職をしなければならないが、衆議院が内閣の信任の決議案を否決したときは、内閣は必ず衆議院を解散しなければならない。

解 説

1. 衆議院で法律案を可決し、参議院でこれと異なった議決をした場合に、参議院ではなく「衆議院」が両院協議会を開くことを求めることができる（憲法59条3項）。なお、衆議院から両院協議会を求められたときは、参議院は、これを拒むことができない（国会法88条）

2. 予算については正しい（憲法60条1項・2項）が、決算については本肢のような優越はなく誤り。

3. 条約の締結に必要な国会の承認について、参議院で衆議院と異なった議決をした場合は、法律の定めるところにより、両議院の協議会を開いても意見が一致しないときに、衆議院の議決を国会の議決とすることができる（憲法61条、60条2項）。

4. 妥当である（憲法67条2項）。

5. 前半は正しいが、後半が誤り。衆議院が内閣の信任の決議案を否決したときも、内閣は衆議院の解散または総辞職をしなければならない（憲法69条）。内閣は必ず衆議院を解散しなければならないわけではない。

正答 **4**

No. 4 専門試験 **憲法 内閣または内閣総理大臣** 令和 **6** 年度 区

日本国憲法に規定する内閣又は内閣総理大臣に関する記述として、通説に照らして、妥当なのはどれか。

1 内閣は、その首長たる内閣総理大臣及びその他の国務大臣で組織され、各大臣は、主任の大臣として行政事務を分担管理することとされているが、行政事務を分担管理しない、いわゆる無任所の大臣を置くことを妨げるものではない。

2 内閣は、行政権の行使について、国会に対し連帯して責任を負うため、閣議の議決方法は全員一致によらなければならないことが内閣法で規定されている。

3 内閣総理大臣は、任意に国務大臣を罷免することができ、この罷免権は、内閣総理大臣の専権に属するため、国務大臣の罷免には天皇の認証は必要としない。

4 国務大臣は、その在任中、内閣総理大臣の同意がなければ、訴追されず、内閣総理大臣が同意を拒否した場合には、公訴時効の進行は停止しない。

5 法律及び政令には、全て主任の国務大臣が署名し、内閣総理大臣が連署することを必要とするため、この署名及び連署を欠いた場合には、法律及び政令の効力は否定される。

解説

1. 妥当である（憲法66条1項、内閣法3条1項・2項）。

2. 内閣は、行政権の行使について、国会に対し連帯して責任を負う（憲法66条3項）。しかし、閣議の議決方法については、慣習上、全員一致によって行われているのであって、内閣法で規定されているわけではない。

3. 内閣総理大臣は、任意に国務大臣を罷免することができ（憲法68条2項）、この罷免権は、内閣総理大臣の専権に属する。しかし、国務大臣の罷免には天皇の認証が必要とされる（同7条5号）。

4. 国務大臣は、その在任中、内閣総理大臣の同意がなければ、訴追されない（憲法75条本文）。ただし、これがため、訴追の権利は害されない（同条但書）とされているので、内閣総理大臣が同意を拒否した場合には、公訴時効の進行は停止する。

5. 法律および政令には、すべて主任の国務大臣が署名し、内閣総理大臣が連署することを必要とする（憲法74条）。しかし、この署名および連署は効力要件ではないので、これらを欠いた場合でも、法律および政令の効力は否定されない。

正答 **1**

日本国憲法に規定する違憲審査権に関する記述として、最高裁判所の判例に照らして、妥当なのはどれか。

1 裁判は一般的抽象的規範を制定するものではなく、個々の事件について具体的処置をつけるものであるから、その本質は一種の処分に含まれないとし、違憲審査の対象とならないとした。

2 裁判所が司法権を発動するためには、具体的な争訟事件が提起されることが必要であり、裁判所は具体的な争訟事件が提起されないのに将来を予想して憲法及びその他の法律命令等の解釈に対し存在する疑義論争に関し抽象的な判断を下すごとき権限を行い得るものではないとした。

3 最高裁判所が違憲審査権を有する終審裁判所であることを明らかにした憲法の規定は、下級裁判所が違憲審査権を有することを否定する趣旨をもっているものとした。

4 国会議員の立法行為は、立法の内容が憲法の一義的な文言に違反しているにもかかわらず国会があえて当該立法を行うという容易に想定し難いような例外的な場合に限り、国家賠償法の規定の適用上、違法の評価を受けないものといわなければならないとした。

5 衆議院の解散は、直接国家統治の基本に関する高度に政治性のある国家行為であるが、それが法律上の争訟となり、これに対する有効無効の判断が法律上可能である場合は、かかる国家行為は裁判所の審査権の対象となるとした。

解説

1. 裁判は一般的抽象的規範を制定するものではなく、個々の事件について具体的処置をつけるものであるから、その本質は一種の処分であり、違憲審査の対象となるとした（最大判昭23・7・7）。

2. 妥当である（最大判昭27・10・8）。

3. 最高裁判所が違憲審査権を有する終審裁判所であることを明らかにした憲法81条の規定は、下級裁判所が違憲審査権を有することを否定する趣旨を持つものではないとした（最大判昭25・2・1）。

4. 国会議員の立法行為は、立法の内容が憲法の一義的な文言に違反しているにもかかわらず国会があえて当該立法を行うという容易に想定し難いような例外的な場合を除き、国家賠償法の規定の適用上、違法の評価を受けないものといわなければならないとした（最判昭60・11・21）。

5. 衆議院の解散は、直接国家統治の基本に関する高度に政治性のある国家行為であるから、それが法律上の争訟となり、これに対する有効無効の判断が法律上可能である場合であっても、かかる国家行為は裁判所の審査権の外にあるとした（最大判昭35・6・8）。

正答　**2**

行政法学上の行政行為の分類に関する記述として、通説に照らして、妥当なのはどれか。

1　特許とは、人が本来有していない権利や権利能力等を設定する行為であり、鉱業権設定の許可や公務員の任命がこれにあたる。

2　確認とは、特定の事実や法律関係の存否を、公の権威をもって判断し、確定する行為であり、選挙人名簿への登録や市町村の境界の裁定がこれにあたる。

3　認可とは、第三者の行為を補充して、その法律上の効果を完成させる行為であり、農地の権利移転の許可や公有水面埋立の竣功（しゅんこう）の認可がこれにあたる。

4　許可とは、法令による一般的禁止を特定の場合に解除する行為であり、道路の占有許可や河川占有権の譲渡の承認がこれにあたる。

5　下命とは、作為、給付又は受忍の義務を課す行為であり、違法建築物の除却命令や納税の督促がこれにあたる。

解説

1. 妥当である。鉱業権設定の許可は、国が、鉱物を採掘・取得する権能を付与する行為であり、特許の例である。また、公務員の任命は、公務員の地位を与える行為であり、特許の例である。

2. 選挙人名簿への登録は、公証の例である。公証とは、特定の事実や法律関係の存在を公に証明する行為である。市町村の境界の裁定は、確認の例として正しい。

3. 公有水面埋立の竣功の認可は、埋立工事の完了後に、免許の内容に従って埋立が行われたかどうかを確認する行為であり、確認の例であると解される。農地の権利移転の許可は、認可の例として正しい。

4. 道路の占有許可は特許の例、河川占用権の譲渡の承認は認可の例である。

5. 納税の督促は、通知の例である。通知とは、特定の事項を特定または不特定多数人に知らせる行為で、法律により法律効果の発生が予定されているものである。違法建築物の除却命令は、下命の例として正しい。

正答　**1**

行政法学上の行政行為の瑕疵に関するA〜Dの記述のうち、最高裁判所の判例に照らして、妥当なものを選んだ組合せはどれか。

A　行政処分の瑕疵が明白であるというのは、処分の要件の存在を肯定する処分庁の認定が、処分成立の当初から、誤認であることが外形上、客観的に明白である場合を指し、瑕疵が明白であるかどうかは、処分の外形上、客観的に、誤認が一見看取し得るものであるかどうかにより決すべきものであって、行政庁が怠慢により調査すべき資料を見落としたかどうかは、処分に外形上客観的に明白な瑕疵があるかどうかの判定に直接関係を有するものではないとした。

B　行政処分の無効原因の主張としては、処分庁の誤認が重大・明白であることを抽象的事実に基づいて主張すべきであるが、地上に堅固な建物が建っているような純然たる宅地を農地と誤認して買収したという具体的な処分に重大・明白な瑕疵があると主張したり、又は、処分の取消原因が当然に無効原因を構成するものと主張することで足りると解すべきであるとした。

C　課税処分に課税要件の根幹に関する内容上の過誤が存し、徴税行政の安定とその円滑な運営の要請を斟酌してもなお、不服申立期間の徒過による不可争的効果の発生を理由として被課税者に処分による不利益を甘受させることが、著しく不当と認められるような例外的事情のある場合であっても、当該処分は、当然無効と解しないのが相当であるとした。

D　法人税青色申告についてした更正処分の通知書が、各加算項目の記載をもってしては、更正にかかる金額がいかにして算出されたのか、それが何ゆえに会社の課税所得とされるのか等の具体的根拠を知るに由ない場合、更正の付記理由には不備の違法があるが、その瑕疵は後日これに対する審査裁決において処分の具体的根拠が明らかにされたとしても、それにより治癒されるものではないと解すべきであるとした。

1 A B　　**2** A C　　**3** A D　　**4** B C　　**5** B D

解説

A：妥当である（最判昭36・3・7）。外観（見）上一見明白説である。

B：行政処分の無効原因の主張としては、処分庁の誤認が重大・明白であることを具体的事実（地上に堅固な建物が建っているような純然たる宅地を農地と誤認して買収したこと）に基づいて主張すべきであり、単に抽象的に処分の取消原因が当然に無効原因を構成するものと主張することだけでは足りないと解すべきであるとした（最判昭34・9・22）。

C：課税処分に課税要件の根幹に関する内容上の過誤が存し、徴税行政の安定とその円滑な運営の要請を斟酌してもなお、不服申立期間の徒過による不可争的効果の発生を理由として被課税者に処分による不利益を甘受させることが、著しく不当と認められるような例外的事情のある場合には、当該処分は、当然無効と解するのが相当であるとした（最判昭48・4・26）。

D：妥当である（最判昭47・12・5）。瑕疵の治癒が認められなかった事例である。

　以上より、妥当なものはAとDであるから、正答は**3**である。

正答　**3**

No. 8 専門試験 行政法 代執行 区 令和6年度

行政代執行法に規定する代執行に関する記述として、妥当なのはどれか。

1 行政庁は、義務者が文書による戒告を受けて、指定の期限までにその義務を履行しないときは、代執行令書をもって、代執行をなすべき時期及び代執行のために派遣する執行責任者の氏名を義務者に通知しなければならないが、代執行に要する費用の概算による見積額を義務者に通知する必要はない。

2 代執行のために現場に派遣される執行責任者は、その者が執行責任者たる本人であることを示すべき証票を携帯し、要求がなくとも、これを呈示しなければならない。

3 法律により直接に命じられ、又は法律に基づき行政庁により命じられた非代替的作為義務を義務者が履行しない場合において、他の手段によってその履行を確保することが困難なときは、当該行政庁は第三者をしてその履行をさせることができる。

4 行政庁は、非常の場合又は危険切迫の場合において、代執行の急速な実施について緊急の必要があり、文書による戒告と代執行令書による通知の手続をとる暇がないときは、その手続を経ないで代執行をすることができる。

5 代執行に要した費用は、国税滞納処分の例により、これを徴収することができるが、当該費用については、行政庁は、国税及び地方税に優先して、先取特権を有する。

解説

1. 行政庁は、義務者が文書による戒告を受けて、指定の期限までにその義務を履行しないときは、代執行令書をもって、代執行をなすべき時期および代執行のために派遣する執行責任者の氏名を義務者に通知しなければならず、また、代執行に要する費用の概算による見積額を義務者に通知する必要もある（行政代執行法3条2項）。

2. 代執行のために現場に派遣される執行責任者は、その者が執行責任者たる本人であることを示すべき証票を携帯し、要求があるときは、何時でもこれを呈示しなければならない（行政代執行法4条）。

3. 代執行ができるのは、他人が代わってなすことのできる行為（代替的作為義務）に限られる（行政代執行法2条第2カッコ書）ので、非代替的作為義務の場合は代執行はできない。

4. 妥当である（行政代執行法3条3項）。

5. 代執行に要した費用は、国税滞納処分の例により、これを徴収することができる（行政代執行法6条1項）が、当該費用については、行政庁は、国税および地方税に次ぐ順位の先取特権を有する（同条2項）。

正答 **4**

行政事件訴訟法に規定する取消訴訟における原告適格に関するA〜Dの記述のうち、最高裁判所の判例に照らして、妥当なものを選んだ組合せはどれか。

A　風俗営業等の規制及び業務の適正化等に関する法律は、善良の風俗と清浄な風俗環境を保持することを目的としており、同法の風俗営業の許可に関する規定は、一般的公益の保護に加えて、個々人の個別的利益をも保護すべきものとする趣旨を含むと解されるため、風俗営業制限地域に指定された地域に居住する者は、同地域内における当該風俗営業の許可の取消しを求める原告適格を有するとした。

B　文化財保護法及び同法の規定に基づく静岡県文化財保護条例において、文化財の学術研究者の学問研究上の利益の保護について特段の配慮をしていると解し得る規定を見出すことはできないため、同条例による県指定史跡を研究対象としている学術研究者は、当該史跡の指定解除処分の取消しを求める原告適格を有しないとした。

C　自転車競技法施行規則が、場外車券発売施設の設置許可申請者に対し、その敷地の周辺から1,000m以内の地域にある医療施設等の位置及び名称を記載した見取図を添付することを求めているため、当該場外施設の敷地の周辺から1,000m以内の地域において居住し又は事業を営む住民は、一律に当該設置許可の取消しを求める原告適格を有するとした。

D　地方鉄道法第21条による地方鉄道業者の特別急行料金の改定の認可処分について、同条の趣旨は、専ら公共の利益を確保することにあり、当該地方鉄道の利用者の個別的な権利利益を保護することにはないため、当該地方鉄道業者の路線の周辺に居住し通勤定期券を購入するなどしてその特別急行旅客列車を利用している者は、当該認可処分の取消しを求める原告適格を有しないとした。

1 A B　　**2** A C　　**3** A D　　**4** B C　　**5** B D

解説

A：風俗営業等の規制及び業務の適正化等に関する法律は、善良の風俗と清浄な風俗環境を保持することを目的としており、同法の風俗営業の許可に関する規定は、一般的公益の保護に加えて、個々人の個別的利益をも保護すべきものとする趣旨を読み込むことは困難であるから、風俗営業制限地域に指定された地域に居住する者は、同地域内における当該風俗営業の許可の取消しを求める原告適格を有しないとした（最判平10・12・17）。

B：妥当である（最判平元・6・20）。

C：自転車競技法施行規則が、場外車券発売施設の設置許可申請者に対し、その敷地の周辺から1,000m以内の地域にある医療施設等の位置および名称を記載した見取図を添付することを求めていることを一つの根拠として、自転車競技法に基づく設置許可がされた場外車券発売施設の敷地の周辺から1,000m以内の地域において居住または事業を営む住民について、地理的状況等を一切問題とすることなく、一律に当該設置許可の取消しを求める原告適格を有するということはできないとした（最判平21・10・15）。

D：妥当である（最判平元・4・13）。

以上より、妥当なものはBとDであるから、正答は**5**である。

正答　**5**

No. 10 専門試験 **行政法** **損失補償** 区 令和 **6**年度

行政法学上の損失補償に関する記述として、判例、通説に照らして、妥当なのはどれか。

1 損失補償とは、違法な公権力の行使により、特定の者に財産上の特別の犠牲が生じた場合に、その損失を社会全体の負担で補填する制度である。

2 憲法第29条第3項について、法律上損失補償の規定がない場合でも、憲法に基づき直接損失補償請求ができるとする立法指針説が通説とされている。

3 最高裁判所の判例では、公共のために必要な制限によるものは、一般的に当然に受忍すべきものとされる制限の範囲を超えて、特別の犠牲を課したと認められたとしても補償請求の余地はないとした。

4 最高裁判所の判例では、土地収用法における損失の補償は、収用の前後を通じて被収用者の財産価値を等しくならしめるような完全な補償までは必要としないとした。

5 最高裁判所の判例では、憲法は正当な補償と規定しているだけであって、補償の時期については少しも言明していないのであるから、補償が財産の供与と交換的に同時に履行されるべきことを憲法の保障するところではないとした。

解説

1. 損失補償とは、「適法」な公権力の行使により、特定の者に財産上の特別の犠牲が生じた場合に、その損失を社会全体の負担で補填する制度である。

2. 憲法第29条第3項について、法律上損失補償の規定がない場合でも、憲法に基づき直接損失補償請求ができるとする「請求権発生説」が通説とされている。なお、判例（最大判昭43・11・27）もこの立場に立つ。

3. 最高裁判所の判例では、公共のために必要な制限によるものは、一般的に当然に受忍すべきものとされる制限の範囲を超えて、特別の犠牲を課したと認められた場合には補償請求の余地があるとした（最大判昭43・11・27）。

4. 最高裁判所の判例では、土地収用法における損失の補償は、収用の前後を通じて被収用者の財産価値を等しくならしめるような完全な補償まで必要とするとした（最判昭48・10・18）。

5. 妥当である（最大判昭24・7・13）。

正答 5

民法に規定する行為能力に関する記述として、妥当なのはどれか。

1 　家庭裁判所は、精神上の障害により事理を弁識する能力を欠く常況にある者については、本人、配偶者、四親等内の親族、未成年後見人、未成年後見監督人、補助人、補助監督人又は検察官の請求により、保佐開始の審判をしなければならない。

2 　法定代理人が目的を定めて処分を許した財産は、その目的の範囲内において、未成年者が自由に処分することができるが、目的を定めないで処分を許した財産は処分することができない。

3 　家庭裁判所は、保佐人の同意を得なければならない行為について、保佐人が被保佐人の利益を害するおそれがないにもかかわらず同意をしないときは、被保佐人の請求があっても、保佐人の同意に代わる許可を与えることはできない。

4 　行為能力の制限によって取り消すことができる行為は、制限行為能力者又はその代理人、承継人若しくは同意をすることができる者に限り、取り消すことができるが、この制限行為能力者には、他の制限行為能力者の法定代理人としてした行為にあっては、当該他の制限行為能力者を含む。

5 　被保佐人が、不動産その他重要な財産に関する権利の得喪を目的とする行為をするには、その保佐人の同意を得なければならないが、新築、改築、増築又は大修繕をするには、当該保佐人の同意を得る必要はない。

解説

1．家庭裁判所は、精神上の障害により事理を弁識する能力を欠く常況にある者については、本人、配偶者、四親等内の親族、未成年後見人、未成年後見監督人、保佐人、保佐監督人、補助人、補助監督人または検察官の請求により、後見開始の審判をすることができる（民法7条）。保佐開始の審判は、精神上の障害により事理を弁識する能力が「著しく不十分」である者についてもすることができる。

2．前半は正しいが、後半が誤り。法定代理人が目的を定めて処分を許した財産は、その目的の範囲内において、未成年者が自由に処分することができる（民法5条3項前段）。目的を定めないで処分を許した財産も、未成年者が自由に処分することができる（同条項後段）。

3．家庭裁判所は、保佐人の同意を得なければならない行為について、保佐人が被保佐人の利益を害するおそれがないにもかかわらず同意をしないときは、被保佐人の請求により、保佐人の同意に代わる許可を与えることができる（民法13条3項）。

4．妥当である（民法120条1項）。

5．前半は正しいが、後半が誤り。被保佐人が、不動産その他重要な財産に関する権利の得喪を目的とする行為をするには、その保佐人の同意を得なければならない（民法13条1項3号）。新築、改築、増築または大修繕をするにも、当該保佐人の同意を得る必要がある（同条項8号）。

正答　**4**

No. 12 専門試験 民法①[総則・物権] **意思表示** 区 令和6年度

民法に規定する意思表示に関する記述として、判例、通説に照らして、妥当なのはどれか。

1 意思表示は、表意者がその真意ではないことを知ってしたときは無効であるが、相手方がその意思表示が表意者の真意ではないことを知り、又は知ることができたときは、その意思表示は有効となる。

2 強迫による意思表示は、取り消すことができるが、善意でかつ過失がない第三者に対抗することができない。

3 表意者の重大な過失による錯誤に基づく意思表示は、相手方が表意者に錯誤があることを知り、又は重大な過失によって知らなかったときに限り、取消しをすることができる。

4 最高裁判所の判例では、通謀による虚偽の意思表示は、必ずしも双方行為に限らず、契約解除のような相手方ある単独行為についても成立し得るとした。

5 意思表示は、その通知が相手方に到達した時からその効力を生ずるが、最高裁判所の判例では、この到達とは、相手方の了知可能な状態に置かれることでは足りず、相手方本人がその通知を受領する必要があるとした。

解説

1. 意思表示は、表意者がその真意ではないことを知ってしたときであっても有効であるが、相手方がその意思表示が表意者の真意ではないことを知り、または知ることができたときは、その意思表示は無効となる（民法93条1項）。

2. 強迫による意思表示は、取り消すことができ（民法96条1項）、善意でかつ過失がない第三者にも対抗することができる（同条3項反対解釈）。同条1項は詐欺または強迫による意思表示は取り消すことができるとしているが、第三者要件に善意でかつ過失がないことを規定しているのは、詐欺についてのみである。

3. 表意者の重大な過失による錯誤に基づく意思表示は、相手方が表意者に錯誤があることを知り、または重大な過失によって知らなかったときのほか、相手方が表意者と同一の錯誤に陥っていたときにも、取消しをすることができる（民法95条3項1号・2号）。

4. 妥当である（最判昭31・12・28）。

5. 意思表示は、その通知が相手方に到達した時からその効力を生ずる（民法97条1項）。しかし、最高裁判所の判例では、この到達とは、相手方の了知可能な状態に置かれることで足り、相手方本人がその通知を受領する必要はないとした（最判昭43・12・17等）。

正答 **4**

東京都・特別区

専門試験

区

No.
13

民法①[総則・物権]

地上権

令和 6 年度

民法に規定する地上権に関する記述として、妥当なのはどれか。

1 地上権者が土地の所有者に定期の地代を支払わなければならない場合において、地上権者が引き続き 2 年以上地代の支払を怠ったときであっても、土地の所有者は、地上権者に地上権の消滅を請求することができない。

2 地上権の成立には、地代を支払わなければならず、地上権を無償で設定することはできない。

3 地上権者は、その権利が消滅した場合に、別段の慣習がないときは、その土地の竹木を収去しなければならないが、その土地を原状に復す必要はない。

4 地上権者が土地の所有者に定期の地代を支払わなければならない場合において、不可抗力により収益に損失があったときは、地上権者は、土地の所有者に地代の免除又は減額を請求することができる。

5 第三者が土地の使用又は収益をする権利を有する場合において、その権利又はこれを目的とする権利を有する全ての者の承諾があるときは、地下又は空間を目的とする地上権を設定することができる。

解 説

1. 地上権者が土地の所有者に定期の地代を支払わなければならない場合において、地上権者が引き続き 2 年以上地代の支払いを怠ったときは、土地の所有者は、地上権者に地上権の消滅を請求することができる（民法266条 1 項、276条）。

2. 地代は地上権の要素ではないため、地上権の成立には、地代を支払わなければならないわけではなく、地上権を無償で設定することもできる（民法265条と270条を対比）。

3. 地上権者は、その権利が消滅した場合に、別段の慣習がないときは、その土地を原状に復してその竹木を収去することができる（民法269条 1 項本文・ 2 項）。

4. 地上権者が土地の所有者に定期の地代を支払わなければならない場合において、不可抗力により収益に損失があったときでも、地上権者は、土地の所有者に地代の免除または減額を請求することができない（民法266条 1 項、274条）。

5. 妥当である（民法269条の 2 第 2 項前段）。

正答 **5**

No. 14　民法①[総則・物権]　占有権　令和6年度

専門試験　　　　　　　　　　　　　　　　　　　　区

民法に規定する占有権に関する記述として、判例、通説に照らして、妥当なのはどれか。

1 所有の意思の有無については、占有者の内心の意思ではなく、占有を成立させた権原又は事情から外形的客観的に判断するため、賃貸借契約における賃借人の占有は自主占有である。

2 最高裁判所の判例では、株式会社の代表取締役が会社の代表者として土地を所持する場合には、土地の直接占有者は当該代表者であって、土地を所持するものと認めるべき特段の事情がない限り、会社は占有者たる地位にないとした。

3 家畜以外の動物で他人が飼育していたものを占有する者は、その占有の開始の時に善意であり、かつ、占有取得時から1箇月以内に飼主から回復の請求を受けなかったときは、その動物について行使する権利を取得する。

4 善意の占有者は、占有物から生ずる果実を取得するが、果実には、天然果実と法定果実のほか、物の使用利益も含まれる。

5 譲渡人が譲受人の占有機関として占有をする場合は、譲受人は占有権を取得するため、占有改定が成立する。

解説

1. 所有の意思の有無については、占有者の内心の意思ではなく、占有を成立させた権原または事情から外形的客観的に判断するため、賃貸借契約における賃借人の占有は、所有の意思が認められず、他主占有である（最判昭45・6・18）。

2. 最高裁判所の判例では、株式会社の代表取締役が会社の代表者として土地を所持する場合には、土地の直接占有者は会社であって、土地を所持するものと認めるべき特段の事情がない限り、当該代表者は占有者たる地位にないとした（最判昭32・2・15）。

3. 家畜以外の動物で他人が飼育していたものを占有する者は、その占有の開始の時に善意であり、かつ、その動物が飼主の占有を離れた時から1か月以内に飼主から回復の請求を受けなかったときは、その動物について行使する権利を取得する（民法195条）。

4. 妥当である（前半について、民法189条1項）。果実には、天然果実と法定果実（同88条）のほか、物の使用利益も含まれる（大判大14・1・20）。

5. 占有改定について規定した民法183条は、代理人（譲渡人）が自己の占有物を以後本人（譲受人）のために占有する意思を表示したときは、本人は、これによって占有権を取得するとしている。譲渡人が譲受人の占有機関として占有をする場合は、現実の引渡しがされたとみるべきであり、占有改定は成立しない（大判大4・9・29）

正答　**4**

東京都・特別区

専門試験

No.
15

民法① [総則・物権]

抵当権

区

令和 6 年度

民法に規定する抵当権に関する記述として、通説に照らして、妥当なのはどれか。

1 抵当権の順位は、利害関係を有する者の承諾を得ることなく、各抵当権者の合意によって変更することができる。

2 抵当権の譲渡とは、抵当権者が同一の債務者に対する他の債権者の利益のためにその抵当権を譲渡することをいう。

3 抵当権の順位の放棄とは、同一の債務者に対する後順位の抵当権者が先順位の抵当権者の利益のために抵当権の順位を放棄することをいう。

4 地上権を抵当権の目的とした地上権者は、その地上権を放棄することによって、抵当権者に対抗することができる。

5 抵当権は、その担保する債権について不履行があったときでも、その後に生じた抵当不動産の果実には及ばない。

解 説

1. 抵当権の順位は、各抵当権者の合意によって変更することができる（民法374条1項本文）。ただし、利害関係を有する者があるときは、その承諾を得なければならない（同条項但書）。

2. 妥当である。抵当権者は、その抵当権を他の債権の担保とし、または同一の債務者に対する他の債権者の利益のためにその抵当権もしくはその順位を譲渡し、もしくは放棄することができる（民法376条1項）。同規定が定める抵当権の処分方法のうち、抵当権者が、同一の債務者に対する、他の（抵当権を有しない）債権者の利益のためにその抵当権を譲渡することを、抵当権の譲渡という。

3. 抵当権の順位の放棄とは、同一の債務者に対する先順位の抵当権者が後順位の抵当権者の利益のために抵当権の順位を放棄することをいう（民法376条1項参照）。

4. 地上権を抵当権の目的とした地上権者は、その地上権を放棄しても、抵当権者に対抗することができない（民法398条）。

5. 抵当権は、その担保する債権について不履行があったときは、その後に生じた抵当不動産の果実に及ぶ（民法371条）。

正答 **2**

No.16

民法②[債権・親族・相続]

債務不履行

令和 **6年度**

民法に規定する債務不履行に関する記述として、**妥当でない**のはどれか。

1 債務者は、債務の履行について不確定期限があるときは、その期限の到来した後に履行の請求を受けた時又はその期限の到来したことを知った時のいずれか早い時から遅滞の責任を負う。

2 債権者が債務の履行を受けることを拒み、又は受けることができない場合において、その債務の目的が特定物の引渡しであるときは、債務者は、履行の提供をした時からその引渡しをするまで、取引上の社会通念に照らして定まる善良な管理者の注意をもって、その物を保存しなければならない。

3 債務の不履行に対する損害賠償の請求は、これによって通常生ずべき損害の賠償をさせることをその目的とし、特別の事情によって生じた損害であっても、当事者がその事情を予見すべきであったときは、債権者は、その賠償を請求することができる。

4 債務者がその債務について遅滞の責任を負っている間に当事者双方の責めに帰することができない事由によってその債務の履行が不能となったときは、その履行の不能は、債務者の責めに帰すべき事由によるものとみなされる。

5 債務者が、その債務の履行が不能となったのと同一の原因により債務の目的物の代償である権利又は利益を取得したときは、債権者は、その受けた損害の額の限度において、債務者に対し、その権利の移転又はその利益の償還を請求することができる。

解説

1．妥当である（民法412条2項）。

2．**妥当でない**。債権者が債務の履行を受けることを拒み、または受けることができない場合において、その債務の目的が特定物の引渡しであるときは、債務者は、履行の提供をした時からその引渡しをするまで、善良な管理者の注意ではなく「自己の財産に対するのと同一の注意」をもって、その物を保存すれば足りる（民法413条1項）。よって、これが正答となる。

3．妥当である（民法416条1項・2項）。

4．妥当である（民法413条の2第1項）。

5．妥当である（民法422条の2）。代償請求権という。

正答 **2**

専門試験

No. 17 民法②［債権・親族・相続］ 債権者代位権

区

令和 **6年度**

民法に規定する債権者代位権に関する記述として、妥当なのはどれか。

1 債権者は、自己の債権を保全するため必要があるときは、差押えを禁じられた権利を被代位権利として債権者代位権を行使することができる。

2 債権者は、被代位権利を行使する場合において、被代位権利が動産の引渡しを目的とするものであるときは、相手方に対し、その引渡しを自己に対してすることを求めることができない。

3 債権者は、その債権の期限が到来しない間は、保存行為であっても、被代位権利を行使することができない。

4 債権者が被代位権利を行使したときは、相手方は、債務者に対して主張することができる抗弁をもって、債権者に対抗することができる。

5 債権者が被代位権利を行使した場合において、債務者は、被代位権利について、自ら取立てその他の処分をすることはできず、この場合においては、相手方も、被代位権利について、債務者に対して履行をすることができない。

解説

1. 債権者は、自己の債権を保全するため必要があるときは、被代位権を行使することができる（民法423条1項本文）。ただし、差押えを禁じられた権利は、この限りではない（同条項但書）。

2. 債権者は、被代位権利を行使する場合において、被代位権利が動産の引渡しを目的とするものであるときは、相手方に対し、その引渡しを自己に対してすることを求めることができる（民法423条の3前段）。

3. 債権者は、その債権の期限が到来しない間は、被代位権を行使することができない（民法423条2項本文）。ただし、保存行為は、この限りではない（同条項但書）。

4. 妥当である（民法423条の4）。

5. 債権者が被代位権利を行使した場合であっても、債務者は、被代位権利について、自ら取立てその他の処分をすることができる。この場合においては、相手方も、被代位権利について、債務者に対して履行をすることができる（民法423条の5）。

正答 **4**

No. 18

専門試験

民法②[債権・親族・相続]

請負または委任

区

令和 **6** 年度

民法に規定する請負又は委任に関する記述として、**妥当でない**のはどれか。

1 注文者の責めに帰することができない事由によって仕事を完成することができなくなった場合において、請負人が既にした仕事の結果のうち可分な部分の給付によって注文者が利益を受けるときは、その部分は仕事の完成とみなされる。

2 注文者が破産手続開始の決定を受けたときは、請負人又は破産管財人は、契約の解除をすることができるが、仕事を完成した後は、請負人は契約を解除することはできない。

3 委任者に対して報酬を請求する特約がある場合において、受任者は、委任者の責めに帰することができない事由によって委任事務の履行をすることができなくなったとき、又は委任が履行の中途で終了したときは、既にした履行の割合に応じて報酬を請求することができる。

4 委任事務の履行により得られる成果に対して報酬を支払うことを約した場合において、その成果が引渡しを要するときは、報酬は、その成果の引渡しと同時に、支払わなければならない。

5 受任者又はその相続人若しくは法定代理人は、委任が終了した場合において、急迫の事情があるときは、委任者又はその相続人若しくは法定代理人が委任事務を処理することができるに至るまで、必要な処分をする義務はない。

解 説

1. 妥当である（民法634条柱書前段・1号）。

2. 妥当である（民法642条1項本文・但書）。

3. 妥当である（民法648条3項）。

4. 妥当である（民法648条の2第1項）。

5. **妥当でない。**委任が終了した場合において、急迫の事情があるときは、受任者またはその相続人もしくは法定代理人は、委任者またはその相続人もしくは法定代理人が委任事務を処理することができるに至るまで、必要な処分をしなければならない（民法654条）。よって、これが正答となる。

正答 **5**

民法に規定する賃貸借に関する記述として、判例、通説に照らして、妥当なのはどれか。

1 賃借人は、賃借物の修繕が必要である場合において、賃貸人に修繕が必要である旨を通知したにもかかわらず、賃貸人が相当の期間内に必要な修繕をしないときに限り、その修繕をすることができる。

2 建物の所有を目的とする土地の賃貸借を除く、賃貸借の存続期間は、50年を超えることができないが、契約により、これより長い期間を定めることができる。

3 最高裁判所の判例では、更新料は、賃料と共に賃貸人の事業の収益の一部を構成するのが通常であり、その支払により賃借人は円満に物件の使用を継続することができることからすると、更新料は、一般に、賃料の補充ないし前払、賃貸借契約を継続するための対価等の趣旨を含む複合的な性質を有するものであるとした。

4 最高裁判所の判例では、民法は、賃貸人の承諾なく賃借人から第三者への賃借権の譲渡をしたときは、賃貸人は賃貸借契約を解除することができる旨を定めているが、賃借人が法人である場合において、当該法人の構成員や機関に変動が生じたときは、法人格の同一性が失われることから、当該賃借権の譲渡に当たるとした。

5 最高裁判所の判例では、家屋の賃貸借における敷金契約は、賃貸人が賃借人に対して取得することのある債権を担保するために締結されるものであって、賃貸借契約に付随するものであるから、賃貸借の終了に伴う賃借人の家屋明渡債務と賃貸人の敷金返還債務とは、一個の双務契約によって生じた対価的債務の関係にあり、特別の約定のない限り、同時履行の関係に立つとした。

解説

1. 賃借物の修繕が必要である場合において、①賃借人が賃貸人に修繕が必要である旨を通知し、または賃貸人がその旨を知ったにもかかわらず、賃貸人が相当の期間内に必要な修繕をしないとき、または②急迫の事情があるときは、賃借人は、その修繕をすることができる（民法607条の2第1号・2号）。

2. 賃貸借の存続期間は、50年を超えることができない。契約でこれより長い期間を定めたときであっても、その期間は、50年とする（民法604条1項）。

3. 妥当である（最判平23・7・15）。

4. 最高裁判所の判例では、民法は、賃貸人の承諾なく賃借人から第三者への賃借権の譲渡をしたときは、賃貸人は賃貸借契約を解除することができる旨を定めているが、賃借人が法人である場合において、当該法人の構成員や機関に変動が生じたとしても、法人格の同一性は失われず、当該賃借権の譲渡には当たらないとした（最判平8・10・14）。

5. 最高裁判所の判例では、家屋の賃貸借における敷金契約は、賃貸人が賃借人に対して取得することのある債権を担保するために締結されるものであるから、賃貸借の終了に伴う賃借人の家屋明渡債務と賃貸人の敷金返還債務とは、一個の双務契約によって生じた対価的債務の関係になく、特別の約定のない限り、同時履行の関係には立たないとした（最判昭49・9・2）。

正答 3

民法に規定する遺言に関する記述として、判例、通説に照らして、妥当なのはどれか。

1 成年被後見人が事理を弁識する能力を一時回復した時において遺言をするには、法定代理人の立会いがなければならない。

2 未成年者であっても15歳に達した者は、遺言をすることができ、また、遺言の証人又は立会人となることができる。

3 遺言者は、いつでも、遺言の方式に従って、その遺言の全部又は一部を撤回することができ、また、その遺言を撤回する権利を放棄することもできる。

4 自筆証書遺言をするには、遺言者が、全文、日付及び氏名を自書し、これに印を押さなければならないが、最高裁判所の判例では、遺言の全文、日付及び氏名をカーボン複写の方法で記載したものは、自書の要件に欠けるとした。

5 最高裁判所の判例では、同一証書に2人の遺言が記載されている場合は、そのうちの一方に氏名を自書しない方式の違背があるときでも、当該遺言は、民法により禁止された共同遺言に当たると解するのが相当とした。

解説

1. 成年被後見人が事理を弁識する能力を一時回復した時において遺言をするには、法定代理人ではなく「医師2人以上」の立会いがなければならない（民法973条1項）。

2. 15歳に達した者は、遺言をすることができる（民法961条）。しかし、未成年者は遺言の証人または立会人となることはできない（同974条1号）。

3. 遺言者は、いつでも、遺言の方式に従って、その遺言の全部または一部を撤回することができる（民法1022条）。しかし、その遺言を撤回する権利を放棄することはできない（同1026条）。

4. 自筆証書遺言をするには、遺言者が、全文、日付および氏名を自書し、これに印を押さなければならない（民法968条1項）が、最高裁判所の判例では、遺言の全文、日付および氏名をカーボン複写の方法で記載したとしても、自書の要件に欠けるところはないとした（最判平5・10・19）。

5. 妥当である（最判昭56・9・11）。

正答 **5**

ある個人は、1日の時間を全て余暇と労働に充て、この個人の効用関数が、

$$U=8\sqrt{L}+Y \quad [U：効用水準、Y：所得、L：余暇時間]$$

で示されるとき、この個人が効用最大化を図った場合の1日の労働時間として、妥当なのはどれか。
ただし、実質賃金率は1時間当たり1であるとする。

1 7時間

2 7時間20分

3 7時間40分

4 8時間

5 8時間20分

 解 説

最適労働供給の計算問題である。はじめに、効用関数を書き直す。1日は24時間なので、労働時間は
$24-L$、実質賃金率は1時間当たり1であると仮定されているので、所得 Y は $1 \times (24-L)=24-L$ である。よって、効用関数は $U=8\sqrt{L}+24-L=8L^{\frac{1}{2}}+24-L$ である。

次に、最適余暇時間（効用を最大にする余暇時間）を計算する。効用が最大であるとき、効
用関数を余暇時間 L で微分して得られる $\dfrac{dU}{dL}=4L^{-\frac{1}{2}}-1$ はゼロに等しい。

$$4L^{-\frac{1}{2}}-1=0$$

$$L^{-\frac{1}{2}}=\frac{1}{4}$$

$$L^{\frac{1}{2}}=4$$

$$\therefore L=16$$

最後に、最適な労働時間を計算する。1日は24時間なので、最適な労働時間は $24-16=8$〔時間〕であるから、正答は**4**である。

［別解］

合成関数の微分の公式（チェーン・ルール）を使えば、最適な労働時間を直接計算できる。労働時間を x とすると、余暇時間 L は $24-x$ であり、実質賃金率が1時間当たり1であると仮定されているので、所得 Y は $1 \times x=x$ である。これらを効用関数に代入すると、

$$U=8\sqrt{24-x}+x=8(24-x)^{\frac{1}{2}}+x$$

次に、最適労働時間（効用を最大にする労働時間）を計算する。効用が最大であるとき、効用関数
を労働時間 x で微分して得られる $\dfrac{dU}{dx}=8 \times \dfrac{1}{2}(24-x)^{-\frac{1}{2}}(-1)+1=-4(24-x)^{-\frac{1}{2}}+1$ はゼロに等しい。

$$-4(24-x)^{-\frac{1}{2}}+1=0$$

$$(24-x)^{-\frac{1}{2}}=\frac{1}{4}$$

$$24-x=16$$

$$\therefore x=8$$

正答 **4**

完全競争市場において、ある財を生産している企業の総費用関数が、

$$TC = X^3 - 6X^2 + 24X + 30 \quad \begin{bmatrix} TC：総費用 \\ X~(X \geqq 0)：財の生産量 \end{bmatrix}$$

で表されるとする。

財の価格が120であるとき、この企業の利潤を最大にする生産量として、妥当なのはどれか。

1 4
2 5
3 6
4 7
5 8

解 説

完全競争企業の利潤最大化に関する計算問題である。完全競争企業は、価格と限界費用が等しくなる生産量を選択することで利潤を最大にできる。このことを使って計算すればよい。

はじめに、限界費用を計算する。総費用関数を生産量で微分すると、この企業の限界費用は

$\dfrac{dTC}{dX} = 3X^2 - 12X + 24$ である。

次に、利潤を最大にする生産量を計算する。財の価格は120であると仮定されているので、利潤を最大にする生産量は次式で計算できる。

$120 = 3X^2 - 12X + 24$

$3X^2 - 12X - 96 = 0$

$X^2 - 4X - 32 = 0$

$(X + 4)(X - 8) = 0$

$\therefore X = -4、8$

選択肢で与えられた生産量より妥当なものを選ぶと、$X = 8$ となる。

よって、正答は**5**である（ちなみに、生産量が−4であるとき、この企業の利潤は極小（最小）になっている）。

正答 **5**

No. 23 専門試験 ミクロ経済学 ラーナーの独占度 令和6年度 区

ある独占企業において供給されるある財の生産量を Q、価格を P、平均費用を AC とし、この財の需要曲線が、

$P=36-4Q$

で表され、また、平均費用曲線が、

$AC=Q+6$

で表されるとする。この独占企業が利潤を最大化する場合のラーナーの独占度の値として、妥当なのはどれか。

1 $\dfrac{1}{2}$ **2** $\dfrac{1}{3}$ **3** $\dfrac{2}{3}$

4 $\dfrac{1}{4}$ **5** $\dfrac{3}{4}$

解説

独占企業の利潤最大化行動とラーナーの独占度の複合問題である。ラーナーの独占度は次式で定義される指標である。

$$\text{ラーナーの独占度}=1-\frac{\text{限界費用}}{\text{価格}} \quad \cdots\cdots①$$

よって、独占企業が利潤最大化行動をとった際の限界費用と（独占）価格を求め、①式に代入すればよい。

はじめに、限界費用を計算する。平均費用とは生産量1単位当たりの費用であるから、この企業の総費用 TC は $TC=AC\times Q=Q^2+6Q$ である。この総費用を生産量で微分すると、

$$\frac{dTC}{dQ}=2Q+6 \quad \cdots\cdots②$$

次に、独占企業の利潤最大化時における（独占）価格と限界費用を計算する。需要曲線が右下がりの直線で与えられているので、この企業の限界収入は需要曲線の傾きを2倍にした $36-8Q$ である。この限界収入と限界費用（②式）が等しくなるときの生産量が、この企業の利潤を最大にする生産量である。

$36-8Q=2Q+6$

$10Q=30$

$\therefore Q=3 \quad \cdots\cdots③$

③を需要関数に代入すると（独占）価格は $36-4\times3=24$ であり、②式に代入すると利潤最大化時の限界費用は $2\times3+6=12$ である。これらをラーナーの独占度の式に代入すると、

$1-\dfrac{12}{24}=\dfrac{1}{2}$ となる。

よって、正答は**1**である。

正答 **1**

ある市場において、需要曲線 *DD*、供給曲線 *SS* が次の図のように与えられているとする。このとき、マーシャル的調整過程において、各均衡点 *a*、*b* に関する記述として、妥当なのはどれか。

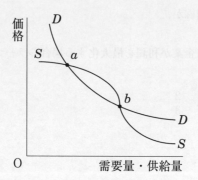

1 *a* 点は、左方に対しても、右方に対しても不安定である。

2 *a* 点は、左方に対しても、右方に対しても安定である。

3 *a* 点は、左方に対しては安定であり、右方に対しては不安定である。

4 *b* 点は、左方に対しては不安定であり、右方に対しては安定である。

5 *b* 点は、左方に対しては安定であり、右方に対しては不安定である。

マーシャル的調整過程における均衡の安定性に関するグラフ問題である。マーシャル的調整過程では、需要曲線の高さ（消費者価格）が供給曲線の高さ（生産者価格）より高ければ取引数量は増える方向に調整され、需要曲線の高さが供給曲線の高さより低ければ取引数量は減る方向に調整されると考える。経済状態がある均衡点からわずかにずれても、この調整過程によって当初の均衡点に戻るとき、その均衡点はマーシャル的調整過程において安定という。

下図のように均衡点である a 点と b 点をそれぞれ通る垂線を引くとき、横軸は3つの領域（領域①・②・③）に分割できる。領域①と領域③では需要曲線の高さが供給曲線の高さより高いので、取引数量は増える方向に調整される。また、領域②では需要曲線の高さが供給曲線の高さより低いので、取引数量は減る方向に調整される。

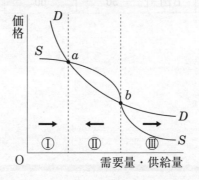

a 点の安定性について考えると、a 点の左方（領域①）では取引数量が増える方向に調整されるので、a 点は左方において安定である（**1**は誤り）。a 点の右方（領域②）では取引数量が減る方向に調整されるので、a 点は右方において安定である（**1**、**3**は誤り）。

次に、b 点の安定性について考えると、b 点の左方（領域②）では取引数量が減る方向に調整されるので、b 点は左方において不安定である（**5**は誤り）。b 点の右方（領域③）では取引数量が増える方向に調整されるので、b 点は右方において不安定である（**4**は誤り）。

よって、正答は**2**である。

正答　2

次の表はA国とB国においてブドウ酒と毛織物を1単位生産するのに必要な労働力の単位数をそれぞれ示したものである。リカードの比較生産費説に従って、A、B両国がそれぞれ比較優位を持つ商品に特化した場合、ブドウ酒と毛織物の特化による両国合計での生産増加分の単位の組合せとして、妥当なのはどれか。ただし、特化前の生産量は、両国とも、ブドウ酒1単位、毛織物1単位であるものとする。

	ブドウ酒	毛織物
A国	45	40
B国	50	60

	ブドウ酒	毛織物
1	0.125	0.2
2	0.2	0.125
3	2	2
4	2.125	2.2
5	2.2	2.125

解説

リカードの比較生産費説を用いた計算問題である。はじめに、各国が特化する商品について考える。各国がブドウ酒1単位の生産をあきらめるとき、A国は毛織物を$45 \div 40 = \frac{9}{8}$単位生産でき、B国は$50 \div 60 = \frac{5}{6}$単位生産できる。A国はB国より多くの毛織物を生産できるので、A国は毛織物に特化し、B国はブドウ酒に特化する。

次に、特化後の各商品の生産量を計算する。特化前のA国はブドウ酒と毛織物をそれぞれ1単位ずつ生産していたので、A国の労働力は$45 + 40 = 85$である。この労働力すべてを毛織物の生産に充てるので、生産量は$85 \div 40 = \frac{17}{8}$単位である。一方、特化前のB国はブドウ酒と毛織物をそれぞれ1単位ずつ生産していたので、B国の労働力は$50 + 60 = 110$である。この労働力すべてをブドウ酒の生産に充てるので、生産量は$110 \div 50 = \frac{11}{5}$単位である。

最後に、特化に伴う各商品の生産量増加分について考える。ブドウ酒は2単位から$\frac{11}{5}$単位に変化しているので、生産量の増加分は$\frac{11}{5} - 2 = \frac{1}{5}$（0.2）単位である。毛織物は2単位から$\frac{17}{8}$単位に変化しているので、生産量の増加分は$\frac{17}{8} - 2 = \frac{1}{8}$（0.125）単位である。

よって、正答は**2**である。

正答 **2**

ある国の経済において、マクロ経済モデルが次のように表されているとする。

$Y=C+I+G$ ⎡ Y：国民所得

$C=0.8(Y-T)+20$ ⎢ C：消費

$I=20$ ⎢ I：投資

$G=20$ ⎢ G：政府支出

$T=45$ ⎣ T：租税

このモデルにおいて、完全雇用国民所得が140であるとき、完全雇用を実現するために必要となる減税の大きさとして、妥当なのはどれか。

1   5

2   10

3   15

4   20

5   25

解 説

いわゆる45度線分析を用いた計算問題である。完全雇用の実現に必要となる減税の大きさを問われているので、完全雇用実現時の租税を計算し、当初の租税との差額を計算すればよい。

はじめに、租税 T を未知数のままにして均衡国民所得を計算する。財市場の均衡条件式 $Y=C+I+G$ の右辺に消費関数 $C=0.8(Y-T)+20$、投資 $I=20$、政府支出 $G=20$ を代入して、整理する。

$Y=\{0.8(Y-T)+20\}+20+20$

$0.2Y=-0.8T+60$

$\therefore Y=-4T+300$ ……①

次に、完全雇用実現に必要な租税を計算する。①式の Y に完全雇用国民所得140を代入して、租税 T について解く。

$140=-4T+300$

$4T=160$

$\therefore T=40$

最後に、完全雇用の実現に必要な減税の大きさを計算する。当初の租税45を40に減額する必要があるので、45−40＝5である。

よって、正答は**1**である。

[別解]

租税乗数の考え方を用いて計算することもできる。①式の T に当初の租税45を代入すると当初の均衡国民所得は120である。よって、完全雇用国民所得140を実現するためには、国民所得を140−120＝20増やす必要がある。①式より、租税 T が1減ると均衡国民所得は4増えるので、国民所得を20増やすためには、20÷4＝5減税する必要がある。

正答 **1**

次の文は、トービンの *q* 理論に関する記述であるが、文中の空所A～Cに該当する語句又は数式の組合せとして、妥当なのはどれか。

トービンが提唱した *q* 理論は、*q*＝□ A □で定義され、*q* が1よりも大きいときには、投資が□ B □とした。

なお、□ C □が存在するため、*q* は1から乖離（かいり）する。

	A	B	C
1	$\dfrac{\text{企業の市場価値}}{\text{資本ストックの再取得費用}}$	行われる	加速度原理
2	$\dfrac{\text{企業の市場価値}}{\text{資本ストックの再取得費用}}$	行われない	加速度原理
3	$\dfrac{\text{企業の市場価値}}{\text{資本ストックの再取得費用}}$	行われる	調整費用
4	$\dfrac{\text{資本ストックの再取得費用}}{\text{企業の市場価値}}$	行われない	加速度原理
5	$\dfrac{\text{資本ストックの再取得費用}}{\text{企業の市場価値}}$	行われる	調整費用

解説

トービンの *q* 理論（投資関数）に関する空欄補充問題である。

A：トービンは、株価などで示される企業の市場価値が、当該企業の資本ストックを再取得するために必要な費用の何倍になっているかを示す指標を、「$\dfrac{\text{企業の市場価値}}{\text{資本ストックの再取得費用}}$」と定義した。

B：企業の市場価値が当該企業の（期待）利潤を反映しているならば、トービンの *q* が1よりも大きいとき、資本ストックは再取得費用を上回る市場価値をもたらしていることになり、投資が「行われる」と考えた。

C：「調整費用」が該当する。調整費用とは、ある一定の設備投資をして生産能力を拡大するときに、成長率を高くしようとすればするほど、余分にかかってくる追加的な諸経費のことである。トービンの *q* の定義式に直接的には示されていないが、調整費用は利潤を圧迫することを通じて市場価値に反映されると考えられている。なお、加速度原理とは、投資は国民所得の変化分に比例して増減するという投資理論である。

よって、正答は**3**である。

正答 3

ある銀行が、500億円の預金を受け入れた場合、この預金をもとに市中銀行全体で派生的に信用創造される預金額として、妥当なのはどれか。ただし、市中銀行の預金準備率は20％とし、常に準備率の限度まで貸出しを行い、預金は途中で市中銀行以外にもれることはないものとする。

1　　　100億円
2　　　500億円
3　　1,000億円
4　　2,000億円
5　　2,500億円

解　説

信用創造の計算問題である。市中銀行が預金準備率20％の限度まで貸し出すとは、受け入れた預金の80％を貸し出すことを意味する。預金が途中で市中銀行以外にもれない場合、この貸し出された資金はすべて預金される。つまり、500億円の預金は500×0.8＝400〔億円〕の新預金を生み出し、この新預金400億円は 400×0.8＝320〔億円〕のさらなる新預金を生み出す。この連鎖が無限に続くとき、これは無限等比級数として

$$500＋0.8×500＋0.8^2×500\cdots＋0.8^∞×500＝500＋400＋320＋\cdots\cdots$$

と表せる。したがって、無限等比級数の和の公式、$\dfrac{初項}{1－公比}$ より、当初の預金500億円を含めた預金の総額は次式で計算できる。

$$\frac{500}{1－0.8}＝2500〔億円〕$$

　この2,500億円のうち500億円は当初の預金であるので、派生的に信用創造される預金額は 2500－500＝2000〔億円〕である。

　よって、正答は**4**である。

正答　**4**

ある国の経済において、マクロ経済モデルが次のように表されているとする。

$Y=C+I$

$C=30+0.4Y$

$I=50-r$

$\left.\begin{array}{l} Y：実質国民所得、C：実質消費、I：実質投資 \\ r：実質利子率、M：名目貨幣供給、L：実質貨幣需要 \\ P：物価水準、Y_F：完全雇用実質国民所得 \end{array}\right.$

$\dfrac{M}{P}=L$

$L=180+0.2Y-3r$

$M=600$

$Y_F=130$

このモデルにおいて、経済が完全雇用水準にあるときの物価水準 P として、妥当なのはどれか。

1　1

2　2

3　3

4　4

5　5

解　説

IS-LM モデルを用いた計算問題である。財市場均衡条件と貨幣市場均衡条件を用いて、完全雇用水準にあるときの物価水準を計算すればよい。

はじめに、財市場の均衡について考える。財市場の均衡条件式 $Y=C+I$ に、消費関数 $C=30+0.4Y$ と投資関数 $I=50-r$ を代入して、次のように整理する。

$Y=(30+0.4Y)+(50-r)$

$\therefore r=80-0.6Y$

この国の経済が完全雇用水準にあるときの実質国民所得は130であるので、このときの利子率は $r=80-0.6\times130=2$ である。

次に、貨幣市場の均衡について考える。貨幣市場の均衡条件式 $\dfrac{M}{P}=L$ に名目貨幣供給 $M=600$ と実質貨幣需要 $L=180-0.2Y-3r$ を代入して、次のように整理する。

$\dfrac{600}{P}=180+0.2Y-3r$

$P=\dfrac{600}{180+0.2Y-3r}$ ……①

最後に、完全雇用水準にあるときの物価水準を求める。①式に $Y=130$、$r=2$ を代入して、

$P=\dfrac{600}{180+0.2\times130-3\times2}=3$

よって、正答は **3** である。

正答　**3**

次の表は、ある国の経済活動の規模を表したものであるが、この場合における国民所得の大きさとして、妥当なのはどれか。

民間最終消費支出	700
政府最終消費支出	200
国内総固定資本形成	260
固定資本減耗	180
財貨・サービスの輸出	210
財貨・サービスの輸入	170
間接税	140
補助金	90
海外からの要素所得の受取り	70
海外への要素所得の支払い	60

1　970
2　980
3　1,020
4　1,200
5　1,210

解説

国民経済計算に関する計算問題である。

　はじめに、国内総生産（GDP）を計算する。国内総生産は、民間最終消費支出、政府最終消費支出、国内総固定資本形成および財貨・サービスの輸出の総和から、財貨・サービスの輸入を差し引いた額であるので、700＋200＋260＋210－170＝1200 である。

　次に、国民総所得（GNI）を計算する。国民総所得は、国内総生産に海外からの純所得（海外からの要素所得の受取り－海外への要素所得の支払い）を加えたものなので、1200＋（70－60）＝1210 である。

　さらに、市場価格表示の国民所得（いわゆる国民純所得）を計算する。市場価格表示の国民所得は、国民総生産から固定資本減耗を差し引いた額であるので、1210－180＝1030 である。

　最後に、要素費用表示の国民所得を計算する。要素費用表示の国民所得は、市場価格表示の国民所得から純間接税（間接税－補助金）を差し引いた額であるので、1030－（140－90）＝980 である。

　よって、正答は**2**である。

正答　**2**

我が国における現在の財政投融資制度に関する記述として、妥当なのはどれか。

1 財政投融資計画は、財政融資資金法第10条に基づき、財政融資、産業投資、政府保証のそれぞれの予定額を財投機関ごとに計上し策定されるが、国会に提出されない。

2 財政投融資の具体的な資金供給手法は3種類あるが、このうち財政融資は、財投機関が金融市場で発行する債券や借入金を対象に、政府が元利払いに対して行う保証である。

3 財政投融資特別会計国債とは、財政投融資特別会計において、財投機関に対して貸し付けるための資金を調達することを目的に発行される国債である。

4 財投機関債とは、財投機関が金融市場において発行する政府保証のある公募債券であり、財投機関債による資金調達は、財政投融資計画に含まれる。

5 財政投融資は、経済事情の変動などに応じ、機動的かつ弾力的に対応するために、財政融資資金の長期運用予定額は年度内に増額できるが、政府保証の限度額は増額できない。

解 説

1. 財政融資資金法第10条ではなく、第5条に基づき、財政投融資計画は財政融資、産業投資、政府保証のそれぞれの予定額を財投機関ごとに計上し策定される。また、財政投融資計画は、予算と一体のものとして1月に開始する通常国会に提出される。

2. 後半は、財政融資ではなく、政府保証に関する記述である。財政融資は、国が金融市場で財投債を発行することなどにより調達した資金を原資に、政策的必要性が高く、償還確定性のある事業に対して、主に「長期・固定・低利」で行う融資のことである。

3. 妥当である。

4. 財投機関債は、政府保証がないので、直接に財政投融資計画に含まれないが、財投機関債による資金調達については、財政投融資計画に、参考として記載されている。

5. 債務に係る政府保証の限度額についても、財政融資資金の長期運用予定額と同様に、年度内に50％の範囲内で増額できる。ただし、財政融資資金の長期運用予定額の総額に25％の上限が設けられている。また、産業投資については、経済事情の変動などに応じ機動的に対処するため、財政投融資特別会計投資勘定に産業投資予備費が設けられている。

正答 **3**

地方公共団体の財政の健全化に関する法律（財政健全化法）に関するA〜Dの記述のうち、妥当なもののみを全て挙げているのはどれか。

A　地方公共団体は、財政健全化計画を定めたときは、速やかに、これを公表するとともに、都道府県及び指定都市にあっては総務大臣に、市町村及び特別区にあっては都道府県知事に、報告しなければならない。

B　公営企業を経営する地方公共団体の長は、毎年度、当該公営企業の前年度の決算の提出を受けた後、速やかに、資金不足比率及びその算定の基礎となる事項を記載した書類を監査委員の審査に付し、その意見を付けて当該資金不足比率を議会に報告し、かつ、当該資金不足比率を公表しなければならない。

C　総務大臣は、財政健全化団体の財政健全化計画の実施状況を踏まえ、当該財政健全化団体の財政の早期健全化が著しく困難であると認められるときは、当該財政健全化団体の長に対し、必要な勧告をすることができるが、都道府県知事は、必要な勧告をすることはできない。

D　財政健全化計画は、地方公共団体の長が作成し、議会の議決を経て定めなければならないが、財政健全化計画を変更する場合は、議会の議決を経ることを要しないが、議会の意見を聴かなければならない。

1　A
2　A　B
3　C　D
4　A　B　D
5　B　C　D

解　説

A：妥当である（財政健全化法 5 条 2 項）。

B：妥当である（財政健全化法22 条）。

C：都道府県知事も必要な勧告を行うことができる（財政健全化法 7 条）。なお都道府県知事は市町村（指定都市を除く）および特別区に対して勧告を行う。

D：財政健全化計画を変更する場合も、議会の議決を経る必要がある（財政健全化法 5 条）。

　以上より、妥当なものはAとBであるから、正答は**2**である。

正答　**2**

地方税の原則に関するA〜Dの記述のうち、妥当なものを選んだ組合せはどれか。

A　普遍性の原則とは、税源が偏ることなく存在し、どの地方団体も税収を確保できることが望ましいというものであり、この例として、固定資産税や地方たばこ税がある。

B　安定性の原則とは、社会の発展と共に拡大する行政需要に対応するために、税収を上げる必要があるというものであり、この例として、地方消費税や自動車税がある。

C　負担分任の原則とは、行政サービスの受益者である地域住民が、その地方団体の経費を負担し合うというものであり、この考え方から、住民税の課税最低限は、国の所得税よりも低く設定されている。

D　自主性の原則とは、地方税の課税標準や税率の決定に自主性が認められるべきであるとするものであり、この考え方から、地方団体は、総務大臣の許可を得ることにより、法定外普通税及び法定外目的税を新設することができる。

1　A　　B
2　A　　C
3　A　　D
4　B　　C
5　B　　D

解説

A：妥当である。ほかに、地方消費税も地域偏在が小さい。

B：「社会の発展と共に拡大する行政需要に対応するために、税収を上げる必要がある」は、安定性の原則ではなく、伸長（張）性の原則に関する記述である。安定性の原則とは、地方税収入は景気変動に影響されにくいものであることが望ましいというものである。

C：妥当である。

D：前半の記述は正しい。平成12年の地方分権一括法による地方税法の改正により、「許可制」から「総務大臣の同意を要する協議制」へ移行している。

　以上より、妥当なものはAとCであるから、正答は**2**である。

正答　**2**

No. 34 専門試験 **財政学** **公共財の理論** 区 令和 **6** 年度

公共財の理論に関する記述として、妥当なのはどれか。

1 準公共財には、非排除性の性質は有しているが、非競合性の性質を持たないクラブ財や、非競合性の性質は有しているが、非排除性の性質を持たないコモンズがある。

2 サミュエルソンのルールでは、公共財供給の限界費用の総和が、公共財の各個人の限界便益に一致することを、公共財の最適供給の条件としている。

3 リンダール・メカニズムとは、政府が各個人の表示した公共財の水準に応じて負担比率を調整し、全ての個人の公共財需要の表示水準が等しくなるところで、公共財の供給量を決定するものである。

4 クラーク・メカニズムとは、人々に公共財に対する正確な評価を表明させる仕組みであり、自らの評価を偽って過大に申告し、費用負担を避けようとするフリーライダーの問題を解消するために提案されたものである。

5 ナッシュ均衡では、相手の行動を所与として、自らの効用を最大化するように公共財の自発的供給量を決めるため、パレート最適が実現される。

解説

1. 前半がコモンズに関する記述であり、後半がクラブ財に関する記述である。

2. 正しくは、「公共財の限界費用が、公共財の各個人の限界便益の総和に一致すること」である。

3. 妥当である。

4. 前半のクラーク・メカニズムに関する記述は正しい。フリーライダーの問題は、自らの評価を偽って「過小」に申告し、費用負担を避けようとする問題である。

5. ナッシュ均衡がパレート最適を実現するとは限らない。互いに相手の費用負担を所与として、自らの費用負担を抑制しようとするからである。

正答 **3**

No. 35 財政学 ジニ係数

あるグループはA〜Eの5人で構成され、各人の所得は、Aが4万円、Bが14万円、Cが20万円、Dが28万円、Eが34万円であるとき、このグループのジニ係数の値として、妥当なのはどれか。

1 0.148

2 0.296

3 0.352

4 0.592

5 0.704

解説

ジニ係数の計算問題である。与えられた条件からローレンツ曲線を導出し、ジニ係数を計算すればよい。

　はじめに、ローレンツ曲線を描くための条件を整理する。ローレンツ曲線とは、総人口を1とする人数累積比を横軸に、総所得を1とする所得累積比を縦軸にとって描かれたものである。本問では5人からなるグループが想定されているので、グラフには5つの点（点a、b、c、d、e）が描かれ、人数累積比は1÷5＝0.2、すなわち20％ずつ増加する。グループ全体での総所得は4万＋14万＋20万＋28万＋34万＝100万円であるので、所得下位20％層（Aのみ）の所得が総所得に占める割合は4万÷100万＝0.04、すなわち4％である。所得下位40％層（AとB）の所得が総所得に占める割合は（4万＋14万）÷100万＝0.18、すなわち18％である。所得下位60％層（A、BとC）の所得が総所得に占める割合は（4万＋14万＋20万）÷100万＝0.38、すなわち38％である。所得下位80％層（A、B、CおよびD）の所得が総所得に占める割合は（4万＋14万＋20万＋28万）÷100万＝0.66、すなわち66％である。そしてグループ全員の所得が総所得に占める割合は（4万＋14万＋20万＋28万＋34万）÷100万＝1、すなわち100％である。

	点a	点b	点c	点d	点e
人数累積比	0.2	0.4	0.6	0.8	1
所得累積比	0.04	0.18	0.38	0.66	1

次に、ローレンツ曲線を描く。横軸に人数累積比、縦軸に所得累積比をとって、先に導出した点a～点eをとり、原点Oおよび各点を線分で結ぶ（下図）。このグラフ（折れ線）がローレンツ曲線であり、原点と点eを結ぶ線分を均等分布線という。

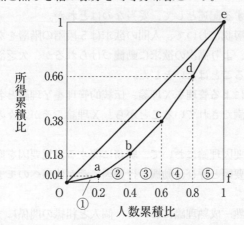

最後に、ジニ係数を計算する。ジニ係数とは、均等分布線とローレンツ曲線に囲まれる領域の面積が△Ofeの面積に占める割合である。そのために、ローレンツ曲線と横軸に囲まれる領域の面積を計算する。

①の面積……$0.2 \times 0.04 \div 2 = 0.004$

②の面積……$(0.04 + 0.18) \times (0.4 - 0.2) \div 2 = 0.022$

③の面積……$(0.18 + 0.38) \times (0.6 - 0.4) \div 2 = 0.056$

④の面積……$(0.38 + 0.66) \times (0.8 - 0.6) \div 2 = 0.104$

⑤の面積……$(0.66 + 1) \times (1 - 0.8) \div 2 = 0.166$

つまり、①の面積＋②の面積＋③の面積＋④の面積＋⑤の面積＝0.352である。△Ofeの面積は$1 \times 1 \div 2 = 0.5$であるので、△Ofeの面積に占める①～⑤の総面積の割合は$0.352 \div 0.5 = 0.704$となり、ジニ係数は$1 - 0.704 = 0.296$である。

よって、正答は**2**である。

正答 **2**

モチベーション理論に関する記述として、妥当なのはどれか。

1 マズローは、欲求階層説において、人間の欲求は5段階の階層をなしており、人間は低次の欲求が満たされると、より高次の欲求に動機づけられるが、欠乏欲求である自己実現欲求だけは完全に満たされることはないとした。

2 マグレガーは、目標による管理をX理論、伝統的管理をY理論と名付け、現代においては低次の欲求はほとんど満たされていることから、X理論こそが人々の動機づけとして有効であるものとした。

3 ハーズバーグは、二要因理論において、職務に関する満足要因を衛生要因、職務に関する不満足要因を動機づけ要因と呼び、動機づけ要因こそが仕事へのモチベーションを高めるとした。

4 アージリスは、未成熟－成熟理論において、個人と組織の関係について、個人のパーソナリティは能動的な未成熟段階から受動的な成熟段階へ成長するものとし、人間の成熟度という考え方を導入した。

5 アルダファーは、ERG理論において、人間の欲求を生存（Existence）、関係（Relatedness）、成長（Growth）の3つに分類し、それぞれの欲求が同時に存在することもあるとした。

解説 ●━━━━━━━━━━━━━━━━━━━━━

1.「欠乏欲求である自己実現欲求」が誤り。A.H.マズローは、人間の欲求には欠乏欲求と成長欲求の2種類があるとした。欠乏欲求は、不足している場合にそれを満たそうとする欲求であり、充足されるとその欲求は弱まり、より高次の欲求へと移行する。マズローが示した5つの欲求階層の中では、生理的欲求、安全欲求、愛情（社会的、帰属）欲求、尊敬（承認）欲求が欠乏欲求に該当する。成長欲求は、内発的な豊かさを求め、創造性を発揮することで自身を成長させようとする欲求であり、完全に満たされることはないとされる。5つの欲求階層の最上位にある自己実現欲求は、成長欲求に該当する。

2.「目標による管理をX理論、伝統的管理をY理論と名付け」および「X理論こそが人々の動機づけとして有効」が誤り。D.マグレガーは、伝統的管理論で想定されている人間観であるX理論と、より高次の欲求に働きかける人間観であるY理論という2つの人間観を示した。X理論は、「人間は仕事が嫌いで強制や命令によってしか仕事に取り組まず、責任を回避したがる存在」とする人間観であり、Y理論は、「人間は条件次第で自主的に仕事に取り組み、結果の責任を負う存在であり、創意工夫によって問題の解決を行う」とする人間観である。マグレガーは、上司の管理能力の向上と従業員の自己実現欲求の充足を結びつけることを重視し、X理論に基づく管理からY理論に基づく管理への移行を唱えた。なお、目標による管理は、P.F.ドラッカーの所説に基づいて、組織の目標と各従業員の業務目標を結びつけ、各自の動機づけや主体性、問題解決能力を高めるために考案された手法である。具体的には、組織目標をもとに各従業員が上司と相談し、自らが担当する業務の目標を設定する。そして、その業務目標を達成する過程も従業員に一任され、各自が自己統制によって管理する。

3.「職務に関する満足要因を衛生要因、職務に関する不満足要因を動機づけ要因と呼び」が誤り。F.ハーズバーグは、職務に関する満足と不満は、それぞれ2つの異なる要因に規定されるとする二要因論（動機づけ－衛生理論）を唱えた。面接調査の結果から、職務上の満足を規定する動機づけ要因には、仕事の達成とその承認、責任の付与、仕事それ自体、昇進があり、職務上の不満を規定する衛生要因には、会社の政策（方針）および管理、作業条件、対人関係、給与、監督技術があることを示した。

4.「能動的な未成熟段階から受動的な成熟段階へ成長する」が誤り。C.アージリスが唱えた未成熟－成熟理論では、個人のパーソナリティは受動的な未成熟段階から能動的な成熟段階へ成長するとした。その一方で、分業、命令の連鎖、指令の統一などの原理に基づいて合理性を追求する（公式）組織は、個人を受動的な立場や単純で短期的な展望に立った行動に押しとどめるため、個人と組織の間には根本的な不適合が存在すると主張した。

5. 妥当である。C.P.アルダファーはマズローの欲求階層説を修正し、ERG理論を唱えた。この理論では、①生存欲求（人間として存在するための基本的な欲求）、②関係欲求（良好で充実した人間関係を持ちたいとする欲求）、③成長欲求（自分や自分を取り巻く環境に対して創造的でありたいとする欲求）は、充足度に応じて①→②→③と段階的に移行するが、状況によってはこれらの同時的充足や逆行もあるとした。

正答 **5**

企業のM&Aに関する記述として、妥当なのはどれか。

1 LBOとは、企業を買収するために、不特定多数の株主に対して、株式買付けの価格、株数、期間を新聞などで公告した上で、株式市場を通さずに株式を買い集めることである。

2 TOBとは、被買収企業の資産や将来のキャッシュフローを担保として調達した資金によって、企業を買収することである。

3 クラウン・ジュエルとは、敵対的買収に対する防衛策の一つで、買収によって経営陣が退任する際に、多額の割増退職金を支給することをあらかじめ定めておき、買収コストを大きくすることである。

4 ゴールデン・パラシュートとは、敵対的買収に対する防衛策の一つで、第三者の友好的な企業に自社を買収してもらうことである。

5 パックマン・ディフェンスとは、敵対的買収に対する防衛策の一つで、買収を仕掛けられた企業が、買収を仕掛けた企業に対して、逆に買収を仕掛けることである。

解説

1. TOB（Takeover Bid、株式公開買付け）の説明である。一般にTOBでは、株主から株式を買い集めるために、市場の株価に一定額を上乗せした買付け価格を提示する（この上乗せ分を買収プレミアムと呼ぶ）。しかし、TOBの対象となる企業が対抗策を講じた場合は、株価が高騰し、公告期間内に必要な株式数を確保できなくなることもある。なお、M & Aとは、企業の合併（Mergers）と買収（Acquisitions）の略である。合併は契約によって2社以上の企業を1社に統合することであり、買収は株式の取得などによって、買収対象となる企業の経営権を得ることである。

2. LBO（Leveraged Buyout）の説明である。LBOは、買収対象となる企業が保有する資産や将来に期待できるキャッシュフローを担保にして金融機関から資金を調達し、買収を行う手法である。LBOを用いると自己資金の少ない企業でもM & Aを活用できるが、買収に伴うリスクも大きくなりやすく、買収後に被買収企業の業績が低下した場合は巨額の負債を抱えることになる。

3. ゴールデン・パラシュート（Golden Parachute）の説明である。クラウン・ジュエル（Crown Jewel）とは、敵対的買収を仕掛けられた企業が、優良な資産を他社に売却し、自社の企業価値を意図的に低下させることで、買収を仕掛けた企業の意欲を削ぐ防衛策である。宝石（ジュエル）を取り外すことで王冠（クラウン）の価値を目減りさせ、王冠が狙われる危険を避ける逸話に由来する。

4. ホワイト・ナイト（White Knight）の説明である。A社が経営方針の異なるB社に敵対的買収を仕掛けられた際、A社の経営陣が自社に有利な条件での買収をC社に依頼することで、敵対的買収を回避する手法である。このC社のことを、窮地に陥ったときに助けに現れる「白馬の騎士」になぞらえてホワイト・ナイトと呼ぶ。

5. 妥当である。パックマン・ディフェンス（Pac-man Defense）とは、敵対的買収を仕掛けてきた企業を、仕掛けられた企業が買収する対抗措置であり、いわゆる逆買収を意味する。呑み込もうとする相手を反対に呑み込んでしまうことから、ゲーム・ソフトの「パックマン」にちなんで名づけられた。

正答　**5**

賃金制度に関する記述として、妥当なのはどれか。

1 賃金とは、労働基準法において、賃金、給料、手当、賞与その他名称の如何を問わず、労働の対償として使用者が労働者に支払う全てのものをいう。

2 職務給とは、労働者が担当する職務を基準として、その価値に応じて決定される賃金をいい、日本では多くの企業で採用されているが、適切に運用されないと年功的賃金になるという問題点が指摘されている。

3 職能給とは、労働者の職務遂行能力を基準として決定される賃金をいい、欧米で広く採用されているが、この能力は、顕在的な能力に限られ、潜在的な能力は含まない。

4 年功給とは、賃金を 1 年単位で決める制度であり、前年度の業績、仕事の役割、能力等が重視されるため、公正で納得性の高い目標管理制度が不可欠である。

5 ベースアップとは、賃金表あるいはその他の一定の昇給基準に基づいて、毎年 1 回以上定期的に行われる賃金を引き上げる制度であり、日本では広く実施されている。

解説

1. 妥当である（労働基準法11条）。

2.「日本では〜」以降の記述は、職能給に関する説明である。職務給は職務内容に対して支払われる賃金であり、各職務の価値を分析・評価し、職務等級を作成することで賃金水準が定められる。職務給のメリットは、賃金を算定する基準が明確であり、客観的な賃金配分が可能な点にある。その一方で、担当職務が変わると賃金水準も変動するため、算定の変更手続が煩雑になり、人事異動に柔軟に対応できないことから、日本企業では普及していない。

3.「欧米で広く採用されているが〜」以降の記述が誤り。職能給は、労働者の職務遂行能力に対して支払われる賃金であり、人事異動に柔軟に対応できることから、日本企業で広く普及している。また、職務遂行能力の評価対象には、各人の顕在的な能力（一定期間に達成した仕事の成果）だけでなく、職務に関する知識や経験、技能、資格などの潜在的な能力も含まれる。

4. 年俸制の説明である。年俸制を導入するメリットには、「個々の労働者の実力と業績に応じた賃金設定が可能になる」「年度ごとの賃金水準を柔軟に調整できる」「業務目標の設定により各人の役割と責任が明確になり、目標管理制度（目標による管理）の効果が高まる」などがある。その一方で、「目標設定が短期的に達成可能な業務に偏り、長期的な視点が欠けやすくなる」「チームワークを重視する業務では業績評価の不公平感が生じ、メンバーの連帯感が失われやすくなる」などのデメリットも指摘されている。なお、年功給は、年齢や勤続年数に応じて昇給する賃金制度である。

5. 定期昇給の説明である。定期昇給は、個別企業で一定期間（通常は年に 1 〜 2 回）ごとに個人の勤続年数や業績評価に基づいて実施される昇給制度だが、企業業績によっては実施が見送られる場合もある。ベースアップは、消費者物価の上昇や企業の業績向上などに応じて、すべての労働者の賃金水準を年齢や能力にかかわらず一律に引き上げることである。通常は毎年 2 月前後に行われる春闘の要求方針に基づいて企業と労働組合が交渉し、ベースアップ率が決定される。その際、組合側の賃上げ要求がそのまま受け入れられる「満額回答」が得られる場合もあるが、景気や業績の低迷が続く場合は労使間の交渉が難航し、ベースアップ率がゼロ（ベアゼロ）となる場合もある。

正答　**1**

コトラーの競争戦略に関するA〜Dの記述のうち、妥当なもののみを全て挙げているのはどれか。

A　リーダーとは、最大の市場シェアの企業であり、自社のシェアを維持、拡大し、市場全体を拡大させることを戦略目標とする。

B　フォロワーとは、業界2番手の企業で、リーダーに挑戦している企業であり、リーダーとの差別化を図ることを戦略目標とする。

C　ニッチャーとは、リーダーに追随する企業であり、上位企業を模倣化することを戦略目標とする。

D　チャレンジャーとは、すきま市場で独自の製品・サービスを提供している企業であり、狭いセグメントに集中化することを戦略目標とする。

1 A

2 A　B

3 C　D

4 A　B　D

5 B　C　D

解説

A：妥当である。P.コトラーは、市場における競争上の地位と戦略に応じて、企業をリーダー、チャレンジャー、フォロワー、ニッチャーの4タイプに分類した。リーダーは最大の市場シェアを占める企業であり、その地位や利益水準、名声を維持・拡大するために、市場におけるすべての顧客を対象とした全方位型の戦略を導入する。

B：チャレンジャーの説明である。チャレンジャーはいわゆる「2番手企業」であり、市場シェアの首位を獲得するために、リーダーが供給する製品・サービスに対して徹底した差別化戦略を実施する。

C：フォロワーの説明である。フォロワーはリーダーの戦略を模倣し、熾烈（しれつ）な競争には参入せず、低価格で一定水準の品質を持つ製品・サービスを供給することで、業界での生き残りに必要な市場シェアの確保に努める。

D：ニッチャーの説明である。ニッチャーは他社には容易に模倣されない研究開発能力や流通・販売網などを基盤として、大企業が参入しないすきま市場に特化して独自の製品・サービスを供給し、当該市場での「ミニ・リーダー」の地位を確立する。

以上より、妥当なものはAのみであるから、正答は**1**である。

正答　**1**

国際経営の理論に関する記述として、妥当なのはどれか。

1 パールミュッターは、経営者の姿勢が多国籍企業の発展において重要であると考え、経営者の姿勢に基づいて、本国志向型、現地志向型、地域志向型、世界志向型という4つのパターンに分類するEPRGプロファイルを提示した。

2 ドーズは、組織構造の変化や意思決定権の所在から、国内企業、輸出志向企業、国際企業、多国籍企業、超多国籍企業、超国家企業の6段階で、企業の国際化が進展していくとした。

3 バーノンは、活動の配置と活動の調整によって国際戦略を類型化し、このうち活動が集中し、調整が高いものをシンプル・グローバル戦略、活動が分散し、調整が低いものをマルチ・ドメスティック戦略とした。

4 バートレットとゴシャールは、プロダクトサイクル・モデルで、製品のライフサイクルの変化に伴い、先進国から他の国へと生産拠点が移転していくプロセスを通して、経営の国際化を説明した。

5 フェアウェザーは、グローバルな効率性、現地環境への適応、イノベーションと学習という3つの課題を同時に達成できる組織として、トランスナショナル企業を提唱した。

解説

1. 妥当である。H.V.パールミュッターが示したEPRGプロファイルでは、経営者の姿勢（経営上の志向や行動）に基づいて、多国籍企業の類型を、本国志向型（Ethnocentric：本社を中心とした集権型であり、海外子会社に裁量権はない）、現地志向型（Polycentric：海外子会社に現地での事業経営に関して一定の権限を委譲する）、地域志向型（Regiocentric：生産、販売、人事、広告などの意思決定を北米や欧州など地域市場ごとに行う）、世界志向型（Geocentric：本社と海外子会社が有機的なネットワークを形成し、世界規模で事業活動を展開する）に分類した。

2. R.ロビンソンの学説である。ロビンソンは、国際化の発展段階に応じて、企業の組織構造を国内企業（国内市場を中心に事業を展開する）、輸出志向企業（輸出によって海外市場を開拓する）、国際企業（外国企業との合弁や提携を実施する）、多国籍企業（海外子会社による事業展開を行うが、親会社が株式所有によって海外子会社を支配する）、超多国籍企業（法規制を除いて国家の制約を越えて活動し、海外子会社の所有も多国籍化する）、超国家企業（諸国家の政治体制と摩擦を生じない限り、グローバルに活動する）に分類した。また、Y.ドーズはC.K.プラハラードとともにI-Rグリッドを唱えたことで知られる。I-Rグリッドは国際経営の方向性を分析する枠組みであり、グローバル統合（Integration）とローカル適応（Responsiveness）の2軸で構成される。ここでのグローバル統合とは、海外展開を世界規模で標準化し、規模の利益を追求する方向性であり、ローカル適応とは、進出先のニーズや政府の規制など現地特有の環境条件に適応しようとする方向性である。ドーズらは、この2つの方向性を高いレベルで同時に達成する戦略をマルチフォーカル戦略と呼んだ。

3. 活動の配置（Configuration：海外での諸活動がどの国で行われ、拠点数はいくつか）と活動の調整（Coordination：海外での諸活動が相互にどの程度調整されているか）という2つの基準によって国際戦略を類型化したのは、M.E. ポーターである（下図参照）。この中では、活動の配置が集中型で、調整の度合いが高い企業はシンプル（単純な）・グローバル戦略、活動の配置が分散型で、調整の度合いが低い企業はマルチ・ドメスティック戦略に位置づけられる。

【国際戦略の類型】

〈活動の調整〉	高	海外投資額が大きく、各国子会社間で強い調整を行う	シンプル（単純な）・グローバル戦略
	低	マルチ・ドメスティック戦略	マーケティングを分権化した輸出中心戦略
		分散型	集中型

〈活動の配置〉

4. R. バーノンの学説である。バーノンは、米国大企業の海外進出の過程を対象として、米国と他国の技術格差および製品ライフサイクルの進展に伴う生産立地の移転という観点から、プロダクトサイクル・モデルを示した。このモデルでは、①米国で新製品の生産が開始され、急速に市場が拡大し、成熟製品になる。②米国市場の飽和に伴って輸出が開始され、やがて生産拠点が海外の先進国に移転される。その結果、米国も当該製品の輸入国となる。③他国との技術格差が減り、製品が標準化するにつれて、生産拠点は先進国から発展途上国に移転し、国際分業が進展する、という諸段階（本国→先進国→発展途上国、新製品→成熟製品→標準化した製品）を経る。

5. C. バートレットとS. ゴシャールの学説である。バートレットらは、多国籍企業の組織形態を①グローバル企業（資源や能力の多くを本社に集中させ、その成果を世界規模で活用するため効率性に優れる）、②マルチナショナル企業（資源や能力を海外子会社に分散させ、各子会社が現地のニーズに適応する）、③インターナショナル企業（海外子会社は一定の裁量権を持つが、製品開発や経営方式は本社に依存する。本社の資源や能力を海外に移転する際に学習効果が期待できる）、④トランスナショナル企業（①～③の3形態の統合型であり、効率と適応、学習を同時に達成できる。本社と海外子会社はネットワーク状に連携し、相互の協力と調整が行われる）に分類した。なお、J. フェアウェザーは、「経営資源を諸国間で移転する担い手」としての多国籍企業の役割を分析し、経営資源の概念に伝統的な生産要素である資本、労働、自然資源だけでなく、製造技術、管理ノウハウ（経営スキル）、組織設立能力（企業家能力）も含めて考察した。

正答 1

エスピン＝アンデルセンの福祉国家論に関するA～Dの記述のうち、妥当なもののみを全て挙げているのはどれか。

A　エスピン＝アンデルセンは、「福祉資本主義の三つの世界」を著し、福祉国家を類型化し、福祉レジーム論を唱えた。

B　エスピン＝アンデルセンは、福祉国家を、自由主義レジーム、保守主義レジーム、社会民主主義レジームの3つに分類されるとした。

C　エスピン＝アンデルセンは、「福祉国家と平等」を著し、福祉国家は、経済水準の発展とともに進展するとの収斂理論を唱えた。

D　エスピン＝アンデルセンは、階層化、脱家族化の2つの指標を用いて、福祉国家を分析し、その後、新たに脱商品化という指標を加えた。

1　A
2　A　B
3　C　D
4　A　B　D
5　B　C　D

解説

A：妥当である。エスピン＝アンデルセンは、脱商品化（労働市場に商品として参加しなくても、要するに働かなくても一定水準の生活を維持できる）、階層化（職種によって受けられる社会保障給付水準に格差がある）、脱家族化（家族から離れても一定水準の生活を維持できる）の3つの指標を用いて福祉国家を類型化した。

B：妥当である。各レジームの特徴は、次の表のとおり。

	脱商品化	階層化	脱家族化	代表例
自由主義レジーム	低	高	中	アメリカ、イギリスなど
保守主義レジーム	高	高	低	フランス、ドイツなど
社会民主主義レジーム	高	低	高	スウェーデンなどの北欧諸国

C：エスピン＝アンデルセンではなく、ウィレンスキーに関する記述。ウィレンスキーは、経済水準が発展すれば、それに伴って高齢化が進んで福祉の需要が高まるのだから、長期的に見れば、福祉国家化は政治体制に関係なく進むものとした。これを収斂理論という。

D：エスピン＝アンデルセンは当初、脱商品化と階層化の2つの指標によって福祉国家を分類したが、後に脱家族化を新たな指標として加えた。

以上より、妥当なものはAとBであるから、正答は**2**である。

正答　**2**

比例代表制の選挙において、A党は8,000票、B党は5,400票、C党は3,200票、D党は2,500票の得票があった。議席数が13議席である場合、ドント式による議席配分方法でA党、B党、C党及びD党が獲得する議席数の組合せとして、妥当なのはどれか。

	A党	B党	C党	D党
1	5議席	3議席	3議席	2議席
2	5議席	4議席	2議席	2議席
3	5議席	4議席	3議席	1議席
4	6議席	3議席	2議席	2議席
5	6議席	4議席	2議席	1議席

解説

比例代表選挙における各政党への議席配分法にはさまざまな方式があるが、衆議院議員総選挙および参議院議員通常選挙の比例代表選挙には、いずれもドント式が採用されている。

ドント式では、各政党の得票数を÷1、÷2、÷3……と、1から順に自然数で割っていく。そして、その割り算の商（答え）を大きなものから順に選んでいく。本問において定数は13議席とされているから、13番目に大きな商までを選ぶ。すると、A党の得票数を割った商からは6つ、B党の得票数を割った商からは4つ、C党の得票数を割った商からは2つ、D党の得票数を割った商からは1つ選ばれる。これが各政党に配分される議席数となる。

	A党	B党	C党	D党
÷1	8,000…①	5,400…②	3,200…④	2,500…⑦
÷2	4,000…③	2,700…⑤	1,600…⑩	1,250
÷3	2,666…⑥	1,800…⑨	1,066	833
÷4	2,000…⑧	1,350…⑫	800	625
÷5	1,600…⑩	1,080	640	500
÷6	1,333…⑬	900	533	416

以上より、A党は6議席、B党は4議席、C党が2議席、D党は1議席を獲得することがわかる。

よって、正答は**5**である。

正答 **5**

イデオロギーに関するA～Dの記述のうち、妥当なものを選んだ組合せはどれか。

A　自由主義は、17世紀のイギリスにおいてロックらによって政治的自由主義の教説として成立し、私有財産の擁護という要素を含んでいたこともあって、都市の商工業者を中心に広まり、市民革命のイデオロギーとなった。

B　社会主義は、古くから漠然とした形で存在していたが、18世紀頃に自由主義の挑戦を受けて自覚的な政治思想となったもので、代表者であるマルクスは、伝統的秩序や伝統的価値体系を尊重し、一般市民の政治参加の強化・拡大を積極的に進めた。

C　保守主義は、資本主義を批判し、労働者階級のために生産手段の社会的所有をめざしたもので、体系だった保守主義を確立したのはE.バークであり、その思想は、労働者階級のイデオロギーとして多大な影響力を及ぼした。

D　ファシズムは、狭義ではイタリアにおけるムッソリーニ指導下の政治体制やイデオロギーをいうが、広義では民族主義的急進運動をいい、近代の個人主義の全面否定が特徴であり、一党独裁による指導者と被指導者との一体化を図る指導者原理が基本となる。

1　A　B
2　A　C
3　A　D
4　B　C
5　B　D

解説

A：妥当である。ロックの思想は、イギリスの名誉革命を正当化するものであっただけでなく、アメリカ独立宣言やフランス人権宣言にも影響を与えた。古典的自由主義では、政治面ではロックらによって個人の財産権や自由権の保障などが唱えられる一方、経済面ではアダム＝スミスらによって自由放任主義（レッセフェール）が唱えられた。

B：社会主義とは、資本主義を批判し、労働者階級のために生産手段の社会的所有をめざす労働者階級のイデオロギーである。それに、マルクスは盟友のエンゲルスとともに資本主義の矛盾を科学的に分析する科学的社会主義を確立した社会主義活動家である。

C：保守主義とは、伝統的秩序や伝統的価値体系を尊重し、理性への懐疑から急激な社会変革を拒絶する政治思想のこと。バークは『フランス革命に関する省察』を著し、1789年勃発のフランス革命を痛烈に批判したことから、保守主義の祖とされている。

D：妥当である。ファシズムとは、イタリア語で「結束」や「団結」の意味を持つfascioに由来する言葉であり、元来はムッソリーニによる一党独裁体制やそのイデオロギーを意味する。だが、一般的には全体主義的、独裁的な政治体制やそれを志向するイデオロギー全般、あるいは異論を許さない社会風潮をさす言葉として用いられている。

以上より、妥当なものはAとDであるから、正答は**3**である。

正答　**3**

近代日本の政治思想家に関する記述として、妥当なのはどれか。

1　福沢諭吉は、「文明論之概略」を著し、民友社を結成して啓蒙思想家として活躍し、脱亜論を唱えた。

2　徳富蘇峰は、政教社を創立し、雑誌「国民之友」の創刊を行い、平民主義を唱えたが、後に帝国主義を主張した。

3　中江兆民は、ルソーの「社会契約論」を翻訳した「民約訳解」を著し、自由民権運動に理論的影響を与えた。

4　陸羯南は、新聞「国民新聞」の創刊や「近時政論考」を著し、国民主義を表明して、藩閥政治を批判し、立憲主義を擁護した。

5　幸徳秋水は、「廿世紀之怪物帝国主義」を刊行し、日露戦争時には平民社を結成して新聞「日本」を創刊し、非戦論を唱えた。

解説

1.　「民友社」の部分が誤り。民友社の設立者は、後述の徳富蘇峰である。福沢諭吉は、慶應義塾を創設する一方、西周、中村正直、加藤弘之らとともに、森有礼による啓蒙的学術団体である明六社の設立に参加した。

2.　「政教社」の部分が誤りで、正しくは「民友社」。政教社は当時の政府による欧化主義に反対する国粋主義者の三宅雪嶺や志賀重昂らによって設立され、雑誌「日本人」を創刊した。なお、徳富蘇峰は平民主義（平民的欧化主義）を唱えていたが、日清戦争後の三国干渉（露・独・仏が日本に遼東半島の中国への返還を要求した事件）を機に、国家主義に転じた。

3.　妥当である。中江兆民は「東洋のルソー」と呼ばれた思想家である。その反面、著書『三酔人経綸問答』では、現実主義的な観点から、恩賜的民権（為政者に与えられた民権）を大切に育んで恢復的民権（革命によって勝ち取った民権）と同等のものにすべきとした。

4.　「国民新聞」の部分が誤りで、正しくは「日本」。陸羯南は新聞「日本」を創刊する一方、政教社とも共闘関係にあった。「国民新聞」は徳富蘇峰によって創刊された新聞である。

5.　「日本」の部分が誤りで、正しくは「平民新聞」。幸徳秋水は社会主義思想家であり、日露戦争に反対した堺利彦らとともに平民社を設立し、平民新聞を創刊した。後に大逆事件（社会主義者らが明治天皇の暗殺を計画したとされる事件）により処刑された。

正答　**3**

現代政治学に関するA〜Dの記述のうち、妥当なものを選んだ組合せはどれか。

A　ウォーラスは、「政治における人間性」を著し、人間が自己の利害に沿って合理的に行動するものとする主知主義を批判して、人間の非合理的行動も含めて政治を分析すべきであるとした。

B　コーンハウザーは、「大衆社会の政治」を著し、政治システムは、環境からの要求という入力を受けると、それに対応した政策を決定して、環境へと出力し、その政策が要求に合致したものならば、支持となって表れるとした。

C　ベントレーは、「統治過程論」を著し、制度論的政治学を「死せる政治学」と呼んで批判して、政治を諸集団の対立と相互作用、政府による調整の過程と捉えた。

D　リースマンは、「世論」を著し、マス・メディアからの情報で出来事を認識している環境を現実環境と呼び、人々が情報を単純化したり歪曲したりすることをステレオタイプと呼んだ。

1　A　B
2　A　C
3　A　D
4　B　C
5　B　D

解 説

A：妥当である。ウォーラスは後述のベントレーとともに現代の科学的政治学の先駆者とされる政治学者であり、従来の制度論的政治学から離れて、政治学に心理学的方法を導入した。

B：コーンハウザーが『大衆社会の政治』を著したのは正しいが、その後はイーストンの政治システム論に関する記述になっている。コーンハウザーは、エリートへの接近可能性（民主的か）と非エリートの操縦可能性（大衆を扇動しやすいか）の２つの指標で社会を４種類に類型化し、多くの中間団体が存在する多元社会を理想とした。

		エリートへの接近可能性	
		低	高
非エリートの操縦可能性	低	共同体社会	多元社会
	高	全体主義社会	大衆社会

C：妥当である。ベントレーは政治学に社会学的方法を導入した。

D：『世論』を著し、マス・メディアやステレオタイプを論じたのは、リースマンではなくリップマン。「現実環境」の部分も誤りで、正しくは「疑似環境」。リースマンは政治的無関心を伝統型と現代型に分類したことや、現代人は他者志向型の「孤独な群衆」であり、周囲の人々やマスメディアが伝える世論を行動基準にしているとしたことで知られる。

　以上より、妥当なものはAとCであるから、正答は**2**である。

正答　2

次のA～Dのうち、内閣府設置法に規定する内閣府に置かれる委員会として、妥当なもののみを全て挙げているのはどれか。

A 個人情報保護委員会

B 公安審査委員会

C 原子力規制委員会

D 公害等調整委員会

1 A

2 A B

3 C D

4 A B D

5 B C D

解説

A：妥当である。個人情報保護委員会は、内閣府の外局として置かれている委員会の一つであり、個人の権利利益を保護するために個人情報の適正な取扱いの確保を図ることを任務としている。なお、府省の外局として置かれている委員会はすべて行政委員会であり、合議制の行政機関として独立して職権を行使している。また、公正取引委員会、国家公安委員会、カジノ管理委員会も、内閣府の外局である行政委員会である。

B：公安審査委員会は、法務省の外局として置かれている行政委員会であり、破壊活動防止法などの規定により、破壊的団体などの規制に関して適正な審査・決定を行うことを任務としている。

C：原子力規制委員会は、環境省の外局として置かれている行政委員会であり、原子力利用の安全確保を図るために必要な施策を策定することを任務としている。2011年の福島第一原発事故の教訓に学び、二度とこのような事故を起こさないために置かれた。

D：公害等調整委員会は総務省の外局として置かれている行政委員会であり、公害を巡る紛争の迅速・適正な解決や、鉱業、採石業または砂利採取業と一般公益などとの調整を図ることを主な任務としている。

以上より、妥当なものはAのみであるから、正答は**1**である。

正答 **1**

次の文は、NPM に関する記述であるが、文中の空所A〜Cに該当する語の組合せとして、妥当なのはどれか。

NPM は、民間企業における経営手法などを行政に導入して、行政の効率化を図る考え方である。

日本では、1999年に「民間資金等の活用による公共施設等の整備等の促進に関する法律」が成立し、民間の資金、経営能力を活用して公共施設等の建設、維持管理、運営等を行う ┌ A ┐ が導入されている。また、┌ B ┐ は、イギリスの ┌ C ┐ を参考にして創設され、政策の企画立案機能と実施機能を分離し、実施部門の効率性を図る制度である。

	A	B	C
1	指定管理者制度	独立行政法人	エージェンシー制度
2	指定管理者制度	市場化テスト	SPC
3	PFI	独立行政法人	エージェンシー制度
4	PFI	市場化テスト	SPC
5	PFI	市場化テスト	エージェンシー制度

解 説

A:「PFI」が該当する。PFI とは Private Finance Initiative の略であり、「民間資金等の活用による公共施設等の整備等の促進に関する法律」は、PFI 法とも呼ばれている。なお、指定管理者制度とは、地方公共団体が博物館や体育館などといった公の施設の管理を民間企業などに代行させる制度のことである。

B:「独立行政法人」が該当する。独立行政法人とは、政策の実施部門のうち、国が直接執行する必要はないものの民間には委ねることができないものを担当する機関に対して独立した法人格を与える制度であり、業務の質の向上や効率化などを目的としている。なお、市場化テスト（官民競争入札・民間競争入札）とは、官と民が対等な立場で参加する競争入札によって公共サービスの実施者を決定する制度である。

C:「エージェンシー制度」が該当する。1980年代〜90年代に、イギリスではエージェンシー制度や PFI、市場化テストの導入など、NPM（New Public Management の略で、新公共経営などと訳される）に基づく行政改革が進められた。なお、SPC（Special Purpose Company の略で、特別目的会社と訳される）とは、M & A（企業の合併・買収）など、特定の目的だけのために設立される会社のことだが、行政学対策のために覚えておく必要はない。

以上より、妥当な語の組合せは**3**である。

正答 **3**

アリソンの政策決定論に関するA～Dの記述のうち、妥当なもののみを全て挙げているのはどれか。

A アリソンは、「決定の本質」を著し、キューバ危機を分析し、政策決定に関する3つのモデルを提示した。

B 政府内（官僚）政治モデルでは、政府を単一の行為主体として捉え、政府は、情報と計算能力を持ち、国益の最大化を選択するとされる。

C 組織過程モデルでは、政策決定は、組織の個々のプレーヤー間での駆け引きや妥協の結果であるとされる。

D 合理的行為者モデルでは、政府は、複数の組織の緩やかな連合体であり、組織内の標準作業手続きに基づいて政策決定するとされる。

1 A
2 A B
3 C D
4 A B D
5 B C D

解説

A：妥当である。キューバ危機とは、1962年にソ連がキューバにミサイル基地を建設したことに端を発して、米ソ間の緊張が高まった出来事である。アリソンは外交政策の決定の分析のために合理的行為者モデル、組織過程モデル、政府内（官僚）政治モデルの3つを提唱し、キューバ危機におけるアメリカの対外政策をこれらのモデルを用いて分析した。

B：政府内（官僚）政治モデルではなく、合理的行為者モデルに関する記述。合理的行為者モデルは、目標に対して最善の選択を下すことができるという、人間の合理性を前提としたモデルである。

C：組織過程モデルではなく、政府内（官僚）政治モデルに関する記述。政府内政治モデルでは、政策の決定は大統領や閣僚などといった個々のプレーヤーの相互作用の産物であって、必ずしも合理的なものではないとされる。

D：合理的行為者モデルではなく、組織過程モデルに関する記述。組織過程モデルでは、政策の決定は国家ではなく、政府内の組織がその標準作業手続に基づいて行うものであって、必ずしも合理的なものではないとされる。

以上より、妥当なものはAのみであるから、正答は**1**である。

正答 **1**

バーナードの組織論に関する記述として、妥当なのはどれか。

1 バーナードは、「経営行動」を著し、組織とは、2人以上の人々の意識的に調整された活動や諸力の体系と定義し、協働システムの中核に含まれるものであるとした。

2 バーナードは、組織編成は、命令系統の一元化の原理、統制範囲の原理、同質性による分業の原理の3つの原理から成り、組織はこの原理の組合せによって編成されるべきであるとした。

3 バーナードは、組織が存続するためには有効性と能率性の2つが必要であり、有効性とは、組織への参加者の貢献を確保する能力、組織のメンバーの欲求を満たす度合いであるとした。

4 バーナードは、権威には、機能の権威と地位の権威の2つがあり、機能の権威とは、権威による支配のことであり、この権威とは、上司の職務に関する十分な知識や部下の信頼であるとした。

5 バーナードは、組織の意思決定の前提を、価値前提と事実前提に分けて考えたが、組織の上位にいくほど、意思決定には価値前提の占める部分が増えるとした。

解説

1. 「経営行動」の部分が誤りで、正しくは「経営者の役割」。「経営行動」はサイモンの著である。なお、バーナードが、組織を「2人以上の人々の意識的に調整された活動や諸力の体系」と定義し、協働システムの中核に含まれるものとしたのは事実である。

2. 組織編成の3原理として、命令系統の一元化の原理、統制範囲の原理、同質性による分業の原理を唱えたのは、ギューリック。バーナードは、コミュニケーション、協働の意欲、共通の目標を、組織の3要素としている。

3. 能率の説明が有効性の説明になっている。有効性とは、組織目標の達成の程度のことである。バーナードは、組織目標を達成すること（有効性）と、組織が誘因を提供してメンバーの欲求を満たし、組織への貢献を確保すること（能率）が、組織の存続には必要とした。

4. 妥当である。バーナードは権威受容説を唱え、命令の内容が部下の無関心圏（どうでも良いこと）を超えれば、上司に機能の権威がないと部下はそれに逆らおうとし、強制力によって従わせる必要が生じるが、部下の無関心圏内にとどまれば、地位の権威、つまり部下が上司の地位そのものに権威を認めていれば、部下はそれに従うとした。

5. バーナードではなく、サイモンに関する記述。なお、価値前提とは経営理念や経営目標など、めざすべき目的を決定する主観的な前提であり、事実前提とはその目的を実現するための手段を決定する客観的な前提である。

正答 **4**

我が国の地方自治における直接請求制度に関するA〜Dの記述のうち、妥当なもののみを全て挙げているのはどれか。

A　条例の制定又は改廃請求は、普通地方公共団体の長に対してすることができるが、その請求の対象からは、地方税の賦課徴収並びに分担金、使用料及び手数料の徴収に関する条例が除かれている。

B　事務の監査請求は、普通地方公共団体の監査委員に対してすることができるが、その請求の対象は、違法又は不当な公金の支出など財務会計上の行為に限定されている。

C　普通地方公共団体の長の解職請求は、当該普通地方公共団体の議会の議長に対してすることができ、当該請求があった場合、議会の議長は、これを議会に付議し、その結果、議員の3分の2以上の者が出席し、その4分の3以上の者の同意があったときには、長はその職を失う。

D　普通地方公共団体の議会の解散請求は、当該普通地方公共団体の長に対してすることができ、当該請求があった場合、当該普通地方公共団体の選挙管理委員会は、これを選挙人の投票に付さなければならず、この解散の投票において過半数の同意があったときには、議会は解散する。

1　A
2　A　B
3　C　D
4　A　B　D
5　B　C　D

解説

A：妥当である。地方税の賦課徴収ならびに分担金、使用料および手数料の徴収に関する条例は、直接請求の対象にはならない（地方自治法12条1項）。

B：事務監査請求は事務の執行に関して監査を請求する制度であり、財務会計上の行為には住民監査請求が行われる。住民監査請求も監査委員に対して行うことになっているが、連署の添付を要せず、直接請求制度には含まれない。

C：長・議員の解職請求は、議長ではなく、選挙管理委員会に対して行うことになっている。それに、請求がなされると住民投票によって解職の可否が決する。

D：議会の解散請求は、長ではなく、選挙管理委員会に対して行うことになっている。

請求内容	請求先	必要な署名数	請求が行われると…
事務監査	監査委員	有権者の1/50以上	監査委員が監査を実施
条例の制定・改廃	長		議会で可否が決まる
長・議員の解職	選挙管理委員会	有権者の1/3以上 ただし、有権者数が40万人以上だと緩和される	住民投票で過半数の同意で解職・解散
議会の解散			
主要公務員の解職	長		議会に2/3以上の議員が出席し、その3/4以上の同意で解職

以上より、妥当なものはAのみであるから、正答は**1**である。

正答　**1**

No. 51 社会学　社会集団

専門試験　　　　　　　　　　　区　令和6年度

社会集団の類型に関する記述として、妥当なのはどれか。

1 ギュルヴィッチは、成員相互の結合の性質により、社会集団をゲマインシャフトとゲゼルシャフトに分類した。

2 ギディングスは、集団の成立契機により、社会集団を生成社会と組成社会に分類した。

3 サムナーは、成員の関心の充足度により、社会集団をコミュニティとアソシエーションに分類した。

4 テンニースは、成員相互の接触の仕方により、社会集団を第一次集団と第二次集団に分類した。

5 クーリーは、成員の心理的特質により、社会集団を内集団と外集団に分類した。

解説

1. ギュルビッチではなく、テンニースに関する記述。テンニースは血縁や地縁による自然発生的な集団をゲマインシャフト（共同社会）、特定の利益や目的のために人為的に形成される集団をゲゼルシャフト（利益社会）とした。ギュルビッチは社会学に現象学の視点を導入して「深さの社会学」を唱えた。

2. 妥当である。ギディングスは、血縁や地縁的な集合から自然発生的に形成される集団を生成社会、特定の活動を営むために人為的に形成される集団を組成社会とした。

3. サムナーではなく、マッキーバーに関する記述。マッキーバーは、同じ地域に住んでいるなどといった共通点を持つ人々による集団をコミュニティ、共通の関心事や目的を持つ人々によって自主的に形成される集団をアソシエーションとした。

4. 第一次集団を論じたのは、テンニースではなく、クーリー。クーリーは、成員が直接的に接触し、高い連帯感を持つ集団を第一次集団とした。対して、特定の目標のために成員が間接的に接触する集団は、第二次集団と呼ばれている。

5. クーリーではなく、サムナーに関する記述。サムナーは、個人が自己と一体であると認識して愛着を持つ集団を内集団、個人が「他者」と認識して敵意や対抗心を向ける集団を外集団とした。

正答　**2**

ブルデューの階級の理論に関するA〜Cの記述のうち、妥当なもののみを全て挙げているのは
どれか。

A　ブルデューは、アルジェリアの文化を調査、分析、研究し、「メリトクラシー」を著し
た。

B　ブルデューは、文化資本は、客体化された文化資本、制度化された文化資本、身体化さ
れた文化資本の3つに分類されるとした。

C　ブルデューは、文化資本が、親から子へ受け継がれることによって、不平等な階級構造
が再生産されるとした。

1　A

2　B

3　A　B

4　A　C

5　B　C

解説

A：ブルデューがアルジェリア文化の調査、分析、研究から著したのは、『資本主義のハビトゥ
ス』などである。なお、メリトクラシーとは能力主義のことであり、イギリスの社会学者、
M.ヤングの造語である。

B：妥当である。ブルデューは、資本として経済的利益をもたらす文化的教養のことを文化資
本と呼び、これを3種類に分類した。「客体化された文化資本」とは書籍や楽器、美術品な
どのこと、「制度化された文化資本」とは、学歴や免許などのことをいう。また、「身体化さ
れた文化資本」とは、習慣や価値観、話し方、趣味、マナーなどといった、身体に染みつい
た（ハビトゥスとなった）文化資本をいう。これらの文化資本は、学校教育と高い親和性を
持つ。

C：妥当である。読書家の子どももおのずと本をよく読むようになるというように、親が持つ
恵まれた文化資本は子どもに「相続」される。メリトクラシーの名の下、たとえ教育の機会
均等や公正な競争が実現しようとも、人生は「親ガチャ」次第であり、エリートの子どもが
学業で優位に立って高学歴となり、やはりエリートとなる。ブルデューは、これを文化的再
生産と呼んだ。

　以上より、妥当なものはBとCであるから、正答は**5**である。

正答　**5**

社会変動論に関する記述として、妥当なのはどれか。

1 コントは、人間精神が神学的段階から形而上学的段階を経て実証的段階へと発展するのに対応して、社会は軍事的段階から産業的段階を経て法律的段階へと発展するという 3 段階の法則を唱えた。

2 スペンサーは、社会進化論の立場に立ち、社会は、複合社会から単純社会へ、また、軍事型社会から産業型社会へと進化するとした。

3 オグバーンは、非物質文化は物質文化よりも変動が速いため、それぞれの文化の間にずれが生じ、社会に不調和をもたらすという文化遅滞の現象を指摘した。

4 ロストウは、社会の産業化について、伝統的社会から、離陸のための先行条件期、離陸期、成熟への前進期を経て、高度大衆消費時代へ至るとする経済成長段階説を主張した。

5 ベルは、脱工業社会とは、経済ではサービスの生産から財貨の生産へと比重が移行し、職業分布では専門職・技術職階層が優位に立つ社会であるとした。

解説

1.「産業的段階を経て法律的段階へ」の部分が誤りで、正しくは「法律的段階を経て産業的段階へ」。コントは、人間精神の発展に応じて社会も発展するとした。

2.「複合社会から単純社会へ」の部分が誤りで、正しくは「単純社会から複合社会へ」。スペンサーは、生物の体が進化によって高度で複雑な構造を持つようになったのと同じく、社会も単純社会から複合社会に進化するとした。

3.「非物質文化は物質文化よりも変動が速いため」の部分が誤りで、正しくは「物質文化は非物質文化よりも変動が速いため」。オグバーンは、物質文化は科学技術の発展によって速く変動し、非物質文化である法律や信仰などによる物質文化への規制は立ち遅れるとした。

4. 妥当である。ロストウは『経済成長の諸段階』を著し、5 段階からなる経済成長段階説を唱えた。その一段階である離陸期（テイク・オフ）は、飛行機が滑走路から離陸して上昇するように、それまで低開発段階にあった経済が急激に成長する段階に突入して政治や社会にも構造的な変化が生じる時期のことを意味し、つとに有名な言葉である。

5.「サービスの生産から財貨の生産へ」の部分が誤りで、正しくは「財貨の生産からサービスの生産へ」。財貨を生産するのは工業である。脱工業社会とは、産業革命によって実現した第 2 次産業である工業中心の社会がさらに発展して、サービス産業や知識産業などの第 3 次産業の比重が高まった社会のことである。

正答　**4**

次の文は、ラベリング理論に関する記述であるが、文中の空所A〜Dに該当する語又は人物名の組合せとして、妥当なのはどれか。

　ラベリング理論は、「アウトサイダーズ」の著者である［　A　］が提唱したもので、その著書において、［　B　］は、これを犯せば逸脱となるような［　C　］をもうけ、それを特定の人々に適用し、彼らにアウトサイダーのレッテルを貼ることによって逸脱を生み出すとした。さらに、この観点からすれば、逸脱とは人間の行為の性質ではなくて、むしろ、他者によってこの［　C　］と制裁とが、［　D　］に適用された結果なのであるとした。

	A	B	C	D
1	H. S. ベッカー	社会集団	規則	違反者
2	E. ゴッフマン	社会集団	烙印	逸脱者
3	E. ゴッフマン	法律	規則	逸脱者
4	E. ゴッフマン	法律	烙印	違反者
5	H. S. ベッカー	法律	烙印	違反者

解説

A：「H.S. ベッカー」が該当する。ベッカーは、マリファナ常習者やジャズ演奏家に対する参与観察から『アウトサイダーズ』を著し、ラベリング理論を唱えた。ゴッフマンは、『スティグマの社会学』を著し、人種や心身の障害などといった、社会において偏見や差別の対象となる属性であるスティグマについて論じた。

B：「社会集団」が該当する。ラベリング理論とは、逸脱は社会集団が特定の人々に対して逸脱者（アウトサイダー）のレッテルを貼りつけること（ラベリング）によって生み出され、逸脱者とされた人々はその貼りつけられたレッテルどおり、違法な行動に走るようになるという理論である。

C：「規則」が該当する。かつて日本では「ギターは不良の始まり」などと言われていたが、逸脱とは社会集団が作り出した定義によって決まるとされる。なお、烙印は英語でスティグマ（stigma）という。

D：「違反者」が該当する。規則に違反した者がその制裁として逸脱者のレッテルを貼りつけられる。なお、逸脱者を当てはめても構わないように感じるかもしれないが、本問はA〜Cのうちいずれか2か所がわかれば、正答が1つに絞られる。

　以上より、妥当な組合せは**1**である。

正答　**1**

東京都・特別区

専門試験

No.
55

社会学

社会調査

令和6年度

区

社会調査に関する記述として、妥当なのはどれか。

1 参与観察法とは、自伝や日記などの個人的記録や生活記録を用いて、個人の生涯を社会的文脈と関連づけて調査者が記録する方法である。

2 面接調査法とは、調査対象者を一堂に集めて、調査票を配布し、調査員が説明して、その場で調査対象者に回答してもらう方法である。

3 標本調査とは、調査対象の一部分をサンプルとして抽出して行われる調査であり、無作為抽出法による調査であれば、標本誤差を生じることはない。

4 留置法とは、調査員が調査対象者を訪問して調査票を配布し、後日再訪問してその回収を行う方法であり、原則として自記式である。

5 生活史法とは、調査者自身が、調査対象集団の一員として振る舞い、人々と生活を共にしながら多角的に観察する方法である。

解説

1. 参与観察法ではなく、生活史法に関する記述。生活史法を用いた研究としては、トマスとズナニエツキによる『ヨーロッパとアメリカにおけるポーランド農民』などがある。

2. 面接調査法ではなく、集合調査法に関する記述。面接調査法とは、調査員が調査対象者を訪問して、対面で質問し、回答を得る調査方法のことをいう。

3. 標本誤差とは、標本調査による調査結果と調査対象の全体（母集団）を調査した場合（全数調査をした場合）に得られたであろう調査結果の間に生じる違いのこと。標本調査である以上、無作為抽出法でも標本誤差は生じる。

4. 妥当である。留置法では、調査員は調査対象者を訪問して、その調査目的などを説明したうえで調査票を渡し、調査票の回収のために再訪問するまでの間に調査票に記入しておくよう求める。

5. 生活史法ではなく、参与観察法に関する記述。参与観察法を用いた研究としては、ベッカーがマリファナ常習者やジャズ演奏家を研究した『アウトサイダーズ』や、ホワイトがボストンのイタリア系非行少年グループを研究した『ストリート・コーナー・ソサエティ』などがある。

正答 **4**

東京都Ⅰ類B行政（一般方式） 専門試験（記述式）

■令和6年度

〔憲　法〕外国人の参政権について、判例も踏まえて説明せよ。

〔行政法〕行政指導の意義及び行政指導に対する法的救済について、判例も踏まえて説明せよ。

〔民　法〕保証債務の意義を述べた上で、その性質である付従性及び補充性について、連帯保証の場合にも言及して説明せよ。

〔経済学〕利子率の決定について、ケインズ及び古典派の立場から、それぞれ説明せよ。

〔財政学〕日本における租税原則及び地方税原則について、それぞれ説明せよ。

〔政治学〕イデオロギーについて、その政治的側面及びマルクスやマンハイムが唱えた説を述べた上で、政治的イデオロギーの代表例（二例）に言及し、説明せよ。

〔行政学〕日本の地方公共団体について、その種類を述べた上で、「地方自治の本旨」及び「長と議会との関係」にも言及し、説明せよ。

〔社会学〕D．ベルの脱工業社会論について説明せよ。

〔会計学〕企業会計基準（棚卸資産の評価に関する会計基準）に定める棚卸資産の範囲及び棚卸資産の四つの評価方法について、それぞれ説明せよ。

〔経営学〕アンゾフが分類した多角化戦略の四つの類型を挙げ、それぞれ説明せよ。

■令和5年度

〔憲　法〕国政調査権について、意義、法的性質及び範囲を述べた上で、司法権、行政権及び基本的人権との関係における限界をそれぞれ説明せよ。

〔行政法〕公の営造物の設置又は管理の瑕疵に対する国又は公共団体の賠償責任について、道路及び河川に関する判例を踏まえて説明せよ。

〔民　法〕表見代理について、無権代理との関係にも言及して説明せよ。

〔経済学〕ディマンドプル・インフレーション及びコストプッシュ・インフレーションについて、現在の経済状況にも言及し、AD-AS分析を用いて説明せよ。

〔財政学〕予算について財政民主主義に言及した上で、完全性の原則、単一性の原則（統一性の原則）及び明瞭性の原則をそれぞれ説明せよ。

〔政治学〕自由民主主義体制、全体主義体制及び権威主義体制について説明せよ。

〔行政学〕日本における行政統制について、ギルバートのマトリックスを踏まえて説明せよ。

〔社会学〕史的唯物論に基づく社会変動について、提唱された社会全体の変動が生じていない理由にも言及し、説明せよ。

〔会計学〕企業会計原則における損益計算書原則について、損益計算書の区分にも言及して説明せよ。

〔経営学〕職能別組織及び事業部制組織について、それぞれ説明せよ。

■令和4年度

〔憲　法〕労働基本権及びその制限について説明せよ。

〔行政法〕行政行為の付款について、付款の限界及び付款が違法な場合の効力に言及して説明せよ。

〔民　法〕錯誤による意思表示について、平成29年の民法改正における改正内容とその背景に言及して説明せよ。

〔経済学〕マンデル゠フレミング・モデルにより、固定相場制と変動相場制のそれぞれの場合における財政政策の有効性を、グラフを用いて説明せよ。なお、資本移動は完全に自由であるものとし、固定相場制の場合には不胎化政策はとらないものとする。

〔財政学〕課税の根拠である応益負担及び応能負担について、それぞれ説明せよ。

〔政治学〕リーダーシップの特性理論及び状況理論について述べた上で、「伝統的リーダーシップ」、「代表的リーダーシップ」、「投機的リーダーシップ」及び「創造的リーダーシップ」について、それぞれ説明せよ。

〔行政学〕日本の官僚制の特徴について説明せよ。

〔社会学〕ウォーラーステインの世界システム論について説明せよ。

〔会計学〕連結財務諸表に関する会計基準における三つの一般基準のうち、連結の範囲について説明せよ。

〔経営学〕ボストン・コンサルティング・グループ（BCG）が開発したプロダクト・ポートフォリオ・マネジメント（PPM）について、資源配分の考え方及び指摘されている問題点に言及して説明せよ。

■令和3年度

〔憲　法〕憲法改正の意義及び手続について述べた上で、憲法改正の限界について学説に言及して説明せよ。

〔行政法〕行政立法の意義を述べた上で、法規命令及び行政規則について、それぞれ説明せよ。

〔民　法〕連帯債権について説明せよ。

〔経済学〕ソローの成長モデルを用いて閉鎖経済における資本蓄積のメカニズムを説明し、貯蓄率の上昇が与える影響について述べよ。ただし、人口増加と技術進歩はゼロとする。

〔財政学〕政府間財政移転について、公平性、効率性の観点から機能及び課題に言及して説明せよ。

〔政治学〕マス・コミュニケーションの効果に関するクラッパーの学説を述べた上で、マコームズとショー、ノエル゠ノイマン、ガーブナーが提唱した学説について、それぞれ説明せよ。

〔行政学〕日本における内閣機能の強化を図った中央省庁再編について、その背景及び内容を述べよ。

〔社会学〕ブルデューの文化的再生産論について述べよ。

〔会計学〕資産会計のうち、繰延資産について、その意義と範囲及び内容についてそれぞれ説明せよ。

〔経営学〕ポーターの競争戦略論について説明した上で、競争優位の源泉の考え方について述べよ。

令和6年度　東京都Ⅰ類B　論文試験

(1)　都市が抱える多くの課題を解決し、新たな価値を生み出すために欠かせないのがイノベーションであり、その原動力であるスタートアップを生み・育てていくために、別添の資料から、あなたが重要であると考える課題を200字程度で簡潔に述べよ。

(2)　(1)で述べた課題に対して、都はどのような取組を進めるべきか、あなたの考えを述べよ。なお、解答に当たっては、解答用紙に(1)、(2)を明記すること。

資料1

世界のベンチャーキャピタルの投資額

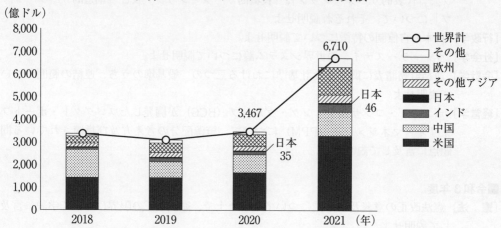

注：ベンチャーキャピタルとは、将来有望な未上場企業（いわゆるベンチャー企業やスタートアップなど）の株式などに投資を行う投資会社をいう。

出典：経済産業省「令和4年版 通商白書」より作成

資料2

起業を望ましい職業選択と考える人（18〜64歳）の割合

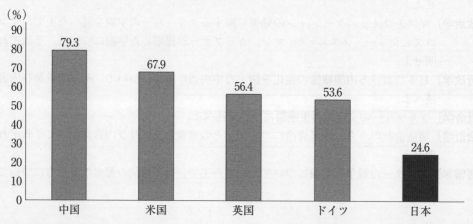

出典：内閣官房 新しい資本主義実現会議「第1回スタートアップ育成分科会配布資料（令和4年10月）」より作成

世界の都市・地域別に見たスタートアップ・エコシステムのランキング（2022年）

―――― シリコンバレー（1位）　----- 北京（5位）　-·-·- 上海（8位）
········ ソウル（10位）　―― 東京（12位）

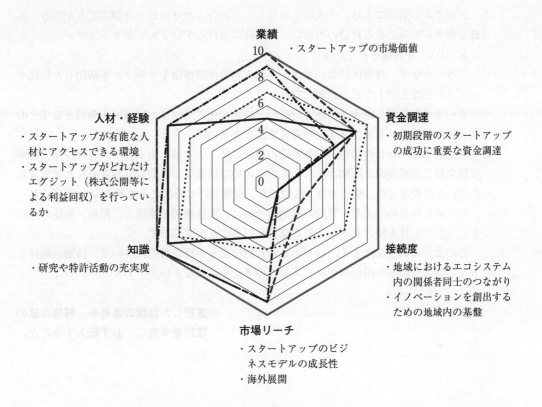

業績
・スタートアップの市場価値

人材・経験
・スタートアップが有能な人材にアクセスできる環境
・スタートアップがどれだけエグジット（株式公開等による利益回収）を行っているか

資金調達
・初期段階のスタートアップの成功に重要な資金調達

知識
・研究や特許活動の充実度

接続度
・地域におけるエコシステム内の関係者同士のつながり
・イノベーションを創出するための地域内の基盤

市場リーチ
・スタートアップのビジネスモデルの成長性
・海外展開

注1：本ランキングは、都市・地域別の起業環境を、業績、資金調達、接続度、市場リーチ、知識及び人材・経験の6項目で10段階採点したもの。

注2：スタートアップ・エコシステムとは、ベンチャー企業や大企業、投資家、研究機関など、産学官の様々なプレイヤーが集積又は連携することで共存・共栄し、先端産業の育成や経済成長の好循環を生み出すビジネス環境のこと。自然環境の生態系（エコシステム）になぞらえてこのように呼称される。

出典：Startup Genome「Global Startup Ecosystem Report 2022」（2022年6月）より作成

令和6年度　特別区Ⅰ類　論文試験

2題中1題を選択すること。

1　デジタルの活用により、一人ひとりのニーズに合ったサービスを選ぶことができ、多様な幸せが実現できる社会のために、自治体におけるデジタル・トランスフォーメーション（DX）が推進されています。

　こうした中で、特別区においては、専門人材の体制整備やデジタルを活用した区民サービスの更なる向上などの課題が存在しています。

　このような状況を踏まえ、地方行政のデジタル化について、特別区の職員としてどのように取り組むべきか、あなたの考えを論じなさい。

2　我が国では、いじめ防止対策推進法の施行以降、小学校、中学校、高等学校及び特別支援学校での積極的な認知などによるいじめの早期発見・早期対応が進められてきましたが、不登校などの「重大事態」は増加し、深刻ないじめはあとを絶たない状況です。

　いじめといじめによる不登校の解消のために、関係機関と連携し、児童・生徒の声にもしっかりと耳を傾けながら必要な支援を行うことが重要です。

　このような状況を踏まえ、いじめといじめによる不登校対策について、特別区職員としてどのように取り組むべきか、あなたの考えを論じなさい。

※選択した課題の番号を、解答用紙の課題番号欄に、必ず記入すること。

東京都・特別区［I類］教養試験

過去問 & 解説
No.1〜No.252

文章理解

判断推理

数的処理

資料解釈

空間把握

文化

倫理・哲学

次の文章で述べられていることとして、最も妥当なのはどれか。

　もし日本座敷を一つの墨絵に喩えるなら、障子は墨色の最も淡い部分であり、床の間は最も濃い部分である。私は、数寄を凝らした日本座敷の床の間を見る毎に、いかに日本人が陰翳の秘密を理解し、光りと蔭との使い分けに巧妙であるかに感嘆する。なぜなら、そこにはこれと云う特別なしつらえがあるのではない。要するにただ清楚な木材と清楚な壁とを以て一つの凹んだ空間を仕切り、そこへ引き入れられた光線が凹みの此処彼処へ朦朧たる隈を生むようにする。にも拘らず、われらは落懸のうしろや、花活の周囲や、違い棚の下などを埋めている闇を眺めて、それが何でもない蔭であることを知りながらも、そこの空気だけがシーンと沈み切っているような、永劫不変の閑寂がその暗がりを領しているような感銘を受ける。思うに西洋人の云う「東洋の神秘」とは、かくの如き暗がりが持つ無気味な静かさを指すのであろう。われらといえども少年の頃は、日の目の届かぬ茶の間や書院の床の間の奥を視つめると、云い知れぬ怖れと寒けを覚えたものである。しかもその神秘の鍵は何処にあるのか。種明かしをすれば、畢竟それは陰翳の魔法であって、もし隅々に作られている蔭を追い除けてしまったら、忽焉としてその床の間はただの空白に帰するのである。われらの祖先の天才は、虚無の空間を任意に遮蔽して自ら生ずる陰翳の世界に、いかなる壁画や装飾にも優る幽玄味を持たせたのである。これは簡単な技巧のようであって、実は中々容易でない。たとえば床脇の窓の刳り方、落懸の深さ、床框の高さなど、一つ一つに眼に見えぬ苦心が払われていることは推察するに難くないが、分けても私は、書院の障子のしろじろとしたほの明るさには、ついその前に立ち止まって時の移るのを忘れるのである。元来書院と云うものは、昔はその名の示す如く彼処で書見をするためにああ云う窓を設けたのが、いつしか床の間の明り取りとなったのであろうが、多くの場合、それは明り取りと云うよりも、むしろ側面から射して来る外光を一旦障子の紙で濾過して、適当に弱める働きをしている。まことにあの障子の裏に照り映えている逆光線の明りは、何と云う寒々とした、わびしい色をしていることか。庇をくぐり、廊下を通って、ようようそこまで辿り着いた庭の陽光は、もはや物を照らし出す力もなくなり、血の気も失せてしまったかのように、ただ障子の紙の色を白々と際立たせているに過ぎない。

（谷崎潤一郎「陰翳礼讃」による）

1　日本座敷の床の間は、障子から引き入れられる光線が、落懸のうしろ、花活の周囲、違い棚の下にある闇を照らすよう工夫されている。

2　日本座敷における東洋の神秘とは、清楚な木材等で仕切られる凹んだ空間が、無気味な静かさが持つ怖れや寒気を解消することを意味する。

3　日本人は、光りと蔭を巧妙に使い分け、虚無の空間を任意に遮蔽した時に生ずる陰翳の世界に幽玄味を持たせることに長けている。

4　書院の障子と異なり、床脇の窓、落懸、床框などは陰翳を生み出さず、結果としてそれらで構成される床の間は、忽焉としてただの空白に帰する。

5　書院の窓は、床の間の明り取りであり、障子によって外光は適当に弱められるものの、書見に必要な、物を照らし出す十分な明るさを得ることができる。

解　説

日本座敷の床の間で感じられる、光りと蔭の巧妙な使い分けや暗がりが持つ不気味な静かさは、床の間という虚無の空間を遮蔽して陰翳の世界を自ら生ずるようにした工夫によるもので、特に書院の障子には、外光を濾過して弱め、しろじろとしたほの明るさにする働きがある、と述べた文章。

1．障子から引き入れられる光線は、「落懸のうしろ、花活の周囲、違い棚の下にある闇を照らす」のではなく、光線がそれらの凹みへ「朦朧たる隈を生む」ようにし、それらを闇が「填めている」とある。

2．日本座敷における東洋の神秘とは、凹んだ空間にできた「暗がりが持つ無気味な静けさ」を指す。筆者が少年の頃それらに「云い知れぬ怖れと寒けを覚えた」とあり、「解消する」ことは意味していない。

3．妥当である。

4．「われらの祖先の天才」は、ただの空白にすぎなかった床の間を、「床脇の窓、落懸、床框」や「書院の障子」により遮蔽して、自ら陰翳が生ずるようにしたので、「書院の障子と異なり」「陰翳を生み出さず」とするのは、誤り。

5．書院の窓は、もともとは「書見をするため」に設けた窓だったが、外光を「適当に弱める働き」により「物を照らし出す力もなく」なっているとある。

正答　**3**

文章理解
判断推理
数的処理
資料解釈
空間把握
文化
倫理・哲学

次の文中で述べられていることとして、最も妥当なのはどれか。

　このように、同じ環境に対する適応においてさえ、もし伝播の道がかたく閉ざされていたとするならば、可能性の範囲内において、お互いにかなりちがった生活様式を、あるいは文化を、もった二つの社会の形成されることが、ないとはいえないのである。すなわち、進化にはつねに分化の契機が、はらまれているのであって、同じ環境に対してさえ、分化がおこるものとしたら、ちがった環境に対する適応の結果として、ちがった文化の形成されることは、いうまでもない、といわねばならなくなるだろう。しかし、注意しなければならないことは、このように分化をおこす進化というものは、たとえ文化が対象になっていようとも、まだ生物レベルの進化である、ということである。

　そこでここのところを、もう一度生物の進化と比較しておく必要があるだろう。生物の適応にだって、やはり可能性の限界を認めねばならないのであるが、それにしても、身体のつくりかえを待たねばならない生物の適応ないしは進化は、時間のかかることおびただしく、そのうえようやく適応をとげたときには、もはや一種のスペシャリストの社会として、他の生物すなわち他のスペシャリストたちの社会から完全に独立し、それ自身でその持ち場を守るだけのものになってしまう。いいかえるならば、生物の進化は結果において、つねに種（スペシーズ）の分化ということにならざるをえない。

　人間も生物でゆこうとするかぎりは、もちろんこの道からはずれるわけにゆかなかったであろう。しかるに人間は、身体のつくりかえをやらずに、文化を用いて適応する道を開いたから、生物とは比較にならぬ短時間のあいだに、よく適応をとげることができたばかりでなく、つくりかえをしないですんだ身体のほうは、さいわい人間として、いまなおどこの人間も人間性を共通にしており、人間性ばかりでなく、人間としての潜在能力をもまた、共通にしているかのようである。そして、この人間性にしたがうかぎり、たとえある環境に適応して、特殊な文化をつくりあげたものであろうとも、なおその特殊性を乗りこえたところにおいて、人類全体に共通した進化と、結びついているのでなければならない。またここにこそ、生物とはちがった人間レベルの進化が、認められるのでなければならない。

（今西錦司「私の自然観」による）

1　同一の環境下であれば、そこで形成される社会は、それぞれが必ず同一の生活様式や文化を持つこととなる。

2　伝播の道がかたく閉ざされていても、ちがった環境に対する適応の結果、同一の文化が形成されることは、可能性の範囲内において、ないとはいえない。

3　人間以外の生物であっても、おびただしい時間をかけさえすれば、最終的には人間と同じように独自の文化をつくりあげることができるに違いない。

4　人間は、身体のつくりが極めて高度に進化した結果、様々な環境に適応できるようになったので、身体のつくりかえをする必要がなくなった。

5　生物が、特定の環境に適応して特殊な文化をつくりあげたとしても、それだけでは、人間レベルの進化が達成されたことにはならない。

文章理解

判断推理

数的処理

資料解釈

空間把握

文化

倫理・哲学

解 説 ━━━━━━━━━━━━━━━━━━━━━━━━━━━━━━

生物の進化は、可能性に限界はあるにしても、つねに種の分化になるが、人間は文化により適応する道を選んだため、短時間に適応できただけでなく、身体のつくりかえをしなかったことにより人間として共通の潜在能力をもつことになった。特殊な文化をつくりあげても、人類全体に共通した進化に結びついた人間レベルの進化がそれらの文化に認められるのでなければならない、と述べた文章。

1．第一段落に、「伝播の道がかたく閉ざされていたとするならば」「お互いにかなりちがった生活様式」や「文化」を「もった二つの社会の形成されることが、ないとはいえない」と述べられているため、「必ず同一の生活様式や文化を持つ」とするのは誤り。

2．同じ環境に対してちがった文化が形成され、ちがった環境に対してもちがった文化が形成される「分化」については述べられているのであり、ちがった環境に対する同一の文化の形成についてはなんら言及がない。

3．第二段落に、「生物の進化は結果において、つねに種（スペシース）の分化ということにならざるをえない」とあるので、「おびただしい時間をかけ」れば「独自の文化をつくりあげることができるに違いない」と結論づけるのは誤り。また、おびただしい時間がかかるのは、生物が身体のつくりかえによって適応・進化しなければならないからである。

4．人間は身体のつくりかえにより適応したのではなく、「文化を用いて適応する道を開いた」から、適応のために身体のつくりかえをする必要がなくなったのである。

5．妥当である。

正答　**5**

文章理解
判断推理
数的処理
資料解釈
空間把握
文化
倫理・哲学

東京都・特別区

No. 3 教養試験 **文章理解** **現代文（文章整序）** 令和5年度 都

次の文を並べ替えて一つのまとまった文章にする場合、最も妥当なのはどれか。

A　クルー・メンバー*は、社会的相互作用をつうじて、上記のような外部の利害関係者（ステイク・ホルダー）の持つ暗黙知をも動員しなければならない。

B　「あなたは何が必要ですか？あるいは欲しいですか？」と聞かれれば、たいていの消費者は、前に利用したことのある製品やサービスについての彼らの限られた形式知から答えようとする。

C　顧客の心象地図（メンタル・マップ）から知識をくみ取ることが、その種の典型的な活動である。

D　知識創造とは、単に顧客、部品原料納入業者（サプライヤー）、競争相手、流通業者、地域コミュニティ、政府などに関する客観的な情報を処理することだけではない。

E　しかし、大方の消費者のニーズは暗黙的であり、彼らは何が必要かあるいは欲しいのかを正確にはっきりと言えないのである。

F　この傾向は、従来の市場調査に用いられる一方的なアンケートの重大な欠点を示している。

（野中郁次郎、竹内弘高「知識創造企業」による）

＊　クルー・メンバー……社内において知識創造に従事している者

1　B—E—F—D—C—A
2　B—F—A—E—C—D
3　B—F—E—C—D—A
4　D—A—C—E—B—F
5　D—A—F—C—B—E

解説

知識創造を行うクルー・メンバーは、客観的な情報を処理するだけでなく、顧客の暗黙知についても知らなければならないが、消費者のニーズは暗黙的で消費者自身もはっきりと言えないため、質問しても限られた形式知からの答えしか得られず、そのことが従来の市場調査におけるアンケートの欠点であると述べた文章。

重複する語、指示語、接続語を手がかりに、つながりが見つけやすいものをグループ分けし、選択肢と比較して考える。「顧客」はCとD、「消費者」はBとEに出てくる。また、「アンケート」に関連した内容はBとF、「知識創造」に関連した内容はAとD（「クルー・メンバー」は知識創造に従事している者）に見られることから、A、C、DのグループとB、E、Fのグループに分かれる。ここでA、C、Dを見ると、知識創造について説明したDで「客観的な情報を処理することだけではない」と述べ、Aで「暗黙知をも」と「も」を用いていることから、AはDの内容の付加であることがわかる。さらに、Cの「その種の」「活動」はAの「暗黙知をも動員する」ことをさすので、D→A→Cとなる。また、Bで挙げられた消費者に対する質問を、Fでは「アンケート」とまとめて取り上げ、Bで消費者が「限られた形式知から答えようとする」という内容を、Fの「この傾向」で受けているところから、B→Fであることがわかる。

Eの「しかし」以降で消費者の話になるため、D→A→C→Eとなり、消費者のニーズが暗黙的であるため（E）、質問しても限られた形式知からの答えしか得られない（B）という流れになるため、E→B→Fとなる。

よって、D→A→C→E→B→Fとなり、正答は**4**である。

選択肢**4**を見ていくと、D、A、Cでクルー・メンバーの活動を述べ、Eの「しかし」以降で消費者の話になり、消費者のニーズは暗黙的であるため（E）、質問しても限られた形式知からの答えしか得られず（B）、それがアンケートの欠点である（F）と締めくくるという流れになっている。

正答　**4**

次の文章の空欄に当てはまる語句の組合せとして、最も妥当なのはどれか。

　事実を冷静に直視し、情報と戦略を重視するという米軍の組織学習を促進する行動様式に対して、日本軍はときとして事実よりも自らの頭のなかだけで描いた状況を前提に情報を　A　し、戦略合理性を確保できなかった。ミッドウェー島攻略の図上演習を行なった際に、「赤城」に命中弾九発という結果が出たが、連合艦隊参謀長宇垣少将は、「ただ今の命中弾は三分の一、三発とする」と宣言し、本来なら当然撃沈とすべきところを　B　にしてしまった。しかし、「加賀」は、数次の攻撃を受けて、どうしても沈没と判定せざるをえなかった。そこでやむなく沈没と決まったが、ミッドウェー作戦に続く第二期のフィジー、サモア作戦の図上演習には沈んだはずの　C　が再び参加していた。

　ここでの宇垣参謀長の措置は、図演参加者の士気の低下を恐れたためといわれる。　D　、日米の機動艦隊決戦という戦争の重大局面を前にして、甚大な被害あるいは敗北を予想させるような図演の結果は、参謀や前線指揮官の間の自信喪失につながることを懸念したのである。こうした配慮自体がまったく無意味だというわけではないが、図上演習は作戦計画の実行の可能性を検証し、問題点や改善策を総合的に検討する重要な学習機会であった。ミッドウェー海戦の結果は、日本軍にとって図上演習で予想された　E　の決定的敗北であったが、作戦終了後に通常行なわれる作戦戦訓研究会もこの際には開かれなかった。

（戸部良一ほか「失敗の本質」による）

	A	B	C	D	E
1	軽視	小破	加賀	つまり	以上
2	軽視	小破	赤城	一方で	通り
3	軽視	大破	赤城	つまり	以上
4	無視	大破	加賀	一方で	通り
5	無視	小破	加賀	つまり	通り

解説

参加者の士気低下や自信喪失の懸念を理由に情報を軽視したり、実行可能性の検証・問題点や改善策の検討を行わなかったりしたミッドウェー海戦の図上演習を例に挙げ、日本軍が事実を直視せず、戦略合理性を確保できなかったことを説明した文章。

　空欄A：Aの後の文に、赤城に命中弾九発という結果が出たが、「命中弾は三分の一、三発とする」としたという例が挙げられていることから、事実を直視せず情報を低く見積もるという意味の言葉が入る。軽く考えるという意味の「軽視」、存在しないかのように扱うという意味の「無視」のいずれも可能である。

　空欄B：九発命中し撃沈とすべきところを三発命中にしたので、修復不可能なほど壊れるという意味の「大破」より、少し破損するという意味の「小破」が適切である。

　空欄C：Cの前の文で「加賀」が沈没と判定したと述べられていることから、「加賀」が当てはまる。「赤城」は撃沈されていないことになっているので誤り。

　空欄D：後ろに述べられている「参謀や前線指揮官の間の自信喪失につながることを懸念した」という文は、「図演参加者の士気の低下を恐れたため」という文の言い換えになっているので、Dには「つまり」が該当する。話が変わって、という意味の「一方で」は、同じ内容の文をつなぐ接続詞ではないので誤り。

　空欄E：それまでの文章で図上演習では「甚大な被害あるいは敗北を予想させるような」結果にはしなかったことが述べられ、Eの後に実際のミッドウェー海戦は「決定的敗北」であったとあり、実際のミッドウェー海戦が図上演習での予想を超えていたという意味になることから、予想「通り」の結果ではなく予想「以上」の結果とするのが適切である。したがって、Eは「以上」である。

　よって、正答は**1**である。

正答　**1**

文章理解

判断推理

数的処理

資料解釈

空間把握

文化

倫理・哲学

次の文の主旨として、最も妥当なのはどれか。

　人が芸術的行為をするようになって、人間は生まれました。人の間と書いて人間と読みますが、人と人の心のコミュニケーションが芸術の内実です。つまり、芸術とは人間のことと言えるのです。したがって、芸術にまったく無関係な人間は存在しないことになります。

　話は少し逸れるかもしれませんが、戦争は絶対に許される行為ではありません。しかし、武器はしばしば美しく芸術的です。どこの美術館でも、鎧兜や刀剣は芸術品として扱われています。これは何を意味するのでしょう。

　武器は、相手を殺戮するよりも、「生きて帰る」という切実な生きることへの希求が第一義にあるととらえたら、どうでしょう。惚れ惚れするほど美しい刀や鎧を戦場で見て、人はこれで「さて、誰を殺そうか」とは思わないものです。これを見て、とにかく美しければ美しいほど、「とにかく使わずに無事に帰りたい」と、祈るような気持ちに至るのでしょう。戦国武将の刀も鎧も、進退極まった時以外は使われていません。「刀を抜く時は最後の最後」ということです。

　いつの時代も、やむをえず送り込まれた戦場から生きて帰るための、生死に関わる切実な道具が武器だったということなのでしょう。だからこそ、命を守る武器は「美しい」のです。そして「美しい」武器は、戦いを望まないのです。「美」を通してはっと我に返る、「何をやろうとしているのか」と人間の心を取り戻すために、鎧兜は美しいのだと私は考えています。

　芸術はたとえ戦場においても、生きようとする人々と共にあり、その気持ちを支える道具であったわけです。無自覚であろうが何であろうが、芸術に無関係でいられる人の一生はありえないということです。

（千住博「芸術とは何か」による）

1　人と人の心のコミュニケーションが芸術の内実であり、芸術とは人間のことである。

2　武器はしばしば美しく芸術的だが、戦争は絶対に許される行為ではない。

3　武器は、相手を殺戮するよりも、生きて帰るという切実な生きることへの希求が第一義にある。

4　命を守る武器は美しいものであり、美しい武器は戦いを望まない。

5　芸術はたとえ戦争においても、生きようとする人々と共にあり、芸術に無関係でいられる人の一生はありえない。

解　説

武器が美しく芸術的であるのは、戦いを望まず人間の心を取り戻すためであるように、たとえ戦場においても芸術は生きようとする人々とともにあり、芸術にまったく無関係な人間は存在しないし、芸術に無関係でいられる一生はありえない、と述べた文章。

1．第1段落の内容だが、主旨としては「芸術とは人間のことである」だけでなく、「芸術にまったく無関係な人間・一生はない」ということにまで踏み込む必要がある。

2．第2段落の内容だが、文章の中心は芸術であり、戦争は一つの極端な例として挙げられている内容なので、主旨には当たらない。

3．第3段落の内容だが、武器の本質についての記述は、武器の美しさを説明する根拠として挙げられているため、主旨とはいえない。

4．第4段落の内容だが、主旨としては、戦場で武器が美しいのは命を守るからということだけでなく、芸術は常に人間のそばにあり、人の一生に関係していることまで触れる必要がある。

5．妥当である。

正答　5

次の文の主旨として、最も妥当なのはどれか。

　子どもの本について広く行われてきたのは、子どもの本を段階的に囲って、年齢や学年によって区切って、大人の本へむかう入門か何かのように、本に親しませるための過程的な考え方で、子どもの本をとらえる考え方です。しかし、そういうふうに考えるのでなく、子どもの本という本それ自体を、本のあり方の一つとして考えなければならない。そう思うのです。

　大人の本の世界の前段階にあるというのでなく、大人の本の世界とむきあっているもう一つの本の世界としての、それ自体が自立した世界をもつ、子どもの本という本のあり方です。

　年齢や段階といった考え方を第一にするのは、言葉について言えば、間違いです。そうしたやり方が、どれほど言葉のありようをゆがめるか。何歳でこの文字を覚えなければいけない、あの言葉を覚えなければいけないというふうに決めるのは、逆に言えば、知らない言葉に対する新鮮な好奇心をうばってゆく危うさももっています。

　何事も段階的にということを前提に考えることは、何事も制限的にしかとらえることをしないということです。そんなふうに制限的な考え方が最初に当然とされてしまうと、子どもの本と付きあうことにおいてもまた、子どもっぽさを優先とする考え方が、どうしても支配的になってしまいがちです。

　子どもの本のあり方をいちばん傷つけてしまいやすいのは、何にもまして子どもっぽさを優先する、大人たちの子どもたちについての先入観だと、わたしは思っています。子どもっぽさというのは、大人が子どもに求める条件であり、子どもが自分に求めるのは、子どもっぽさではありません。子どもが自分に求めるのは、自分を元気づけてくれるもの、しかし大人たちはもうそんなものはいらないとだれもが思い込んでいるもの、もしこういう言葉で言っていいのなら、子どもたちにとっての理想主義です。

（長田弘「読書からはじまる」による）

1　子どもの本について、年齢や学年によって区切って、大人の本へ向かう入門のように捉えられてきた。

2　子どもの本自体を、自立した世界をもつ本のあり方の一つとして考えなければならない。

3　言葉について、年齢や段階といった考え方を第一にするのは間違いである。

4　何事も段階的を前提とする考えは、何事も制限的にしか捉えられない。

5　子どもの本のあり方を一番傷つけてしまいやすいのは、子どもっぽさを優先する、大人たちの子どもたちについての先入観である。

解説

子どもの本について、年齢や段階といった考え方を第一にするのは間違いである、段階を前提に考えると制限的にしか捉えられなくなる、子どもっぽさを優先する大人たちの先入観が子どもの本のあり方を傷つける、といった理由から、子どもの本を、年齢や学年により区切って大人の本へ向かう入門のように捉えるのではなく、自立した世界を持つ本として捉えなければならない、と述べた文章。

1．第1段落の内容だが、これまで子どもの本がどのように捉えられてきたかを説明した文であり、文章全体でそれを否定しているので、主旨としては不適切である。

2．妥当である。

3．子どもの本を年齢や学年により区切って大人の本へ向かう入門のように捉えるべきではないと主張する根拠の一つであるため、主旨には当たらない。

4．**3**と同様の理由で主旨には当たらない。

5．**3**、**4**と同様の理由で主旨には当たらない。

正答　**2**

東京都・特別区

文章理解

判断推理

数的処理

資料解釈

空間把握

文化

倫理・哲学

教養試験

No. 7 文章理解　現代文（要旨把握）　令和5年度

次の文の主旨として、最も妥当なのはどれか。

　乱読を通してわかったことがあります。言葉にするのも、恥ずかしいほど単純な真実です。読書とは、要するに他者を受けいれることなのです。若いときはまだ、一定の限られた状況のなかでしか、他者を受けいれることはできませんでした。しかも、その受けいれ方というのがいかにも偏っていて、どの出会いを喜ぶにしても哀しむにしても、どこかつねに排他的な感情を伴っていました。愛着のすぐあとに嫌悪が襲ってくるのです。他者を理解しようという努力を伴わないため、他者の受けいれは、つねに一方的な感情のはけ口になってしまいます。

　もっとも、第一印象による好き嫌いの選別は、若い人の特権です。若い人は、逆説的ですが、往々にして防衛的です。しかし人は老いてくると、ある種の捨て身の境地に入り、他者を受けいれることに前向きになります。読書に照らしていえば、どんな文体にたいしても好みを調律させていける。苦手だ、嫌いだと最初は思った文体ほど好きになる傾向があります。川上未映子の『夏物語』では、関西弁をふんだんに取り込んだ、ダイナミックな文体の虜になりました。昔は苦手だった関西弁が、いつのまにかとても耳に心地よく響くのです。逆に、極度に人工的で、かつ巧緻をきわめた文体でつづられた二〇二一年の芥川賞受賞作、石沢麻依の『貝に続く場所にて』に対しては、つよい執念で臨みました。東日本大震災時に津波に呑まれて行方不明となった青年の霊が、ドイツ・ゲッティンゲンの町に現れる。その紹介文を読んだだけで、否も応もなく本能を揺さぶられたのです。

（亀山郁夫「人生百年の教養」による）

1 読書とは、他者を受け入れることである。

2 他者を理解しようという努力を伴わないと、他者の受入れは、常に一方的な感情のはけ口になる。

3 第一印象による好き嫌いの選別は、若い人の特権である。

4 人は老いてくると、ある種の捨て身の境地に入り、他者を受け入れることに前向きになる。

5 好みを調律させていけば、苦手だ、嫌いだと最初は思った文体ほど好きになる。

解 説

若いときは、限られた状況の中でしか他者を受け入れることができず、第一印象により好き嫌いの選別をしてきたが、老いてくると他者を受け入れることに前向きになり、読書においても、どんな文体に対しても好みを調律させていけるようになるように、読書とは結局他者を受け入れることだということが乱読の経験からわかった、と述べた文章。

1. 妥当である。

2. 第1段落の内容だが、筆者が若かったときの他者の受入れについて述べており、主旨としては乱読をしたことでわかったことに触れる必要がある。

3. 若い人の他者の受入れを、第一印象による好き嫌いという面から述べた文であるため、**2**と同様に主旨には当たらない。

4. 老いてきたときの他者の受入れの傾向について述べた文だが、主旨としてはその傾向を読書とのかかわりで述べる必要がある。

5. 第2段落では、「苦手だ、嫌いだと最初は思った文体ほど好きになる傾向があ」ると述べられているにすぎず、「好みを調律させていけば」必ず「好きになる」とまではいえない。

正答　**1**

No. 8 教養試験 **文章理解** **現代文（文章整序）** 区 令和5年度

次の短文A～Fの配列順序として、最も妥当なのはどれか。

　A　「面白さ」の要素として「突飛」なものがある。

　B　「意外性」は、なんらかの予測があるところに提示され、そのズレで面白さが誘発されるが、「突飛」というのは、もっと不意打ちに近いものだ。

　C　だが、人によっては「面白い」と感じる要因の一つとなりうる。

　D　多くの人はあっけにとられ、ただ驚くばかりかもしれない。

　E　「突飛」な「面白さ」は、「意外性」による「面白さ」とは、少し違っているように思える。

　F　予測もしないところへ、まったく違った方向から飛んでくるようなものである。

（森博嗣「面白いとは何か？ 面白く生きるには？」による）

1 A－B－F－C－D－E
2 A－C－F－D－E－B
3 A－D－B－F－E－C
4 A－E－B－F－D－C
5 A－F－E－D－C－B

解説

「意外性」による面白さが予測されていたこととのズレで面白く感じるものであるのに対し、「突飛」な面白さは、予測もしないところで不意打ちされるようなもので、多くの人は驚くだけかもしれないが、人によっては面白いと感じるものである、と述べた文章。

　まず、一番目のAで面白さの要素には「突飛」なものがあることが述べられている。さらに選択肢を見ると、B、Eでは「突飛」な面白さと「意外性」による面白さが対比されており、Eで両者は少し違っていると述べ、Bで具体的な違いを述べているので、E→Bとなる。ここで、選択肢は**2**か**4**に絞られる。**2**を見ると、AもCも面白いと感じる要因について説明しているにもかかわらず、「だが」という逆接の接続詞が使われているため、つながりが不適切である。したがって、**2**は否定され、正答は**4**である。

　4を見ると、A→E→Bで「突飛」な面白さと「意外性」による面白さを対比させた後、FではBの後半の「突飛」は不意打ちに近い、ということをさらに具体的に説明し、Dは「突飛」であるから多くの人は面白さより驚きを感じると述べ、Cの「だが」以降では、Dとは反対に面白さを感じる人もいると述べるという流れになっている。

正答 **4**

東京都・特別区

文章理解

判断推理

数的処理

資料解釈

空間把握

文化

倫理・哲学

No. 9

教養試験

文章理解　現代文（空欄補充）

区

令和 5 年度

次の文の空所A～Cに該当する語の組合せとして、最も妥当なのはどれか。

　最近、デザインの本質は、仮想的推論ではないかと考えている。簡単に言うと「だったりして」と考えてみることである。　A　でも論理でもない。誰も見たことがない発想やかたち、関係性や問題を「こうだったりして」と、仮想しヴィジュアライズしてみせるのがデザインである。

　もしもすべてのクルマが自動運転で、互いにぶつかり合わず、交通状況を判断して自走することができるなら、都市や道路はどう設計できるだろうか。おそらくは、道路そのものをつくらず、フラットに整地された地面に、一定の間隔でランダムに建築が作られ、交差点も信号もない建築のすき間を、水中の魚類のようにすれ違いながら、クルマたちは最短コースを進むだろう。

　マカロニは、粉体となった食物原料にかたちが与えられたものだ。これは一定の体積を持つ粘性のある物体に、できるだけ大きな表面積や、熱の通りやすさ、　B　、ソースの付着しやすさなどを見いだすデザインである。美しさや見飽きないかたちなど、美意識が付加されるところがデザインだと思っていた。

　しかし、この美意識のよりどころこそ、数学的直感に近いかもしれない。うれしい　C　のある気づきであり、目覚めである。

（原研哉「デザインのめざめ」による）

	A	B	C
1	経験	生産性	緊張感
2	経験	普遍性	立体感
3	考察	生産性	立体感
4	知識	独自性	親近感
5	知識	普遍性	緊張感

自動運転のクルマやマカロニを例に、デザインの本質は、誰も見たことがない発想やかたち、関係性や問題を「だったりして」と仮想し、ヴィジュアライズすることであると述べた文章。

　Aの後ろに「でもない」とあることから、Aには「仮想」ではなく、論理と似た内容の言葉が入る。考えを巡らすという意味の「考察」には、「『だったりして』と考えてみる」ことも含まれる可能性があるので、不適切。実際に見たり聞いたり行ったりするという意味の「経験」と、知っている内容という意味の「知識」は、どちらも当てはまる。ここで、選択肢は**1**、**2**、**4**、**5**に絞られる。

　Bを含む文では、何を考慮してマカロニのデザインがそのかたちをとるに至ったかが説明されており、Bには「何」の部分が入る。マカロニはマカロニ特有のかたちをとっていることから、すべての物事に通じる性質という意味の「普遍性」では意味が通じない。生産の効率という意味の「生産性」は、マカロニは作るときの効率や作りやすさも加味してデザインされているという内容になるので当てはまる。ほかに同じものがないという意味の「独自性」も、マカロニをほかの製品と区別するという内容になるので、該当可能である。ここで選択肢は、**1**、**4**に絞られる。

　Cの前後で、美意識のよりどころと、数学的直感とが、近いのではないかという考えに目覚めたとあるから、Cには、潜んでいたものが動き出す（目覚め）と同様の意味の言葉が入る。平面でなく奥行きや深さがある感じという意味の「立体感」や、身近な感じという意味の「親近感」は、気づきや目覚めとは意味的な関連性に乏しいため、誤り。張りつめた感じという意味の「緊張感」は、美意識のよりどころと数学的直感に類似性があることに気づいたときの身の引き締まる思いを表現するのに適しているため、妥当である。

　よって、正答は**1**である。

正答　**1**

文章理解

判断推理

数的処理

資料解釈

空間把握

文化

倫理・哲学

次の英文中に述べられていることと一致するものとして、最も妥当なのはどれか。

　From the time he was 16, Einstein often enjoyed thinking about what it might be like to ride a beam of light.　In those days, it was just a dream, but he returned to it, and it changed his life.

　One day in the spring of 1905, Einstein was riding a bus, and he looked back at a big clock behind him.　He imagined what would happen if his bus were going as fast as the speed of light.

　When Einstein began to move at the speed of light, the hands of the clock stopped moving! This was one of the most important moments of Einstein's life!

　When Einstein looked back at the real clock, time was moving normally, but on the bus moving at the speed of light, time was not moving at all.　Why?　Because at the speed of light, he is moving so fast that the light from the clock cannot catch up to him.　The faster something moves in space, the slower it moves in time.

　This was the beginning of Einstein's special theory of relativity.　It says that space and time are the same thing.　You cannot have space without time, and you cannot have time without space.　He called it "space-time*."

　No scientist has ever done anything like what Einstein did in that one year.　He was very ambitious.　Einstein once said, "I want to know God's thoughts..."

（Jake Ronaldson「英語で読むアインシュタイン」による）

＊ space-time……時空

1　16歳の頃から、アインシュタインはしばしば、光に乗ったらどう見えるのかと想像して楽しんでおり、その空想が彼の人生を変えた。

2　アインシュタインは、光の速度で移動を始めることを想像したとき、時計を持つ手の動きを止めた。

3　アインシュタインが振り返ると、時間は通常どおり動いていたが、バスの中の現実の時計は完全に止まっていた。

4　アインシュタインがどんなに速く移動しても、時計からの光に追いつくことはできなかった。

5　科学者は、アインシュタインが成し遂げたことを1年でできると、意欲満々だった。

文章理解

判断推理

数的処理

資料解釈

空間把握

文化

倫理・哲学

解説 ━━━━━━━━━━━━━━━━━━━━━━━━━━━━━━

英文の全訳は以下のとおり。

〈16歳のときから、アインシュタインはしばしば、光に乗ったらどう見えるのかと想像して楽しんでいた。当時、それはただの空想にすぎなかったが、彼はその空想にもう一度戻り、やがてその空想は彼の人生を変えたのであった。

1905年のある春の日、アインシュタインはバスに乗っており、背後の大きな時計を振り返って見た。バスがもし光と同じ速度で走ったら何が起こるだろうか、と彼は想像した。

アインシュタインが光の速度で移動を始めることを想像したとき、時計の針は動きを止めた！　これは、アインシュタインの人生の中で、最も重要な瞬間の一つだった！

アインシュタインが現実の時計を振り返ったとき、時間は通常どおり動いていた。しかし光の速度で走るバスの中では、時間は完全に止まってしまう。なぜか？　光の速度だと、彼があまりに速く移動していて、時計からの光が彼に追いつくことができないからだ。空間で速く移動すればするほど、時間の流れは遅くなる。

これがアインシュタインの特殊相対性理論の始まりだった。特殊相対性理論では、空間と時間は同じものだという。時間なしに空間はありえず、空間なしに時間はありえない。彼はそれを「時空」と呼んだ。

いまだかつて、アインシュタインがその1年に成し遂げたのと同じことができた科学者は一人もいない。彼は意欲満々だった。アインシュタインは、かつてこんなことを言った。「私は神の意志を知りたいのだ」〉

1. 妥当である。

2. 第3段落には、動きを止めたのは、「時計を持つ手」ではなく、「時計の針」とある。hand には、時計や計器の「針」という意味がある。

3. 第4段落には、現実の時計は動いていても、光速で走るバスの中では時間は止まる、とある。

4. 第4段落には、彼が速く移動しているので、時計からの光が彼に追いつくことはできないとある。

5. 第6段落には、意欲満々だったのはアインシュタインで、アインシュタインが1年で成し遂げたことができた科学者は一人もいない、とある。

正答　**1**

東京都・特別区

教養試験

No. 11 文章理解 英文（内容把握） 令和 5 年度

区

文章理解

判断推理

数的処理

資料解釈

空間把握

文化

倫理・哲学

次の英文中に述べられていることと一致するものとして、最も妥当なのはどれか。

Diana was reading a book in the living room when the visitors entered. She was a very pretty little girl, with her mother's black eyes and hair, and a happy smile she got from her father.

"Diana, take Anne out and show her your flower garden...She reads entirely too much," Mrs. Barry added to Marilla. "I'm glad she has a friend to play outside with."

Out in the garden, the girls stood among the flowers looking at each other shyly. "Oh, Diana," said Anne at last, "Do you like me enough to be my best friend?"

Diana laughed. Diana always laughed before she spoke. "Why, I guess so. I'm glad you've come to live at Green Gables. There isn't any other girl who lives near enough to play with."

"Will you swear to be my friend forever and ever?" Anne demanded.

Diana looked shocked. "It's bad to swear."

"Oh, no, not like that. I mean to make a promise."

"Well, I don't mind doing that," Diana agreed with relief. "How do you do it?"

"We must join hands, like this. I'll repeat the oath first. I solemnly swear to be faithful to my friend, Diana Barry, as long as the sun and moon shall shine. Now you say it with my name."

Diana repeated it, with a laugh. Then she said:

"You're a strange girl, Anne. But I believe I'm going to like you real well."

"We're going to play again tomorrow," Anne announced to Marilla on the way back to Green Gables.

（L. M. Montgomery：森安真知子「英語で読む赤毛のアン」による）

1 ダイアナは、父から黒い髪と目を、母から楽しげなほほえみを受け継いだ。

2 バリー夫人は、ダイアナに、アンと花壇で本を読んでくるように言った。

3 アンは、ダイアナに親友になってくれるほど好きかと尋ねたところ、ダイアナは声をあげて笑った。

4 ダイアナは、先にアンに忠実であることを誓い、次にアンに同じことを自分に誓うように言った。

5 アンは、ダイアナは変わった子だが、明日も遊ぶことにしたと帰る途中にマリラに言った。

解 説 ●━━━━━━━━━━━━━━━━━━━━━━━━━━━━━

英文の全訳は以下のとおり。

〈客が入ってきたとき、ダイアナは居間で本を読んでいた。彼女はとてもかわいらしい女の子で、母親から黒い目と髪を、父親から楽しげなほほえみを受け継いでいた。

「ダイアナ、アンを外に連れて行ってあなたの花壇を見せてあげなさい。…ダイアナったら、まったく本ばかり読んでいて」バリー夫人はマリラに続けて言った。「外で一緒に遊ぶ友達ができてうれしいですわ」

　庭では、少女たちが花々の中に立ち、互いに恥ずかしそうに見つめ合っていた。

「ねえ、ダイアナ」やっとアンが口を開いた。「親友になってくれるほど私のことが好き？」

　ダイアナは声をあげて笑った。彼女はいつも笑ってから話すのだ。「まあ！　多分ね。アンがグリーンゲイブルズに住むようになってうれしいわ。この近くには女の子が誰も住んでいないから、一緒に遊べなかったの」

「永遠に私の友達でいるって誓ってくれる？」アンは強く尋ねた。

　ダイアナはびっくりした様子だった。「誓うということは良くないことよ」

「えーと、違うわ、そんなんじゃないの。約束をするということなの」

「あら、それなら構わないわ」ダイアナはホッとした様子で言った。「どうするの？」

「こうやって手をつないで。私が先に誓いの言葉を言うわね。太陽と月が輝いている限り、私は、私の友、ダイアナ・バリーに忠実であることを心から誓います。さあ、私の名前にして同じことを言って」

　ダイアナは笑いながら誓いの言葉を繰り返した。それから言った。

「アン、あなたって変わった子ね。だけど、あなたのことが本当に好きになりそうよ」

「私たち、明日も遊ぶことにしたの」グリーンゲイブルズに帰る途中、アンはマリラに告げた。

1. ダイアナは黒い目と髪を母から、楽しげなほほえみを父から受け継いだ、とある。

2. 第2段落で、バリー夫人はダイアナに、アンに花壇を見せてあげるように言っている。

3. 妥当である。

4. ダイアナとアンの会話からは、アンが先に誓い、ダイアナがそれを繰り返したことがわかる。

5. 「変わった子だ」というのは、ダイアナがアンに対して言った言葉である。

正答　**3**

東京都・特別区

文章理解

判断推理

数的処理

資料解釈

空間把握

文化

倫理・哲学

教養試験

No. 12 文章理解 英文（空欄補充） 令和5年度 区

次の英文の空所ア、イに該当する語の組合せとして、最も妥当なのはどれか。

When I started writing songs as a teenager, and even as I started to achieve some renown* for my abilities, my aspirations for these songs only went so far. I thought they could be heard in coffee houses or bars, maybe ☐ ア ☐ in places like Carnegie Hall*, the London Palladium*. If I was really dreaming big, maybe I could imagine getting to make a record and then hearing my songs on the radio. That was really the big prize in my mind. Making records and hearing your songs on the radio meant that you were reaching a big audience and that you might get to keep doing what you had set out to do.

Well, I've been doing what I set out to do for a long time, now. I've made dozens of records and played thousands of concerts all around the world. But it's my songs that are at the vital center of almost everything I do. They seemed to have found a place in the lives of many people throughout many different cultures and I'm grateful for that.

But there's one thing I must say. As a performer I've played for 50,000 people and I've played for 50 people and I can tell you that it is harder to play for 50 people. 50,000 people have a singular persona, not so with 50. Each person has an individual, separate identity, a world unto themselves. They can perceive things more clearly. Your honesty and how it relates to the depth of your talent is tried. The fact that the Nobel committee is so ☐ イ ☐ is not lost on me.

(Bob Dylan：畠山雄二「英文徹底解読　ボブ・ディランのノーベル文学賞受賞スピーチ」による)

* renown……名声　　　* Carnegie Hall……カーネギーホール

* London Palladium……ロンドンパラディアム

	ア	イ
1	earlier	small
2	earlier	traditional
3	later	formal
4	later	small
5	later	traditional

解　説

英文の全訳は以下のとおり。

〈私が10代で曲（songs；歌詞のついている曲のこと）を書き始めたとき、そして、自分の才能に対しいくらかの名声を得るようになったときでさえも、これらの曲に対する私の志はそういうものでした。自分の曲はコーヒーハウスやバーで聴かれるもので、そのうちカーネギーホールやロンドンパラディアムで聴いてもらえるかもしれないと考えていました。本当にビッグになることを夢見ていたとしても、私が想像できたのは、レコードを作ること、それから自分の曲をラジオで聴くことぐらいでした。それこそが、私に考えられる大きな賞だったのです。レコードを作り自分の曲をラジオで聴くということは、大勢の聴衆の耳に届くということであり、自分がめざしてきたことをやり続けられるかもしれないということでした。

そうして、私は自分のやり始めたことを長いこと、今まで続けてきたのです。何十枚もレコードを作り、世界中で何千回ものコンサートを行ってきました。でも、私がやってきたことのほぼすべての中心にあって不可欠なのは私の曲でした。私の曲はたくさんのさまざまな文化を通じて、たくさんの人々の人生に居場所を見つけたようでした。そのことに私は感謝しています。

でも、一つだけ言わなければならないことがあります。パフォーマーとして、私は5万人の前でも、50人の前でも演奏してきましたが、50人の前で演奏するほうが難しいのです。5万の人々は一つの人格となりますが、50人はそうはいきません。それぞれが一人の人間であり、別々のアイデンティティを持ち、自分自身の世界を持っています。彼らはより明晰にものごとを知覚することができます。自分の誠実さや、それがどう才能の深さと結びついているかが試されるのです。ノーベル委員会が非常に少人数で構成されていること（の意味）が、私にはよくわかります。〉

アの前に、コーヒーハウスやバーのような小さな場所が挙げられ、アの後にはカーネギーホールやロンドンパラディアムのような大きな場所が挙げられているので、小さい場所から大きな場所へという方向性を考えると、later（後に）が該当する。"maybe later"で「あとで、そのうち」という意味になる。イには、ノーベル委員会の特徴を示す言葉が入る。イの含まれている段落に、50人はそれぞれが別々のアイデンティティと自分の世界を持ち、明晰にものごとを知覚するので、演奏する側の誠実さや才能が試されるから、5万人より50人の前で演奏するほうが難しいとあることから、イを含んだ文でもノーベル委員会の人数や規模について述べていることがわかる。したがって、small（少ない、小規模な）が当てはまる。traditional（伝統的な）、formal（フォーマルな、正式の）では、それまでの話題から外れてしまうので不適切。以上から、アは later、イは small となる。

よって、正答は**4**である。

正答　**4**

東京都・特別区

文章理解

判断推理

数的処理

資料解釈

空間把握

文化

倫理・哲学

No. 13 教養試験

文章理解 英文（ことわざ・慣用句） 令和 5 年度

次の日本語のことわざ又は慣用句と英文との組合せA〜Eのうち、双方の意味が類似するものを選んだ組合せとして、妥当なのはどれか。

A　犬猿の仲　　　　　　　　── 　To set the wolf to keep the sheep.
B　吠える犬は噛みつかぬ　── 　They agree like cats and dogs.
C　猫も杓子も　　　　　　　── 　Everyone that can lick a dish.
D　猫に鰹節　　　　　　　　── 　Barking dogs seldom bite.
E　窮鼠猫を噛む　　　　　　── 　Despair gives courage to a coward.

1　A　C
2　A　D
3　B　D
4　B　E
5　C　E

Aの英文 "To set the wolf to keep the sheep.（狼に羊の番をさせる）"は、日本語の「猫に鰹節」（油断できず危険な状態である）と同じ意味。

Bの英文 "They agree like cats and dogs.（犬と猫のよう〈皮肉として使う〉）"は、日本語の「犬猿の仲（大変仲が悪い）」と同じ意味。

Cの英文 "Everyone that can lick a dish.（皿をなめることができる者は誰でも）"は、日本語の「猫も杓子も（誰も彼も）」と同じ意味。

Dの英文 "Barking dogs seldom bite.（ほえる犬はめったに嚙まない）"は、日本語の「吠える犬は嚙みつかぬ（むやみに威張るものはたいていは何もできない）」と同じ意味。

Eの英文 "Despair gives courage to a coward.（絶望は臆病者に勇気を与える）"は、日本語の「窮鼠猫を嚙む（弱者も絶体絶命の窮地に追い込まれると、必死に反撃する）」と同じ意味。

以上から、日本語と英文の意味が類似するものはCとEである。

よって、正答は**5**である。

正答　**5**

文章理解

判断推理

数的処理

資料解釈

空間把握

文化

倫理・哲学

東京都・特別区

教養試験

No.
14　文章理解　　現代文（内容把握）　　令和4年度

都

文章理解

判断推理

数的処理

資料解釈

空間把握

文化

倫理・哲学

次の文中で述べられていることとして，最も妥当なのはどれか。

　ある年の五月，アルプという川の岸の岡に，用もない読書の日を送っていたことがあった。氷河の氷の下を出て来てからまだ二時間とかにしかならぬという急流で，赤く濁ったつめたい水であったが，両岸は川楊の古木の林になっていて，ちょうどその梢が旅館の庭の，緑の芝生と平らであった。なごやかな風の吹く日には，その楊の花が川の方から，際限もなく飛んで来て，雪のように空にただよういている。以前も一度上海郊外の工場を見に行った折に，いわゆる柳絮の漂々たる行くえを見送ったことがあったが，総体に旅客でない者は，土地のこういう毎年の風物には，深く心を留めようとはせぬらしい。

　しかしそれはただ人間だけの話で，小鳥はこういう風の吹く日になると，妙にその挙動が常のようでなかった。たて横にこの楊の花の飛び散る中に入って行って，口を開けてその綿を啄ばもうとする。それをどうするのかと思ってなお気を付けていると，いずれも庭の樹木の茂った蔭に入って，今ちょうど落成しかかっている彼等の新家庭の，新らしい敷物にするらしいのであった。ホテルの庭の南に向いた岡の端は，石を欄干にした見晴し台になっていて，そこにはささやかなる泉があった。それとは直角に七葉樹の並木が三列に植えられ，既に盛り上がるように沢山の花の芽を持っている。どれもこれも六七十年の逞ましい喬木であった。鳥どもは多く巣をその梢に托していると見えて，そちこちに嬉しそうな家普請の歌の声が聞えるが，物にまぎれてその在処がよくはわからなかった。

　ところがどうしたものかその中でたった一つがい，しかも羽の色の白い小鳥が，並木の一番端の地に附くような低い枝の中ほどに巣を掛けている。僅かばかりその枝を引き撓めると，地上に立っていても巣の中を見ることが出来た。巣の底には例の楊の綿を厚く敷いて，薄鼠色の小さな卵が二つ生んである，それがほどなく四つになって，親鳥がその上に坐り，人が近よっても逃げぬようになってしまった。折々更代に入っていて，一方が戻って来るのを待兼ねるようにして，飛んで行くのが雄であった。気を付けて見ると，この方が少しばかり尾が太い。庭掃き老人がそこを通るから，試みに名を尋ねて見た。多分 Verdier という鳥だと思うが確かなことは知らないと答える。英語では Goldfinch という鳥だと，また一人の青年が教えてくれたが，これも怪しいものであった。後に鳥譜を出して比べて見ると，似ているのは大きさだけで，羽の色などは双方ともこの巣の鳥とは同じでなかった。がとにかくに幾らもこの辺にはいる鳥ではあったらしい。

（柳田国男「野草雑記・野鳥雑記」による）

1　アルプという川を，源流から川に沿って2時間ほど歩いて下ると，川の水は赤く濁り，両岸は若々しい川楊が生い茂る林になっていた。

2　アルプという川の両岸では，例年五月頃になると，楊の花が川の方から際限もなく飛んで来て雪のように空にただよい，旅館の周辺は毎年の風物を愛でる住民で賑わった。

3　なごやかな風の吹く日になると，旅館周辺の小鳥はその挙動が常のようではなくなり，楊の花の飛び散る中に入って行って，その花をおいしそうに啄ばんだ。

4　楊の綿を啄ばんでいた羽の色の白い小鳥が，七葉樹の喬木の中に入っていくのを見かけたので覗いてみたところ，母鳥が四つの薄鼠色のたまごを温めていた。

5 羽の色が白い小鳥は，鳥譜を出して調べてみると，それほど珍しい鳥ではないことや，老人や青年の言っていた鳥とは羽の色が異なるものの，大きさが似ていることが分かった。

解説

アルプ川の岸に川楊の林があり，なごやかな風の吹く日になると，七葉樹の並木に巣をかけた小鳥が巣の敷物にしようと楊の花の綿を啄ばみにくるが，その中に羽の白い小鳥がいたので名前を聞いたり鳥譜で調べたりしたことを述べた文章。

1．「2時間」は「源流から川に沿って」「歩いて下る」時間ではなく，急流が「氷河の氷の下を出て」からの時間である。また，川の両岸は「古木の林」とある。

2．「住民で賑わった」という記述はなく，むしろ「旅客でない者は」「深く心を留めようとはせぬらしい」とある。

3．第2段落には，「花をおいしそうに啄ばんだ」のではなく，花が散ったあとの「綿を啄ばもうとする」とある。楊の綿は種子に綿毛が付いたもの。

4．第3段落に覗いてみたときにあったのは「卵が二つ」とある。また「折々更代に入っていて」とあるので，温めているのは雄雌の両方である。「母鳥」が四つの薄鼠色の卵をあたためていたというのは誤り。

5．妥当である。

正答　**5**

文章理解

判断推理

数的処理

資料解釈

空間把握

文化

倫理・哲学

東京都・特別区

文章理解

判断推理

数的処理

資料解釈

空間把握

文化

倫理・哲学

教養試験

No.
15

文章理解　現代文（内容把握）

都

令和4年度

次の文中で述べられていることとして，最も妥当なのはどれか。

　たとえば長方形の水槽の底を一様に熱するといわゆる熱対流を生ずる。その際器内の水の運動を水中に浮遊するアルミニウム粉によって観察して見ると，底面から熱せられた水は決して一様には直上しないで，まず底面に沿うて器底の中央に集中され，そこから幅の狭い板状の流線をなして直上する。その結果として，底面に直接触れていた水はほとんど全部この幅の狭い上昇部に集注され，ほとんど拡散することなくして上昇する。もし器底に一粒の色素を置けば，それから発する色づいた水の線は器底に沿うて走った後にこの上昇流束の中に判然たる一本の線を引いて上昇するのである。

　もしも同様なことがたぶん空気の場合にもあるとして，器底の色素粒の代わりに地上のねずみの死骸を置きかえて考えると，その臭気を含んだ一条の流線束はそうたいしては拡散希釈されないで，そのままかなりの高さに達しうるものと考えられる。

　こういう気流が実際にあるかと言うと，それはある。そうしてそういう気流がまさしくとんびの滑翔を許す必要条件なのである。インドの禿鷹について研究した人の結果によると，この鳥が上空を滑翔するのは，晴天の日地面がようやく熱せられて上昇渦流の始まる時刻から，午後その気流がやむころまでの間だということである。こうした上昇流は決して一様に起こることは不可能で，類似の場合の実験の結果から推すと，蜂窩状あるいはむしろ腸詰め状対流渦の境界線に沿うて起こると考えられる。それで鳥はこの線上に沿うて滑翔していればきわめて楽に浮遊していられる。そうしてははなはだ好都合なことには，この上昇気流の速度の最大なところがちょうど地面にあるものの香気臭気を最も濃厚に含んでいる所に相当するのである。それで，飛んでいるうちに突然強い腐肉臭に遭遇したとすれば，そこから直ちにダイヴィングを始めて，その臭気の流れを取りはずさないようにその同じ流線束をどこまでも追究することさえできれば，いつかは必ず臭気の発源地に到達することが確実であって，もしそれができるならば視覚などはなくてもいいわけである。

　とんびの場合にもおそらく同じようなことが言われはしないかと思う。それで，もし一度とんびの嗅覚あるいはその代用となる感官の存在を仮定しさえすれば，すべての問題はかなり明白に解決するが，もしどうしてもこの仮定が許されないとすると，すべてが神秘の霧に包まれてしまうような気がする。

　これに関する鳥類学者の教えをこいたいと思っている次第である。

（小宮豊隆編「寺田寅彦随筆集 第四巻」による）

1　水槽の底を一様に熱すると，底面から熱せられた水は決して一様には直上しないで，まず底面に沿って器底の中央に集中されることから，筆者は水槽の底は外側から中央部に向かって徐々に温まっていくと考えた。

2　筆者の観察によると，とんびが上空を滑翔するのは，晴天の日地面がようやく熱せられて上昇渦流の始まる時刻から，午後その気流がやむころまでであり，上空を滑翔している間，とんびは極めて楽に浮遊していられることが判明した。

3　筆者が実施した水槽の実験により，上昇気流は一様には起こらず，対流渦の境界線に沿って起こることが確認できた。

4 地上のねずみの死骸から発生する臭気はかなりの高さに達しうると考えられることから，筆者は，とんびは上空で滑翔しつつ，地面からの臭気の流れを追究することでねずみの死骸に到達しているものと推測している。

5 禿鷹に関する研究で鳥の嗅覚が鈍いことが明らかになったため，筆者はすべてが神秘の霧に包まれてしまったと失望し，鳥類学者に教えをこおうと考えた。

解 説

水槽の底を温めると生じる熱対流と同様のことが，空気でも上昇流として生じ，禿鷹やとんびはそれを利用して滑翔を行うが，とんびは嗅覚を利用して上昇気流が含む地面の動物の死骸の腐敗臭を検知しているのではないか，と述べた文章。

1．「水槽の底」が「外側から中央部に向かって徐々に温まっていく」と筆者が考えたと推測される記述は本文中にない。温まった水の運動について客観的な事実が述べられている。

2．上空の滑翔時刻についての記述は，著者によるとんびの観察ではなく，「インドの禿鷹について研究した人の結果」を述べたものであり，「上空を滑翔している間」「楽に浮遊していられる」というのは，熱対流の実験の結果から筆者が推測した内容である。

3．**2**と同様に，上昇気流が「対流渦の境界線に沿って起こる」という内容は，水槽の実験からの筆者の推測であり，筆者が実験を実施したわけではない。

4．妥当である。

5．「禿鷹に関する研究」から「鳥の嗅覚が鈍いことが明らかになった」という記述はない。筆者はとんびに嗅覚があるのではないかと考えており，嗅覚がないとすると「神秘の霧に包まれてしまう」と述べているのである。

正答　**4**

文章理解

判断推理

数的処理

資料解釈

空間把握

文化

倫理・哲学

東京都・特別区

文章理解

判断推理

数的処理

資料解釈

空間把握

文化

倫理・哲学

教養試験

No. 16 文章理解　現代文（文章整序）　令和4年度　都

次の文を並べ替えて一つのまとまった文章にする場合，最も妥当なのはどれか。

A　久しぶりに帰省して親兄弟の中で一夜を過ごしたが，今朝別れて汽車の中にいるとなんとなく哀愁に胸を閉ざされ，窓外のしめやかな五月雨がしみじみと心にしみ込んで来た。大慈大悲という言葉の妙味が思わず胸に浮かんでくる。

B　父は道を守ることに強い情熱を持った人である。医は仁術なりという標語を片時も忘れず，その実行のために自己の福利と安逸とを捨てて顧みない人である。その不肖の子は絶えず生活をフラフラさせて，わき道ばかりにそれている。このごろは自分ながらその動揺に愛想がつきかかっている時であるだけに，父の言葉はひどくこたえた。

C　しかしそれは自分の中心の要求を満足させる仕事ではないのである。自分の興味は確かに燃えているが，しかしそれを自分の唯一の仕事とするほどに，一もしくは第一の仕事とするほどに，腹がすわっているわけではない。

D　昨夜父は言った。お前の今やっていることは道のためにどれだけ役にたつのか，頽廃した世道人心を救うのにどれだけ貢献することができるのか。この問いには返事ができなかった。五六年前ならイキナリ反撥したかも知れない。しかし今は，父がこの問いを発する心持ちに対して，頭を下げないではいられなかった。

E　雨は終日しとしとと降っていた。煙ったように雲に半ば隠された比叡山の姿は，京都へ近づいてくる自分に，古い京のしっとりとした雰囲気をいきなり感じさせた。

F　実をいうと古美術の研究は自分にはわき道だと思われる。今度の旅行も，古美術の力を享受することによって，自分の心を洗い，そうして富まそう，というに過ぎない。もとより鑑賞のためにはいくらかの研究も必要である。また古美術の優れた美しさを同胞に伝えるために印象記を書くということも意味のないことではない。

（和辻哲郎「古寺巡礼」による）

1　A－B－C－F－D－E
2　A－D－B－F－C－E
3　A－F－C－E－B－D
4　F－A－D－B－C－E
5　F－C－D－B－E－A

解説

帰省したあと京都に向かう途中，父が話した言葉を思い出し，自分がやっている古美術の研究はわき道であって父が言うような唯一の仕事ではないという結論に至る，筆者の心の動きを述べた文章。

重複する語，指示語，接続語を手がかりに，つながりが見つけやすいものをグループ分けし，選択肢と比較して考える。「雨」はA（「五月雨」）とE（「雨」），「父」はBとD，「わき道」はBとFに出てくる。AとEは「五月雨」と「雨」についている助詞「が」「は」に注目すると，新しい情報には「が」，既知の情報には「は」が使われることから，AがEより先になる。また，B，D，Fは，Dで父が言ったことが述べられ，Bでそれを「父の言葉」と受け，Bで出た「わき道」をFで何をすることがわき道なのかを説明していることから，D→B→Fとなる。以上をもとに選択肢を見ると，正答は**2**である。

2を詳しく見ると，Aで筆者が帰省を終え汽車に乗ったことが書かれ，Dで父の言葉を思い出し，Bで「わき道ばかりにそれている」ことから父の言葉がこたえたと述べ，Fでわき道とは古美術の研究のことで「いくらかの研究も必要」としながらも，Cの「しかし」以下で逆接の内容（古美術の研究は唯一の仕事ではない）を述べ，最後のEでは古美術の研究という旅行の目的地である京都が近づいてきたことを書いて締めくくっている。

正答　2

東京都・特別区

No. 17 教養試験 文章理解 現代文（空欄補充） 令和 4 年度 都

文章理解
判断推理
数的処理
資料解釈
空間把握
文化
倫理・哲学

次の文章の空欄に当てはまる語句の組合せとして，最も妥当なのはどれか。

今日，『源氏物語』は世界の文学的遺産となり，紫式部は世界的文豪として有名になっている。

それは勿論，この作品が「小説」として極めて　A　な美しさを持ち，そして　B　文学独特の明るさを持っているからである。

『源氏物語』を「世界最古の文学」などと途方もないことをいう日本の学者が，後を断たないのは　C　であるが，『源氏物語』は世界最古でなく，歴史的発展のおくれていた日本が遅くまでとどまっていた「　B　」世界の終り頃に生れたので，ギリシア・ローマや中国の　B　の盛りに十世紀も遅れて，それらの国々が早く生んだ文学的傑作の系列の，いわば　D　を飾るものとして花咲いた作品である。

（中村真一郎「源氏物語の世界」による）

	A	B	C	D
1	普遍的	王朝	意外	最後尾
2	普遍的	古代	意外	最先端
3	普遍的	古代	滑稽	最後尾
4	雅	王朝	滑稽	最先端
5	雅	古代	意外	最後尾

解説

『源氏物語』が世界の文学的遺産となったのは，小説としての普遍的な美しさを持ち，古代文学の系列の最後尾に属し，古代独特の明るさを持っているからである，と述べた文章。

Aの前の段落で，『源氏物語』が「世界の文学的遺産となり」と述べていることから，日本だけでなく世界で認められていることがわかる。したがって，すべてのものに共通しているという意味の「普遍的」がふさわしい。「雅」は日本の伝統的な美の概念であるため不適切。第2段落のBには，「王朝」「古代」のいずれも可能だが，第3段落のBはギリシア・ローマや中国が例として挙げられていることから「古代」が適切である。同じ王家に属する帝王の一系列やその系列が支配した時代のことである「王朝」では，「王朝世界」「王朝の盛り」となり意味が通じなくなるため誤り。Cは，「意外」「滑稽」とも入るが，前の部分で「途方もないことをいう」とあるため「滑稽」のほうがより適切である。Dには，その前の部分で「世界最古でなく」，「日本が遅くまでとどまっていた」「世界の終り頃に生れた」，「十世紀も遅れて」とあることから，ギリシア・ローマや中国で早く生れた文学的傑作の系列においては遅い時期ということがわかるため，「最後尾」がふさわしい。

よって，正答は**3**である。

正答　**3**

文章理解

判断推理

数的処理

資料解釈

空間把握

文化

倫理・哲学

次の文の主旨として，最も妥当なのはどれか。

　ぼくは，今日の文明が失ってしまった人間の原点を再獲得しなければならないと思っている。原始時代に，絶対感をもって人間がつくったものに感動を覚えるんだ。

　太陽の塔は万国博のテーマ館だった。

　テーマは，〝進歩と調和〟だ。万国博というと，みんなモダンなもので占められるだろう。ぼくはそれに対して，逆をぶつけなければならないと思った。闘いの精神だ。

　近代主義に挑む。何千年何万年前のもの，人間の原点に帰るもの。人の眼や基準を気にしないで，あの太陽の塔をつくった。

　好かれなくてもいいということは，時代にあわせないということ。

　ぼくは人類はむしろ退化していると思う。人間はほんとうに生きがいのある原点に戻らなきゃいけないと思っている。

　あの真正面にキュッと向いている顔にしても，万国博なんだから世界中から集まった人たちに見られるわけだね。それを意識したら，だれでも鼻筋を通したくなるだろ？だがぼくは，日本人が外国人に対してとかくコンプレックスを感じているダンゴっ鼻をむき出しにした。

　ダンゴっ鼻をみんなにぶっつけたわけだ。文句を言われることを前提としてね。

　好かれないことを前提としてつくったから，さんざん悪口を言われた。とくに美術関係の連中には，ものすごく―。もちろん悪口はそのまま活字にもなった。でも，悪口は言われたが，その一方では無条件に喜ばれた。

　ナマの目で見てくれたこどもたちやオジイさん，オバアさん，いわゆる美術界の常識などにこだわらない一般の人たちには喜ばれたんだ。来日した外国人にも喜ばれた。ぼくに抱きついて感動してくれた人もいたよ。

（岡本太郎「自分の運命に楯を突け」による）

1　今日の文明が失ってしまった人間の原点を再獲得しなければならない。

2　万国博というと，モダンなもので占められるだろうが，それに対して，逆をぶつけなければならないと思った。

3　好かれなくてもいいということは，時代に合わせないということである。

4　太陽の塔は，好かれないことを前提としてつくったから，さんざん悪口を言われたが，その一方では無条件に喜ばれた。

5　太陽の塔は，来日した外国人に喜ばれ，抱きついて感動してくれた人もいた。

解説

今日の文明が失ってしまった人間の原点を再構築しなければならないという思いのもと，闘いの精神で近代主義に挑み，万国博で太陽の塔をつくったところ，美術関係者には悪口を言われたが一般の人たちには喜ばれた，と述べた文章。

1．妥当である。

2．近代的なものに逆をぶつけなければならないのは，人間の原点に帰るものをつくりたかったためであり，主旨としてはその理由の部分を押さえる必要がある。

3．時代に合わせないというのは，近代主義に挑む闘いの精神を言い換えた表現であり，**2**と同様に，主旨としては，なぜそうしたかという筆者の動機にまで触れる必要がある。

4．太陽の塔を見た人の感想は，人間の原点の再構築として太陽の塔をつくったという筆者の思いを支える根拠の一つであり，主旨とは言えない。

5．**4**と同様の理由で主旨とは言えない。

正答　**1**

東京都・特別区

No.
19

教養試験

文章理解　**現代文（要旨把握）**　令和 **4** 年度

区

文章理解

判断推理

数的処理

資料解釈

空間把握

文化

倫理・哲学

次の文の主旨として，最も妥当なのはどれか。

　不安な状態は決して悪いものではない。だからといって，あまりに不安ばかりが肥大しすぎるのは決してよいことではないのも事実である。慎重になりすぎるあまり，迷いが生じて決断力が鈍り，行動に移せなくなってしまうのだ。だから，不安と自信のバランスをうまく保つことが大切になる。

　だいたい，不安というものは打ち消そうとしてもそう簡単に打ち消せるものではない。仮にひとつ解消できたとしても，すぐにまた別の不安が襲ってくる。そうであるならば，不安を解消しようとするのではなく，うまく付き合っていく方法を考えたほうが建設的であろう。そして，不安とうまく付き合うことは，誰にでもできる。

　人間というものは，不安や自信といった相反するものをつねに自分の中に抱えながら，その葛藤のなかで成長していくものではないだろうか。磁石にＮ極とＳ極があるように，個人，そしておそらく組織も，相反するもの，いわば「矛盾」を抱えながら進化していくのだ。ひとつ問題を解決しても，解決したことによって別の問題が持ち上がる。不要だと思えるものをすべてなくしたからといって，必ずしもうまくいくとは限らない。これらはすべて矛盾といっていい。つまり，人間と，人間によって構成される組織は，単純に割り切れるものではないということだ。そうした矛盾を，むしろ潤滑油としてうまく利用したほうが，よい成果が得られると思う。

　そこで大切になるのは，不安やコンプレックスといった「負」の要素を自覚し，そのまま受け入れたうえで，それを「マイナス」とは考えずに，「プラス」に転化していくことである。それが私のいう，「うまい付き合い方」なのだ。そのために重要なのが，「視点を切り換えること」，別の言い方をすれば「物事の捉え方」である。

（平尾誠二「人は誰もがリーダーである」による）

1　不安な状態は決して悪いものではないが，あまりに不安ばかりが肥大しすぎるのは決してよいことではない。

2　不安を解消しようとするのではなく，うまく付き合っていく方法を考えた方が建設的であり，不安とうまく付き合うことは，誰にでもできる。

3　ひとつ問題を解決しても，解決したことによって別の問題が持ち上がり，不要だと思えるものを全てなくしても，必ずしもうまくいくとは限らない。

4　人間と，人間によって構成される組織は，単純に割り切れるものではなく，矛盾を潤滑油としてうまく利用した方が，よい成果が得られる。

5　大切なのは，不安やコンプレックスといった負の要素を自覚し，そのまま受け入れることである。

解説

人間は，個人も組織も，矛盾を抱えながら成長していくものだから，矛盾をむしろうまく利用したほうが，よい成果が得られると述べた文章。「つまり」以下に筆者の主張が述べられていることに注目しよう。

1．第1段落に書かれている内容だが，不安（と自信）は，人間が自分の中に抱えている「相反するもの」「矛盾」の一つの例であり，主旨としては不安だけでなく，「矛盾」に対しどうするべきかを述べる必要がある。

2．第2段落に書かれている内容だが，**1**と同様に，主旨としては不安や自信も含めた「矛盾」について述べる必要がある。

3．第3段落に書かれている内容だが，矛盾の例を詳しく説明した記述であり，主旨としては不十分。

4．妥当である。

5．第4段落に書かれている内容だが，主旨としては矛盾との付き合い方だけでなく，そもそも人間が矛盾を抱えているということまで述べる必要がある。

正答　**4**

次の文の主旨として，最も妥当なのはどれか。

　どういうわけか，日記には心のなかのことをかくものだという，とほうもない迷信が，ひろくゆきわたっているようにおもわれる。わたしは，「よんでみてくれ」といって，日記をわたされた経験が，なんどもある。日記をひとによませることによって，自分の思想や苦悩を理解してもらおうという，一種の，つきつめたコミュニケーションの方法であろう。よんでみると，それは例外なく，その種の「内面の記録」であった。

　わかい人たちにたずねてみると，かれらのかく日記というのは，大部分が，やはり心か魂の記録でうめられているようである。そして，日記とは，そういうもの——ひめられたる魂の記録——だとおもっている，というのである。

　どうしてこんなことになったのか。ひとつには，日記のことを文学の問題としてかんがえる習慣があるからだろう。じっさい，教科書や出版物などで紹介されている日記というのは，おおむねそのような内面の記録か魂の成長の記録かである。それはそれで意味のあることで，日記文学というものがあることも否定はしないが，すべての日記が文学であるのではない。文学的な日記もあれば，科学的な日記もあり，実務的な日記もある。日記一般の魂の記録だとかんがえるのは，まったくまちがいである。日記というのは，要するに日づけ順の経験の記録のことであって，その経験が内的なものであろうと外的なものであろうと，それは問題ではない。日記に，心のこと，魂のことをかかねばならないという理由は，なにもないのである。日記をかくうえに，このことは，かなりたいせつなことだと，わたしはおもう。

（梅棹忠夫「知的生産の技術」による）

1　日記を人に読ませることは，自分の思想や苦悩を理解してもらおうという，一種の突き詰めたコミュニケーションの方法である。

2　若い人たちの書く日記の大部分が心か魂の記録で埋められており，彼らは日記を秘められたる魂の記録だと思っている。

3　日記文学があることも否定はしないが，全ての日記が文学であるのではない。

4　日記一般を魂の記録だと考えるのは，全くの間違いである。

5　日記とは，日付順の経験の記録のことであって，その経験が内的なものであろうと外的なものであろうと問題ではない。

文章理解

判断推理

数的処理

資料解釈

空間把握

文化

倫理・哲学

文章理解

判断推理

数的処理

資料解釈

空間把握

文化

倫理・哲学

解説

日記は心の中のことを書く「内面の記録」だと思い込まれている理由の一つに，日記を文学として考える習慣があるが，すべての日記を内面の記録と考えるのは間違いで，日記は日付順の経験の記録であり，経験が内的なものであろうと外的なものであろうと問題ではない，と述べた文章。

1．第1段落に書かれている内容だが，著者は第3段落で日記を「日づけ順の経験の記録」と考えていると述べており，自分の思想や苦悩といった「その種の『内面の記録』」に対しては「とほうもない迷信」と述べているため，主旨としては不適切である。

2．第2段落に書かれている内容だが，1と同様に日記を「内面の記録」としている例であるため，主旨としては不適切である。

3．第3段落に書かれている内容だが，主旨としては筆者が考える日記とはどのようなものかについて述べる必要がある。

4．第3段落に書かれている内容だが，3と同様の理由で主旨としては不十分である。

5．妥当である。

正答　5

教養試験

No.21 文章理解 **現代文（文章整序）** 令和4年度 区

次の短文A～Fの配列順序として，最も妥当なのはどれか。

A 静物の構図を造るということは，それを描くということよりむずかしい気がします。

B 静物をやりたいと思いつつ，いい構図を造るのがむずかしくて弱っています。

C 静物の構図に独自の美が出せれば，もうその人は立派な独立した画家だといえると思います。

D ちょうど，昔の聖書中の事蹟（じせき）や神話の役目を，近代においては卓（たく）や林檎（りんご）や器物がするわけになります。

E 立派な厳然とした審美を内に持っていなくては，立派な構図は生れない気がします。

F こういう意味で近代，殊（こと）にこれからは静物という画因は一層（いっそう）重んぜらるべきだと思います。

（岸田劉生「美の本体」による）

1 A－B－C－D－E－F
2 A－B－F－C－E－D
3 A－D－B－E－F－C
4 B－A－E－C－F－D
5 B－C－A－E－D－F

解説

静物の構図を造るのがむずかしいのは，立派な審美を内に持っていなければ立派な構図が生まれないからだが，静物の構図に独自の美を出せれば，画家として立派だといえるので，これからは静物という画因（モチーフ）を重視するべきだと述べた文章。Fの「こういう意味」が何をさしているかを押さえる力が必要とされる。

「むずかしい」「立派な」などのキーワードの重複によって，グループに分けると「構図を造る」「むずかしい」はAとB，「立派な」はCとE，「近代」はDとFに出てくる。選択肢を見ると，AとBのまとまりがあるのは，**1**，**2**，**4**，CとEのまとまりがあるのは**2**，**4**，DとFのまとまりがあるのは**4**である。したがって，正答は**4**である。

4を見ると，Bで静物は構図を造るのがむずかしいと述べ，Aで描くよりむずかしいと，むずかしさについてさらに詳しく述べた後，Eでむずかしさの理由として「立派な」審美を持つことを挙げ，Cでは，その美を構図に出せれば「立派な」画家といえるとつないでいる。Fの「こういう意味」はE，Cの内容をさし，Fでは，静物の構図を造ることと立派な画家になることは関係しているため，「近代」は，静物という画因を重視すべきと述べている。Dは，Fの「近代」を受け，昔重要な画因とされていた「聖書中の事蹟や神話」と近代の「卓や林檎や器物」を対比させる，という流れになっている。

正答 **4**

東京都・特別区

教養試験

No. 22 文章理解　現代文（空欄補充）　令和4年度

区

文章理解

判断推理

数的処理

資料解釈

空間把握

文化

倫理・哲学

次の文の空所A，Bに該当する語の組合せとして，最も妥当なのはどれか。

　もともと習慣とは，人の普段からの振舞いが積み重なって，身に染みついたものだ。このため，自分の心の働きに対しても，習慣は影響を及ぼしていく。悪い習慣を多く持つと悪人となり，よい習慣を多く身につけると善人になるというように，最終的にはその人の　　A　　にも関係してくる。だからこそ，誰しも普段からよい習慣を身につけるように心掛けるのは，人として社会で生きていくために大切なことだろう。

　また，習慣はただ一人の身体だけに染みついているものではない。他人にも感染する。ややもすれば人は，他人の習慣を真似したがったりもする。この感染する力というのは，単によい習慣ばかりでなく，悪い習慣についても当てはまる。だから，大いに気をつけなければならない。

　この習慣というのは，とくに少年時代が大切であろうと思う。記憶というものを考えてみても，少年時代の若い頭脳に記憶したことは，老後になってもかなり頭のなかに残っている。わたし自身，どんな時のことをよく記憶しているかといえば，やはり少年時代のことだ。中国の古典でも，歴史でも，少年の時に読んだことをもっともよく覚えている。最近ではいくら読んでも，読む先から内容を忘れてしまう。

　そんな訳なので，習慣も少年時代がもっとも大切で，一度習慣となったら，それは身に染みついたものとして終世変わることがない。それどころか，幼少の頃から青年期までは，もっとも習慣が身につきやすい。だからこそ，この時期を逃さずよい習慣を身につけ，それを　　B　　にまで高めたいものである。

（渋沢栄一：守屋淳「現代語訳　論語と算盤」による）

	A	B
1	運命	信念
2	運命	個性
3	人格	個性
4	人格	行動
5	内心	行動

解説

習慣は普段からの振る舞いが積み重なり身に染みついたもので，心の働きや人格に影響を及ぼすとともに，少年時代に最も身につきやすいから，少年時代によい習慣を身につけることが大切だと述べた文章。

　Aは，その前で「自分の心の働きに対しても，習慣は影響を及ぼしていく」をさらに詳しく説明した文に含まれており，すぐ後に「にも関係してくる」とあるので，習慣が影響を及ぼす，人の心の働きが入り，同じ文で「悪人」「善人」という例が挙げられていることからも，「人格」が当てはまる。「運命」は人と関係はあるが心の働きではないため不適切。「内心」は，心の働きではあるが，表に出さない心の内側の考えのことであり，「悪人」「善人」の例とは合致しない。Bは，「よい習慣を身につけ」，それをより高めたものが入る。Aで習慣は「最終的にはその人の人格にも関係してくる」とあり，「人格」に類似した語が入ることから，「個性」が適切である。強く信じていることという意味の「信念」や，目的を持ってあることをすることという意味の「行動」では，習慣が影響を及ぼす対象として著者の意図から外れるため，不適切。

　よって，正答は**3**である。

正答　**3**

次の英文中に述べられていることと一致するものとして，最も妥当なのはどれか。

　The winner of the drawing-prize was to be proclaimed at noon, and to the public building where he had left his treasure Nello made his way.　On the steps and in the entrance-hall there was a crowd of youths — some of his age, some older, all with parents or relatives or friends.　His heart was sick with fear as he went amongst them, holding Patrasche close to him.　The great bells of the city clashed out the hour of noon with brazen clamor.　The doors of the inner hall were opened ; the eager, panting throng rushed in : it was known that the selected picture would be raised above the rest upon a wooden dais*.

　A mist obscured Nello's sight, his head swam, his limbs almost failed him.　When his vision cleared he saw the drawing raised on high : it was not his own !　A slow, sonorous* voice was proclaiming aloud that victory had been adjudged* to Stephan Kiesslinger, born in the burgh* of Antwerp*, son of a wharfinger* in that town.

　When Nello recovered his consciousness he was lying on the stones without, and Patrasche was trying with every art he knew to call him back to life.　In the distance a throng of the youths of Antwerp were shouting around their successful comrade, and escorting him with acclamations* to his home upon the quay.

　The boy staggered to his feet and drew the dog into his embrace.　"It is all over, dear Patrasche," he murmured — "all over !"

（Ouida：小倉多加志「フランダースの犬」による）

＊ dais………台座	＊ sonorous………朗々とした
＊ adjudge………与える	＊ burgh………町
＊ Antwerp………アントワープ（地名）	＊ wharfinger………波止場主
＊ acclamation………大喝采	

1　ネロは，絵の受賞者が発表される公会堂に向かう道の途中に，自分の大事な宝物を置いてきてしまった。

2　段々の上や入口の広間にいた若者達は，彼と同じ年頃や年上の者もいたが，みな両親か，身寄りの者か，友達と連れ立っていた。

3　目がはっきり見えるようになった時，ネロの絵が高く掲げられるのが見えた。

4　波止場主の息子であるステファン・キースリンガーは，ゆっくりと朗々とした声で，受賞者を発表した。

5　ネロは知っている限りの術を用いて，パトラッシュを生き返らせようとした。

解説 ━━━

英文の全訳は以下のとおり。

〈絵の賞金をもらえる入選者は正午に発表されることになっていたので，ネロは大事な絵を置いてきた公会堂へと向かった。段々の上や入口の広間に若者達が集まっていた。彼と同じ年頃や年上の者もいたが，みな両親か，身寄りの者か，友達と連れ立っていた。パトラッシュを近くに抱き寄せて彼らの間を通り抜けるとき，不安で胸がどきどきした。市の大きな鐘が真鍮のやかましい音をたてて，正午を知らせた。奥の広間のドアが開かれた。待ちきれず息を荒くした人々は，どっと中へ押し寄せた。入選した絵は木製の台座の上に他の絵よりも高く掲げられることになっていた。

ネロの眼は霞んではっきりと見えなくなり，頭はクラクラし，手足は思うようにならなかった。目がはっきり見えるようになった時，高く掲げられた絵が見えた。それは彼の絵ではなかった！　ゆっくりと朗々とした声が，アントワープの町で生まれ，その町の波止場主の息子であるステファン・キースリンガーに賞が与えられたことを発表した。

意識を取り戻した時，ネロは外の石（畳）の上に横たわっていて，パトラッシュは知っている限りの術を用いてネロを生き返らせようとしていた。遠くで，大勢のアントワープの若者たちが，成功した仲間を囲んで叫び声をあげ，波止場の上の彼の家まで，大喝采をあげて送っていくところだった。少年はよろよろと立ち上がり，犬を引き寄せて抱きしめた。「すべては終わったんだ。ねえ，パトラッシュ」。彼はつぶやいた。「終わったんだ」〉

1. ネロが大事な宝物（絵）を置いてきた場所は，道の途中ではなく，公会堂とある。

2. 妥当である。

3. 高く掲げられた絵は彼のものではなかった，と述べられている。

4. ステファン・キースリンガーは受賞者である。受賞者を発表したのが誰かは本文中で言及されていない。

5. 意識を失っていたのはネロで，パトラッシュがネロを生き返らせようとしていたとある。

正答　**2**

次の英文中に述べられていることと一致するものとして，最も妥当なのはどれか。

Japanese people worry too much about their own English.

Then, when Japanese people give speeches, they apologize for not being good at English at the beginning.　Sometimes, they say, "I'm not good at English, so I feel nervous," so the listeners think the Japansese person has no confidence and wonder if there is any value in listening to what he or she is saying.

Be aware that when giving speeches or presentations, Japanese people and Westerners have differnet **tacit rules**.

Japanese people think that the person giving the speech should convey the message to the listeners clearly, and that he or she should speak with perfect knowledge and knowhow.

On the other hand, Westerners think that in order to understand the person giving the speech, the listeners have a responsibility to make active efforts to understand.

There is a difference between Japanese people, who place a heavy responsibility on the speaker, and Westerners, who have a sense of personal responsibility for understanding the speaker.　This causes various miscommunications and misunderstandings at presentations which include Japanese people.

Therefore, Japanese people should not apologize for not being able to speak English.　They should start by saying clearly what they want to talk about.

（山久瀬洋二：Jake Ronaldson「日本人が誤解される100の言動」による）

1　日本人は，自分の英語力を気にして，スピーチのときに，最後に英語がうまくなかったことを謝ることがある。

2　スピーチやプレゼンテーションをするとき，日本と欧米とでは，暗黙のルールに違いがあることは有名である。

3　日本人は，スピーチをする人は完璧な知識とノウハウをもって話をしなければならないと考える。

4　欧米では，スピーチをする人の責任として，聞き手に理解させるために，積極的に行動しなければならないという意識がある。

5　日本人は，英語ができないことを謝ってから，自分の言いたいことを堂々と話し始めるようにしたいものである。

解　説

英文の全訳は以下のとおり。

〈日本人は自分たちの英語力を気にしすぎる。

　そして，日本人はスピーチをするとき，最初に英語がうまくないことを謝る。時には，「英語が苦手なので，緊張しています」と言い，そのため聞き手は，この人は自信がないと考え，そんな人が言うことを聞く価値があるだろうかと思ってしまう。

　スピーチやプレゼンテーションをするとき，日本と欧米とでは，**暗黙のルール**に違いがあることに注意しよう。

　日本人は，スピーチをする人は，聞き手にしっかりとメッセージを伝え，完璧な知識とノウハウをもって話をしなければならないと考える。

　それに対し，欧米では，スピーチをする人の言うことを理解するためには，聞き手の責任として，積極的に行動しなければならないという意識がある。

　スピーチをする人の責任を重く見る日本人と，話し手を理解するための聞き手の自己責任を意識する欧米人の間には違いがある。このことが，日本人が参加するプレゼンテーションの場でのさまざまな行き違いや誤解を生む。

　したがって，日本人は，英語ができないことを謝るべきではない。自分の言いたいことを堂々と話し始めるようにしたいものである。〉

1．第2段落に，スピーチの「最初」に，英語がうまくないことを謝るとある。

2．第3段落に，日本と欧米とで，スピーチやプレゼンテーションの暗黙のルールに違いがあることに注意しようとあるが，「違いがあることは有名である」とは述べられていない。

3．妥当である。

4．第5段落に，欧米では，話し手を理解するため積極的に行動するのは聞き手の責任という意識がある，と述べられている。

5．第7段落の第一文に，「日本人は，英語ができないことを謝るべきではない」とある。

正答　**3**

次の英文の空所ア，イに該当する語の組合せとして，最も妥当なのはどれか。

　　Boys and girls often ask me (particularly when their teachers are present) if I don't think it a bad thing for them to be compelled to learn poetry by heart in school.　The answer is — Yes, and No.　If you've got into the way of thinking that poetry is stupid stuff, or ┌─ ア ─┐, or beneath your dignity, then you certainly won't get much out of learning it by heart.　But remember that it is a good thing to train your memory, and learning a poem is at least a much pleasanter way of training it than learning, say, twenty lines out of the telephone directory.　What is more important, to learn poetry is to learn a respect for words ; and without this respect for words, you will never be able to think clearly or express yourself properly : and until you can do that, you'll never fully grow up — not though you live to be a hundred.　A third good reason for learning poetry by heart is that, by doing so, you are sowing a harvest in yourself.　It may seem to you at the time a dull, laborious business, with nothing to show for it : but, as you get a bit older, you'll find passages of poetry you learnt at school, and thought you had forgotten, thrusting up out of your memory, making life ┌─ イ ─┐ and more interesting.

　　　　　　　　　　　　（C. Day Lewis：加納秀夫・早乙女忠「対訳 C・デイ・ルイス」による）

	ア	イ
1	correct	happier
2	correct	harder
3	precious	nastier
4	useless	happier
5	useless	harder

解説 ●━━━━━━━━━━━━━━━━━━━━━━━━━━━━━

英文の全訳は以下のとおり。

〈少年少女は（特に彼らの教師がそばにいるとき），学校で詩を無理やり暗記させて学ばせるのは，悪いことだと思わないかと，私によく尋ねる。答えは，イエスでもありノーでもある。詩をくだらなくて，無用で（ア），あなたの品位にふさわしくないものだという考えに陥っているならば，確かに詩を暗記して学んでもあまり得るものはないだろう。しかし，ここで覚えておきたいのは，記憶力を訓練することは良いことであり，詩を学ぶことは少なくとも，たとえば電話帳を20行学ぶよりもはるかに楽しい訓練法だということだ。さらに重要なことは，詩を学ぶことは，言葉への敬意を学ぶことである。そして，言葉への敬意がなくては，はっきりとものを考えることも，自分を適切に表現することも決してできないだろう。また，そうすることができるまでは，100歳まで生きても，完全に成人したとはいえない。詩を暗記して学ぶことを勧める3つ目のもっともな理由は，そうすることによって，自分の中に作物の種をまいていることになるということだ。それはそのときは，退屈で，骨の折れる仕事で，何も成果が残らないように思えるかもしれない。しかし，少し年を取ると，学校で学んだが忘れてしまったと思っている詩の節が記憶からよみがえり，人生をより幸せで（イ）興味深いものにする。〉

　アは，詩をどのようなものと考えていると，暗記しても多くを得られないのか推測する。stupid stuff（くだらないこと），beneath your dignity（品位にふさわしくない）と並列されているので，同様の否定的な語が入る。選択肢から，useless（無用の）が該当する。correct（正しい），precious（貴重な）は文脈から外れるので不適切。イには，学校で覚えたが忘れたと思っていた詩の節が記憶からよみがえったことで，人生がどのようになると述べられているかを考える。more interesting（より興味深い）と並列されていることから，同様の意味の語が入る。選択肢から，happier（より幸せ）が該当する。harder（より困難な）や nastier（より不快な）は文脈から外れるので不適切。以上から，アは useless，イは happier となる。

　　よって，正答は**4**である。

正答　**4**

次の英文ア～キの配列順序として，最も妥当なのはどれか。

ア　One of the most popular school lunch menu items for many Japanese elementary school students is *curry rice*.

イ　Of course, there are extra spicy curries in Japan, but there are also mild types of curry, which may seem contradictory.

ウ　However, Japanese curry is slightly different from the spicier Indian varieties.

エ　Most Japanese, both young and old, absolutely love this dish.

オ　Japanese curry isn't made just to be spicy — it's also made to go well with white rice, which is a staple in Japanese cuisine.

カ　This might explain its unique characteristic texture and flavor.

キ　You might even call *curry rice* one of Japan's national dishes or even Japanese comfort food.

(David A. Thayne「英語サンドイッチメソッド」による)

1　アーイーウーエーオーカーキ
2　アーウーオーキーイーエーカ
3　アーエーキーウーイーオーカ
4　アーカーオーエーウーイーキ
5　アーキーカーイーウーオーエ

解説

英文の全訳は以下のとおり。

〈ア：日本の多くの小学生にとって，最も人気のある給食メニューの一つは，「カレーライス」である。

イ：もちろん，日本にも激辛カレーはあるが，甘口なタイプのカレーもあり，このことは矛盾しているように見えるかもしれない。

ウ：しかし，日本のカレーは，よりスパイシーなインドカレーとは少々異なる。

エ：子どもも大人も，大多数の日本人がこの料理を愛してやまない。

オ：日本のカレーはただ辛いだけではない。日本料理の主食である白米に合うように作られてもいるのだ。

カ：このことが，日本のカレーライスが持つ独特の舌触りと風味の理由かもしれない。

キ：「カレーライス」は日本の国民食，あるいはソウルフードの一つとさえ言ってもいいかもしれない。〉

　"However"，"this"，"its" などの接続詞・指示語や，"curry rice"，"spicy" などのキーワードを手がかりに，論旨を組み立てよう。まず内容を見ると，「日本人は "curry rice" が好きだ」という内容はア，エ，キ。"spicy" に言及しているのは，イ，ウ，オ。ここで選択肢を見ると，冒頭はすべてアで，給食で人気のメニューが "curry rice" だと述べていることがわかる。したがって，次に続くのはエかキが妥当である。ここで，選択肢は**3**か**5**に絞られる。**5**を見ると，キで "curry rice" は国民食と言えると述べ，カが続くが，カで「独特の舌触りと風味」の理由となる "This" がさすものが判然としない。一方，**3**を見ると，アに続いてエで「日本人の大多数が "curry rice" が好き」と述べ，キでさらに詳しく述べているので，つながりがよい。したがって，ア→エ→キとなり，正答は**3**である。

　キの後，ウでは "However" 以下で「日本のカレーはインドの辛いカレーとは違う」と話題を転じている。ウで述べた違いについて，イでは日本のカレーには甘口もあると述べ，オでは辛いだけでなく白米に合う味にされていると続く。オの内容をカの "this" が受け，カレーライス (its) の独特の舌触りと風味の原因だと締めくくっている。

正答 **3**

留学生100人に、京都、奈良、大阪の3つの都市へ行ったことがあるかないかのアンケートを実施したところ、次のことが分かった。

　ア　京都に行ったことがある留学生は62人おり、そのうち京都のみに行ったことがある留学生は10人だった。

　イ　奈良に行ったことがある留学生は66人おり、そのうち奈良のみに行ったことがある留学生は12人だった。

　ウ　大阪に行ったことがある留学生は62人おり、そのうち大阪のみに行ったことがある留学生は2人だった。

　エ　3つの都市いずれにも行ったことがない留学生は6人だった。

　以上から判断して、確実にいえるのはどれか。

1　京都と奈良の両方に行ったことがある留学生は34人だった。

2　京都と大阪の両方に行ったことがある留学生は40人だった。

3　奈良と大阪の両方に行ったことがある留学生は44人だった。

4　京都、奈良、大阪のうち2つの都市のみに行ったことがある留学生は48人だった。

5　京都、奈良、大阪の3つの都市全てに行ったことがある留学生は28人だった。

解説

キャロル表を利用して検討していく。まず、条件ア～エで示されている人数をキャロル表に記入する。このとき、京都に行ったことがない留学生38人、奈良に行ったことがない留学生34人も記入しておく（表Ⅰ）。ここで、京都にも奈良にも行ったことがない留学生は8人だから、京都に行ったことがあるが奈良に行ったことがない留学生は26人、京都と大阪に行ったことがあるが奈良には行ったことがない留学生は16人である。そうすると、大阪に行ったことがある留学生62人のうち、奈良に行ったことがない留学生は18人なので、奈良と大阪の両方に行ったことがある留学生は44人であると決定する（表Ⅱ）。

　この段階で正答は判明するが、このキャロル表を完成させると表Ⅲとなり、この表Ⅲより、**1**、**2**、**4**、**5**は誤りであることが確認できる。

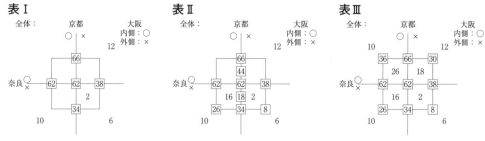

表Ⅰ　　　　　　　　表Ⅱ　　　　　　　　表Ⅲ

よって、正答は**3**である。

正答　**3**

あるボランティアサークルのA〜Fの6人のメンバーについて、次のことが分かっているとき、確実にいえるのはどれか。

　ア　このボランティアサークルへの加入年数は、2人が1年目、1人が2年目、3人が3年目である。

　イ　年齢層は、20歳代と30歳代が2人ずつ、40歳代と50歳代が1人ずつであり、3人が運転免許を持っている。

　ウ　加入年数が3年目のメンバーは、3人とも年齢層が異なる。

　エ　Aは運転免許を持ち、Bよりも高い年齢層に属し、加入年数も長い。

　オ　C、Dは加入年数が3年目で、DはBよりも高い年齢層に属している。

　カ　Eは40歳代で運転免許を持たず、Dよりも高い年齢層に属している。

　キ　Fは加入年数が1年目で運転免許を持たず、Dよりも高い年齢層に属している。

1 加入年数が2年目のメンバーは、運転免許を持っている。

2 加入年数が3年目のメンバーのうちの1人は、50歳代である。

3 運転免許を持つメンバーのうちの2人は、20歳代である。

4 Cは、運転免許を持っていない。

5 Eは、加入年数が1年目である。

解説

Aは運転免許を持っており、Bよりも高い年齢層に属し、加入年数も長い。ここから、Aは20歳代ではなく、Bは50歳代ではない。そして、Aは1年目ではなく、Bは3年目ではない。C、Dは加入年数が3年目で、DはBよりも高い年齢層に属している。これにより、Dは20歳代ではない。ここまでをまとめると、表Ⅰとなる。

　次に、Eは40歳代で運転免許を持たず、Dよりも高い年齢層に属しているので、Dは30歳代と決まる（Bは20歳代）。また、Fは加入年数が1年目で運転免許を持たず、Dよりも高い年齢層に属しているので、Fは50歳代である。これにより、Cは20歳代、Aは30歳代であることも判明する。そして、加入年数が3年目のメンバーは、3人とも年齢層が異なるので、C、D以外のもう1人はEである。この結果、Aは2年目、Bは1年目となる。ただし、運転免許を持っているA以外の2人については、B、C、Dのうちの2人であることまでしか判断できない。ここまでで、表Ⅱのようになる。

表Ⅰ

	加入年数			年齢層				運転免許
	1年目	2年目	3年目	20歳代	30歳代	40歳代	50歳代	
	2人	1人	3人	2人	2人	1人	1人	3人
A	×			×				○
B			×				×	
C	×	×	○					
D	×	×	○	×				
E								
F								

表Ⅱ

	加入年数			年齢層				運転免許
	1年目	2年目	3年目	20歳代	30歳代	40歳代	50歳代	
	2人	1人	3人	2人	2人	1人	1人	3人
A	×	○	×	×	○	×	×	○
B	○	×	×	○	×	×	×	
C	×	×	○	○	×	×	×	
D	×	×	○	×	○	×	×	
E	×	×	○	×	×	○	×	×
F	○	×	×	×	×	×	○	×

　よって、正答は**1**である。

正答　**1**

文章理解

判断推理

数的処理

資料解釈

空間把握

文化

倫理・哲学

A～Fの6チームが、次の図のようなトーナメント戦でソフトボールの試合を行い、2回戦で負けたチーム同士で3位決定戦を、1回戦で負けたチーム同士で5位決定戦を行った。今、次のア～エのことが分かっているとき、確実にいえるのはどれか。ただし、図の太線は、勝ち進んだ結果を表すものとする。

　ア　Bは、0勝2敗であった。　　イ　Cは、Cにとって2試合目にEと対戦した。
　ウ　Dは、Eに負けて1勝1敗であった。　　エ　Fは、1勝2敗であった。

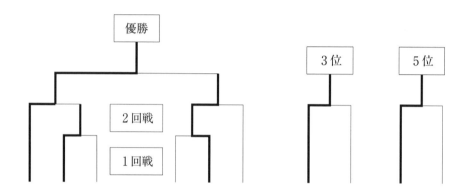

1　Aは、6位であった。　　**2**　Bは、5位であった。　　**3**　Cは、4位であった。

4　Dは、3位であった。　　**5**　Eは、2位であった。

解説

　まず、Bは0勝2敗なので、1回戦で負け、5位決定戦でも負けである。Fは1勝2敗なので、1回戦に勝って2回戦で負け、3位決定戦で負け、ということになる。ここまでが図Ⅰである。
　次に、DはEに負けて1勝1敗なので、1回戦でEに負け、5位決定戦でBに勝っている。Cは、Cにとって2試合目にEと対戦しているので、2回戦でFに勝ち、決勝戦でEに勝って優勝している。そして、2回戦でEに負けたのがA（3位決定戦で勝ち）となり、図Ⅱのように決定する。この図Ⅱより、正答は**5**である。

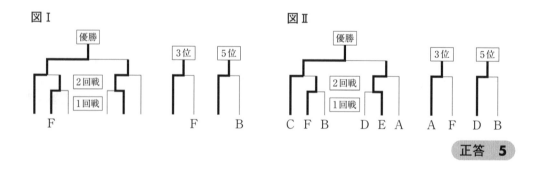

正答　**5**

ある暗号で「えちご」が「4・1・5、7・2・10、（5・2・5）」、「こうずけ」が「10・1・10、3・1・5、（3・3・5）、9・1・10」で表されるとき、同じ暗号の法則で「1・2・5、（3・2・10）、1・2・10」と表されるのはどれか。

1 「むさし」

2 「かずさ」

3 「さがみ」

4 「いずも」

5 「さつま」

解説

　まず、平文が「えちご」「こうずけ」と仮名なので、仮名を暗号化したと考えてよさそうである。暗号文との文字数も一致している（仮名1文字に3数字が対応）。また、（　）は濁音である。

　次に、わかりやすい部分から考えることにして、う＝3・1・5、え＝4・1・5、ご→こ＝5・2・5、ず→す＝3・3・5について、表Ⅰのようにまとめてみる。これについては、左端の数が50音表の段を表し、中央と右端の数の積が行（あ行＝5、か行＝10、さ行＝15）とすればよい。

　そして、け＝9・1・10、こ＝10・1・10、ち＝7・2・10の場合、「右端の数が10のときは、左端の数－5」とすればよい（表Ⅱ）。ここから「1・2・5、（3・2・10）、1・2・10」を考えると、1・2・5＝かであり、2文字目は濁音となるので、該当するのは**2**の「かずさ」となるが、（3・2・10）、1・2・10をどう解釈するかである。ここでは、左端の数が5以下の場合、行を示す中央と右端の数については、「中央の数×右端の数－5」とすれば、矛盾は生じない（表Ⅲ）。例の部分で使われていないので問題であるが、仕方のないところである。

　よって、正答は**2**である。

表Ⅰ

5		10		15	
あ		か		さ	
い		き		し	
う	3・1・5	く		す	3・3・5
え	4・1・5	け		せ	
お		こ	5・2・5	そ	

表Ⅱ

10		15		20	
か		さ		た	
き		し		ち	7・2・10
く		す		つ	
け	9・1・10	せ		て	
こ	10・1・10	そ		と	

表Ⅲ

15	
さ	1・2・10
し	
す	3・2・10
せ	
そ	

正答　**2**

4人の大学生A～Dが、英語、中国語、ドイツ語、フランス語の4つの選択科目のうちから2科目を選択している。今、次のア～オのことが分かっているとき、確実にいえるのはどれか。

ア A、C、Dは、同じ科目を1つ選択しているが、もう1つの科目はそれぞれ異なっている。

イ 英語とフランス語を両方選択している人はいない。

ウ BとDは、同じ科目を1つ選択しているが、その科目はBが選択している英語以外である。

エ Aの選択した2科目のうち、1科目はBと同じであり、もう1科目はCと同じであるが、ドイツ語は選択していない。

オ 3人が選択した同じ科目は1つであるが、4人が選択した同じ科目はない。

1 Aは英語、Bは中国語、Dはドイツ語を選択している。

2 Aはフランス語、Bはドイツ語、Cは中国語を選択している。

3 Aは中国語とフランス語、Cは中国語とドイツ語を選択している。

4 Bはドイツ語、Cはフランス語、Dは中国語を選択している。

5 Bはフランス語、Cはドイツ語、Dは中国語を選択している。

解説

まず、条件イ、ウをまとめると、表Ⅰとなる。次に条件アを考える。A、C、Dが選択している同じ科目は、中国語、または、フランス語である。同じ科目がフランス語である場合、英語とフランス語を両方選択している者はいないので、A、C、Dが選択しているもう1つの科目はそれぞれ異なっている、という条件を満たすことができない（表Ⅱ）。A、C、Dが選択している同じ科目が中国語である場合、Bが選択しているもう1科目はドイツ語となる。ここから、Aが選択しているもう1科目（Bと同じ）は英語、Dが選択しているもう1科目（Bと同じ）はドイツ語であり、Cが選択しているもう1科目はフランス語と決まる（表Ⅲ）。この表Ⅲより、正答は**4**である。

表Ⅰ

	英語	中国語	ドイツ語	フランス語
A			×	
B	○			×
C				
D	×			

表Ⅱ

	英語	中国語	ドイツ語	フランス語
A	×		×	○
B	○			×
C	×			○
D	×			○

表Ⅲ

	英語	中国語	ドイツ語	フランス語
A	○	○	×	×
B	○	×	○	×
C	×	○	×	○
D	×	○	○	×

正答 **4**

東京都・特別区

No. 32

教養試験
判断推理

順序関係

区

令和 5 年度

区民マラソンにA～Fの6人の選手が参加した。ある時点において、DはCより上位で、かつ、AとBの間にいて、AはCとEの間にいて、Fに次いでEがいた。この時点での順位とゴールでの着順との比較について、次のア～カのことが分かっているとき、ゴールでの着順が1位の選手は誰か。

ア　Aは、2つ順位を上げた。

イ　Bは、3つ順位を下げた。

ウ　Cは、1つ順位を上げた。

エ　Dは、同じ順位のままだった。

オ　Eは、2つ順位を下げた。

カ　Fは、2つ順位を上げた。

1　A

2　C

3　D

4　E

5　F

解　説

まず、「ある時点」での順位から考える。条件アより、Aは3位以下である。また、条件イより、Bは3位以上となる。Dは、自分より上位に1人以上、自分より下位にCを含む2人以上がいるので、2～4位である。Fは、条件カより、3位以下であり、EはFの次であるが、条件オより4位以上なので、Eは4位と決まる（Fは3位）。CはDより下位なので、3位以下である。この結果、「ある時点」での1位はB、2位はDである。AはCとEの間にいて、Eが4位なので、Aは5位、Cが6位である。ここからゴールでの着順を考えると、1位＝F、2位＝D、3位＝A、4位＝B、5位＝C、6位＝Eとなり、正答は**5**である。

	1	2	3	4	5	6
ある時点	B	D	F	E	A	C
ゴール	F	D	A	B	C	E

正答　**5**

文章理解　判断推理　数的処理　資料解釈　空間把握　文化　倫理・哲学

次の図のように、道路に面して①〜⑧の家が並んでおり、A〜Hの8人がそれぞれ1人住んでいる。今、次のア〜カのことが分かっているとき、確実にいえるのはどれか。ただし、各家の玄関は、道路に面して1つであり、敷地の角に向いていないものとする。

　ア　Aの家は、2つの道路に面している。
　イ　BとEの家は、道路を挟んだ真向かいにある。
　ウ　CとEの家は隣接しており、CとHの家は道路を挟んだ真向かいにある。
　エ　Dの家の玄関の向く方向に家はない。
　オ　Fの家の玄関は、Eの家を向いている。
　カ　Gの家に隣接する家の玄関は、Bの家を向いている。

1 AとGの家は、隣接している。
2 BとDの家は、隣接している。
3 FとHの家は、隣接している。
4 Aの家は、③の家である。
5 Bの家は、⑤の家である。

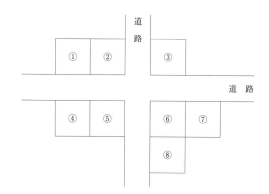

解 説

　まず、条件ア、オ、イより、②、③、⑤、⑥に住んでいるのは、A、B、E、Fである。そして、条件ウ（後半）より、①、④に住んでいるのはC、Hになる。

　また、⑦、⑧に住んでいるのはD、Gである。ここで、条件ウ（前半）を考えると、図Ⅰ〜図Ⅳの4通りとなる。しかし、図Ⅰ、図Ⅲでは条件カを満たせず、成り立つのは図Ⅱ、図Ⅳの2通りである。D、Gに関しては⑦、⑧のどちらであるか、確定することはできないが、AとGの家が隣接していることは確実である。

　よって、正答は**1**である。

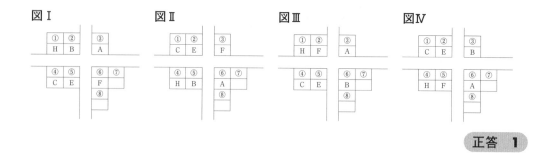

正答 **1**

ある会場で行われたボクシングの試合の観客1,221人に、応援する選手及び同行者の有無について調査した。今、次のA～Dのことが分かっているとき、同行者と応援に来た観客の人数はどれか。ただし、会場の観客席には、指定席と自由席しかないものとする。

A　観客はチャンピオン又は挑戦者のどちらかの応援に来ており、挑戦者の応援に来た観客は246人だった。

B　チャンピオンの応援に来た自由席の観客は402人で、挑戦者の応援に来た指定席の観客より258人多かった。

C　チャンピオンの応援にひとりで来た指定席の観客は63人で、挑戦者の応援に同行者と来た自由席の観客より27人少なかった。

D　チャンピオンの応援に同行者と来た自由席の観客は357人で、挑戦者の応援に同行者と来た指定席の観客より231人多かった。

1　867人
2　957人
3　993人
4　1,083人
5　1,146人

解説

キャロル表を利用して検討していく。まず、A～Dで示されている数値を表に記入する。挑戦者の応援に来た観客は246人なので、チャンピオンの応援に来た観客は975人である。ここまでで表Ⅰとなる。ここで、チャンピオンの応援に来た指定席の観客は573人（＝975－402）であるから、チャンピオンの応援に同行者と来た指定席の観客は510人（＝573－63）である。したがって、同行者と応援に来た観客は、510＋126＋357＋90＝1083より、1,083人であり、正答は**4**である（表Ⅱ）。

表Ⅰ

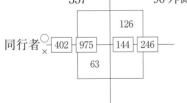

表Ⅱ

正答　4

文章理解

判断推理

数的処理

資料解釈

空間把握

文化

倫理・哲学

あるリゾートホテルの宿泊客400人について，早朝ヨガ，ハイキング，ナイトサファリの3つのオプショナルツアーへの参加状況について調べたところ，次のことが分かった。

A　早朝ヨガに参加していない宿泊客の人数は262人であった。

B　2つ以上のオプショナルツアーに参加した宿泊客のうち，少なくとも早朝ヨガとハイキングの両方に参加した宿泊客の人数は30人であり，少なくとも早朝ヨガとナイトサファリの両方に参加した宿泊客の人数は34人であった。

C　ナイトサファリだけに参加した宿泊客の人数は36人であった。

D　ハイキングだけに参加した宿泊客の人数は，ハイキングとナイトサファリの2つだけに参加した宿泊客の人数の5倍であった。

E　3つのオプショナルツアー全てに参加した宿泊客の人数は16人であり，3つのオプショナルツアーのいずれにも参加していない宿泊客の人数は166人であった。

以上から判断して，早朝ヨガだけに参加した宿泊客の人数として，正しいのはどれか。

1　70人
2　75人
3　80人
4　85人
5　90人

解説 ━━━━━━━━━━━━━━━━━━━━━━━━━━

キャロル表を利用して解けばよい。

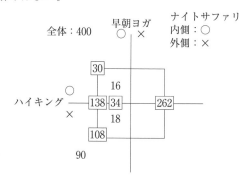

ただし，条件A，B，およびEの前半があれば十分で，それ以外の条件は不要である。早朝ヨガに参加していない宿泊客の人数は262人なので，早朝ヨガに参加した宿泊客の人数は138人である。これと，条件B，および条件Eの前半の人数をキャロル表に記入する。そうすると，早朝ヨガに参加したがハイキングに参加していない宿泊客の人数は108人，早朝ヨガとナイトサファリの2つだけに参加した宿泊客の人数は18人と判明する。ここから，早朝ヨガだけに参加した宿泊客の人数は90人と決まり，正答は**5**である。

正答　**5**

下の図のように，縦方向と横方向に平行な道路が，土地を直角に区画しているとき，最短ルートで，地点Aから地点Xを通って地点Bまで行く経路は何通りあるか。

1 48通り
2 49通り
3 50通り
4 51通り
5 52通り

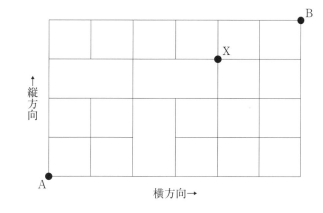

縦方向↑

横方向→

| 文章理解 |
| 判断推理 |
| 数的処理 |
| 資料解釈 |
| 空間把握 |
| 文化 |
| 倫理・哲学 |

解説

地点Aから地点Xを通って地点Bまで行く最短経路なので，必要な部分だけを取り出すと，図のようになる。

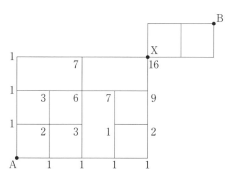

　地点Aから地点Xまでの最短経路は，地点Aから各交点までの経路数を順次加算していけばよい。そうすると，図に示すように16通りとなる。地点Xから地点Bまでの最短経路は，3本ある縦方向のどれを利用するかで3通りある。したがって，地点Aから地点Xを通って地点Bまで行く最短経路は，16×3＝48より，48通りであり，正答は**1**である。

正答　**1**

水が満たされている容量18リットルの容器と，容量11リットル及び容量 7 リットルの空の容器がそれぞれ一つずつある。三つの容器の間で水を順次移し替え，容量18リットルの容器と容量11リットルの容器とへ，水をちょうど 9 リットルずつ分けた。各容器は容量分の水しか計れず，一つの容器から別の容器に水を移し替えることを 1 回と数えるとき，水をちょうど 9 リットルずつに分けるのに必要な移し替えの最少の回数として，正しいのはどれか。

1　15回
2　16回
3　17回
4　18回
5　19回

解説

図 I を利用するとよい。最初に11リットル容器に11リットル移す場合，図 II のようになり，グラフは真上，右斜め下，左の 3 方向に動く。

　①11リットルの容器に11リットル移す，②11リットルの容器から 7 リットル容器に 7 リットル移す，③ 7 リットルの容器から18リットルの容器に 7 リットル移す，④11リットルの容器に残っている 4 リットルを 7 リットルの容器に移す，……，という手順である。ポイントは，同一座標に 2 回到達してはいけない（無駄な手順となる）ということである。最初に11リットルの容器に移すことから始めると，移し替えの回数は17回となる。最初に 7 リットルの容器に移すことから始めた場合，グラフは右，左斜め上，真下の 3 方向に動き，必要な手順は18回である（図 III）。

図 I

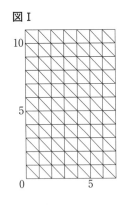

図 II

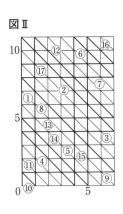

図 III

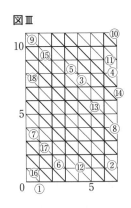

　したがって，水をちょうど 9 リットルずつに分けるのに必要な移し替えの最少の回数は17回であり，正答は **3** である。

正答　**3**

A～Hの8チームが, 次の図のようなトーナメント戦で野球の試合を行った。今, 次のア～オのことが分かっているとき, 確実にいえるのはどれか。ただし, 引き分けた試合はなかった。

ア 1回戦でBチームに勝ったチームは, 優勝した。
イ 1回戦でAチームに勝ったチームは, 2回戦でCチームに勝った。
ウ 1回戦でGチームに勝ったチームは, 2回戦でFチームに負けた。
エ Dチームは, Fチームに負けた。
オ Eチームは, 全部で2回の試合を行った。

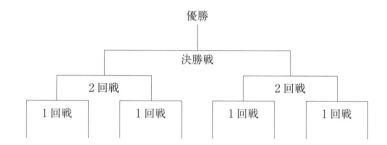

1 Aチームは, Dチームと対戦した。
2 Bチームは, Hチームと対戦した。
3 Cチームは, Gチームと対戦した。
4 Dチームは, Eチームと対戦した。
5 Fチームは, Hチームと対戦した。

解説

まず, 条件ア, イについて, 表Ⅰのように表してみる。
次に条件ウを考える。1回戦でGチームに勝ったチームをCチームとすると, 表Ⅱとなる。

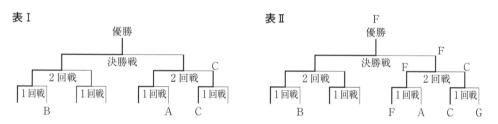

しかし, この場合, Dチームは決勝戦でFチームに負けることとなってしまい, 条件アと矛盾する。1回戦でAチームに勝ったのがDチーム, 優勝したのがFチームとすると, 表Ⅲのようになり, すべての条件を満たすことになる。

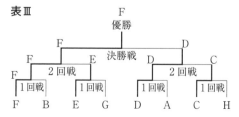

よって, 正答は**1**である。

正答 1

ある暗号で「oboe」が「Cドミ D ソソ C レファ G ララ」，「flute」が「A ララ G ドレ B レファ A ファラ G シシ」，「harp」が「C ミファ C ファファ F ミソ D ラド」で表されるとき，同じ暗号の法則で「A ラド D ドレ A ミファ D ソシ C ララ B ドレ D ミファ」と表されるのはどれか。

1 「piccolo」
2 「bassoon」
3 「trumpet」
4 「timpani」
5 「cymbals」

解説

「oboe」が「C ドミ D ソソ C レファ G ララ」であることから，o＝C ドミ，b＝D ソソのように，アルファベット小文字 1 文字にアルファベット大文字 1 文字と音階 2 文字が対応していると考えられる。「flute」が「A ララ G ドレ B レファ A ファラ G シシ」，「harp」が「C ミファ C ファファ F ミソ D ラド」までを含めてまとめると，表Ⅰのようになる。

この表Ⅰから，アルファベット大文字は，「C，D，E，F，G，A，B」の順で循環していると考えてよさそうである。音階のほうは，同じ o でもドミ，レファとなっており，e もララ，シシとなっていて文字による関連性が見られない。ここでは，1 巡目の C 〜 B（a 〜 g）はドド，レレのように同文字，2 巡目の C 〜 B（h 〜 n）はドレ，ミファのように 1 文字のずれ，3 巡目の C 〜 B（o 〜 u）はドミ，ソシのように 2 文字のずれ，となっている（v 〜 z に関しては厳密には不明）。これにより，A ラドは 3 巡目の A なので t，D ドレは 2 巡目の D なので i となり，この段階で「timpani」と確定する。一応確認すると，A ミファ＝m，D ソシ＝p，C ララ＝a，B ドレ＝n，D ミファ＝i となる。ここまでをまとめたのが表Ⅱである。

表Ⅰ

a	b	c	d	e	f	g
C	D			G	A	
ファファ	ソソ		ララ	ララ		
			シシ			
h	**i**	**j**	**k**	**l**	**m**	**n**
C			G			
ミファ			ドレ			
o	**p**	**q**	**r**	**s**	**t**	**u**
C	D		F		A	B
ドミ	ラド		ミソ		ファラ	レファ
レファ						
v	**w**	**x**	**y**	**z**		

表Ⅱ

a	b	c	d	e	f	g
C	D	E	F	G	A	B
ファファ	ソソ		ララ	ララ		
ララ			シシ			
h	**i**	**j**	**k**	**l**	**m**	**n**
C	D	E	F	G	A	B
ミファ	ドレ		ドレ	ミファ	ドレ	
	ミファ					
o	**p**	**q**	**r**	**s**	**t**	**u**
C	D	E	F	G	A	B
ドミ	ラド		ミソ		ファラ	レファ
レファ	ソシ				ラド	
v	**w**	**x**	**y**	**z**		
C	D	E	F	G		

よって，正答は**4**である。

正答 **4**

A〜Eは，それぞれ商品を売っており，5人の間で商品を売買した。全員が2人以上の者に商品を売り，同じ人から2品以上買う人はいなかった。また，5人とも，売った金額も買った金額も500円であり，収支はゼロだった。次のア〜キのことが分かっているとき，確実にいえるのはどれか。ただし，商品の価格は全て100円単位で端数がないものとする。

ア　Cは，AとEそれぞれに100円の商品を売った。
イ　Bは，Dに200円の商品を売った。
ウ　Bが商品を売った相手は，2人だった。
エ　Eは，Bに100円の商品を売った。
オ　Dは，Aから300円の商品を買った。
カ　Dは，他の全員に商品を売った。
キ　400円の商品と100円の商品の2品だけを売った人は，1人だけだった。

1 Bは，Aに商品を売らなかった。
2 Cは，Bに200円の商品を売った。
3 Dは，Aに100円の商品を売った。
4 Dは，Eに100円の商品を売った。
5 Eは，Cに商品を売らなかった。

解 説

まず，条件ア「Cは，AとEそれぞれに100円の商品を売った」を表Iのように表してみる。これに条件イ，エ，オを加えると表IIとなる。

表I

	A	B	C	D	E
A					
B					
C	¥100				¥100
D					
E					

表II

	A	B	C	D	E
A				¥300	
B				¥200	
C	¥100				¥100
D					
E		¥100			

この表IIから，DはAから300円の商品を買い，Bから200円の商品を買って計500円となっているので，CとEからは買っていない。したがって，CはBに300円の商品を売っている。400円の商品と100円の商品の2品だけを売ったのは1人だけで，これはE以外にない。そして，DはAに商品を売っているので，Eが400円の商品を売った相手はCである。そうすると，DがCに売った商品は100円ということになり，A，BはCに商品を売っていない。そして，DがBに売った商品は100円で，これにより，AはBに商品を売っておらず，AはEに200円の商品を売っている。BはDに200円の商品を売っているので，他の1人に300円の商品を売っているが，これはEではないのでAである。この結果，DがAに売ったのは100円の商品，Eに売ったのは200円の商品ということになり，表IIIのように確定する。

表III

	A	B	C	D	E
A		×	×	¥300	¥200
B	¥300		×	¥200	×
C	¥100	¥300		×	¥100
D	¥100	¥100	¥100		¥200
E	×	¥100	¥400	×	

よって，正答は**3**である。

正答 **3**

A〜Eの5人が，音楽コンクールで1位〜5位になった。誰がどの順位だったかについて，A〜Eの5人に話を聞いたところ，次のような返事があった。このとき，A〜Eの5人の発言内容は，いずれも半分が本当で，半分は誤りであるとすると，確実にいえるのはどれか。ただし，同順位はなかった。

A　「Cが1位で，Bが2位だった。」
B　「Eが3位で，Cが4位だった。」
C　「Aが4位で，Dが5位だった。」
D　「Cが1位で，Eが3位だった。」
E　「Bが2位で，Dが5位だった。」

1　Aが，1位だった。
2　Bが，1位だった。
3　Cが，1位だった。
4　Dが，1位だった。
5　Eが，1位だった。

解説

A〜Eの発言は，前半，後半のうち，一方は正しく他方は誤りということである。したがって，前半または後半の一方を正しいと仮定してみればよい。表Iのように，Aの発言の前半「Cが1位」を正しいと仮定すると，後半の「Bが2位」は誤りとなる。

ここから，Dの発言の前半は正しく，後半の「Eが3位」は誤りとなる。ところが，Cは1位なので，Bの発言の後半「Cが4位」は誤りで，前半の「Eが3位」は正しいことになり，Dの発言と矛盾する。そこで，Aの発言の前半を誤り，後半を正しいとすると，「Bは2位」である。Dの発言も前半が誤りとなるので，後半は正しく，「Eは3位」である。Eの発言から「Dが5位」は誤りなので，Cの発言から「Aは4位」となる（表II）。

表I

A	Cが1位	○	×	Bが2位
B	Eが3位	○	×	Cが4位
C	Aが4位	×	○	Dが5位
D	Cが1位	○	×	Eが3位
E	Bが2位	×	○	Dが5位

表II

A	Cが1位	×	○	Bが2位
B	Eが3位	○	×	Cが4位
C	Aが4位	○	×	Dが5位
D	Cが1位	×	○	Eが3位
E	Bが2位	○	×	Dが5位

B＝2位，E＝3位，A＝4位が決まり，「Dが5位」は誤りなので，D＝1位，C＝5位のように確定する（表III）。

表III

1位	2位	3位	4位	5位
D	B	E	A	C

よって，正答は**4**である。

正答　**4**

あるテストでは，問1～問8の8問が出題され，各問は選択肢「ア」，「イ」のいずれかを選択して解答することとされている。また，問ごとに，「ア」，「イ」は，一方は正解で，もう一方は不正解の選択肢となっている。A～Dの4人がこのテストを受験し，それぞれの解答と正解数は，次の表のとおりだった。このとき，Cの正解数はどれか。

1 2
2 3
3 4
4 5
5 6

	問1	問2	問3	問4	問5	問6	問7	問8	正解数
A	ア	ア	イ	イ	イ	ア	ア	イ	6
B	ア	イ	イ	イ	ア	ア	ア	イ	4
C	イ	ア	ア	ア	ア	イ	イ	ア	
D	イ	イ	ア	イ	ア	イ	ア	イ	5

解説

正解数が最も多いAと2番目に多いDとで考えてみると，問4，問7，問8で解答が一致している。解答が一致していない5問ではどちらかが正解しているので，その5問で2人の正解数は5である。2人の正解数の合計は11なので，回答が一致している問4，問7，問8が正解していないと，正解数の合計が11とならない。したがって，問4の正解はイ，問7の正解はア，問8の正解はイである。

次に，AとBで考える。AとBでは，問1，問3，問4，問6，問7，問8で解答が一致している。問4，問7，問8は正解なので，2人の正解数は6，解答が一致しない問2，問5はどちらかが正解なので，ここまでで正解数は8となる。2人の正解数の合計は10なので，問1，問3，問6のうちの1問を正解していることになる。問1が正解である場合，Bは問2，問3，問5，問6が不正解で，結果は表Ⅰのようになり，Cの正解数は3である。問3が正解である場合は表Ⅱ，問6が正解である場合は表Ⅲとなり，Cの正解数はいずれも3である。

表Ⅰ

	問1	問2	問3	問4	問5	問6	問7	問8	正解数
A	ア	ア	イ	イ	イ	ア	ア	イ	6
B	ア	イ	イ	イ	ア	ア	ア	イ	4
C	イ	ア	ア	ア	ア	イ	イ	ア	3
D	イ	イ	ア	イ	ア	イ	ア	イ	5
正解	ア	ア	ア	イ	イ	ア	ア	イ	

表Ⅱ

	問1	問2	問3	問4	問5	問6	問7	問8	正解数
A	ア	ア	イ	イ	イ	ア	ア	イ	6
B	ア	イ	イ	イ	ア	ア	ア	イ	4
C	イ	ア	ア	ア	ア	イ	イ	ア	3
D	イ	イ	ア	イ	ア	イ	ア	イ	5
正解	イ	ア	イ	イ	イ	ア	ア	イ	

表Ⅲ

	問1	問2	問3	問4	問5	問6	問7	問8	正解数
A	ア	ア	イ	イ	イ	ア	ア	イ	6
B	ア	イ	イ	イ	ア	ア	ア	イ	4
C	イ	ア	ア	ア	ア	イ	イ	ア	3
D	イ	イ	ア	イ	ア	イ	ア	イ	5
正解	イ	ア	ア	イ	イ	ア	ア	イ	

よって，正答は**2**である。

正答　**2**

文章理解
判断推理
数的処理
資料解釈
空間把握
文化
倫理・哲学

ある地域における，区役所，図書館，警察署，税務署，駅，学校の 6 つの施設の位置関係について，次のア〜オのことが分かっているとき，確実にいえるのはどれか。

　ア　区役所は，図書館の真西で駅の真南に位置する。

　イ　税務署は，警察署の真西で図書館の真南に位置する。

　ウ　学校は，図書館の真東に位置する。

　エ　図書館から警察署までの距離は，図書館から区役所までの距離より短い。

　オ　学校から図書館までの距離と，警察署から税務署までの距離，駅から区役所までの距離は，それぞれ同じである。

1　区役所から図書館までの距離は，区役所から税務署までの距離より長い。

2　区役所から一番遠くにある施設は，税務署である。

3　区役所から図書館までの距離は，税務署から警察署までの距離の1.4倍より長い。

4　図書館から一番遠くにある施設は，駅である。

5　図書館から一番近くにある施設は，税務署である。

解説 ●━━━━━━━━━━━━━━━━━━━━━━━━━━━━━━

条件ア〜ウから，各施設の方位についての関係はすべて決まる。次に，条件エ，オより，図書館−税務署，学校−警察署の距離をそれぞれ 2，学校−図書館，警察署−税務署，駅−区役所の距離を 3，区役所−図書館の距離を 4 としてみる。これは，図書館−警察署の距離が$\sqrt{13}$となり，$\sqrt{13}<4=\sqrt{16}$より，「図書館から警察署までの距離は，図書館から区役所までの距離より近い」という条件を満たす。このとき，駅−図書館の距離は 5 となり，駅は図書館から最も遠い施設となる。

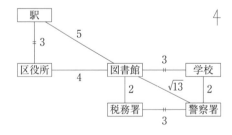

　よって，正答は **4** である。

正答　**4**

ある小学校の児童Aが夏休みに15日間かけて終えた宿題について調べたところ，次のことが分かった。

ア　児童Aは，国語，算数，理科，社会，図画工作の五つの異なる科目の宿題をした。

イ　宿題を終えるのに要した日数は，科目によって，1日のみ，連続した2日間，連続した3日間，連続した4日間，連続した5日間とそれぞれ異なっていた。

ウ　科目ごとに順次，宿題を終えたが，同じ日に二つ以上の科目の宿題はしなかった。

エ　4日目と5日目には理科，10日目には算数，13日目には国語の宿題をした。

オ　3番目にした宿題の科目は，1日のみで終えた。

カ　2番目にした宿題の科目は，社会であった。

キ　連続した4日間で終えた宿題の科目は，国語でも社会でもなかった。

以上から判断して，児童Aが連続した3日間で終えた宿題の科目として，妥当なのはどれか。

1　国語
2　算数
3　理科
4　社会
5　図画工作

解 説

まず，条件エより表Iとなる。

表I

1	2	3	4	5	6	7	8	9	10	11	12	13	14	15
			理	理					算			国		

1日目～3日目に1日のみで終えた科目が入ることはない（条件オ）。また，3日で終える科目が入ると，2番目が理科となって条件カに反する。したがって，1日目～5日目までの5日間が理科である。2番目の社会は2日間または3日間である（条件オ，キ）。社会が3日間（6日目～8日目）だとすると，9日目の1日が図画工作となる。しかし，これだと算数および国語は，どちらも3日間ということになってしまう（条件キ）（表II）。

表II

1	2	3	4	5	6	7	8	9	10	11	12	13	14	15
理	理	理	理	理	社	社	社	図	算			国		

社会が2日間（6日目～7日目）だとすると，8日目の1日が図画工作となる。そして，9日目～12日目の4日間が算数，13日目～15日目の3日間が国語となって，すべての条件を満たす（表III）。

表III

1	2	3	4	5	6	7	8	9	10	11	12	13	14	15
理	理	理	理	理	社	社	図	算	算	算	算	国	国	国

以上から，3日間で終えた科目は国語である。

よって，正答は**1**である。

正答　**1**

A～Dの4チームが，野球の試合を総当たり戦で2回行った。今，2回の総当たり戦の結果について，次のア～オのことが分かっているとき，確実にいえるのはどれか。

　ア　AがCと対戦した結果は，2試合とも同じであった。
　イ　Bが勝った試合はなかった。
　ウ　Cが勝った試合は，4試合以上であった。
　エ　DがAに勝った試合はなかった。
　オ　各チームの引き分けた試合は，Aが2試合，Bが2試合，Cが1試合，Dが1試合であった。

1　Aが勝った試合は，1試合であった。
2　Bは，Cとの対戦で2試合とも負けた。
3　Cは，Dとの対戦で少なくとも1試合負けた。
4　Dが勝った試合は，3試合であった。
5　同じチームに2試合とも勝ったのは，2チーム以上であった。

解　説

まず，AとCの対戦を考えると，2試合とも同じ結果なので引分けではない。AがCに勝っているとすると，CはBまたはDと1試合引き分けるので，Cが4勝以上することができないことになる。したがって，AとCの対戦は，2試合ともCが勝っている。次に，Bが勝った試合はないので，BはCおよびDに少なくとも1試合ずつ負けている。そして，DがAに勝った試合はないので，DはAに少なくとも1試合は負けている。ここまでで表Iとなる。

表I

	A	B	C	D	勝	分	敗
A			× ×	○		2	
B			×	×	0	2	
C	○ ○	○				1	
D	×	○				1	

　ここで，引き分けた相手を考える。CとDが引き分けたとすると，AとBの対戦は2試合とも引分けで，表IIの結果となる。この場合，CとDのもう1試合は確定しない。

　CがBと引き分けたとすると，AはB，Dと1試合ずつ引き分けたことになる。この場合は表IIIのようになり，やはり，CとDのもう1試合は確定しない。

表II

	A	B	C	D	勝	分	敗
A		△ △	× ×	○ ○	2	2	2
B	△ △		× ×	× ×	0	2	4
C	○ ○	○ ○		△		1	
D	× ×	○ ○	△			1	

表III

	A	B	C	D	勝	分	敗
A		○ △	× ×	○ △	2	2	2
B	× △		× △	× ×	0	2	4
C	○ ○	○ △		○		1	
D	× △	○ ○	×			1	

　この表IIおよび表IIIより，確実にいえるのは「同じチームに2試合とも勝ったのは，2チーム以上であった」だけである。

　よって，正答は**5**である。

正答　**5**

文章理解

判断推理

数的処理

資料解釈

空間把握

文化

倫理・哲学

ある暗号で「DOG」が「○Be●H○N」,「JFK」が「◎Li○C◎Be」で表されるとき,同じ暗号の法則で「◎C●H○N●C●Be○B○H◎B」と表されるのはどれか。

1 「COMPUTER」

2 「HOSPITAL」

3 「MONTREAL」

4 「SOCRATES」

5 「SOFTBALL」

解説

この暗号では,アルファベット1文字に,丸記号およびアルファベット1文字または2文字が対応していると考えられる。D,O,G,J,F,Kについて,その対応を考えると,表Ⅰとなる。

このままではわかりにくいが,J＝◎Li,K＝◎Be,と連続しているLiとBeに注目すると,この順で連続しているのは,原子番号3のリチウム(Li),原子番号4のベリリウム(Be)である。そうすると,原子番号6の炭素(C),原子番号7の窒素(N)がそれぞれF,Gに対応していることも説明がつく。そして,DとKがどちらもBeであることから,原子番号1～7(表Ⅱ)を用いて,丸記号については,A～Gが○,H～Nが◎,O～Uが●,と考えられる。ただし,V～Zについては不明である(表Ⅲ)。

この表Ⅲより,「◎C●H○N●C●Be○B○H◎B」＝「MONTREAL」となる。

表Ⅰ

A			N		
B			O	●	H
C			P		
D	○	Be	Q		
E			R		
F	○	C	S		
G	○	N	T		
H			U		
I			V		
J	◎	Li	W		
K	◎	Be	X		
L			Y		
M			Z		

表Ⅱ

原子番号	元素記号	名
1	H	水素
2	He	ヘリウム
3	Li	リチウム
4	Be	ベリリウム
5	B	ホウ素
6	C	炭素
7	N	窒素

表Ⅲ

A	○	H	N	◎	N
B	○	He	O	●	H
C	○	Li	P	●	He
D	○	Be	Q	●	Li
E	○	B	R	●	Be
F	○	C	S	●	B
G	○	N	T	●	C
H	◎	H	U	●	N
I	◎	He	V		
J	◎	Li	W		
K	◎	Be	X		
L	◎	B	Y		
M	◎	C	Z		

よって,正答は**3**である。

正答 **3**

次の図のような3階建てのアパートがあり，A～Hの8人がそれぞれ異なる部屋に住んでいる。今，次のア～カのことが分かっているとき，確実にいえるのはどれか。

ア　Aが住んでいる部屋のすぐ下は空室で，Aが住んでいる部屋の隣にはHが住んでいる。
イ　Bが住んでいる部屋の両隣とすぐ下は，空室である。
ウ　Cが住んでいる部屋のすぐ上は空室で，その空室の隣にはFが住んでいる。
エ　DとFは同じ階の部屋に住んでいる。
オ　Fが住んでいる部屋のすぐ下には，Hが住んでいる。
カ　Gが住んでいる部屋の部屋番号の下一桁の数字は1である。

3 階	301号室	302号室	303号室	304号室	305号室
2 階	201号室	202号室	203号室	204号室	205号室
1 階	101号室	102号室	103号室	104号室	105号室

1 Aの部屋は201号室である。　　**2** Bの部屋は302号室である。
3 Cの部屋は103号室である。　　**4** Dの部屋は304号室である。
5 Eの部屋は105号室である。

 解　説

条件ア，ウ，オより図Ⅰ，条件イより図Ⅱとなる。

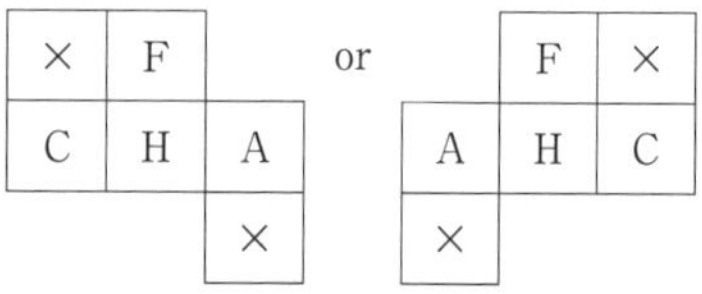

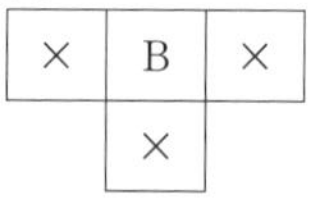

この図Ⅰ，図Ⅱより，図Ⅲ－1～図Ⅲ－4の4通りが考えられる。

図Ⅲ－1

301	302	303	304	305
×	F	×	B	×
201	202	203	204	205
C	H	A	×	
101	102	103	104	105
G		×		

図Ⅲ－2

301	302	303	304	305
×	B	×	F	×
201	202	203	204	205
	×	A	H	C
101	102	103	104	105
		×		

図Ⅲ－3

301	302	303	304	305
	F	×	B	×
201	202	203	204	205
A	H	C	×	
101	102	103	104	105
×				

図Ⅲ－4

301	302	303	304	305
×	B	×	F	D
201	202	203	204	205
	×	C	H	A
101	102	103	104	105
				×

このうち，図Ⅲ－1，図Ⅲ－2ではDをFと同じ3階とすることができない。また，図Ⅲ－3では，DとGが301号室で競合してしまうことになる。したがって，条件を満たすことが可能なのは図Ⅲ－4だけである。ただし，E，Gの部屋は確定できない。Eに関しては，そもそもまったく情報が与えられていない。

　よって，正答は**2**である。

正答　**2**

あるグループにおける花の好みについて，次のア～ウのことが分かっているとき，確実にいえるのはどれか。

　ア　アサガオが好きな人は，カーネーションとコスモスの両方が好きである。

　イ　カーネーションが好きではない人は，コスモスが好きである。

　ウ　コスモスが好きな人は，チューリップが好きではない。

1　アサガオが好きな人は，チューリップが好きである。

2　カーネーションかコスモスが好きな人は，アサガオが好きではない。

3　コスモスが好きな人は，アサガオが好きである。

4　コスモスが好きではない人は，チューリップが好きである。

5　チューリップが好きな人は，アサガオが好きではない。

解説

命題ア～ウを論理式で表すと次のようになる。

　ア：「アサガオ→(カーネーション∧コスモス)」

　イ：「カーネーション→コスモス」

　ウ：「コスモス→チューリップ」

　　命題アは分割可能なので，次のように分割しておく。

　ア$_1$：「アサガオ→カーネーション」

　ア$_2$：「アサガオ→コスモス」

　　この命題ア～ウの対偶は次のとおりである。

　エ：「(カーネーション∨コスモス)→アサガオ」

　オ：「コスモス→カーネーション」

　カ：「チューリップ→コスモス」

　エ$_1$：「カーネーション→アサガオ」

　エ$_2$：「コスモス→アサガオ」

　これらア～カにより，各選択肢を検討していけばよい。

1．アより，「アサガオ→(カーネーション∧コスモス)→」となるが，その先が推論できない。

2．「(カーネーション∨コスモス)→」となる命題が存在しないので，判断できない。

3．ウより，「コスモス→チューリップ→」であるが，その先が推論できない。

4．オより，「コスモス→カーネーション→」であるが，その先が推論できない。

5．正しい。カおよびエ$_2$より，「チューリップ→コスモス→アサガオ」となるので，「チューリップが好きな人は，アサガオが好きではない」は確実に推論できる。

　　よって，正答は**5**である。

正答　**5**

1から6の目が一つずつ書かれたサイコロを3回投げたとき、出た目の数の和が素数になる確率として、正しいのはどれか。ただし、サイコロの1から6の目が出る確率はそれぞれ等しいものとする。

1 $\dfrac{7}{24}$

2 $\dfrac{11}{36}$

3 $\dfrac{35}{108}$

4 $\dfrac{73}{216}$

5 $\dfrac{19}{54}$

解説

1から6の目が1つずつ書かれたサイコロを3回投げたとき、出た目の数の和は、3〜18のいずれかとなる。3〜18の中で、素数は3、5、7、11、13、17である。

出た目の数の和が3となるのは、(1、1、1)で、この1通りだけである。

出た目の数の和が5となるのは、(1、1、3)が3通り（何回目に3の目が出るか）、(1、2、2)がやはり3通りで、計6通りである。

出た目の数の和が7となるのは、(1、1、5)が3通り、(1、2、4)が6通り（異なる3個の順列）、(1、3、3)が3通り、(2、2、3)が3通りで、15通りある。

出た目の数の和が11となるのは、(1、4、6)が6通り、(1、5、5)が3通り、(2、3、6)が6通り、(2、4、5)が6通り、(3、3、5)が3通り、(3、4、4)が3通りで、27通りある。

出た目の数の和が13となるのは、(1、6、6)が3通り、(2、5、6)が6通り、(3、4、6)が6通り、(3、5、5)が3通り、(4、4、5)が3通りで、21通りある。

出た目の数の和が17となるのは、(5、6、6)で、3通りである。

以上から、出た目の和が素数となるのは、1＋6＋15＋27＋21＋3＝73で、73通りあることになる。サイコロを3回投げたとき、その目の出方は、$6^3＝216$より、216通りあるので、求める確率は、$\dfrac{73}{216}$となる。

よって、正答は**4**である。

正答　**4**

No. 50 数的処理　確　率　令和5年度

袋の中に、赤玉7個、青玉5個、白玉3個、黄玉2個、黒玉1個の18個の玉が入っており、この袋の中から無作為に4個の玉を同時に取り出すとき、白玉が2個以上含まれる確率として、正しいのはどれか。

1 $\dfrac{5}{51}$

2 $\dfrac{7}{68}$

3 $\dfrac{11}{102}$

4 $\dfrac{23}{204}$

5 $\dfrac{2}{17}$

解説

18個の玉を区別して、単純な順列として考えたほうがよい。つまり、18個の玉の中から4個の玉を取り出すと、$(18 \times 17 \times 16 \times 15)$ 通りある。この場合、4個の玉を同時に取り出しても、1個ずつ取り出しても確率的には同一である。このうち、白玉が2個となるのは、白玉以外の2個の取り出し方が、(15×14) 通り、白玉3個のうちの2個の取り出し方が3通り、その2個を取り出す順序について2通り、全体（4個）の中で何番目となるかで6通りあるので、$(15 \times 14 \times 3 \times 2 \times 6) = (15 \times 14 \times 6 \times 6)$ 通りある。白玉が3個となるのは、白玉以外の玉の取り出し方が15通り、白玉の取り出し方は $(3 \times 2 \times 1)$ 通り（3個とも取り出す）、白玉以外の玉が何番目に取り出されるかで4通りあるので、$(15 \times 3 \times 2 \times 1 \times 4) = (15 \times 6 \times 4)$ 通りとなる。

　ここから、求める確率は、

$$\frac{15 \times 14 \times 6 \times 6 + 15 \times 6 \times 4}{18 \times 17 \times 16 \times 15} = \frac{15 \times 6 \times (14 \times 6 + 4)}{18 \times 17 \times 16 \times 15} = \frac{15 \times 6 \times 88}{18 \times 17 \times 16 \times 15} = \frac{11}{3 \times 17 \times 2} = \frac{11}{102}$$

となり、正答は**3**である。

正答　**3**

文章理解

判断推理

数的処理

資料解釈

空間把握

文化

倫理・哲学

T大学のテニス部の練習が終わり、ボール全てをボール収納用のバッグに入れようとしたところ、次のことが分かった。

ア　全てのバッグにボールを40個ずつ入れるには、ボールが100個足りない。

イ　全てのバッグにボールを20個ずつ入れると、ボールは280個より多く残る。

ウ　半数のバッグにボールを40個ずつ入れ、残りのバッグにボールを20個ずつ入れてもボールは残り、その数は110個未満である。

　以上から判断して、ボールの個数として、正しいのはどれか。

1　700個

2　740個

3　780個

4　820個

5　860個

解説

バッグの個数を x とすると、すべてのバッグにボールを40個ずつ入れるには、ボールが100個足りないので、ボールの個数は、$(40x-100)$ 個である。ここで、「全てのバッグにボールを20個ずつ入れると、ボールは280個より多く残る」、「半数のバッグにボールを40個ずつ入れ、残りのバッグにボールを20個ずつ入れてもボールは残り、その数は110個未満である」ことから、次のような式が成り立つ。

$$20x+280<40x-100<40\times\frac{1}{2}x+20\times\frac{1}{2}x+110$$

　ここから、$20x+280<40x-100<30x+110$ となり、$380<20x$ より、$19<x$、$10x<210$ より、$x<21$ である。$19<x<21$ であるが、x は自然数なので、$x=20$ である。これにより、ボールの個数は、$40\times20-100=700$ より、700個となる。

　よって、正答は**1**である。

正答　**1**

東京都・特別区

教養試験

No.
52 数的処理

比、割合

都

令和 5 年度

物質 x と物質 y があり、物質 x の体積は物質 y の体積の 5 倍で、物質 x の密度は物質 y の密度の1.2倍であり、物質 x と物質 y の質量の合計が140kg であるとき、物質 y の質量として、正しいのはどれか。

1 15kg

2 20kg

3 25kg

4 30kg

5 35kg

解説

物質 x の体積は物質 y の体積の 5 倍で、物質 x の密度は物質 y の密度の1.2倍であるから、物質 x と物質 y の質量の比は、$x:y=(5×1.2):1=6:1$ である。物質 x と物質 y の質量の合計が140kg だから、$x:y=6:1=120:20$ となり、物質 Y の質量は20kg となる。

よって、正答は **2** である。

正答 **2**

下の図のように、∠ABC＝90°の直角三角形 ABC と辺 AB を直径とする円があり、辺 AC と円の交点を D とし、点 B を通り辺 AC と平行な直線と円の交点を E とする。点 A と点 E を結んだ線分 AE と辺 CB をそれぞれ延長した交点を F、点 D と点 E を結んだ線分 DE と辺 AB との交点を G とするとき、△BEF と△BEG の面積の比として、正しいのはどれか。ただし、線分 CD＝ 3 cm、点 B と点 D を結んだ線分 DB＝3√3 cm とする。

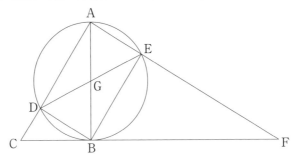

　　　　　△BEF ： △BEG
1　　　7　：　1
2　　　6　：　1
3　　　5　：　1
4　　　4　：　1
5　　　3　：　1

解説

AB は円の直径なので、∠ADB＝∠AEB＝90°である。△ABC は直角三角形で、直角の頂点から斜辺に垂線を引くと、元の直角三角形と内部にできる 2 個の直角三角形は相似となるので、△ABC ∽△ADB ∽△BDC である。

　　△BDC は直角三角形で、CD：BD＝3：3√3＝1：√3 だから、△ABC、△ADB、△BDC はいずれも「30、60、90」度型の直角三角形である。

　　また、△FBA、△BEA、△FEB も直角三角形だから、△FBA ∽△BEA ∽△FEB である。そして、AC∥BE、∠DAB＝30°より、∠ABE＝30°なので、△FBA、△BEA、△FEB も「30、60、90」度型の直角三角形である。つまり、△EBD ∽△FEB であり、BD：BE＝1：√3 より、△EBD：△FEB＝1²：(√3)²＝1：3 となる。さらに、∠ABD＝60°、∠ABE＝30°だから、∠DBE＝90°となり、DE は円の直径で、G は円の中心である。これにより、△BEG＝$\frac{1}{2}$△BED となるので、△BEF：△BEG＝3：$\frac{1}{2}$＝6：1 である。

　　よって、正答は**2**である。

正答　**2**

東京都・特別区

No. 54

教養試験
数的処理

三平方の定理

都
令和 5 年度

下の図のように、AB＝12cm、BC＝16cm の長方形 ABCD を、対角線 BD で折り、点 C の移った点を点 C' とし、辺 AD と辺 BC' の交点を点 P としたとき、線分 AP の長さとして、正しいのはどれか。

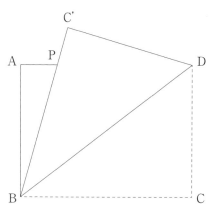

1 3 cm   **2** 3.5cm   **3** 4 cm   **4** $3\sqrt{3}$ cm   **5** 5 cm

解　説

図のように、辺 AD を補うと、∠ADB＝∠DBC（平行線の錯角は等しい）、∠DBC＝∠DBC'（折り返した角）より、∠ADB＝∠DBC' となる。したがって、△PBD は二等辺三角形であり、PB＝PD、AP＋PD＝AD＝16、AP＋BP＝16である。∠BAP＝90°なので、$AP^2＋AB^2＝BP^2$、AP＝x とすると、BP＝$(16-x)$ であるから、$x^2＋12^2＝(16-x)^2$、$x^2＋144＝256－32x＋x^2$、$32x＝112$、$x＝3.5$となり、AP＝3.5cm である。

　よって、正答は**2**である。

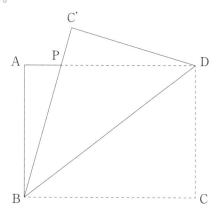

正答　**2**

A、B、Cは、1、2、3のいずれかの異なる数字であり、ある数を4進法で表すとABCAとなり、12進法で表すとCBAとなる。この数を5進法で表したものとして、正しいのはどれか。

1 AABC

2 ABBA

3 BBCA

4 CABC

5 CACA

解説

まず、10進法に変換する。

$ABCA_{(4)} = 4^3A + 4^2B + 4C + A = 64A + 16B + 4C + A = 65A + 16B + 4C$

$CBA_{(12)} = 12^2C + 12B + A = 144C + 12B + A$

である。

ここから、$65A + 16B + 4C = 144C + 12B + A$、$64A + 4B = 140C$、$16A + B = 35C$ となる。この式を満たす値は、A＝2、B＝3、C＝1だけである。$144C + 12B + A$ に代入して、$144 \times 1 + 12 \times 3 + 2 = 182$ となる。これを5進法で表すと、

```
5) 182
5)  36 …2
5)   7 …1
     1 …2
```

より、$182 = 1{,}212_{(5)}$ となり CACA である。

よって、正答は**5**である。

正答 **5**

文章理解

判断推理

数的処理

資料解釈

空間把握

文化

倫理・哲学

次の図のように、短辺の長さが12cm、長辺の長さが16cm の長方形 ABCD の内部に点Eがある。三角形 ADE と三角形 BCE との面積比が 1 対 2、三角形 CDE と三角形 ABE との面積比が 1 対 3 であるとき、三角形 ACE の面積はどれか。

1 26cm^2

2 32cm^2

3 36cm^2

4 40cm^2

5 46cm^2

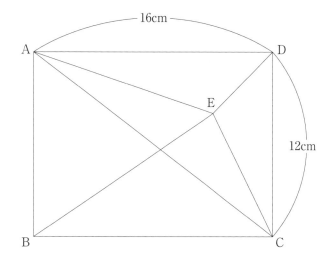

解説

長方形 ABCD の内部に 1 点 E を取ると、$\triangle \text{ABE}+\triangle \text{CDE}=\triangle \text{ADE}+\triangle \text{BCE}=\dfrac{1}{2}$長方形 ABCD になる。したがって、$\triangle \text{ABE}+\triangle \text{CDE}=\triangle \text{ADE}+\triangle \text{BCE}=96$である。ここで、$\triangle \text{ADE}:\triangle \text{BCE}=1:2$より、$\triangle \text{ADE}=32$、$\triangle \text{CDE}:\triangle \text{ABE}=1:3$より、$\triangle \text{CDE}=24$である。そして、$\triangle \text{ACD}=\dfrac{1}{2}$長方形 ABCD$=96$であるから、$\triangle \text{ACE}=96-(32+24)=40$より、$40\text{cm}^2$であり、正答は**4**である。

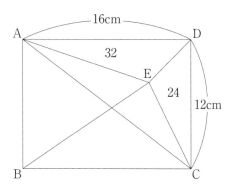

正答　**4**

東京都・特別区

No. 57　教養試験　区

数的処理　商と余り　令和5年度

4で割ると1余り、5で割ると2余り、6で割ると3余る自然数のうち、最も小さい数の各位の数字の和はどれか。

1　6
2　9
3　12
4　15
5　18

解説

「4で割ると1余り、5で割ると2余り、6で割ると3余る自然数」は「4、5、6の公倍数−3」である。このうち、最小の数は「4、5、6の最小公倍数−3」となる。4、5、6の最小公倍数は、$2^2 \times 3 \times 5$であるから、$2^2 \times 3 \times 5 - 3 = 60 - 3 = 57$より、57が「4で割ると1余り、5で割ると2余り、6で割ると3余る自然数のうち、最も小さい数」である。その各位の数字の和は、$5 + 7 = 12$であり、正答は**3**である。

正答　**3**

A、B、C の 3 つの地点がある。AB 間及び AC 間は、それぞれ直線道路で結ばれ、その道路は、地点 A で直交し、AB 間は 12km、AC 間は 9 km である。地点 B と地点 C には路面電車の停留場があり、両地点は直線の軌道で結ばれている。X、Y の 2 人が地点 A から同時に出発し、X は直接地点 B へ向かい、Y は地点 C を経由し地点 B へ向かった。X は時速 10km の自転車、Y は AC 間を時速 20km のバス、CB 間を時速 18km の路面電車で移動したとき、地点 B での 2 人の到着時間の差はどれか。ただし、各移動の速度は一定であり、乗り物の待ち時間は考慮しないものとする。

1 3分
2 5分
3 9分
4 12分
5 17分

解 説

3 地点 A、B、C の位置関係は、図のような直角三角形 ABC となり、BC 間は 15km である。

X は AB 間を時速 10km で進むので、かかる時間は、$\frac{12}{10} = \frac{6}{5}$ より、$\frac{6}{5}$ 時間である。Y は AC 間

を時速 20km、CB 間を時速 18km で進むので、かかる時間は、$\frac{9}{20} + \frac{15}{18} = \frac{9}{20} + \frac{5}{6} = \frac{77}{60}$ より、

$\frac{77}{60}$ 時間となる。両者の到着時間の差は、$\frac{77}{60} - \frac{6}{5} = \frac{77}{60} - \frac{72}{60} = \frac{5}{60}$ より、$\frac{5}{60}$ 時間、つまり、

5 分である。

　よって、正答は **2** である。

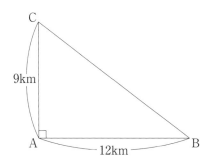

正答　**2**

1個のサイコロを6回振ったとき、3の倍数が5回以上出る確率はどれか。

1 $\dfrac{1}{3}$

2 $\dfrac{4}{243}$

3 $\dfrac{1}{729}$

4 $\dfrac{13}{729}$

5 $\dfrac{5}{972}$

解説

特に明記されていないので、1～6の目が1つずつあるサイコロで考えればよい。1～6のうち、3の倍数は3、6であるから、3の倍数の目が出る確率は$\dfrac{1}{3}$、3の倍数以外の目が出る確率は$\dfrac{2}{3}$である。3の倍数の目が6回出る確率は、$\left(\dfrac{1}{3}\right)^6 = \dfrac{1}{729}$、3の倍数の目が5回出る確率は、3の倍数以外の目が何回目に出るかも考えて、$\left(\dfrac{1}{3}\right)^5 \times \dfrac{2}{3} \times 6 = \dfrac{12}{729}$である。したがって、3の倍数の目が5回以上出る確率は、$\dfrac{1}{729} + \dfrac{12}{729} = \dfrac{13}{729}$であり、正答は**4**である。

正答　**4**

東京都・特別区

No.
60

教養試験

数的処理

比、割合

区

令
和 5 年度

A駅、B駅及びC駅の3つの駅がある。15年前、この3駅の利用者数の合計は、175,500人であった。この15年間に、利用者数は、A駅で12％、B駅で18％、C駅で9％それぞれ増加した。増加した利用者数が各駅とも同じであるとき、現在のA駅の利用者数はどれか。

1 43,680人

2 46,020人

3 58,500人

4 65,520人

5 78,000人

文章理解

判断推理

数的処理

資料解釈

空間把握

文化

倫理・哲学

解　説

　3駅の利用者数が、A駅で12％、B駅で18％、C駅で9％、それぞれ増加し、その増加数は各駅とも同じであるから、15年前の利用者数の比は、A：B＝18：12＝3：2、B：C＝9：18＝1：2より、A：B：C＝3：2：4である。したがって、現在のA駅の利用者数は、175500×$\frac{3}{3+2+4}$×1.12＝65520より、65,520人であり、正答は**4**である。

正答　**4**

白組の生徒10人，赤組の生徒 9 人及び青組の生徒 8 人の中から，くじ引きで 3 人の生徒を選ぶとき，白組，赤組及び青組の生徒が一人ずつ選ばれる確率として，正しいのはどれか。

1 $\dfrac{1}{720}$

2 $\dfrac{80}{2187}$

3 $\dfrac{8}{195}$

4 $\dfrac{16}{65}$

5 $\dfrac{121}{360}$

解　説

白組，赤組および青組の生徒が 1 人ずつ選ばれるのは，白組の生徒の選び方が10通り，赤組の生徒の選び方が 9 通り，青組の生徒の選び方が 8 通り，それぞれあるので，$10 \times 9 \times 8 = 720$より，720通りである。27人の中から 3 人を選ぶ組合せは，

$$_{27}C_3 = \dfrac{27 \times 26 \times 25}{3 \times 2 \times 1} = 2925$$

より，2,925通りある。

　したがって，求める確率は，

$$\dfrac{720}{2925} = \dfrac{16}{65}$$

であり，正答は**4**である。

正答 **4**

文章理解

判断推理

数的処理

資料解釈

空間把握

文化

倫理・哲学

観客席がS席，A席，B席からなるバドミントン競技大会決勝のチケットの販売状況は，次のとおりであった。

　ア　チケットの料金は，S席が最も高く，次に高い席はA席であり，S席とA席の料金の差は，A席とB席の料金の差の4倍であった。

　イ　チケットは，S席が60枚，A席が300枚，B席が900枚売れ，売上額の合計は750万円であった。

　ウ　B席のチケットの売上額は，S席のチケットの売上額の5倍であった。

　エ　S席，A席，B席のチケットの料金は，それぞれの席ごとに同額であった。

以上から判断して，S席のチケットの料金として，正しいのはどれか。

1　14,000円

2　15,000円

3　16,000円

4　17,000円

5　18,000円

解 説

B席のチケットの料金を x，A席とB席の料金の差を y とする。B席のチケットはS席のチケットの15倍（60×15＝900）売れて，売上額は5倍なのだから，S席のチケットの料金はB席の3倍であり，$3x$ と表せる。また，S席とA席の料金の差は，A席とB席の料金の差の4倍なので，S席とB席の料金の差は，A席とB席の料金の差の5倍である。ここから，$x+5y=3x$，$y=\dfrac{2}{5}x$ となり，A席のチケットの料金は，$x+\dfrac{2}{5}x=\dfrac{7}{5}x$ である。売上額の合計は，

$$3x\times 60+\frac{7}{5}x\times 300+x\times 900=180x+420x+900x=1500x$$

　これが750万円となるから，$1500x=7500000$，$x=5000$ となり，B席のチケットは5,000円，したがって，S席のチケットの料金は，5000×3＝15000より，15,000円となる。

　よって，正答は**2**である。

正答　**2**

果汁20％のグレープジュースに水を加えて果汁12％のグレープジュースにした後，果汁4％の
グレープジュースを500g加えて果汁8％のグレープジュースになったとき，水を加える前の
グレープジュースの重さとして，正しいのはどれか。

1　200g
2　225g
3　250g
4　275g
5　300g

解　説

図Ⅰの天秤図を利用すれば，果汁12％のグレープジュースに果汁4％のグレープジュースを
500g加え，果汁8％のグレープジュースとするには，両者を1：1で混ぜ合わせればよいこ
とがわかる。

　つまり，果汁12％のグレープジュースは500gである。果汁20％のグレープジュースに水を
加えて果汁12％のグレープジュースにする場合，濃度を20％の$\frac{3}{5}\left(=\frac{12}{20}\right)$にするのだから，全
体量が$\frac{5}{3}\left(=\frac{3}{5}の逆数\right)$になればよい。水を加えて全体量を$\frac{5}{3}$にしたところ，それが500gなの
だから，水を加える前は，$500\div\frac{5}{3}=300$より，300gである。

　よって，正答は**5**である。

参考：両者の釣り合い（バランス）を考える問題においては，図Ⅱのような，天秤の釣り合い
　　　と同様の構造が成り立っている。

図Ⅰ

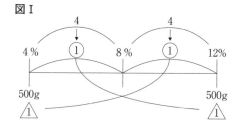

図Ⅱ

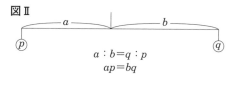

$a:b=q:p$
$ap=bq$

正答　**5**

下の図のように，直径の等しい円A及び円Bがあり，直径の等しい4個の円pがそれぞれ他の2個の円pに接しながら円Aに内接し，円Bには直径の等しい2個の円qが円Bの中心で互いに接しながら円Bに内接している。このとき，1個の円pの面積に対する1個の円qの面積の比率として，正しいのはどれか。

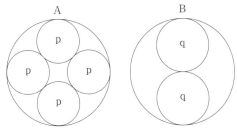

1   $\dfrac{1+4\sqrt{2}}{4}$

2   $\dfrac{2+3\sqrt{2}}{4}$

3   $\dfrac{3+2\sqrt{2}}{4}$

4   $\dfrac{4+\sqrt{2}}{4}$

5   $\dfrac{5}{4}$

解 説

円pの半径をp，円qの半径をqとする。円Aの内部にある円pについては，図のように隣り合う円pの中心（p_1〜p_4）を結べば正方形となり，その1辺の長さは$2p$，したがって，図におけるp_1p_3の長さは$2\sqrt{2}\,p$，円Aの直径は $(2+2\sqrt{2})p$ である。

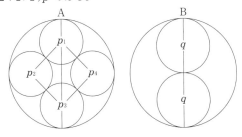

一方，円Bについて，直径は$4q$となる。円A，円Bの直径は等しいので，$(2+2\sqrt{2})p=4q$，

$\dfrac{q}{p}=\dfrac{1+\sqrt{2}}{2}$である。面積比は相似比に対して2乗比となるので，$\left(\dfrac{1+\sqrt{2}}{2}\right)^2=\dfrac{3+2\sqrt{2}}{4}$である。

よって，正答は**3**である。

正答   **3**

下の図のように，整数を1から順に反時計回りに並べたとき，400の右隣となる数として，正しいのはどれか。

31	30	29	28	27	26
32	13	12	11	10	25
33	14	3	2	9	24
	15	4	1	8	23
	16	5	6	7	22
	17	18	19	20	21

1 324

2 325

3 399

4 401

5 402

解説

この数字配列の特徴は，1から右上に1，9，25，49，…，4から左下に4，16，36，…，と並ぶことである。これは，$1=1^2$，$9=3^2$，$25=5^2$，$49=7^2$，$4=2^2$，$16=4^2$，$36=6^2$であり，1から右斜め上へ奇数の平方，4から左下に偶数の平方が並んでいる。$400=20^2$であり，400の右斜め上は，$18^2=324$となる。400の右隣は，324の1つ下なので，325である。

31	30	29	28	27	26	49
32	13	12	11	10	25	48
33	14	3	2	9	24	47
34	15	4	1	8	23	46
35	16	5	6	7	22	45
36	17	18	19	20	21	44
37	38	39	40	41	42	43

398	323	256
399	324	257
400	325	326
401	402	403

よって，正答は**2**である。

正答 **2**

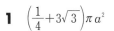
トの図のように，半径 $3a$ の円があり，長辺の長さ $3a$，短辺の長さ a の長方形が，一方の長辺の両端で円の内側に接しながら円の内側を 1 周するとき，長方形が通過する部分の面積として，正しいのはどれか。ただし，円周率は π とする。

1 $\left(\dfrac{1}{4}+3\sqrt{3}\right)\pi a^{2}$

2 $\left(\dfrac{1}{2}+3\sqrt{3}\right)\pi a^{2}$

3 $\left(\dfrac{3}{4}+3\sqrt{3}\right)\pi a^{2}$

4 $(1+3\sqrt{3})\pi a^{2}$

5 $\left(\dfrac{5}{4}+3\sqrt{3}\right)\pi a^{2}$

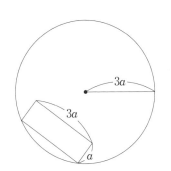

解説

長方形が通過する範囲は，円の中心Oからの距離が最も遠い点と最も近い点との間にできるドーナツ部分であり，図の灰色部分である。中心Oからの距離が最も遠い点は円周に接している2個の頂点（図の頂点AおよびB）であり，その距離は $3a$ である。中心Oから最も近い点は，長方形の内側の辺の中点Qになる。△OABは辺の長さ $3a$ の正三角形で，OPはその高さに当たる。正三角形の高さは1辺の長さの $\dfrac{\sqrt{3}}{2}$ 倍だから，$OP=3a\times\dfrac{\sqrt{3}}{2}=\dfrac{3\sqrt{3}}{2}a$，$OQ=\dfrac{3\sqrt{3}}{2}a$

$-a=\left(\dfrac{3\sqrt{3}}{2}-1\right)a$ である。これにより，長方形が通過する部分の面積は，$(3a)^{2}\pi-\left\{\left(\dfrac{3\sqrt{3}}{2}-1\right)a\right\}^{2}\pi=\left(9-\dfrac{27}{4}+3\sqrt{3}-1\right)\pi a^{2}=\left(\dfrac{5}{4}+3\sqrt{3}\right)\pi a^{2}$ となる。

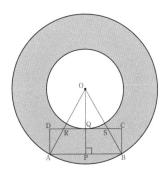

よって，正答は **5** である。

正答 **5**

東京都・特別区

No. 67

教養試験

数的処理

三角形

区

令和 4 年度

次の図のように，直線 ST に点 A で接する円 O がある。線分 BD は円 O の直径，弦 CD は接線 ST に平行である。弦 AC と直径 BD の交点を E とし，線分 AB の長さが 4 cm，∠BAS が 30° のとき，三角形 CDE の面積はどれか。

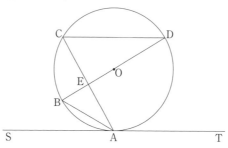

1 6 cm²

2 6√3 cm²

3 8√3 cm²

4 9√3 cm²

5 12√3 cm²

解説

2 点 B，C を結ぶと，BD は円 O の直径なので，△BCD は ∠BCD＝90° の直角三角形である。また，∠BCA＝∠BAS＝30°（接弦定理）なので，∠CAS＝∠ACD＝60°（平行線の錯角），したがって，∠BAC＝30° である。これにより，同一弧の円周角は等しいので，∠BDC＝∠BAC＝30° より，△BCD は「30，60，90」型の直角三角形である。したがって，∠CBD＝60°，∠BEC＝∠BEA＝90° となるので，△BAE≡△BCE，BC＝4 である。ここから，BE＝2，BD＝8，CE＝2√3，DE＝6 となり，△CDE は ∠CED＝90° であるから，その面積は，

$6 \times 2\sqrt{3} \times \dfrac{1}{2} = 6\sqrt{3}$〔cm²〕となる。

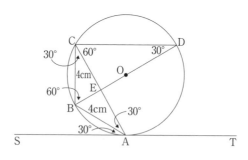

よって，正答は **2** である。

正答 **2**

分数$\dfrac{5}{26}$を小数で表したとき，小数第100位の数字はどれか。

1 0
2 2
3 3
4 6
5 7

解説

$\dfrac{5}{26}=0.1923076923\cdots\cdots=0.1\dot{9}2307\dot{6}$となり，小数第 2 位から「923076」という 6 ケタでの循環小数となる。小数第100位は循環の99ケタ目であるから，99÷6＝16…3より，16回循環した後の 3 ケタ目となり，その数字は 3 である。

　よって，正答は**3**である。

正答　**3**

ある川に沿ってサイクリングロードがあり，下流の地点Pから上流の地点Qに向かって，自転車がサイクリングロードを，船が川を，同時に出発した。船は，途中でエンジンが停止してそのまま15分間川を流された後，再びエンジンが動き出し，最初に出発してから60分後に，自転車と同時にQに到着した。このとき，静水時における船の速さはどれか。ただし，川の流れの速さは4 km/時，自転車の速さは8 km/時であり，川の流れ，自転車及び船の速さは一定とする。

1　 8 km/時
2　10km/時
3　12km/時
4　14km/時
5　16km/時

解説 ━━━━━━━━━━━━━━━━━━━━━━━━━━━━━━

自転車は，PQ間を時速8 kmで60分＝1時間かかっているので，PQ間の距離は8 kmである。

川の流れの速さは時速4 kmで，船は15分＝$\frac{1}{4}$時間流されたので，流された距離は1 kmである。

そうすると，船はエンジンが動いていた45分＝$\frac{3}{4}$時間で8 kmより1 km多い9 kmを進んだことになる。したがって，この船の上りの速さは，$9÷\frac{3}{4}=12$より，時速12km である。「上りの速さ＝船速−流速」だから，この船の静水時における速さ（船速）は，12＋4 ＝16より，時速16km となる。

　よって，正答は**5**である。

正答　**5**

A，Bの2人で倉庫整理を行うと，ある日数で終了することが分かっている。この整理をAだけで行うと，2人で行うときの日数より4日多くかかり，Bだけで行うと9日多くかかる。今，初めの4日間は2人で整理を行い，残りはBだけで整理を終えたとき，この倉庫整理にかかった日数はどれか。ただし，A，Bそれぞれの1日当たりの仕事量は一定とする。

1　7日
2　8日
3　9日
4　10日
5　11日

解説

図Ⅰのダイヤグラムを利用するとよい。A，Bの2人で倉庫整理を行うとx日かかるとする。1人で行うと，Aは4日多くかかり，Bは9日多くかかる。このダイヤグラムより，$x:4=9:x$，$x^2=36$，$x=6$となり，A，B2人で倉庫整理を行うと6日かかる。A，B2人で4日間行うと，全体の$\frac{4}{6}=\frac{2}{3}$を行うので，残りは$\frac{1}{3}$である。Bがこの倉庫整理を1人で行うと，$6+9=15$より，15日かかるので，その$\frac{1}{3}$は5日である。したがって，$4+5=9$より，9日かかることになる。

　よって，正答は**3**である。

［参考］

　図Ⅱにおいて，上下の2本の辺が平行ならば，2角相等でアとイの三角形，ウとエの三角形はそれぞれ相似であり，ここから，$a:d=m:n$，$c:b=m:n$より，$a:d=c:b$，したがって，$ab=cd$である。

図Ⅰ

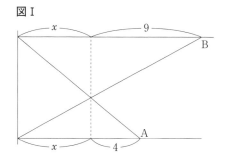

図Ⅱ

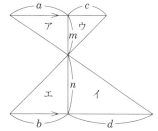

正答　**3**

東京都・特別区

教養試験

No.
71

数的処理

連立不等式

区

令和 4 年度

ある催し物の出席者用に 7 人掛けの長椅子と 5 人掛けの長椅子を合わせて30脚用意した。 7 人掛けの長椅子だけを使って 7 人ずつ着席させると, 85人以上の出席者が着席できなかった。 7 人掛けの長椅子に 4 人ずつ着席させ, 5 人掛けの長椅子に 3 人ずつ着席させると, 67人以上の出席者が着席できなかった。また, 7 人掛けの長椅子に 7 人ずつ着席させ, 5 人掛けの長椅子に 5 人ずつ着席させると, 出席者全員が着席でき, 1 人も着席していない 5 人掛けの長椅子が 1 脚余った。このとき, 出席者の人数として, 正しいのはどれか。

1　169人
2　171人
3　173人
4　175人
5　177人

解説

7 人掛けの長椅子を x 脚, 5 人掛けの長椅子を y 脚用意したとすると, $x+y=30$ である。 7 人掛けの長椅子に 7 人ずつ着席させ, 5 人掛けの長椅子に 5 人ずつ着席させると, 出席者全員が着席でき, 1 人も着席していない 5 人掛けの長椅子が 1 脚余ったので, 出席者数は, $7x+5(y-1)$ である。 7 人掛けの長椅子だけを使って 7 人ずつ着席させると, 85人以上の出席者が着席できなかったので, $7x+85\leq7x+5(y-1)$, $85\leq5y-5$, $90\leq5y$, $18\leq y$ である。また, 7 人掛けの長椅子に 4 人ずつ着席させ, 5 人掛けの長椅子に 3 人ずつ着席させると, 67人以上の出席者が着席できなかったので, $4x+3y+67\leq7x+5(y-1)$, $67\leq3x+2y-5$, $72\leq3x+2y$ となり, $x=30-y$ を代入すると, $72\leq3(30-y)+2y$, $72\leq90-y$, $y\leq18$ である。$18\leq y\leq18$ より, $y=18$。したがって, $x=12$ である。よって, 出席者数は, $7\times12+5\times(18-1)=84+85=169$ より, 169人であり, 正答は **1** である。

正答　**1**

東京都・特別区

No. 72

教養試験

数的処理

素因数分解

都

令和 3 年度

それぞれ異なる一桁の四つの自然数 a 〜 d について，壊れている二つの電卓 X と電卓 Y を使って，「a ✖ b ➗ c ➕ d ═」の計算を行ったところ，次のことが分かった。

ア　電卓 X では，「4」又は「6」を押すと「3」と入力される。
イ　電卓 X では，「5」又は「8」を押すと「2」と入力される。
ウ　電卓 X では，「7」又は「9」を押すと「1」と入力される。
エ　電卓 X での計算結果は，5.5であった。
オ　電卓 Y では，「➕」，「➖」，「➗」のどれを押しても「✖」と入力される。
カ　電卓 Y での計算結果は，840であった。

以上から判断して「a × b ÷ c + d」の計算結果として，正しいのはどれか。

1　11.8
2　12.2
3　12.4
4　14.2
5　23.2

解説

電卓 Y では，「➕」，「➖」，「➗」のどれを押しても「✖」と入力されるので，

　a×b×c×d＝840

ということになる。840を素因数分解すると，

　$840＝2^3×3×5×7$

である。ここから，異なる1ケタの4個の自然数としては，(3, 5, 7, 8) または (4, 5, 6, 7) のどちらかとなる。

　ここで，電卓 X について考えると，計算結果である5.5は，3×1÷2+4，3×3÷2+1，のどちらかである。しかし，電卓 X では「4」を押すと「3」と入力されるので，3×1÷2+4は不適である。3×3÷2+1=5.5となるのは，(a, b)＝(4, 6) (順不同) の場合であり，(4, 5, 6, 7) が該当する。そうすると，c＝5，d＝7ということになる。ここから，4×6÷5+7=11.8である。

　よって，正答は**1**である。

正答　**1**

下の図のA〜Iに，1〜9の異なった整数を一つずつ入れ，A〜Iを頂点とする六つの正方形において，頂点に入る数の和がいずれも20となるようにする。Aに3が入るとき，2が入る場所を全て挙げているものとして，妥当なのはどれか。

1 B，F，H

2 C，G

3 C，G，I

4 F，H

5 G，I

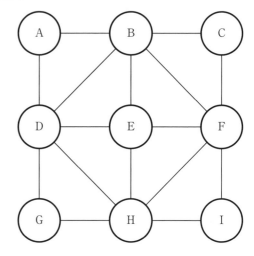

6つの正方形の頂点に入る数の和がいずれも20となるようにするので，A＋I＝B＋H＝C＋G＝D＋F＝10となるように，数を入れていけばよい。したがって，I＝7であり，E＝5である。A＋E＝3＋5＝8なので，B＋D＝12でなければならない。したがって，(B，D)＝(4，8)，(F，H)＝(2，6)となり，(C，G)＝(1，9)である（いずれも順不同）。これにより，2が入る場所は，F，Hの2か所であり，具体的な配置は次図のようになる。

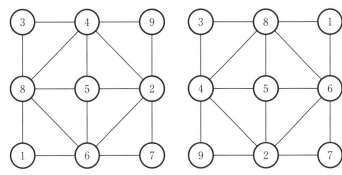

よって，正答は**4**である。

正答　**4**

文章理解

判断推理

数的処理

資料解釈

空間把握

文化

倫理・哲学

東京都・特別区

No.
74

教養試験

数的処理

約数・倍数

区

令和 3 年度

文章理解

判断推理

数的処理

資料解釈

空間把握

文化

倫理・哲学

1～200までの番号が付いた200個のボールが袋の中に入っている。次のア～ウの順番でボールを袋から取り出したとき，袋の中に残ったボールの個数はどれか。

ア 7の倍数の番号が付いたボール

イ 5の倍数の番号が付いたボール

ウ 2の倍数の番号が付いたボール

1 63個

2 65個

3 67個

4 69個

5 71個

解説

問題文では，「ア～ウの順番で」となっているが，この順番は入れ替えても結果が異なることはない。ここでは，ウ→イ→アの順に行ったほうがわかりやすい。そこでまず，ウの「2の倍数のボール」から取り出す。1～200の中に2の倍数は100個ある（200÷2＝100）ので，この100個を取り出すと，100個残る。次に，イの「5の倍数のボール」を取り出す。5の倍数のボールのうち，2の倍数でもあるもの（つまり10の倍数のボール）はすでに取り出されている。1～200の中に5の倍数は40個あり（200÷5＝40），10の倍数は20個ある（200÷10＝20）。したがって，新たに取り出す5の倍数のボールは20個（＝40－20）なので，ここまでで120個のボールを取り出したことになる。最後にアの「7の倍数のボール」を取り出す。1～200の中に7の倍数は28個ある（200÷7＝28…4）。この7の倍数のボールのうち，2の倍数でもあるもの（14の倍数，200÷14＝14…4より，14個）はウですでに取り出されており，さらに5の倍数でもあるもの（35の倍数，200÷35＝5…25より，5個であるが，70，140はウですでに取り出されているので，ここで考えるのは3個）もイで取り出されている。したがって，アで取り出されるのは11個（＝28－14－3）である。これにより，袋の中に残ったボールの個数は，200－100－20－11＝69より，69個である。

よって，正答は**4**である。

[別解]

この問題は，要するに集合における要素の個数なので，次の表Ⅰ→表Ⅱのようにキャロル表を利用してもよい。

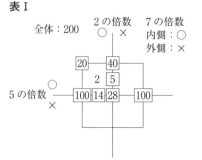

表Ⅰ

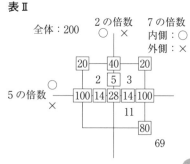

表Ⅱ

正答 **4**

次の図のように，1辺が 6 cm の正方形が 2 つあり，正方形の対角線の交点 O を中心として，一方の正方形を30°回転させたとき，2 つの正方形が重なり合ってできる斜線部の面積はどれか。

1 $12(9-4\sqrt{3})\,\mathrm{cm}^2$
2 $6(6-\sqrt{3})\,\mathrm{cm}^2$
3 $6(3+\sqrt{3})\,\mathrm{cm}^2$
4 $24(3-\sqrt{3})\,\mathrm{cm}^2$
5 $12(1+\sqrt{3})\,\mathrm{cm}^2$

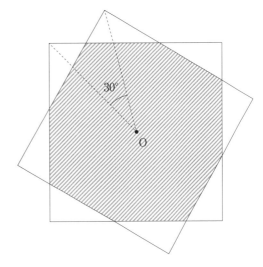

解説

正方形の対角線の交点 O を中心として，一方の正方形を30°回転させているので，外側にある 8 枚の三角形は，「30°，60°，90°」型の合同な直角三角形である。図において，AB＝CB，CD＝ED なので，BC＋CD＋BD＝AB＋BD＋DE となり，△BCD の 3 辺の長さの和は，正方形の 1 辺の長さである 6 cm である。ここから，

$$BC=6\times\frac{1}{1+\sqrt{3}+2}=6\times\frac{1}{3+\sqrt{3}}=3-\sqrt{3}$$
$$CD=\sqrt{3}\,(3-\sqrt{3})=3\sqrt{3}-3$$

である。図の斜線部の面積は，1辺6 cm の正方形から，直角三角形 4 枚を除けばよいので，

$$6^2-(3-\sqrt{3})\times(3\sqrt{3}-3)\times\frac{1}{2}\times4$$

$$=36-(12\sqrt{3}-18)\times\frac{1}{2}\times4$$

$$=36-(24\sqrt{3}-36)$$

$$=72-24\sqrt{3}$$

$$=24(3-\sqrt{3})$$

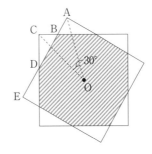

より，$24(3-\sqrt{3})\,\mathrm{cm}^2$である。
　よって，正答は**4**である。

正答　**4**

ある学校でマラソン大会を実施した。今，生徒の完走時間について次のア～オのことが分かっ
ているとき，完走時間が1時間以上の生徒は何人か。

ア　全生徒の完走時間の平均は，71分であった。

イ　完走時間が45分未満の生徒は20人おり，その完走時間の平均は43分であった。

ウ　完走時間が45分以上1時間未満の生徒は全体の40％であり，その完走時間の平均は54分
であった。

エ　完走時間が1時間以上1時間30分未満の生徒の完走時間の平均は，75分であった。

オ　完走時間が1時間30分以上の生徒は全体の20％であり，その完走時間の平均は105分で
あった。

1　100人

2　160人

3　220人

4　280人

5　340人

解説

生徒数全体をxとすると，人数と平均時間は表のようになる。

	全体	45分未満	45分以上 1時間未満	1時間以上 1時間30分未満	1時間30 分以上
人数	x	20	$0.4x$	$0.4x-20$	$0.2x$
平均	71	43	54	75	105

　1時間以上1時間30分未満の生徒数は，

$$x-(20+0.4x+0.2x)=0.4x-20$$

である。ここから，生徒の完走時間の総和を求める式を立てると，

$$71x=43×20+54×0.4x+75×(0.4x-20)+105×0.2x$$

$$71x=860+21.6x+30x-1500+21x$$

$$71x=72.6x-640$$

$$1.6x=640$$

$$x=400$$

となって，全生徒数は400人である。したがって，完走時間が1時間以上の生徒数は，

$$400×0.4-20+400×0.2=160-20+80=220$$

より，220人である。

　よって，正答は**3**である。

正答　**3**

次の図から正しくいえるのはどれか。

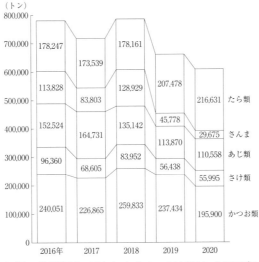

日本の魚種別漁獲量の推移

（トン）

	2016年	2017	2018	2019	2020	
	178,247	173,539	178,161	207,478	216,631	たら類
	113,828	83,803	128,929	45,778	29,675	さんま
	152,524	164,731	135,142	113,870	110,558	あじ類
	96,360	68,605	83,952	56,438	55,995	さけ類
	240,051	226,865	259,833	237,434	195,900	かつお類

1 2016年におけるかつお類の漁獲量を100としたとき、2016年から2020年までのたら類の漁獲量の指数は、いずれの年も80を下回っている。

2 2016年から2020年までの各年についてみると、5種類の漁獲量の合計に占めるさけ類の漁獲量の割合は、いずれの年も10％を上回っている。

3 2016年から2020年までの各年についてみると、かつお類の漁獲量は、いずれの年もさけ類の漁獲量を3倍以上、上回っている。

4 2016年から2020年までのあじ類とさんまを合わせた5か年の漁獲量の合計は、2016年から2020年までのかつお類の5か年の漁獲量の合計を下回っている。

5 2018年における漁獲量の対前年増加率を魚種別にみると、最も大きいのはさんまであり、最も小さいのはたら類である。

解　説

1. 250000×0.8＝200000より、200,000トンを超えている2019、2020年は、80を上回っている。

2. 2016年から2020年までのいずれの年においても、5種類の漁獲量の合計は600,000トンを超えている。したがって、漁獲量が60,000トンを下回っている2019、2020年は10％未満であることが明らかである。

3. 2016年の場合、90000×3＝270000＞240051であるから、3倍未満である。

4. 正しい。2016年から2018年までだと、あじ類とさんまを合わせた3か年の漁獲量の合計は、かつお類の3か年合計を約52,000トン上回っている。ところが、2019年はかつお類の漁獲量が、あじ類とさんまを合わせた漁獲量の合計を70,000トン以上、上回っており、2020年も50,000トン以上、上回っている。したがって、2016年から2020年までのあじ類とさんまを合わせた5か年の漁獲量の合計は、2016年から2020年までのかつお類の5か年の漁獲量の合計を下回っている。

5. 2018年はあじ類だけが前年の漁獲量を下回っており、対前年増加率が最も小さいのはあじ類である。

正答　**4**

次の図から正しくいえるのはどれか。

日本における5か国（地域）への商標出願件数の推移

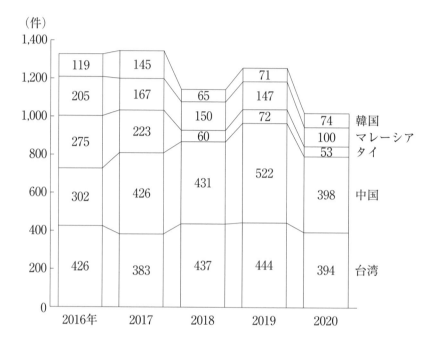

1 2016年におけるタイへの商標出願件数を100としたとき、2018年から2020年までの各年における指数は、いずれの年も20を上回っている。

2 2016年から2020年までの各年についてみると、5か国（地域）への商標出願件数の合計に占める台湾への商標出願件数の割合の5か年平均は、33％を下回っている。

3 2017年から2019年までの各年についてみると、5か国（地域）への商標出願件数の合計に占めるマレーシアへの商標出願件数の割合は、いずれの年も15％を下回っている。

4 2018年から2020年までの5か国（地域）への商標出願件数の合計の3か年平均を国（地域）別にみると、最も多いのは中国であり、最も少ないのは韓国である。

5 2019年における中国、タイ、韓国への商標出願件数の対前年増加率は、いずれも0.15を上回っている。

1. 275×0.2＝55＞53より、2020年の指数は20を下回っている。

2. かなり微妙なので、具体的に数値を拾ってみる。まず、5年間の台湾への出願件数の合計は、426＋383＋437＋444＋394＝2084である。他の4か国への出願件数は、119＋205＋275＋302＋145＋167＋223＋426＋65＋150＋60＋431＋71＋147＋72＋522＋74＋100＋53＋398＝4005となる。他の4か国への出願件数の合計が、台湾への出願件数の合計の2倍未満であるから、5か国（地域）への商標出願件数の合計に占める台湾への商標出願件数の割合の5か年平均は$\frac{1}{3}$（≒33.3％）を超えている。

3. 正しい。2017年と2019年は全体数が1,200を超えているので、その15％は180を超えていなければならない。2018年は、全体数を1,100としても、その15％は165である。したがって、2017年から2019年まで、5か国（地域）への商標出願件数の合計に占めるマレーシアへの商標出願件数の割合は、いずれの年も15％を下回っている。

4. 韓国の場合、65＋71＋74＝210より、3年間で210（平均70）である。これに対し、タイの場合は、60＋72＋53＝185より、3年間で185（平均約62）であり、韓国よりタイのほうが少ない。

5. 韓国の場合、65×1.15＞74＞71であり、対前年増加率は0.15未満である。

正答 **3**

次の図から正しくいえるのはどれか。

学校区分別肥満傾向児の出現率の対前年度増加率の推移

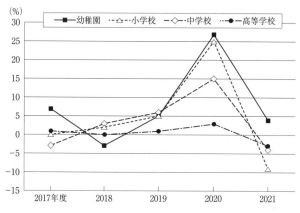

1 2016年度から2021年度までのうち、幼稚園の肥満傾向児の出現率が最も高いのは2020年度であり、最も低いのは2018年度である。

2 2017年度における中学校の肥満傾向児の出現率を100としたとき、2020年度における中学校の肥満傾向児の出現率の指数は130を上回っている。

3 2018年度から2020年度までの各年の肥満傾向児の出現率についてみると、小学校に対する幼稚園の比率は、いずれの年度も前年度に比べて減少している。

4 2021年度における肥満傾向児の出現率を学校区分別にみると、肥満傾向児の出現率が2019年度に比べて減少しているのは、小学校と高等学校である。

5 2021年度における高等学校の肥満傾向児の出現率は、2018年度における高等学校の肥満傾向児の出現率に比べて増加している。

解 説

1. 2021年度における幼稚園の肥満傾向児は2020年度より約 4 ％増加している。

2. $100 \times (1+0.03) \times (1+0.06) \times (1+0.15) \fallingdotseq 100 \times (1+0.03+0.06+0.15) = 100 \times 1.24 = 124$ であり、130を下回っている。

3. この資料から、異なる区分間での出現率を比較することはできない。

4. 小学校の場合、$100 \times (1+0.25) \times (1-0.09) \fallingdotseq 100 \times (1+0.25-0.09) = 116$ であり、2019年度に比べて2021年度は増加している。

5. 正しい。$100 \times (1+0.01) \times (1+0.03) \times (1-0.03) \fallingdotseq 100 \times (1+0.01+0.03-0.03) = 101$ より、2021年度における高等学校の肥満傾向児の出現率は、2018年度より増加している。

正答 **5**

次の図から正しくいえるのはどれか。

日本における発生場所別食品ロス発生量の構成比の推移

(注)（ ）内の数値は、発生場所別食品ロス発生量の合計（単位：万トン）

1 2016年度から2019年度までのうち、食品製造業の食品ロス発生量が最も多いのは2018年度であり、最も少ないのは2017年度である。

2 2016年度における食品小売業の食品ロス発生量を100としたとき、2020年度における食品小売業の食品ロス発生量の指数は、80を下回っている。

3 2017年度から2019年度の各年度についてみると、外食産業の食品ロス発生量は食品小売業の食品ロス発生量を、いずれの年度も50万トン以上、上回っている。

4 2018年度についてみると、一般家庭からの食品ロス発生量の対前年度減少率は、外食産業の食品ロス発生量の対前年度減少率を上回っている。

5 2018年度から2020年度までの3か年度における食品卸売業の食品ロス発生量の平均は、15万トンを下回っている。

解 説

1. 2018年度の場合、600×0.210＝126.0である。これに対し、2016年度は、643×0.213≒137であり、2016年度は2018年度より多い。

2. 2016年度における食品小売業の食品ロス発生量は、643×0.103≒66.2、2020年度は、522×0.115≒60.0である。66.2×0.8≒53.0＜60.0であり、指数80を上回っている。

3. 2019年度は570×(0.181−0.112)＝570×0.069≒39.3であり、50万トンを下回っている。

4. 各年度の発生場所別食品ロス発生量の合計は、一般家庭にとっても外食産業にとっても同様なので、それぞれの構成比のみで判断すればよい。0.460÷0.463＞0.193÷0.208であるから、対前年度減少率は、外食産業が一般家庭を上回っている。

5. 正しい。2018年度から2020年度までの3か年度における食品ロス発生量の合計は、600＋570＋522＝1692である。3か年における食品卸売業の構成比平均を2.6％としても、1692×0.026≒44.0であり、平均で15万トンを下回っている。

正答 **5**

次の表から確実にいえるのはどれか。

アジア5か国の外貨準備高の推移

（単位　100万米ドル）

国　名	2016年	2017	2018	2019	2020
日　　本	1,189,484	1,233,470	1,240,133	1,286,164	1,345,523
イ ン ド	341,989	390,245	375,365	433,366	550,184
韓　　国	366,466	384,620	398,944	403,867	437,282
タ　　イ	166,388	196,367	199,537	217,056	248,993
中　　国	3,032,563	3,161,830	3,094,781	3,130,526	3,241,940

1 2017年から2019年までの3年における日本の外貨準備高の1年当たりの平均は、1兆2,500億米ドルを下回っている。

2 2019年のインドの外貨準備高の対前年増加額は、2016年のそれの20％を下回っている。

3 2020年の韓国の外貨準備高の対前年増加率は、2017年のそれより大きい。

4 表中の各年とも、タイの外貨準備高は、日本のそれの15％を上回っている。

5 2020年において、中国の外貨準備高の対前年増加率は、日本の外貨準備高のそれより大きい。

解説

1. 1,250,000を基準とすると、2017年は−16,530、2018年は−9,867、2019年は＋36,164である。−16530−9867＋36164＝＋9767より、1年当たりの平均は、1兆2,500億米ドルを上回っている。

2. 「2016年のそれ」が何を意味するのか、非常に曖昧である。一般的には「2016年の外貨準備高の対前年増加額」を意味するが、2016年の外貨準備高の対前年増加額は判断できない。

3. 正しい。2017年における韓国の外貨準備高の対前年増加額は、約18,000であるから、増加率は約5％である。これに対し、2020年における韓国の外貨準備高の対前年増加額は、約33,000であり、増加率は8％を超えている。

4. 1180000×0.15＝177000＞166388より、2016年は15％を下回っている。

5. 2020年における日本の外貨準備高の対前年増加額は、約60,000であり、増加率は4％を超えている。これに対し、中国の対前年増加額は、約110,000であり、増加率は4％未満である。

正答　**3**

文章理解　判断推理　数的処理　資料解釈　空間把握　文化　倫理・哲学

次の表から確実にいえるのはどれか。

葉茎菜類の収穫量の対前年増加率の推移

（単位　％）

品　目	平成28年	29	30	令和元年	2
こ ま つ な	△ 1.6	△ 1.3	3.1	△ 0.6	6.1
ほうれんそう	△ 1.4	△ 7.8	0.1	△ 4.6	△ 1.8
ブロッコリー	△ 5.7	1.6	6.4	10.2	2.9
た ま ね ぎ	△ 1.7	△ 1.2	△ 5.9	15.5	1.7
に ん に く	2.9	△ 1.9	△ 2.4	3.0	1.9

（注）△は、マイナスを示す。

1 令和 2 年において、「ほうれんそう」の収穫量及び「たまねぎ」の収穫量は、いずれも平成28年のそれを下回っている。

2 表中の各年のうち、「にんにく」の収穫量が最も多いのは、平成28年である。

3 令和 2 年において、「ほうれんそう」の収穫量は、「ブロッコリー」のそれを下回っている。

4 「たまねぎ」の収穫量の平成30年に対する令和 2 年の増加率は、「ブロッコリー」の収穫量のそれの1.5倍より大きい。

5 平成28年の「こまつな」の収穫量を100としたときの令和元年のそれの指数は、100を上回っている。

解説

1. 平成28年の収穫量を100とすると、令和 2 年の「たまねぎ」の収穫量は、100×（1−0.012）×（1−0.059）×（1＋0.155）×（1＋0.017）≒100×（1−0.012−0.059＋0.155＋0.017）＝100×（1＋0.101）＝110.1であり、平成28年を上回っている。

2. 平成28年の「にんにく」の収穫量を100とするとき、令和 2 年は、100×（1−0.019）×（1−0.024）×（1＋0.030）×（1＋0.019）≒100×（1−0.019−0.024＋0.030＋0.019）＝100×（1＋0.006）＝100.6となり、令和 2 年のほうが多い。

3. この資料から、異なる品目間での収穫量の大小を判断することはできない。

4. 「たまねぎ」の収穫量の平成30年に対する令和 2 年の増加率は、概算で約17.2（＝15.5＋1.7）％である。「ブロッコリー」の増加率は、これも概算で約13.1％である。13.1×1.5＞19.0＞17.2となるので、1.5倍より小さい。

5. 正しい。平成28年の「こまつな」の収穫量を100とすると、100×（1−0.013）×（1＋0.031）×（1−0.006）≒100×（1−0.013＋0.031−0.006）＝100×（1＋0.012）＝101.2であり、100を上回っている。

正答　**5**

次の図から確実にいえるのはどれか。

書籍新刊点数の推移

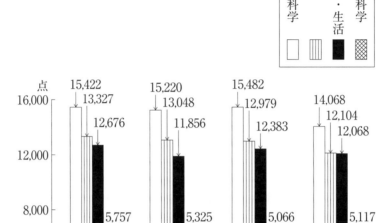

凡　例
自然科学
芸術・生活
文学
社会科学

点
16,000

15,422　13,327　12,676　5,757

15,220　13,048　11,856　5,325

15,482　12,979　12,383　5,066

14,068　12,104　12,068　5,117

12,000

8,000

4,000

0
平成29年　　30　　令和元年　　2

1　平成29年から令和2年までの4年における「自然科学」の書籍新刊点数の1年当たりの平均は、5,300点を下回っている。

2　「社会科学」の書籍新刊点数の平成29年に対する令和2年の減少率は、8％を下回っている。

3　平成30年において、「芸術・生活」の書籍新刊点数の対前年減少量は、「文学」のそれの2.5倍を上回っている。

4　平成30年の「文学」の書籍新刊点数を100としたときの令和2年のそれの指数は、95を上回っている。

5　令和元年において、図中の書籍新刊点数の合計に占める「芸術・生活」のそれの割合は、30％を超えている。

1. 5,300を基準とすると、平成29年から令和 2 年までは、＋457＋25－234－183＝＋65であり、その平均は5,300点を上回っている。

2. 15422×0.92＞14100であるから、平成29年に対する令和 2 年の減少率は、 8 ％を上回っている。

3. 正しい。平成30年における「芸術・生活」の書籍新刊点数の対前年減少量は、12676－11856＝820である。「文学」の場合は、13327－13048＝279である。279×2.5≒698＜820となるので、2.5倍を上回っているというのは正しい。

4. 13000－13000×0.05＝13000－650＞12104であり、95を下回っている。

5. 令和元年における「芸術・生活」の割合が30％だとすると、図中の書籍新刊点数の合計は、12383÷0.3≒41300となるはずである。令和元年における図中の書籍新刊点数の合計は、概算で見積もっても45,000を超えているので、「芸術・生活」の割合は30％未満である。

正答 **3**

次の図から確実にいえるのはどれか。

高齢者の消費生活相談件数の構成比の推移

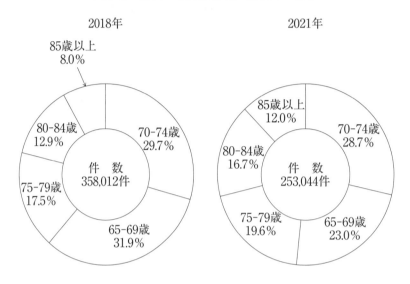

1 2018年における「70-74歳」の相談件数に対する「80-84歳」の相談件数の比率は、2021年におけるそれを上回っている。

2 図中の各区分のうち、2018年に対する2021年の相談件数の減少数が最も大きいのは、「70-74歳」である。

3 2021年の「85歳以上」の相談件数は、2018年のそれの1.1倍を上回っている。

4 消費生活相談件数の合計の2018年に対する2021年の減少数に占める「65-69歳」のそれの割合は、50％を超えている。

5 2018年の「75-79歳」の相談件数を100としたときの2021年のそれの指数は、80を上回っている。

解　説

1. $\dfrac{129}{297} < \dfrac{167}{287}$ であり、2018年は2021年を下回っている。

2. 2018年の構成比に対して2021年の構成比が小さくなっているのは、「70-74歳」と「65-69歳」である。「70-74歳」の場合は $\dfrac{287}{297}$、「65-69歳」の場合は $\dfrac{230}{319}$ であり、$\dfrac{287}{297} > \dfrac{230}{319}$ であるから、2018年に対する2021年の相談件数の減少数は「65-69歳」のほうが大きい。

3. $\dfrac{25}{36} \times \dfrac{12}{8} = \dfrac{75}{72} = \dfrac{25}{24} < \dfrac{11}{10}$ である。

4. 正しい。消費生活相談件数の合計の2018年に対する2021年の減少数は、358012－253044＝104968である。「65-69歳」は、2018年が、358012×0.319≒114000、2021年が、253044×0.230≒58000、だから、その減少数は、約56,000である。56000×2＝112000＞104968なので、50％を超えている。

5. $\dfrac{25}{36} \times \dfrac{196}{175} < \dfrac{55}{70} < \dfrac{56}{70} = \dfrac{8}{10}$ であり、80を下回っている。

正答　4

東京都・特別区

教養試験 都

No. 85 資料解釈 4か国からの合板輸入量の構成比の推移 令和 4 年度

文章理解

判断推理

数的処理

資料解釈

空間把握

文化

倫理・哲学

次の図から正しくいえるのはどれか。

日本における4か国からの合板輸入量の構成比の推移

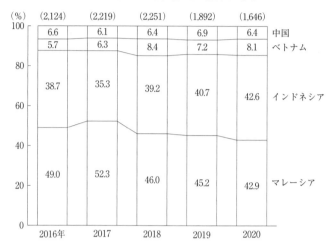

(注)（ ）内の数値は，4か国からの合板輸入量の合計（単位：千m³）を示す。

1 2016年から2019年までのうち，インドネシアからの合板輸入量が最も多いのは2018年であり，最も少ないのは2017年である。

2 2016年における中国からの合板輸入量を100としたとき，2020年における中国からの合板輸入量の指数は，70を下回っている。

3 2017年についてみると，マレーシアからの合板輸入量の対前年増加率は，ベトナムからの合板輸入量の対前年増加率を上回っている。

4 2017年から2019年までの各年についてみると，ベトナムからの合板輸入量は中国からの合板輸入量を，いずれの年も6千m³以上，上回っている。

5 2018年から2020年までの3か年におけるマレーシアからの合板輸入量の年平均は，870千m³を下回っている。

解説

1. 2017年におけるインドネシアからの合板輸入量は，2219×0.353≒780である。これに対し，2019年は，1892人×0.407≒770であり，2017年より2019年のほうが少ない。

2. 2020年における4か国からの合板輸入量の合計は，2016年に対して，1646÷2219≒0.74であり，指数70を超えている。中国の構成比は2020年のほうが大きいので，2020年における中国からの合板輸入量の指数は，70を上回っている。

3. ここでは，両国の構成比の変化だけを見ればよい。マレーシアの場合は，52.3÷49.0≒1.07，ベトナムの場合は，6.3÷5.7≒1.11であり，ベトナムのほうが大きい。したがって，2017年における，マレーシアからの合板輸入量の対前年増加率は，ベトナムからの合板輸入量の対前年増加率を下回っている。

4. 2017年は2219×（0.063−0.061）＝2219×0.002≒4.4であり，その差は6千m³未満である。

5. 正しい。2018年から2020年までの3か年におけるマレーシアの構成比の平均値を45％としても，（2251＋1892＋1646）÷3×0.45＝5789÷3×0.45≒1930×0.45＝868.5である。したがって，2018年から2020年までの3か年におけるマレーシアからの合板輸入量の年平均は，870千m³を下回っている。

正答 5

次の図から正しくいえるのはどれか。

日本における二輪車生産台数の推移

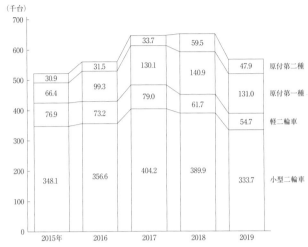

1 2015年における原付第一種と原付第二種の生産台数の計を100としたとき，2018年における原付第一種と原付第二種の生産台数の計の指数は200を下回っている。

2 2015年から2019年までの各年についてみると，二輪車生産台数の合計に占める小型二輪車の生産台数の割合は，いずれの年も60％を上回っている。

3 2016年から2019年までの各年における軽二輪車の生産台数の対前年増加率が，最も大きいのは2017年であり，最も小さいのは2018年である。

4 2017年から2019年までの3か年における原付第二種の生産台数の平均に対する2019年における原付第二種の生産台数の比率は，1.0を下回っている。

5 2019年についてみると，小型二輪車の生産台数の対前年増加率は，原付第一種の生産台数の対前年増加率を上回っている。

解説

1. 2015年における原付第一種と原付第二種の生産台数の計は97.3，2018年は200.4であり，2倍を超えている。したがって，指数は200を上回っている。

2. 60％を上回るためには，原付第一種，原付第二種，軽二輪車の合計が40％を下回っていることが必要である。つまり，小型二輪車の生産台数が，原付第一種，原付第二種，軽二輪車の合計の1.5倍を超えている必要がある。2018年の場合，原付第一種，原付第二種，軽二輪車の合計が260を超えているが，小型二輪車の生産台数が60％を超えるためには，少なくとも390を超えている必要がある。したがって，2018年は60％未満である。

3. 正しい。2016年から2019年まで，軽二輪車の生産台数が前年より増加しているのは2017年だけなので，対前年増加率が最も大きいのは2017年である。そして，軽二輪車の生産台数が前年より20％以上減少しているのは2018年だけなので，2018年の対前年増加率が最も小さい。

4. 2017年と2018年における原付第二種の生産台数の平均は，（33.7＋59.5）÷2＝46.6であり，2019年における原付第二種の生産台数を下回っている。したがって，2019年における原付第二種の生産台数の比率は，1.0を上回っている。

5. 小型二輪車の場合は，333.7÷389.9≒0.86，原付第一種は，131.0÷140.9≒0.93であり，原付第一種のほうが減少率が小さい（＝増加率は大きい）。

正答　**3**

次の図から正しくいえるのはどれか。

種類別４学校における卒業者数の**対前年増加率**の推移

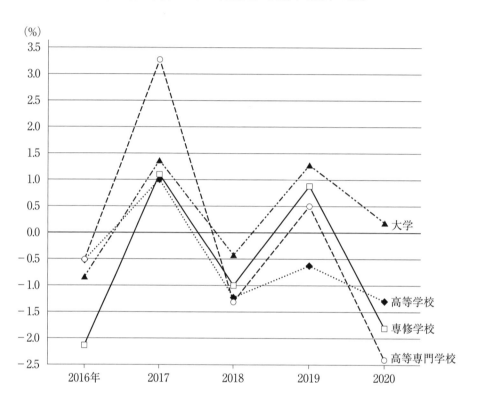

1 2015年から2020年までのうち，大学の卒業生が最も多いのは2020年であり，最も少ないのは2018年である。

2 2016年における専修学校の卒業生を100としたとき，2020年における専修学校の卒業生の指数は95を下回っている。

3 2017年と2018年についてみると，高等学校の卒業生に対する大学の卒業生の比率は，いずれの年も前年に比べて増加している。

4 2019年における卒業生を学校の種類別にみると，卒業生が2016年に比べて減少しているのは，高等学校と高等専門学校である。

5 2020年における高等専門学校の卒業生は，2017年における高等専門学校の卒業生に比べて増加している。

文章理解
判断推理
数的処理
資料解釈
空間把握
文化
倫理・哲学

1. 2016年における大学の卒業生数を100とすると，2018年は，$100 \times (1+0.014) \times (100-0.004) \fallingdotseq 100 \times (1+0.014-0.004) = 100 \times 1.0010 > 100$となるので，2018年より2016年のほうが少ない。

2. 2016年における専修学校の卒業生を100としたとき，2020年における専修学校の卒業生の指数は，$100 \times (1+0.011) \times (1-0.010) \times (1+0.009) \times (1-0.018) \fallingdotseq 100 \times (1+0.011-0.010+0.009-0.018) = 100 \times 0.992 = 99.2$となり，95を上回っている。

3. 正しい。2017年，2018年は，どちらも大学の卒業生の対前年増加率のほうが高等学校の卒業生の対前年増加率より大きい。したがって，高等学校の卒業生に対する大学の卒業生の比率は，いずれも前年に比べて増加している。

4. 2016年における高等専門学校の卒業生数を100とすると，2019年は，$100 \times (1+0.033) \times (1-0.013) \times (1+0.005) \fallingdotseq 100 \times (1+0.033-0.013+0.005) = 100 \times 1.025 = 102.5$となり，2019年における高等専門学校の卒業生数は2016年より増加している。

5. 2017年における高等専門学校の卒業生数を100とすると，2020年は，$100 \times (1-0.013) \times (1+0.005) \times (1-0.024) \fallingdotseq 100 \times (1-0.013+0.005-0.024) = 100 \times 0.968 = 96.8$となり，2020年における高等専門学校の卒業生数は2017年より減少している。

正答 **3**

東京都・特別区

教養試験

No.
88　資料解釈　国産木材の素材生産量の推移　令和 4 年度

区

文章理解

判断推理

数的処理

資料解釈

空間把握

文化

倫理・哲学

次の表から確実にいえるのはどれか。

国産木材の素材生産量の推移

（単位　千 m³）

区　分	平成27年	28	29	30	令和元年
あかまつ・くろまつ	779	678	641	628	601
す　　　　　ぎ	11,226	11,848	12,276	12,532	12,736
ひ　　の　　き	2,364	2,460	2,762	2,771	2,966
か　ら　ま　つ	2,299	2,312	2,290	2,252	2,217
えぞまつ・とどまつ	969	1,013	1,090	1,114	1,188

1　平成29年の「あかまつ・くろまつ」の素材生産量の対前年減少率は，令和元年のそれより小さい。

2　平成27年の「すぎ」の素材生産量を100としたときの令和元年のそれの指数は，115を上回っている。

3　平成27年から令和元年までの 5 年における「ひのき」の素材生産量の 1 年当たりの平均は，2,650千 m³を上回っている。

4　表中の各年とも，「からまつ」の素材生産量は，「えぞまつ・とどまつ」の素材生産量の1.9倍を上回っている。

5　令和元年の「えぞまつ・とどまつ」の素材生産量の対前年増加量は，平成29年のそれを上回っている。

解 説

1．平成29年の「あかまつ・くろまつ」の素材生産量の対前年減少量は37千 m³で，これは平成28年における生産量の 5 ％を超えている（ 5 ％は33.9千 m³）。これに対し，令和元年の対前年減少量は27千 m³で，平成30年における生産量の 5 ％未満である（ 5 ％は31.4千 m³）。したがって，減少率は平成29年のほうが大きい。

2．11226×1.15≒11226＋1123＋562＞12900＞12736であり，指数115を下回っている。

3．正しい。2,650を基準として見ると，（2364－2650）＋（2460－2650）＋（2762－2650）＋（2771－2650）＋（2966－2650）＝－286－190＋112＋121＋316＞0であり，1 年当たりの平均は，2,650千 m³を上回っている。

4．令和元年の場合，2217÷1188≒1.87であり，1.9倍を下回っている。

5．令和元年における「えぞまつ・とどまつ」の素材生産量の対前年増加量は74千 m³，平成29年は77千 m³であり，令和元年は平成29年を下回っている。

正答　**3**

次の表から確実にいえるのはどれか。

政府開発援助額の対前年増加率の推移

(単位　%)

供 　与 　国	2015年	2016	2017	2018	2019
ア メ リ カ	△06.4	11.1	0.9	△02.7	△02.4
ド 　イ 　ツ	8.3	37.9	1.1	2.7	△06.0
イ ギ リ ス	△03.9	△02.7	0.3	7.5	△00.5
フ ラ ン ス	△14.9	6.4	17.8	13.3	△06.7
日 　　　　本	△00.7	13.2	10.0	△12.2	16.5

(注) △は，マイナスを示す。

1 　表中の各年のうち，イギリスの政府開発援助額が最も多いのは，2015年である。

2 　2015年のドイツの政府開発援助額を100としたときの2019年のそれの指数は，130を下回っている。

3 　2016年のフランスの政府開発援助額は，2018年のそれの70％を下回っている。

4 　2019年の日本の政府開発援助額は，2016年のそれの1.2倍を下回っている。

5 　2017年において，ドイツの政府開発援助額の対前年増加額は，アメリカの政府開発援助額のそれを上回っている。

解 説

1．2015年におけるイギリスの政府開発援助額を100とすると，2018年は，$100 \times (1-0.027) \times (1+0.003) \times (1+0.075) \fallingdotseq 100 \times (1-0.027+0.003+0.075) = 100 \times 1.051 = 105.1$と なり，2018年は2015年より多い。

2．2016年は増加率が大きいので近似の対象から外すと，$100 \times (1+0.083) \times (1+0.379) \times (1+0.011) \times (1+0.027) \times (1-0.060) \fallingdotseq 100 \times 1.379 \times (1+0.083+0.011+0.027-0.060) = 137.9 \times 1.061 > 130$となり，130を上回っている。

3．ここも増減率の数値が大きいので近似は避ける。2016年におけるフランスの政府開発援助額を100とすると，2018年は，$100 \times 1.178 \times 1.133 \fallingdotseq 133.5$となる。$133.5 \times 0.7 \fallingdotseq 93.5$であるから，2016年は2018年の70％を上回っている。

4．正しい。増減率の数値は大きいが，増加と減少が混在しているので，近似で求めても許容範囲内に収まる。2016年における日本の政府開発援助額を100とすると，2019年は，$100 \times (1+0.100) \times (1-0.122) \times (1+0.165) \fallingdotseq 100 \times (1+0.100-0.122+0.165) = 100 \times 1.143 = 114.3$であり，1.2倍を下回っている。

5．この資料から実数値としての政府開発援助額を判断することはできない。

正答 **4**

文章理解

判断推理

数的処理

資料解釈

空間把握

文化

倫理・哲学

次の図から確実にいえるのはどれか。

品目分類別輸入重量の推移

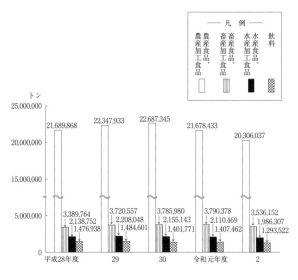

1 平成29年度から令和２年度までの各年度のうち，「農産食品，農産加工食品」の輸入重量の対前年度増加量が最も大きいのは，平成30年度である。

2 平成29年度の「農産食品，農産加工食品」の輸入重量を100としたときの令和２年度のそれの指数は，90を下回っている。

3 令和２年度における「飲料」の輸入重量の対前年度減少率は，８％を下回っている。

4 図中の各年度のうち，「畜産食品，畜産加工食品」の輸入重量と「水産食品，水産加工食品」の輸入重量との差が最も大きいのは，令和元年度である。

5 平成28年度から令和２年度までの５年度における「水産食品，水産加工食品」の輸入重量の１年度当たりの平均は，210万トンを下回っている。

解説

1. 平成30年度における「農産食品，農産加工食品」の輸入重量の対前年度増加量は400,000トン未満であるが，平成29年度における対前年増加量は600,000トンを超えている。

2. 22347933×0.9≒22347933−2234793≒20113140＜20306037であり，指数は90を上回っている。

3. 1407462×0.92≒1294865＞1293522であり，減少率は８％を上回っている。

4. 正しい。「畜産食品，畜産加工食品」の輸入重量と「水産食品，水産加工食品」の輸入重量との差が1,600,000トンを超えているのは，平成30年度と令和元年度である。平成30年度は，3785980−2155143＝1630837，令和元年度は，3790378−2110469＝1679909であり，その差が最も大きいのは，令和元年度である。

5. 2,100,000トンを基準とすると，(2138752−2100000)＋(2208048−2100000)＋(2155143−2100000)＋(2110469−2100000)＋(1986307−2100000)＝38752＋108048＋55143＋10469−113693＞0であり，平均は210万トンを上回っている。

正答 **4**

次の図から確実にいえるのはどれか。

港内交通に関する許可件数の構成比の推移

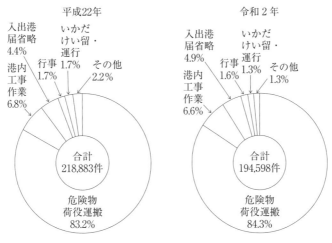

平成22年

入出港届省略 4.4%
いかだけい留・運行 1.7%
行事 1.7%
その他 2.2%
港内工事作業 6.8%
合計 218,883件
危険物荷役運搬 83.2%

令和 2 年

入出港届省略 4.9%
いかだけい留・運行 1.3%
行事 1.6%
その他 1.3%
港内工事作業 6.6%
合計 194,598件
危険物荷役運搬 84.3%

1 港内交通に関する許可件数の合計の平成22年に対する令和 2 年の減少数に占める「危険物荷役運搬」のそれの割合は，75％を超えている。

2 令和 2 年の「港内工事作業」の許可件数は，平成22年のそれの0.85倍を下回っている。

3 平成22年の「行事」の許可件数を100としたときの令和 2 年のそれの指数は，90を上回っている。

4 図中の各区分のうち，平成22年に対する令和 2 年の許可件数の減少数が最も小さいのは，「行事」の許可件数である。

5 平成22年における「いかだけい留・運行」の許可件数に対する「港内工事作業」の許可件数の比率は，令和 2 年におけるそれを下回っている。

解 説

1．港内交通に関する許可件数の合計の平成22年に対する令和 2 年の減少数は，218883－194598＝24285より，24,285件である。「危険物荷役運搬」の減少数は，218883×0.832－194598×0.843≒182111－164046＝18065より，18,065件である。24285×0.75＝24285×$\frac{3}{4}$＞18200であり，18,065件は75％に達しない。

2．（194598×0.066）÷（218883×0.068）≒12843÷14844≒0.865であり，0.85倍を上回っている。

3．（194598×0.016）÷（218883×0.017）≒3114÷3721≒0.837であり，指数90を下回っている。

4．「行事」の許可件数は，減少数が，3721－3114＝607より，607件である。これに対し，「入出港届省略」の場合，218883×0.044－194598×0.049≒9631－9535＝96より，その減少数は96件で，「行事」より少ない。

5．正しい。ここでは各年における「いかだけい留・運行」，「港内工事作業」の構成比だけで見ればよい。平成22年における「いかだけい留・運行」の許可件数に対する「港内工事作業」の許可件数の比率は，6.8÷1.7＝4，令和 2 年の場合は，6.6÷1.3≒5.08であり，平成22年における「いかだけい留・運行」の許可件数に対する「港内工事作業」の許可件数の比率は，令和 2 年を下回っている。

正答 **5**

文章理解

判断推理

数的処理

資料解釈

空間把握

文化

倫理・哲学

次の図から正しくいえるのはどれか。

日本における 4 か国からの水産物輸入額の**対前年増加率**の推移

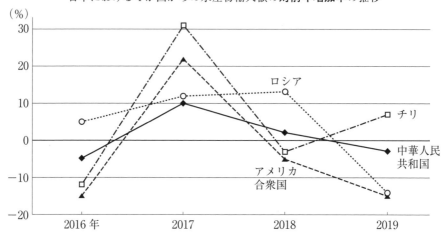

1 2015年から2019年までのうち，チリからの水産物輸入額が最も多いのは2017年であり，最も少ないのは2016年である。

2 2015年から2019年までの各年についてみると，アメリカ合衆国からの水産物輸入額に対するロシアからの水産物輸入額の比率が最も小さいのは2015年である。

3 2016年における中華人民共和国からの水産物輸入額を100としたとき，2018年における中華人民共和国からの水産物輸入額の指数は105を下回っている。

4 2016年から2019年までの 4 か年におけるアメリカ合衆国からの水産物輸入額の年平均は，2018年におけるアメリカ合衆国からの水産物輸入額を上回っている。

5 2017年と2019年の水産物輸入額についてみると，2017年の水産物輸入額に対する2019年の水産物輸入額の増加率が最も大きいのは，ロシアである。

解 説

1．2017年を100とすると，2019年は，$100 \times (1-0.03) \times (1+0.08) \fallingdotseq 104.8$であり，チリからの水産物輸入額は2017年より2019年のほうが多い。

2．正しい。2015年における輸入額を両国とも100とすると，2016年はロシア＝105，アメリカ合衆国＝85である。2017年はロシア＝$105 \times 1.12 \fallingdotseq 117.6$，アメリカ合衆国＝$85 \times 1.22 \fallingdotseq 103.7$であり，両年とも2015年よりアメリカ合衆国からの水産物輸入額に対するロシアからの水産物輸入額の比率は大きい。2018年，2019年も図上の位置はアメリカ合衆国よりロシアのほうが上なので，2015年から2019年までのうち，アメリカ合衆国からの水産物輸入額に対するロシアからの水産物輸入額の比率が最も小さいのは2015年である。

3．図から判断すると，$100 \times (1+0.1) \times (1+0.025) \fallingdotseq 112.8$となり，指数は105を超えている。

4．2016年におけるアメリカ合衆国からの水産物輸入額を100とすると，2017年は$100 \times 1.22＝122$，2018年は$122 \times (1-0.05)＝115.9$，2019年は$115.9 \times (1-0.15) \fallingdotseq 98.5$となる。2018年の115.9を基準とすると，$-15.9+6.1+0-17.4＝-26.9$であり，2018年におけるアメリカ合衆国からの水産物輸入額を下回っている。

5．ロシアの場合，$1.12 \times 0.87 \fallingdotseq 0.97$であり，2019年は2017年より減少している。これに対し，チリの場合は，$0.97 \times 1.08 \fallingdotseq 1.05$であり，2019年は2017年より増加している。つまり，増加率はロシアよりチリのほうが大きい。

正答 **2**

次の図から正しくいえるのはどれか。

日本における 4 か国からのナチュラルチーズ輸入量の構成比の推移

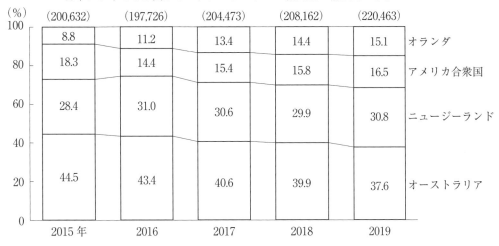

（注）（　）内の数値は，4 か国からのナチュラルチーズ輸入量の合計（単位：トン）を示す。

1 2015年についてみると，オーストラリアからのナチュラルチーズ輸入量は，アメリカ合衆国からのナチュラルチーズ輸入量を55,000トン以上，上回っている。

2 2015年におけるオランダからのナチュラルチーズ輸入量を100としたとき，2019年におけるオランダからのナチュラルチーズ輸入量の指数は180を下回っている。

3 2016年から2018年までの 3 か年におけるアメリカ合衆国からのナチュラルチーズ輸入量の累計は，93,000トンを下回っている。

4 2016年から2019年までのうち，オーストラリアからのナチュラルチーズ輸入量が最も多いのは2018年であり，最も少ないのは2019年である。

5 2017年から2019年までのうち，ニュージーランドからのナチュラルチーズ輸入量が前年に比べて最も増加したのは，2017年である。

解 説

1．200632×（0.445−0.183）≒52600であり，その差は55,000トンに達しない。

2．15.1÷8.8≒1.72であり，2019年におけるオランダの構成比は2015年の約1.72倍である。2019年における輸入量の合計は，2015年の約1.1倍である。したがって，1.72×1.1≒1.89となり，2019年におけるオランダからの輸入量は2015年の約1.89倍であり，指数は180を上回っている。

3．正しい。197726×0.144＋204473×0.154＋208162×0.158≒28473＋31489＋32890＝92852であり，93,000トンを下回っている。

4．2018年の場合，208162×0.399≒83057である。これに対し2016年の場合は，197726×0.434≒85813であり，2018年より2016年のほうが多い。

5．2017年の場合，204473×0.306−197726×0.310≒1270であり，対前年増加量は1,270トンである。これに対し 2019年の場合は，220463×0.308−208162×0.299≒5660より，対前年増加量は約5,660トンであり，2019年のほうが大きい。

正答 **3**

次の表から確実にいえるのはどれか。

自動車貨物の主要品目別輸送量の対前年度増加率の推移

（単位　％）

品　目	平成27年度	28	29	30	令和元年度
砂利・砂・石材	△13.2	5.5	△8.5	△6.0	△9.6
機　　　械	33.1	△3.4	9.4	10.1	14.9
窯　業　品	△8.6	△10.2	13.1	△11.5	0.4
食 料 工 業 品	△36.3	7.8	0.2	△5.8	△6.5
日　用　品	6.7	23.3	△0.1	8.2	4.1

（注）△は，マイナスを示す。

1　令和元年度において，「窯業品」の輸送量及び「食料工業品」の輸送量は，いずれも平成28年度のそれを下回っている。

2　表中の各年度のうち，「窯業品」の輸送量が最も少ないのは，平成30年度である。

3　平成29年度において，「食料工業品」の輸送量は，「機械」のそれを上回っている。

4　「機械」の輸送量の平成29年度に対する令和元年度の増加率は，「日用品」の輸送量のそれの2倍より小さい。

5　平成27年度の「砂利・砂・石材」の輸送量を100としたときの平成30年度のそれの指数は，90を上回っている。

解 説

1．「窯業品」の場合，平成28年度の輸送量を100とすると，令和元年度は，$100 \times (1+0.131) \times (1-0.115) \times (1+0.004) ≒ 100.5$であり，平成28年度を上回っている。

2．平成28年度における「窯業品」の輸送量を100とすると，平成30年度は，$100 \times (1+0.131) \times (1-0.115) ≒ 100.1$であり，平成28年度は30年度より少ない。

3．実数値としての輸送量が示されていないので，異なる品目間での輸送量の大小を判断することはできない。

4．平成29年度の輸送量を100とすると，令和元年度における「機械」は，$100 \times (1+0.101) \times (1+0.149) ≒ 126.5$であり，増加率は約26.5％である。「日用品」の場合は，$100 \times (1+0.082) \times (1+0.041) ≒ 112.6$であり，増加率は12.6％である。$12.6 \times 2 = 25.2 < 26.5$であり，2倍より大きい。

5．正しい。平成27年度における「砂利・砂・石材」の輸送量を100とすると，平成30年度は，$100 \times (1+0.055) \times (1-0.085) \times (1-0.060) ≒ 100 \times (1+0.055-0.085-0.060) = 100 \times 0.91 = 91$となり，90を上回っている。

正答　**5**

東京都・特別区

教養試験

No.
95

資料解釈 就業保健師等の年次推移 令和 3 年度

区

文章理解

判断推理

数的処理

資料解釈

空間把握

文化

倫理・哲学

次の図から確実にいえるのはどれか。

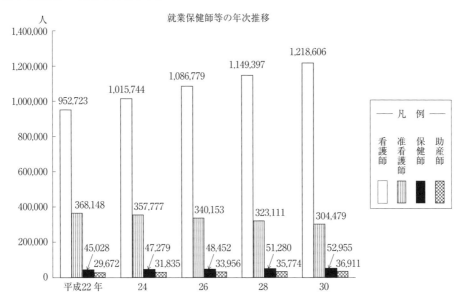

就業保健師等の年次推移

1 助産師の人数の平成24年に対する平成26年の増加人数は，保健師の人数のそれの2倍を上回っている。

2 平成26年の准看護師の人数を100としたときの平成30年のそれの指数は，90を上回っている。

3 准看護師の人数の平成28年に対する平成30年の減少率は，6％を上回っている。

4 平成22年において，図中の就業保健師等の人数の合計に占める看護師のそれの割合は，70％を超えている。

5 図中の各年のうち，保健師における人数と助産師における人数との差が最も小さいのは，平成26年である。

解説

1. 助産師の人数の平成24年に対する平成26年の増加数は，33956−31835＝2121より，2,121人である。これに対し，保健師の場合は，48452−47279＝1173より，1,173人である。1173×2＝2346＞2121であるから，2倍を下回っている。

2. 340153×0.9≒340153−34015＝306138＞304479であり，90を下回っている。

3. 准看護師の人数の平成28年に対する平成30年の減少数は，19,000人未満である。323111×0.06≒19400であるから，減少率は6％未満である。

4. 平成22年における看護師の人数を1,000,000とすると，$1000000 \times \frac{3}{7} ≒ 429000$であり，准看護師，保健師，助産師の合計が429,000人未満であれば，看護師の占める割合が70％を超えている。しかし，准看護師，保健師，助産師の合計は440,000人を超えており，看護師の占める割合は70％未満である。

5. 正しい。各年における助産師の人数に15,000を加えて保健師の人数を上回るのは平成26年だけである。つまり，保健師と助産師の人数差が15,000人未満であるのは平成26年だけであり，平成26年の人数差が最も小さい。

正答 **5**

東京都・特別区

文章理解
判断推理
数的処理
資料解釈
空間把握
文化
倫理・哲学

教養試験

区

No.
96
資料解釈 世界人口の構成比の推移 令和 3 年度

次の図から確実にいえるのはどれか。

世界人口の構成比の推移

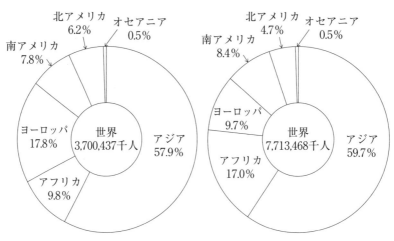

1 アフリカの人口の1970年に対する2019年の増加率は，ヨーロッパの人口のそれの18倍より大きい。

2 2019年の北アメリカの人口は，1970年のそれの1.7倍を上回っている。

3 1970年のアジアの人口を100としたときの2019年のそれの指数は，210を下回っている。

4 世界人口の合計の1970年に対する2019年の増加人数に占める南アメリカのそれの割合は，10％を超えている。

5 1970年におけるヨーロッパの人口に対するオセアニアの人口の比率は，2019年におけるそれを上回っている。

解説

1. 正しい。2019年における世界人口は，1970年の約2.08倍である。したがって，1970年におけるアフリカの人口は，2019年の世界人口に対する割合としては9.8％の$\frac{1}{2}$より少し小さい4.8％程度に相当する。そうすると，17.0÷4.8≒3.54より，アフリカの人口の1970年に対する2019年の増加率は，約254％である。同様にしてヨーロッパの場合を考えると，9.7÷8.8≒1.10となり（※），増加率は約10％となる（※17.8÷2－0.1＝8.8）。10×18＝180＜254であり，アフリカの人口の1970年に対する2019年の増加率は，ヨーロッパの人口のそれの18倍より大きい。

2. 4.7÷3.0≒1.57であり，1.7倍に達しない。

3. 59.7÷27.8≒2.15であり，指数は210を超えている。

4. 南アメリカの場合，8.4－3.8＝4.6より，1970年に対する2019年の増加人数は2019年の世界人口の約4.6％である。世界人口の合計の1970年に対する2019年の増加人数は，2019年の世界人口の$\frac{1}{2}$よりやや多いので，4.6×2＝9.2より，9.2％より小さい。

5. 0.5÷17.8＜0.5÷9.7であり，1970年におけるヨーロッパの人口に対するオセアニアの人口の比率は，2019年におけるそれを下回っている。

正答 1

次の図から正しくいえるのはどれか。

日本におけるレトルト食品5品目の生産数量の推移

1 2014年における料理用調味ソースの生産数量を100としたとき，2018年における料理用調味ソースの生産数量の指数は105を上回っている。

2 2015年から2017年までについてみると，パスタソースの生産数量の3か年の累計に対する食肉野菜混合煮の生産数量の3か年の累計の比率は0.5を下回っている。

3 2015年から2017年までの各年についてみると，つゆ・たれの生産数量に対する料理用調味ソースの生産数量の比率は，いずれの年も0.9を上回っている。

4 2016年におけるレトルト食品の生産数量の対前年増加率を品目別にみると，5品目のうち最も大きいのはスープ類であり，最も小さいのはパスタソースである。

5 2016年から2018年までの各年についてみると，レトルト食品5品目の生産数量の合計に占めるつゆ・たれの生産数量の割合は，いずれの年も30％を下回っている。

解説

1. 43628×1.05＝43628＋2181.4＞45000＞44275であり，2018年における料理用調味ソースの生産数量の指数は105を下回っている。

2. 正しい。33265＋32444＋32693＞98000より，パスタソース生産数量の3か年の累計は98,000トンを超えている。食肉野菜混合煮の生産数量の3か年の累計は，16156＋16493＋15727＜49000より，49,000トン未満なので，パスタソースの0.5を下回っている。

3. 2017年の場合，50646×0.9≒45600＞43529であり，0.9を下回っている。

4. パスタソースの場合，2016年における対前年減少率は，32444÷33265≒0.975より，約2.5％である。これに対し，料理用調味ソースの場合は，42879÷44617≒0.961より，減少率は約3.9％である。パスタソースより料理用調味ソースのほうが減少率が大きいので，増加率は小さいことになる。

5. 2017年はレトルト食品5品目の生産数量の合計が160,000トンを下回っている。つゆ・たれの生産数量は50,000トンを超えており，160000×0.3＝48000であることから，2017年におけるつゆ・たれの生産数量は30％を超えている。

正答 **2**

文章理解

判断推理

数的処理

資料解釈

空間把握

文化

倫理・哲学

正方形の紙を続けて 5 回折ってから元のように開いたところ、下の図の点線のような折り目ができたとき、4 回目に折った際にできた折り目はどれか。

1　ア
2　イ
3　ウ
4　エ
5　オ

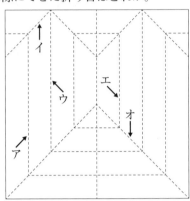

解説

図Ⅰのように、折り目Aと折り目オがある場合、その前後関係を考えると、折り目オを折るときに折り目Aがなければ、折り目オは正方形の対角線となって、反対側の頂点に達するはずである。したがって、折り目Aの後に折り目オができたことになる。このとき、折り目オは折り目Aを軸として、線対称形になる。このことから、折り目の順序は図Ⅱのようになり、4 回目に折ったのは折り目イである。なお、折り目アと折り目エは、折り目ウを軸として線対称形であり、5 回目に同時に折られている。よって、正答は **2** である。

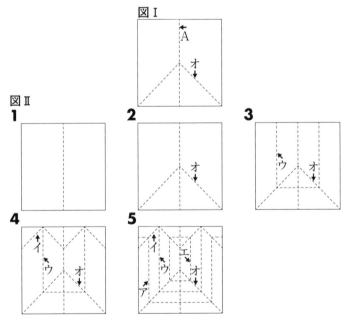

正答　**2**

東京都・特別区

教養試験

No.
99
空間概念

立体の回転

都

令和 5 年度

下の図のように、矢印が1つの面だけに描かれている立方体を、滑ることなくマス目の上をA〜Sの順に回転させ、最初にSの位置にきたときの立方体の状態を描いた図として、妥当なのはどれか。

	A	B	C	D	E	F
S						G
R						H
Q						I
P	O	N	M	L	K	J

1　2　3　4　5

解説

立方体を同一方向に転がすとき、4回で元の状態となる。つまり、Dの位置で矢印は上面で右を向いている。ここからFまで進むと、矢印は底面で左を向いていることになる。FからJまでで4回となるので、Jの位置でも矢印は底面で左を向いている。JからPまで進むと6回なので、Pの位置で矢印は上面で右を向いている。Pから元の位置まで転がると4回なので、Sの位置では1回だけ前の状態となる。

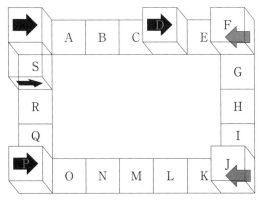

よって、正答は**5**である。

正答　**5**

下の図のように、ひし形が正方形の辺と接しながら、かつ、接している部分が滑ることなく矢印の方向に回転して、Aの位置からBの位置まで移動したとき、ひし形の頂点Pの描く軌跡の長さとして、正しいのはどれか。ただし、円周率はπとする。

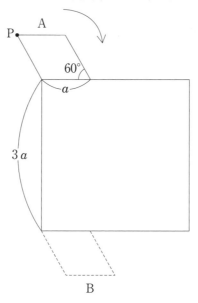

1 $\dfrac{11+8\sqrt{3}}{6}\pi a$

2 $\dfrac{6+4\sqrt{3}}{3}\pi a$

3 $(1+2\sqrt{3})\pi a$

4 $(3+\sqrt{3})\pi a$

5 $\dfrac{3+4\sqrt{3}}{2}\pi a$

文章理解

判断推理

数的処理

資料解釈

空間把握

文化

倫理・哲学

ひし形の頂点Pは、図Ⅰ〜図Ⅳまでのように回転移動する。その軌跡は弧C〜弧Hとなる。このひし形は、1辺の長さ a の正三角形2枚を組み合わせて作られており、その短対角線の長さは a、長対角線の長さは $\sqrt{3}a$ である。弧Cの長さは、半径 $\sqrt{3}a$、中心角120°の扇形の弧であるから、$2\sqrt{3}\pi a \times \dfrac{120}{360} = \dfrac{2\sqrt{3}}{3}\pi a$ である。弧D、弧E、弧G、弧Hはいずれも半径が a であり、中心角はそれぞれ、60°、60°、150°、60°である。したがって、弧Dの長さは、$2\pi a \times \dfrac{60}{360} = \dfrac{1}{3}\pi a$、

弧Eの長さは、$2\pi a \times \dfrac{60}{360} = \dfrac{1}{3}\pi a$、弧Gの長さは、$2\pi a \times \dfrac{150}{360} = \dfrac{5}{6}\pi a$、弧Hの長さは、$2\pi a \times$

$\dfrac{60}{360} = \dfrac{1}{3}\pi a$ となる。そして、弧Fの長さは弧Cの長さと同一なので、$\dfrac{2\sqrt{3}}{3}\pi a$ である。

これにより、頂点Pの描く軌跡の長さは、$\dfrac{1}{3}\pi a \times 3 + \dfrac{5}{6}\pi a + \dfrac{2\sqrt{3}}{3}\pi a \times 2 = \dfrac{11+8\sqrt{3}}{6}\pi a$ となる。

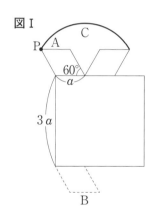

図Ⅰ

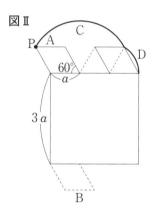

図Ⅱ

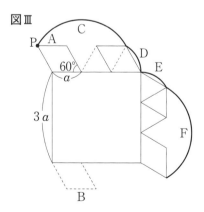

図Ⅲ

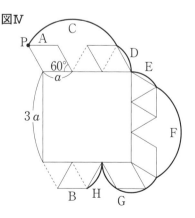

図Ⅳ

よって、正答は**1**である。

正答　**1**

文章理解

判断推理

数的処理

資料解釈

空間把握

文化

倫理・哲学

次の図Ⅰのような展開図のサイコロ状の正六面体がある。この立体を図Ⅱのとおり、互いに接する面の目の数が同じになるように4個並べたとき、A、B、Cの位置にくる目の数の和はどれか。

1 9
2 11
3 12
4 13
5 17

図Ⅰ

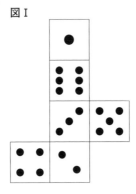

図Ⅱ

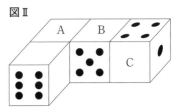

解 説

図1のような5面図を利用する。図Ⅱの右端のサイコロから考える。図Ⅰの展開図で、4の目を1の目の左側に移動させると、1、4の目から、Cは6である。また、展開図から1の目と向かい合う目は3の目なので、右端のサイコロとその隣のBがあるサイコロは3の目で接している。そうすると、3、5、1の目の配置から、Bの目は2となる。次に、左側手前のサイコロとAがあるサイコロは2の目で接している。これにより、1、2、3の目の配置から、Aは5の目と決まる（図2）。したがって、A、B、Cの目の数の和は、5＋2＋6＝13であり、正答は**4**である。

図1

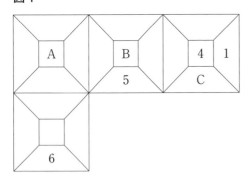

図2

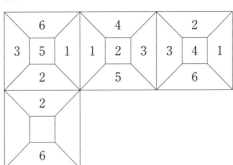

次の図のように、正方形の紙を点線に従って矢印の方向に谷折りをし、できあがった三角形の斜線部を切り落として、残った紙を元のように広げたときにできる図形はどれか。

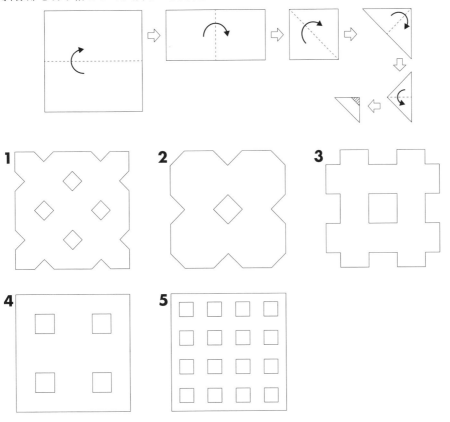

文章理解

判断推理

数的処理

資料解釈

空間把握

文化

倫理・哲学

解　説

最後まで折った状態から、順次広げていけばよい（ただし、広げた正方形の辺には必ず切れ込みが入るので、**4**、**5**は可能性がない）。その際、切り落とした部分は、折り目を軸として線対称の位置となる。広げていくと、下の図のようになり、正答は**1**である。

　この場合、最後まで折った状態で紙は32枚重なっている。つまり、切り落とした部分は直角二等辺三角形32枚分ということになり、**1**～**3**の中でこの条件を満たすのは**1**のみである。

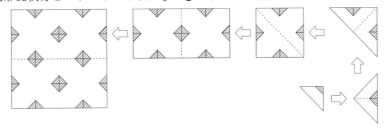

正答　**1**

次の図のように、縦 4 cm、横 8 cm、高さ 4 cm の直方体がある。辺 GH の中点を点 P として、この直方体を点 C、F、P を通る平面で切断したとき、その断面の面積はどれか。

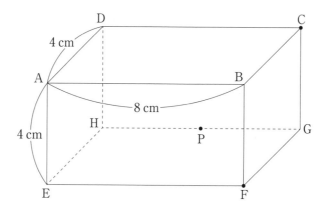

1　$4\sqrt{3}\,\text{cm}^2$
2　$8\sqrt{3}\,\text{cm}^2$
3　$16\sqrt{3}\,\text{cm}^2$
4　$4\sqrt{6}\,\text{cm}^2$
5　$8\sqrt{6}\,\text{cm}^2$

3点C、F、Pを通る平面で切断したとき、その断面図は△CFPである。CG＝GP＝FG＝4であるから、CF＝CP＝FP＝$4\sqrt{2}$、つまり、△CFPは、1辺の長さ$4\sqrt{2}$cmの正三角形である。したがって、その面積は、$(4\sqrt{2})^2 \times \dfrac{\sqrt{3}}{4} = 8\sqrt{3}$より、$8\sqrt{3}$cm²であり、正答は**2**である。

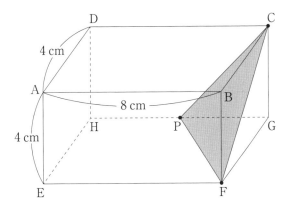

［参考］　1辺の長さaの正三角形においては、「30°、60°、90°の直角三角形」の3辺の比は$1 : \sqrt{3} : 2$であることから、その高さは$\dfrac{\sqrt{3}}{2}a$、面積は$\dfrac{\sqrt{3}}{4}a^2 \left(= a \times \dfrac{\sqrt{3}}{2}a \times \dfrac{1}{2} \right)$である。

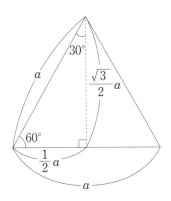

文章理解

判断推理

数的処理

資料解釈

空間把握

文化

倫理・哲学

正答　**2**

次の図のように、一辺の長さ a の正方形を組み合わせた図形がある。今、この図形が直線上を矢印の方向に滑ることなく 1 回転したとき、点 P が描く軌跡の長さはどれか。ただし、円周率は π とする。

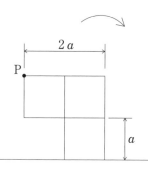

1　$\dfrac{7+4\sqrt{2}}{4}\pi a$

2　$(2+\sqrt{2})\pi a$

3　$\dfrac{1+\sqrt{2}+\sqrt{5}}{4}\pi a$

4　$\dfrac{5+\sqrt{2}+\sqrt{5}}{4}\pi a$

5　$\dfrac{5+4\sqrt{2}+\sqrt{5}}{4}\pi a$

点Pが描く軌跡は、図に示すA〜Dの弧である。弧Aの長さは、半径$2\sqrt{2}\,a$、中心角90°より、$2\sqrt{2}\,a\times2\times\pi\times\dfrac{90}{360}=\sqrt{2}\,\pi a$ である。弧Bの長さは、半径$2a$、中心角90°より、$2a\times2\times\pi\times\dfrac{90}{360}=\pi a$ である。弧Cの長さは、半径a、中心角45°より、$a\times2\times\pi\times\dfrac{45}{360}=\dfrac{\pi a}{4}$、弧Dの長さは、半径$\sqrt{5}\,a$、中心角45°より、$\sqrt{5}\,a\times2\times\pi\times\dfrac{45}{360}=\dfrac{\sqrt{5}\,\pi a}{4}$である。A＋B＋C＋D＝$\dfrac{4\sqrt{2}+4+1+\sqrt{5}}{4}\pi a=\dfrac{5+4\sqrt{2}+\sqrt{5}}{4}\pi a$ となり、正答は**5**である。

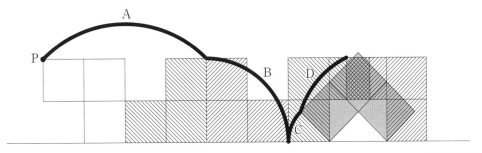

正答　**5**

文章理解

判断推理

数的処理

資料解釈

空間把握

文化

倫理・哲学

下の図A～Eのうち，始点と終点が一致する一筆書きとして，妥当なのはどれか。ただし，一度描いた線はなぞれないが，複数の線が交わる点は何度通ってもよい。

A

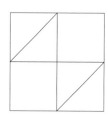

B

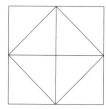

C

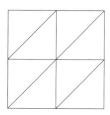

D

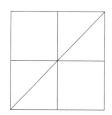

E

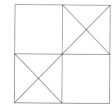

1　A
2　B
3　C
4　D
5　E

一筆書きが可能な図形は，その図形の中にある奇点の個数が0個または2個の場合である。奇点の個数が0個というのは偶点のみということである。奇点が0個（偶点のみ）の場合，一筆書きの始点と終点が一致する。奇点が2個の場合は，一方の奇点が始点，他方の奇点が終点となる。

　図のAは奇点が0個なので，始点と終点が一致する。CとEは奇点が2個なので，一方の奇点が始点，他方の奇点が終点となる。Bは奇点が4個，Dは奇点が6個あるので，いずれも一筆書きは不可能な図形である。

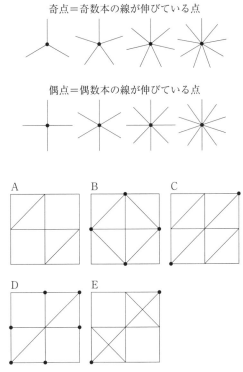

よって，正答は**1**である。

東京都・特別区

教養試験

No.
106

空間概念

展開図

都

令和 4 年度

下の図のような円すい台の展開図として，妥当なのはどれか。

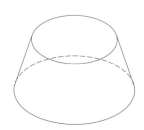

1

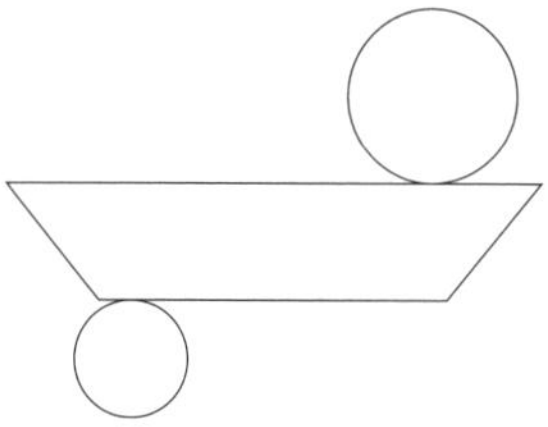

1   **2**

3

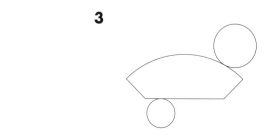

4   **5**

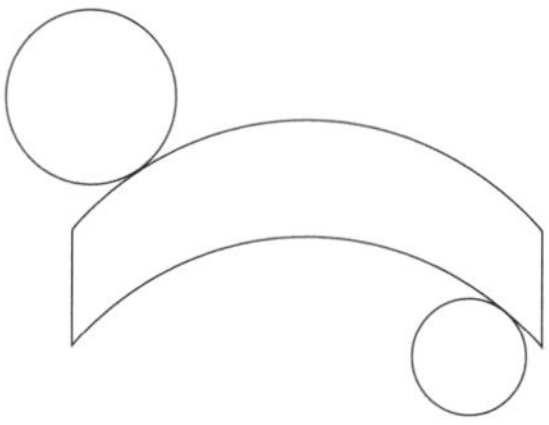

解 説

円錐台は円錐の上部を切り取った図形と考えればよい。問題となっているのは，円錐台の側面展開図なので，円錐からその上部を切り取った場合の側面図を考えればよい。図Ⅰのように，円錐の上部を切り取った円錐台の側面について，元の円錐の側面展開図との関係で示すと，図Ⅱのようになり，斜線部分が円錐台の側面図である。

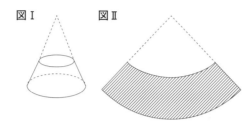

図Ⅰ　　　図Ⅱ

よって，正答は**2**である。

正答　**2**

文章理解

判断推理

数的処理

資料解釈

空間把握

文化

倫理・哲学

下の図のように，一辺の長さ 3 cm の正六角形の各辺を延長し，得られた交点を結んでつくっ
た図形がある。この図形が，直線と接しながら，かつ，直線に接している部分が滑ることなく
矢印の方向に 1 回転したとき，この図形の頂点 P が描く軌跡の長さとして，正しいのはどれか。
ただし，円周率は π とする。

1　$(6+3\sqrt{3})\pi$ cm
2　$(6+4\sqrt{3})\pi$ cm
3　$(9+2\sqrt{3})\pi$ cm
4　$(9+3\sqrt{3})\pi$ cm
5　$(9+4\sqrt{3})\pi$ cm

解説

問題図の等辺六芒星を 1 回転させたときに，頂点 P が描く軌跡を考えるのであるから，これは
図 I の正六角形 ABCDEP を 1 回転させたときに頂点 P が描く軌跡を考えればよいことになる。

図 I

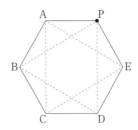

　図 I の正六角形 ABCDEP は，D，E，P，A，B，C の順に回転の中心となり，60°ずつ
回転する。したがって，頂点 P は，DP，EP，AP，BP，CP を順次回転半径として60°ずつ回
転していく。そこで，この回転半径を求めることが必要になる。
　この等辺六芒星は， 1 辺の長さ 3 cm の正六角形の各辺を延長して作られているので，DP＝
BP＝9 である。正六角形 ABCDEP の中にある，二等辺三角形 PAE（図 II）は頂角 APE＝
120°なので，∠PAE＝∠PEA＝30°である。

図Ⅱ

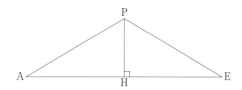

　頂点Pから底辺 AE に垂線 PH を引くと，△PAH は「30，60，90」型の直角三角形なので，

$AP=EP=AH\times\dfrac{2}{\sqrt{3}}$ となるが，$AH=\dfrac{1}{2}AE=\dfrac{9}{2}$ だから，$AP=EP=\dfrac{9}{2}\times\dfrac{2}{\sqrt{3}}=3\sqrt{3}$ となる。

　また，正六角形は正三角形 6 枚で構成されているので，$CP=3\sqrt{3}\times2=6\sqrt{3}$ である。点Pの軌跡は図Ⅲのようになる。

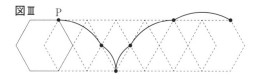

図Ⅲ

　その軌跡の長さは，$9\times2\times\pi\times\dfrac{60}{360}+3\sqrt{3}\times2\times\pi\times\dfrac{60}{360}+3\sqrt{3}\times2\times\pi\times\dfrac{60}{360}+9\times2\times\pi\times\dfrac{60}{360}$

$+6\sqrt{3}\times2\times\pi\times\dfrac{60}{360}=3\pi+\sqrt{3}\pi+\sqrt{3}\pi+3\pi+2\sqrt{3}\pi=6\pi+4\sqrt{3}\pi$ より，$(6+4\sqrt{3})\pi$cm となる。

　よって，正答は **2** である。

正答　**2**

次の図のような展開図を立方体に組み立て，その立方体をあらためて展開したとき，同一の展開図となるのはどれか。

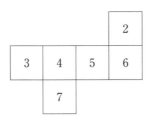

1

2

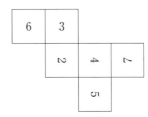

3

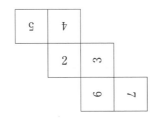

4

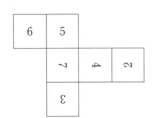

5

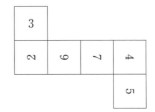

解説

図Ⅰの正六面体 ABCD－EFGH の展開図においては，図Ⅱのように，２面並んだ長方形の対角線方向の頂点は，必ずA－G，B－H，C－E，D－F が対応する。つまり，図Ⅲのように，正六面体展開図の１面を ABCD の面と決めてしまえば，すべての頂点を決めることができる。そこで，問題図の「２」と書かれた面について，「２」の左上から時計回りにA，B，C，D と頂点を決めると，すべての頂点が決まる（図Ⅳ）。

図Ⅰ

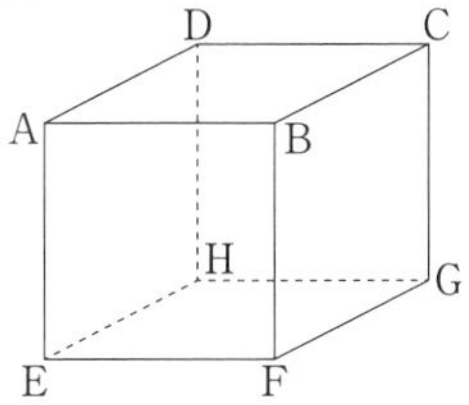

図Ⅱ

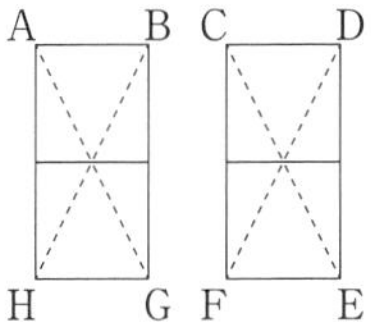

図Ⅲ

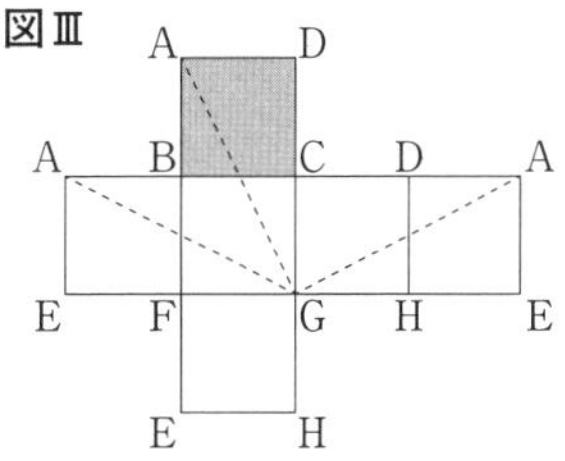

図Ⅳ

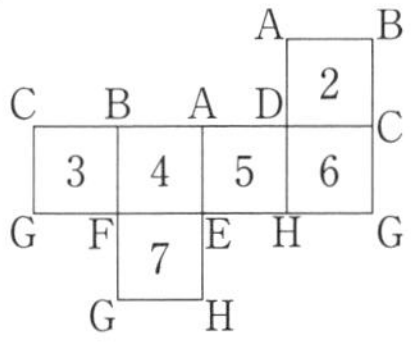

選択肢の各図についても，同様に「２」の面から頂点記号を決めると，図Ⅴとなる。この図Ⅴにおいて，図Ⅳとすべての面の頂点記号が一致しているのは**3**の図だけである。

図Ⅴ

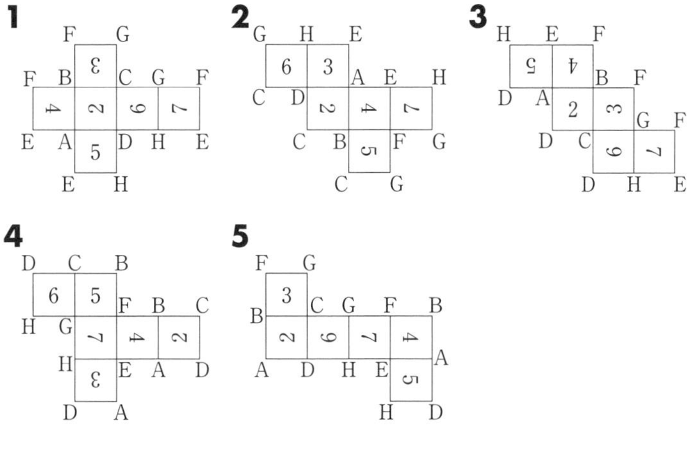

よって，正答は**3**である。

正答 3

次の図Ⅰのような3種類の型紙A，B，Cを透き間なく，かつ，重ねることなく並べて図Ⅱのような六角形を作るとき，型紙Aの使用枚数として正しいのはどれか。ただし，型紙は裏返して使用しないものとする。

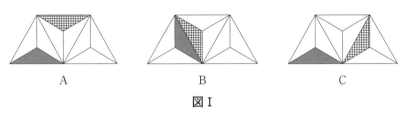

A   B   C

図Ⅰ

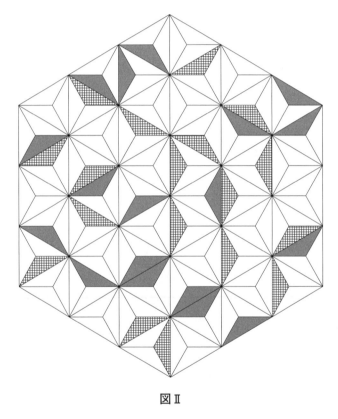

図Ⅱ

1 2枚
2 3枚
3 4枚
4 5枚
5 6枚

この問題では，型紙Aだけを探すのではなく，型紙Bおよび型紙Cも確定させていくほうがよい。見落としがなくなるだけでなく，むしろそのほうが処理速度を上げることができる。そうすると，図のように18枚の型紙がすべて確定し，そのうち型紙A（斜線部分）は４枚使われている。

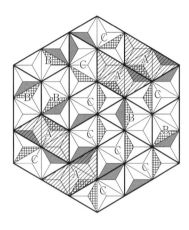

よって，正答は**3**である。

正答 **3**

文章理解
判断推理
数的処理
資料解釈
空間把握
文化
倫理・哲学

次の図は，いくつかの立体を組み合わせた立体を側面，正面，真上からそれぞれ見たものである。この組み合わせた立体の見取図として，有り得るのはどれか。

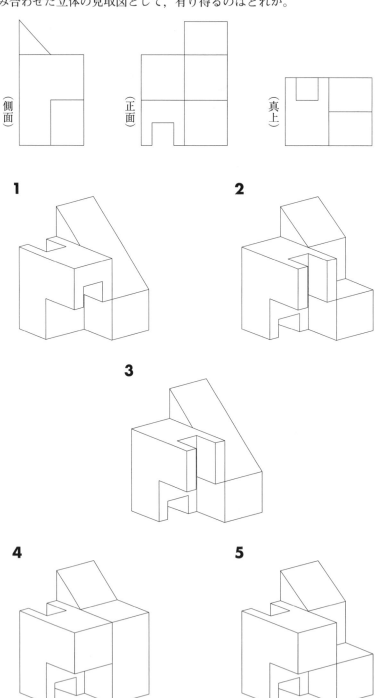

解　説

消去法で確認していけばよい。図のように，**1〜3**は正面図および平面図（真上）と一致しない部分があり，**4**は正面図と一致しない部分がある。これに対し，**5**はすべての部分が正面図，平面図，側面図と矛盾しない。

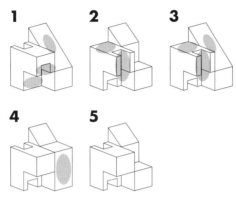

よって，正答は**5**である。

正答　**5**

東京都・特別区

教養試験

No.
111 空間把握　　　　軌　跡　　　　令和 4 年度

区

文章理解

判断推理

数的処理

資料解釈

空間把握

文化

倫理・哲学

次の図のように，半径 r，中心角60°の扇形Aと，半径 r，中心角120°の扇形Bがある。今，扇形Aは左から右へ，扇形Bは右から左へ，矢印の方向に，直線 l に沿って滑ることなくそれぞれ1回転したとき，扇形A，Bそれぞれの中心点P，P′が描く軌跡と直線 l で囲まれた面積の和として妥当なのはどれか。

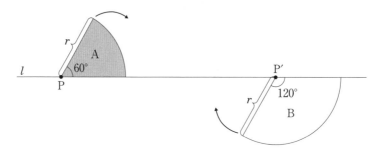

1 $\dfrac{1}{3}\pi r^2$

2 πr^2

3 $\dfrac{3}{2}\pi r^2$

4 $2\pi r^2$

5 $\dfrac{7}{3}\pi r^2$

扇形A，Bの軌跡は図のようになる。点P，P′が描く軌跡と直線 l で囲まれた図形は，図の灰色部分である。点P，P′とも，最初に半径が直線 l に対して垂直になるまで回転移動し，そこから扇形の弧の部分が直線 l に沿って動く間は直線 l と平行に移動し，他方の半径が直線 l に対して垂直になると，そこから回転移動する。したがって，図のように半径 r の4分円が4枚と長方形2枚で構成されることになる。

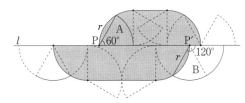

　長方形は，縦の長さが r，横の長さは扇形の弧の長さである。まず，4分円が4枚の面積は，半径 r の面積に等しいから，πr^2 である。扇形Aの弧の長さは，$2\pi r \times \dfrac{60}{360} = 2\pi r \times \dfrac{1}{6} = \dfrac{1}{3}\pi r$，

したがって，長方形の面積は，$\dfrac{1}{3}\pi r^2$ である。扇形Bの弧の長さは扇形Aの弧の長さの2倍だ

から，扇形Bの側の長方形の面積は，$\dfrac{2}{3}\pi r^2$ となる。これにより，図の灰色部分の面積は，πr^2

$+\dfrac{1}{3}\pi r^2 + \dfrac{2}{3}\pi r^2 = 2\pi r^2$ である。

　よって，正答は**4**である。

正答　**4**

下の図のような，上段に68628，中段に92965，下段に68828の数字を描いた紙を，点線のところで切断してA～Fの小片とし，B，C，D，Eを裏返すことなく並べ替えたとき，上段に82688，中段に59825，下段に82588となる並べ方として，妥当なのはどれか。ただし，Ｂ，Ｃ，Ｄ，Ｅは，B，C，D，Eをそれぞれ上下逆にした小片を表すものとする。

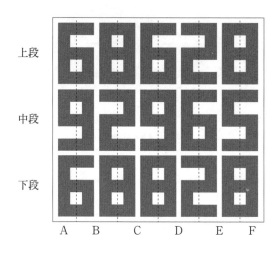

上段

中段

下段

A　　B　　C　　D　　E　　F

1　A－Ｃ－D－Ｂ－E－F
2　A－Ｅ－D－Ｂ－C－A
3　F－C－Ｂ－Ｅ－A
4　A－Ｅ－D－Ｂ－C－F
5　Ｆ－Ｂ－C－D－E－A

解 説

並べ替え後の左端の数字が，上段＝8，中段＝5，下段＝8となるには，Aの右側に，Cの上下反転，Eの上下反転のどちらを並べても可能である。また，並べ替え後の右端の数字が，上段＝8，中段＝5，下段＝8となるには，Fの左側に，Cの上下そのまま，Eの上下そのまま，のどちらを並べても可能である。ただし，Bの上下反転は不適である。ところが，中央の数字が，上段＝6，中段＝8，下段＝5となるには，左側にDの上下反転，右側にBの上下そのままを並べるしかない（CまたはEがここに並べられる可能性はない）。

　よって，正答は**4**である。

正答　**4**

同じ大きさの立方体の積み木を重ねたものを，正面から見ると図1，右側から見ると図2のようになる。このとき，使っている積み木の数として**考えられる最大の数と最小の数の差**として，妥当なのはどれか。

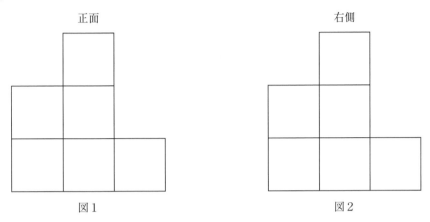

図1　　　　　　　　　　　　　　　　図2

1 0
2 2
3 4
4 6
5 8

解　説

平面図（上から見た図）で考えればよい。まず，図Ⅰのように，正面および右側面から見える立方体の個数を定める。

そして，立方体を1個しか置けない位置には1，2個までしか置けない位置には2，という順で個数を記入する。最後に3個置く位置に3と記入すると図Ⅱとなり，これが最大数で14となる。

この図Ⅱから，存在しなくても正面図，右側面図が維持できるなら，その位置には立方体がなくてもよいので，それを取り除いていく。そうすると，図Ⅲとなり，これが最小数で6個である。

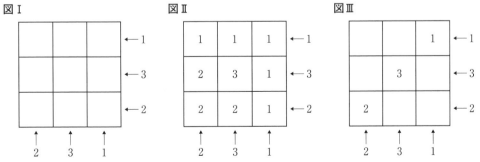

以上から，最大数と最小数の差は，14−6＝8である。

　　よって，正答は**5**である。

正答　**5**

文章理解

判断推理

数的処理

資料解釈

空間把握

文化

倫理・哲学

下の図のように，一辺の長さ a の正三角形が，一辺の長さ a の五つの正方形でできた図形の周りを，正方形の辺に接しながら，かつ，辺に接している部分が滑ることなく矢印の方向に回転し，一周して元の位置に戻るとき，頂点Pが描く軌跡の長さとして，正しいのはどれか。ただし，円周率は π とする。

1 $\dfrac{26}{3}\pi a$

2 $9\pi a$

3 $\dfrac{28}{3}\pi a$

4 $\dfrac{29}{3}\pi a$

5 $10\pi a$

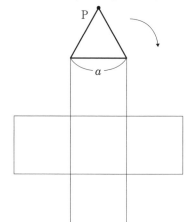

解 説

点Pの軌跡を描くと図のようになり，全部で8個の弧ができる。

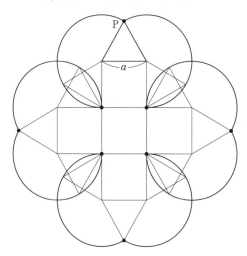

　この8個の弧は，すべて半径 a，中心角210°であるから，点Pは，210×8＝1680より，1,680°回転することになる。したがって，点Pが描く軌跡の長さは，

$$2\pi a \times \dfrac{1680}{360} = \dfrac{28}{3}\pi a$$

となる。

　よって，正答は**3**である。

正答 **3**

東京都・特別区

教養試験

No.
115

空間把握

平面分割

区

令和 3 年度

文章理解

判断推理

数的処理

資料解釈

空間把握

文化

倫理・哲学

次の図のように 2 本の直線によって分割された円がある。今，7 本の直線を加えてこの円を分割したとき，分割されてできた平面の最大数はどれか。

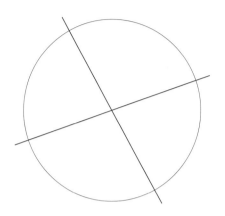

1 43
2 44
3 45
4 46
5 47

解説

直線を引くことにより平面を分割する場合，分割される平面の個数を最大とするには，直線がほかのすべての直線と異なる地点で交差する必要がある（3 本以上の直線が 1 点で交わってはならない）。このとき，新たに 1 本の直線を引くと，すでにある直線と交わるごとに平面が 1 個ずつ増え，最後に円周の外部に抜けるときに 1 個増える。つまり，n 本目の直線を引くと，その n 本目の直線により平面は最大で，$(n-1)+1=n$ より，n 個増えることになる。そうすると，1 本目の直線で 1 個，2 本目の直線で 2 個，3 本目の直線で 3 個，…，というように最大個数は増えていく。最初に 1 個の平面があるのだから，合計 9 本の直線による平面の最大分割個数は，$1+(1+2+3+……+9)=46$ となる。

直線の本数	0	1	2	3	4	5	6	7	8	9	10	…
最大分割数	1	2	4	7	11	16	22	29	37	46	56	…
最小分割数	1	2	3	4	5	6	7	8	9	10	11	…

　よって，正答は **4** である。

［参考］

　平面を n 本の直線で分割する場合，その最大分割数は，$\left(\dfrac{n(n+1)}{2}+1\right)$，最小分割数は，$n+1$ である。

正答　**4**

下の図のように，1〜8の数字が書かれた展開図について，点線部分を山折りかつ直角に曲げて立方体をつくるとき，重なり合う面に書かれた数字の組合せとして，妥当なのはどれか。

1　1と7，3と8
2　1と7，4と8
3　3と7，4と8
4　4と7，1と8
5　4と7，3と8

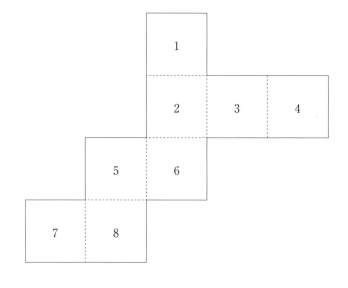

解 説

正六面体の展開図においては，間に1面置いた両側の面（連続する3面の両端面）が平行面になる。図Ⅰにおいて，同じアルファベットが書かれた面どうしが平行面である。Cの面に関しては，図Ⅰのように，1面を回転移動してみればよい。

　そこで，図Ⅱのように，7と8の面を回転移動させてみる。そうすると，6の面に対して平行となる面が1と7の面，2の面に対して平行となる面が4と8の面ということになる。つまり，組み立てることによって正六面体（立方体）としたとき，1と7の面，および4と8の面が重なり合う面である。

図Ⅰ

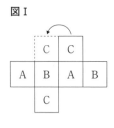

図Ⅱ

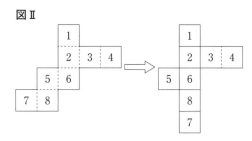

　よって，正答は**2**である。

正答　**2**

東京都・特別区

No.
117

教養試験

空間概念

空間図形

都

令和 2 年度

正八面体の八つの面のうち，二面を黒，残りの六面を赤に塗り分ける。このときにできる正八面体の種類の数として，妥当なのはどれか。ただし，回転して同じになる場合は，同種類とする。

1 3種類

2 4種類

3 5種類

4 6種類

5 7種類

解説

図のような正八面体 ABCDEF において，面 ABC を基準として面の位置関係を考えると，①面 ABC と 1 頂点を共有する（面 ADE，面 BEF，面 CDF），②面 ABC と 1 辺を共有する（面 ABE，面 ACD，面 BCF），③面 ABC と平行になり，共有点を持たない（面 DEF）の 3 通りとなる。面 ABC と他の 1 面を黒で塗ると考えると，「回転して同じになる場合は，同種類とする」ので，面 ABC と面 ADE の 2 面を塗った場合と，面 ABC と面 BEF の 2 面を塗った場合とは同種類となる。つまり，面 ABC と他の 1 面を黒で塗る場合，その塗り方は，①のいずれか 1 面，②のいずれか 1 面，③の平行面，という 3 種類である。

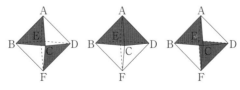

よって，正答は **1** である。

正答 **1**

次の図のような，１辺の長さが 8 cm の立方体がある。辺 AB の中点を P，辺 BC の中点を Q として，この立方体を点 F，P，Q を通る平面で切断したとき，△FPQ を底面とする三角すいの高さはどれか。

1 $\dfrac{4}{3}$ cm

2 $\sqrt{2}$ cm

3 2 cm

4 $\dfrac{8}{3}$ cm

5 $2\sqrt{2}$ cm

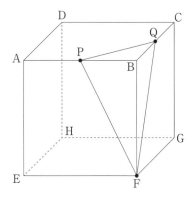

解説

三角錐 FBPQ の体積を，底面を△BPQ，高さを FB として求めると，$4 \times 4 \times \dfrac{1}{2} \times 8 \times \dfrac{1}{3} = \dfrac{64}{3}$ である。△FPQ は，FP＝FQ＝$4\sqrt{5}$，PQ＝$4\sqrt{2}$ の二等辺三角形である。頂点 F から底辺 PQ に垂線 FR を引くと，PR＝$2\sqrt{2}$，FP＝$4\sqrt{5}$ より，FR＝$\sqrt{(4\sqrt{5})^2-(2\sqrt{2})^2}=\sqrt{80-8}=6\sqrt{2}$ である。ここから，△FPQ＝$6\sqrt{2} \times 4\sqrt{2} \times \dfrac{1}{2}=24$ となる。△FPQ を底面とする三角錐の高さを x とすると，

$24 \times x \times \dfrac{1}{3} = \dfrac{64}{3}$

$8x = \dfrac{64}{3}$

$x = \dfrac{8}{3}$ 〔cm〕

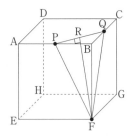

である。

　よって，正答は**4**である。

正答 **4**

日本の生活文化に関する記述として、妥当なのはどれか。

1　年中行事とは、毎年同じ時期に伝統的に行われる行事をいい、子供の成長を祝う宮参りや成人式などが該当する。

2　日常の中にあって、節目となる特別な日を「ケ」の日といい、「ケ」の日にはいつもと異なる特別な食事をとるものとされている。

3　厄年とは、通過儀礼の一つであり、厄難にあうといわれ忌みつつしまれる年齢をいい、男性は19歳、33歳及び37歳が、女性は25歳、42歳及び61歳が該当する。

4　日本の文化は、芸術性が海外でも高く評価されており、19世紀後半には、アメリカにおいて、浮世絵などの江戸絵画の大胆で独創的な表現が注目を集めて、「クールジャパン」とよばれる文化現象が起こった。

5　サブカルチャーとは、ある社会の支配的・伝統的な文化に対し、若者など特定の社会集団に支持される独特の文化をいい、近年では、マンガやアニメなどの日本のサブカルチャーが、世界の注目を集めている。

解説

1．宮参り、成人式などは人間の一生の節目に行われる儀式であり、通過儀礼と呼ばれる。年中行事には初詣、節分、雛祭り、端午の節句、七夕、お盆、除夜の鐘等々がある。

2．年中行事や祭礼、冠婚葬祭などを行う特別な日は「ハレ」の日といい、「ハレ」には非日常という意味がある。「ケ」はそれ以外の普段の日常生活をさす。「ハレ」の日には普段とは異なる特別な食事をとるのが習わしで、お節料理、花見弁当などがその例である。

3．厄年が通過儀礼の一つであり、災難に遭うことが多いので身を慎まなければならないとされる年であることは正しい。しかし、数え年で男性が25歳、42歳、61歳、女性が19歳、33歳、37歳、61歳とされるのが一般的である。

4．19世紀後半に浮世絵の輸入やパリ万国博覧会における出品の影響を受けて生まれた日本美術ブームはフランスを中心に起こり、ジャポニズムと呼ばれた。クールジャパンは、世界から「クール」と捉えられるアニメ・漫画・ゲームから食・観光・環境技術まで多岐にわたる現代日本文化の魅力の総称のことである。

5．妥当である。

正答　**5**

No. 120 文化　ヨーロッパの芸術　都　令和4年度

ヨーロッパの芸術に関する記述として，妥当なのはどれか。

1 耽美（たんび）主義とは，美を唯一最高の理想とし，美の実現を至上目的とする芸術上の立場をいい，代表的作品にワイルドの戯曲「サロメ」がある。

2 古典主義とは，バロック式の芸術が持つ形式美や理知を尊重した芸術上の立場をいい，代表的作品にモネの絵画「積みわら」がある。

3 写実主義とは，現実をありのままに模写・再現しようとする芸術上の立場をいい，代表的作品にゴッホの絵画「ひまわり」がある。

4 印象主義とは，事物から受けた客観的印象を作品に表現しようとする芸術上の立場をいい，代表的作品にミレーの絵画「落穂拾い（おちぼ）」がある。

5 ロマン主義とは，秩序と論理を重視しつつ感性の解放を目指す芸術上の立場をいい，代表的作品にフローベールの小説「ボヴァリー夫人」がある。

解説 ━━━━━━━━━━━━━━━━━━━━━━━━━━━━

1～5はすべて19世紀を中心としたヨーロッパの芸術上の立場に関する記述である。

1. 妥当である。

2. 古典主義は古代ギリシア・ローマの文化を理想とした立場で，バロック式はルネサンス様式への反動として生まれた流動感に満ち生命力と情熱の表現を特色とする美術様式である。また，モネは印象派を代表する画家である。

3. 写実主義が現実をありのままに表現しようとするものであることは正しいが，ゴッホは後期印象派の画家である。写実主義の代表作品にはミレーの「落穂拾い」などがある。

4. 印象主義（派）は，事物から受けた感覚的印象をそのまま表現しようとする絵画様式で，光と色彩を重視する。モネの作品「印象・日の出」が印象主義（派）の語源となった。

5. ロマン主義は，形式美の古典主義や理性を重視する啓蒙思想に反発し，個性や自然の感情を重んじ，歴史や民族の伝統を尊重した。代表的な文学作品としては，ハイネの詩集『歌の本』，グリム兄弟の『グリム童話集』，ヴィクトル・ユゴーの『レ=ミゼラブル』などがある。フローベールは写実主義文学の確立者である。

正答　**1**

文章理解　判断推理　数的処理　資料解釈　空間把握　文化　倫理・哲学

次の小倉百人一首の和歌ア〜エの空欄A〜Dに当てはまる語句の組合せとして，妥当なのはどれか。

　ア　春過ぎて夏来にけらし　　A　　衣干すてふ天の香具山
　イ　　B　　山鳥の尾のしだり尾の長々し夜をひとりかも寝む
　ウ　　C　　神代も聞かず竜田川からくれなゐに水くくるとは
　エ　　D　　光のどけき春の日にしづ心なく花の散るらむ

	A	B	C	D
1	白妙の	あしびきの	ちはやぶる	ひさかたの
2	白妙の	たらちねの	いはばしる	あらたまの
3	白妙の	たらちねの	ちはやぶる	ひさかたの
4	若草の	あしびきの	ちはやぶる	ひさかたの
5	若草の	たらちねの	いはばしる	あらたまの

解説

小倉百人一首の有名な和歌に使われている「枕詞」を選択する問題である。「枕詞」とは，主に和歌に見られる修辞で，ある特定の語句を導く決まり文句のような言葉のことである。

ア．意訳：春が過ぎて夏が来たようだ。どうりで，「夏になると真っ白な衣を干す」といわれる天の香具山に衣が干してある。語句の解説：「白妙（しろたへ・え）」とは，木の皮の繊維で織った素朴な白い布のことで，「白妙の」は「衣」「袖」「袂」などにかかる枕詞。「若草の」は「妻」「夫」「妹」などにかかる枕詞。作者：持統天皇。

イ．意訳：山鳥の尾のように長い秋の夜を，オスとメスが離れて寝るという山鳥のように，私もただ一人わびしく寝ることになるのだろうか。語句の解説：「あしびきの」は「山」「峰」などにかかる枕詞。「たらちねの」は「母」「親」などにかかる枕詞。作者：柿本人麻呂。

ウ．意訳：神の時代でさえも聞いたことがない。竜田川の川面を赤い紅葉が覆い隠し，深紅にくくり染め（絞り染め）にするとは。語句の意味：「ちはやぶる」は「神」「宇治」などにかかる枕詞。「いはばしる」は「垂水」「滝」などにかかる枕詞。作者：在原業平朝臣。

エ．意訳：日の光がこんなにのどかにさしている春の日に，なぜ心せわしなく桜の花は散っていくのだろう。語句の解説：「ひさかたの」は「光」「日」「月」「空」など天空に関係のあるものにかかる枕詞。「あらたまの」は「年」「月」「日」などにかかる枕詞。作者：紀友則。
　よって，正答は**1**である。

正答　**1**

東京都・特別区

教養試験

No.
122

文化

日本の作曲家

都

令和2年度

日本の作曲家に関する次の記述と，それぞれに該当する人物名との組合せとして最も妥当なのはどれか。

A　明治12年に東京で生まれ，西洋音楽の様式を日本で最も早い時期に取り入れた作曲家である。「花」，「荒城の月」，「箱根八里」などの代表曲があり，22歳でドイツの音楽院への入学を果たすも，病気のためわずか23歳で生涯を閉じた。

B　明治11年に鳥取で生まれ，キリスト教系の学校で音楽の基礎を学び，文部省唱歌の作曲委員を務めた。「春の小川」，「朧月夜」，「ふるさと」など，作詞家高野辰之との作品を多く残したとされている。

C　大正13年に東京で生まれ，戦後の日本で，オペラから童謡にいたるまで様々なジャンルの音楽を作曲した。オペラ「夕鶴」や，ラジオ歌謡「花の街」，童謡「ぞうさん」など幅広い世代に親しまれる楽曲を残した。

	A	B	C
1	瀧廉太郎	成田為三	團伊玖磨
2	瀧廉太郎	成田為三	中田喜直
3	瀧廉太郎	岡野貞一	團伊玖磨
4	山田耕筰	成田為三	中田喜直
5	山田耕筰	岡野貞一	團伊玖磨

解説

A：瀧廉太郎である。山田耕筰は大正・昭和時代に活躍した作曲家・指揮者で，日本最初の交響楽団を結成した。「赤とんぼ」などが有名である。

B：岡野貞一である。成田為三は大正時代の童謡運動において活躍した秋田県出身の作曲家である。代表作は「浜辺の歌」。童謡雑誌『赤い鳥』に初めて楽譜付きで掲載された「かなりや」は日本の童謡第1号といわれる。

C：團伊玖磨である。中田喜直も戦後の日本で世代を超えて親しまれる歌曲や合唱曲を多く残した作曲家で，代表曲に「めだかの学校」「夏の思い出」「雪の降るまちを」などがある。

よって，正答は**3**である。

正答　**3**

No. 123 文化 | **日本の作家** | 令和 元年度 | 都

日本の作家に関する記述として，妥当なのはどれか。

1 武者小路実篤は，耽美派の作家の一人であり，彼の代表的な作品には，「その妹」や「和解」がある。

2 谷崎潤一郎は，耽美派の作家の一人であり，彼の代表的な作品には，「刺青」や「痴人の愛」がある。

3 芥川龍之介は，白樺派の作家の一人であり，彼の代表的な作品には，「山月記」や「李陵」がある。

4 志賀直哉は，新思潮派の作家の一人であり，彼の代表的な作品には，「人間万歳」や「暗夜行路」がある。

5 川端康成は，新感覚派の作家の一人であり，彼の代表的な作品には，「日輪」や「旅愁」がある。

解説

1. 武者小路実篤は白樺派の作家である。『その妹』は彼の作品だが，『和解』は，同じ白樺派の志賀直哉の作品である。武者小路実篤の代表作には，ほかに『お目出たき人』などがある。

2. 妥当である。

3. 芥川龍之介は新思潮派の作家で，代表作は『羅生門』『鼻』などである。『山月記』『李陵』は，昭和前期の作家である中島敦の短編小説。

4. 志賀直哉は白樺派の作家である。『暗夜行路』は彼の代表作だが，『人間万歳』は，同じ白樺派の武者小路実篤の作品である。志賀直哉の代表作には，ほかに『城の崎にて』『小僧の神様』などがある。

5. 川端康成が新感覚派の作家であることは正しいが，『日輪』『旅愁』は，同じ新感覚派の横光利一の代表作である。川端康成の代表作には『伊豆の踊子』『雪国』などがある。

正答 **2**

東京都・特別区

教養試験

都

No.
124

文化

ルネサンス期の美術作品と作者の組合せ

平成29年度

文章理解

判断推理

数的処理

資料解釈

空間把握

文化

倫理・哲学

ヨーロッパにおけるルネサンスの時期の作品と作者の組合せとして，妥当なのはどれか。

	作品	作者
1	考える人	オーギュスト・ロダン
2	最後の晩餐	レオナルド・ダ・ヴィンチ
3	真珠の耳飾りの少女	ヨハネス・フェルメール
4	ダヴィデ像	ピーテル・パウル・ルーベンス
5	タンギー爺さん	フィンセント・ファン・ゴッホ

解説

1．「考える人」はフランスの彫刻家ロダンの有名な作品である。しかしロダンは19世紀〜20世紀初期の人物であり，ルネサンス期（14〜16世紀）の彫刻家ではない。

2．正しい。レオナルド・ダ・ヴィンチは，ミケランジェロ，ラファエロと並んでルネサンスの三大巨匠と呼ばれる。

3．「真珠の耳飾りの少女」は「光の魔術師」と呼ばれたフェルメールの作品だが，フェルメールはルネサンス期より後の17世紀のオランダの画家である。

4．ダヴィデ像はルネサンス期の作品だが，作者は三大巨匠の一人であるミケランジェロである。ルーベンスは1600年代のフランドル派の画家で，バロック絵画の巨匠と呼ばれる。

5．「タンギー爺さん」はフィンセント・ファン・ゴッホの作品だが，ゴッホは19世紀の後期印象派の画家である。

正答　**2**

次の我が国の古典文学の一節A〜Cと，それぞれの作品名の組合せとして，妥当なのはどれか。

A 「春はあけぼの。やうやうしろくなり行く，山ぎはすこしあかりて，むらさきだちだる雲のほそくたなびきたる。」

B 「いづれの御時にか，女御・更衣あまたさぶらひたまひける中に，いとやむごとなき際にはあらぬが，すぐれて時めきたまふありけり。」

C 「祇園精舎の鐘の声，諸行無常の響あり。娑羅双樹の花の色，盛者必衰のことはりをあらはす。奢れる人も久しからず，唯春の夜の夢のごとし。」

	A	B	C
1	土佐日記	伊勢物語	太平記
2	土佐日記	源氏物語	平家物語
3	枕草子	伊勢物語	太平記
4	枕草子	源氏物語	太平記
5	枕草子	源氏物語	平家物語

解説

A：『枕草子』の一節である。平安時代中期に清少納言によって書かれた随筆で，「春はあけぼの」は有名な冒頭部分だが，歯切れのよい言葉で季節や自然の美しさ・味わいを綴った作品である。

B：『源氏物語』の一節である。平安時代中期に紫式部によって書かれた長編小説で，主人公光源氏の一生とその一族のさまざまな人生が描かれている。

C：『平家物語』の一節である。平家の栄枯盛衰を描いた軍記物語で，鎌倉時代に成立したと推定される。「祇園精舎の鐘の声……」で始まる冒頭部分は，諸行無常と盛者必衰をテーマとする『平家物語』の象徴である。

よって，正答は**5**である。

なお，『土佐日記』は平安中期に紀貫之によって書かれた日記文学，『伊勢物語』は平安初期に成立した歌物語（作者不明），『太平記』は南北朝時代の軍記物語（作者不詳）である。

正答　**5**

中国の思想家に関する記述として、妥当なのはどれか。

1　荀子は、性悪説を唱え、基本的な人間関係のあり方として、父子の親、君臣の義、夫婦の別、長幼の序、朋友の信という五倫の道を示した。

2　墨子は、孔子が唱えた他者を区別なく愛する仁礼のもとに、人々が互いに利益をもたらし合う社会をめざし、戦争に反対して非攻論を展開した。

3　朱子は、理気二元論を説き、欲を抑えて言動を慎み、万物に宿る理を窮めるという居敬窮理によって、聖人をめざすべきだと主張した。

4　老子は、人間の本来の生き方として、全てを無為自然に委ね、他者と争わない態度が大事であり、大きな国家こそが理想社会であるとした。

5　荘子は、ありのままの世界では、万物は平等で斉しく、我を忘れて天地自然と一体となる境地に遊ぶ人を、大丈夫と呼び、人間の理想とした。

解　説

1．戦国時代末期の儒者荀子が性悪説を唱えたことは正しい。しかし、人間関係のあり方として五倫の道を示したのは、同じ戦国時代だが、荀子より少し前の時代の儒者で性善説を唱えた孟子である。

2．墨子は、肉親の愛情を重んじる孔子の教えは差別的な愛であるとして、別愛と呼んで批判し、兼愛（人を差別しない平等な愛）を説いた。侵略行為を否定し、非攻論と呼ばれる非戦論を唱えたことは正しい。

3．妥当である。

4．老子が、無為自然や他者と争わない態度（柔弱謙下）を理想の生き方と説いたことは正しい。しかし、老子の説いた理想社会は「小国寡民」であり、柔弱で素朴な心を持つ少数の人々が住む小国家を理想とした。

5．荘子が理想とした、天地自然と一体となる境地に遊ぶ人は、真人といわれる。大丈夫は儒者の孟子が説く人間の理想像である。自然のままの世界には一切の差別がない（万物斉同）とした点は正しい。

正答　**3**

No. 127 倫理・哲学 江戸時代の儒学者 令和4年度

江戸時代の儒学者に関する記述として，妥当なのはどれか。

1 林羅山は，徳川家に仕え，私利私欲を抑え理にしたがう主体的な心を保持すべきという垂加神道を説いた。

2 貝原益軒は，朱子学者として薬学など実証的な研究を行い，「大和本草」や「養生訓」を著した。

3 中江藤樹は，陽明学が形式を重んじる点を批判し，自分の心に備わる善悪の判断力を発揮し，知識と行動を一致させることを説いた。

4 伊藤仁斎は，「論語」や「孟子」を原典の言葉に忠実に読む古義学を唱え，儒教の立場から，武士のあり方として士道を体系化した。

5 荻生徂徠は，古典を古代の中国語の意味を通じて理解する古文辞学を唱え，個人が達成すべき道徳を重視した。

解説

1. 江戸初期の朱子学者林羅山が徳川家に仕えたことは正しい。家康・秀忠・家光・家綱の四代の将軍の侍講を務め，為政者の道徳として「敬（私利私欲をいましめ，常に理＝道と一つであること）」を重視すべきことを説いた。垂加神道は，江戸前期の朱子学者山崎闇斎が創始した儒学と神道を合一した神道説で，のちの尊王運動に影響を与えた。

2. 妥当である。

3. 中江藤樹は江戸初期の儒学者で，日本における陽明学の始祖とされる。はじめ朱子学を学んだが，朱子学の形式主義や理念的傾向を批判し，実践的な王陽明の学説に傾倒した。致良知（すべての人の心に備わっている善悪を判断する力を究めること）と知行合一（行うことは知ることの完成である）を主張したことは正しい。

4. 江戸前期の儒学者伊藤仁斎が古義学の祖であることは正しい。しかし，戦闘者としての従来の武士道に対し，幕藩体制における支配者としての武士道を士道として体系化したのは，古学の提唱者である江戸初期の儒学者山鹿素行である。伊藤仁斎は，儒教の倫理思想を武士階級から解放し，町人の日常生活の教えとして思索した。

5. 江戸中期の儒学者荻生徂徠が古文辞学の創始者であることは正しい。しかし，彼は，個人の道徳の修養を重視し天下安泰のための社会の諸制度を究明しなかった従来の儒学を批判し，経世済民の方法・技術こそ儒学本来の道であるとして政治の具体策を論じ，柳沢吉保に抜擢されて幕政にも影響を与えた。

正答 **2**

次の文は，古代インドの思想に関する記述であるが，文中の空所A～Dに該当する語の組合せとして，妥当なのはどれか。

紀元前15世紀頃，中央アジアから侵入してきたアーリヤ人によって，聖典「ヴェーダ」に基づく　　A　　が形成された。「ヴェーダ」の哲学的部門をなすウパニシャッド（奥義書）によれば，宇宙の根源は　　B　　，個人の根源は　　C　　と呼ばれ，両者が一体であるという梵我一如の境地に達することで解脱ができるとされた。

その後，修行者の中から，新たな教えを説く自由思想家たちが現れたが，そのうちの一人，ヴァルダマーナ（マハーヴィーラ）は　　D　　を開き，苦行と不殺生の徹底を説いた。

	A	B	C	D
1	ジャイナ教	アートマン	ブラフマン	仏教
2	ジャイナ教	アートマン	ブラフマン	ヒンドゥー教
3	バラモン教	アートマン	ブラフマン	ジャイナ教
4	バラモン教	ブラフマン	アートマン	ジャイナ教
5	バラモン教	ブラフマン	アートマン	ヒンドゥー教

解説

A・D：古代アーリア人の民族宗教はバラモン教である。太陽・雷・火などの自然神を崇拝する多神教で，『ヴェーダ』を聖典とする。司祭階級のバラモンによる祭祀を中心に発達した。ヴァルダマーナを開祖とするインドの宗教はジャイナ教で，断食などの苦行や不殺生主義を特徴とする。仏教は，前5世紀頃に北インドでシャカ（ゴータマ＝シッダッタ）が説いた教え・宗教で，アショーカ王やカニシカ王などの庇護を受けて7～8世紀頃までは栄えた。その後インドでは衰退し，スリランカ・東南アジアなどに上座部仏教が，中央アジア経由で中国・朝鮮・日本には大乗仏教が伝わった。ヒンドゥー教は，古来のバラモン教がさまざまな民間信仰を取り入れて発展したインドの民族宗教である。

B・C：バラモン教の奥義書『ウパニシャッド』は，宇宙のすべてを生み出す万物の根源をブラフマン（梵)，われわれの内にある本来の自己をアートマン（我）と呼ぶ。

よって，正答は**4**である。

正答　**4**

東京都・特別区
教養試験
No.
129
倫理・哲学
生命倫理
令和 2 年度
区

生命倫理に関するA〜Dの記述のうち，妥当なものを選んだ組合せはどれか。

A　1986年にアメリカで起きた「ベビーM事件」では，代理出産契約で産まれた子どもの親権が問題となり，裁判の結果，子どもに対する親権は代理母に認められた。

B　日本の臓器移植法では，本人に拒否の意思表示がない限り，家族の同意があれば臓器移植ができることや，親族への優先提供が認められること等の改正が2009年に行われた。

C　クローンとは，ある個体と全く同じ遺伝子を持つ個体をいい，1990年代にクローン羊「ドリー」が誕生したが，日本では，2001年にクローン技術規制法が施行された。

D　ゲノムとは，生物の細胞の染色体の一組に含まれる全遺伝情報のことであり，ヒトゲノムの解析は完了していないが，病気の診断や治療への応用が期待されている。

1　A　B
2　A　C
3　A　D
4　B　C
5　B　D

解 説

A：ベビーM事件は，体外受精によって代理出産を行った代理母が，子どもの引き渡しを拒否し，養育権を求めて裁判になった事件である。ニュージャージー最高裁判所は，代理母契約を無効にする判決を下し，親権を依頼者に認め，代理母には訪問権を認めた。

B：妥当である。

C：妥当である。

D：ゲノムとは染色体上の遺伝子が持つ全遺伝情報のことであり，ヒトゲノムとは人間の遺伝子情報のことである。ヒトゲノムを解読する計画が1990年からアメリカ主導で国際協力の下で進められ，2000年には主な部分の配列がほぼ解読されている。

よって，正答は**4**である。

正答　**4**

文章理解
判断推理
数的処理
資料解釈
空間把握
文化
倫理・哲学

東京都・特別区

教養試験

No. **130** 倫理・哲学 **実存主義の思想家** 区

令和 **元年度**

次のA～Cは，実存主義の思想家に関する記述であるが，それぞれに該当する思想家の組合せとして，妥当なのはどれか。

A　実存的生き方について3つの段階を示し，第1段階は欲望のままに享楽を求める美的実存，第2段階は責任をもって良心的に社会生活を営む倫理的実存，第3段階は良心の呵責（かしゃく）の絶望の中で，神の前の「単独者」として，本来の自己を回復する宗教的実存であるとした。

B　人間の自由と責任とを強調し，実存としての人間は，自らそのあり方を選択し，自らを未来の可能性に向かって投げかけることによって，自分が何であるかという自己の本質を自由につくりあげていく存在であるとして，このような人間に独自なあり方を「実存は本質に先立つ」と表現した。

C　「存在とは何か」という根本的な問題に立ち返り，人間の存在の仕方そのものを問い直そうとした。自らの存在に関心をもち，その意味を問う人間を，現存在（ダーザイン）と呼び，人間は，世界の中に投げ出されて存在している「世界内存在」であるとした。

	A	B	C
1	キルケゴール	ハイデッガー	ヤスパース
2	キルケゴール	サルトル	ハイデッガー
3	ニーチェ	ヤスパース	キルケゴール
4	ニーチェ	サルトル	ハイデッガー
5	サルトル	ハイデッガー	ヤスパース

解説

A：キルケゴールについての記述である。キルケゴールは19世紀のデンマークの思想家で，実存主義の先駆者である。実存の三段階はキルケゴールの基本思想で，人間の生き方は3つの段階を経過して深まり，神と向き合う宗教的実存の段階に達して，初めて本来の自己を取り戻すとした。主著は『あれかこれか』『死に至る病』など。

B：サルトルについての記述である。サルトルは20世紀のフランスの哲学者・作家で，無神論的実存主義の立場に立ち，政治・社会問題にも積極的に関与した。「実存は本質に先立つ」は，自由な人間本来のあり方をさして，サルトルが用いた命題である。主著は『存在と無』『嘔吐』など。

C：ハイデッガーについての記述である。ハイデッガーは20世紀のドイツの代表的実存哲学者で，「世界内存在」はハイデッガー哲学の基本概念である。主著は『存在と時間』など。

なお，ニーチェは19世紀のドイツの哲学者で，キルケゴールと並ぶ実存主義の先駆者である。キリスト教を近代ヨーロッパ文明衰退の原因と考え，「力への意志」を体現する「超人」を理想として，生を肯定する思想を展開した。「神は死んだ」は『ツァラトゥストラはかく語りき』の中にあるニーチェの有名な言葉である。また，ヤスパースは20世紀のドイツの実存哲学者である。ヤスパース哲学の主要概念は「限界状況」で，人間は限界状況（死・苦・罪責など）に直面して自らの有限性を自覚し，宗教的な神を哲学的に深めた超越者の存在を感じることができると説き，実存を超越者とのかかわりにおいてとらえた。主著に『哲学』『理性と実存』などがある。

よって，正答は**2**である。

正答 **2**

西洋の思想家に関する記述として，妥当なのはどれか。

1　ベーコンは，「知は力なり」と唱え，新しい知識を手に入れるには，どこまでも経験に基づいて考察することが必要であると考え，真理を探究する学問的方法として演繹法を提唱した。

2　デカルトは，全てを疑ってもどうしても疑うことのできないもの，それはこのように疑い，考えている私自身の存在であり，これを「私は考える，ゆえに私はある」と表現し，精神としての私の存在をもっとも確実な真理とみなした。

3　ロックは，人間は自己保存の欲求を満たすために，あらゆる手段を用いる自由を自然権としてもっているが，自然状態においては，「万人の万人に対する戦い」が生じるとした。

4　ホッブズは，人々は自然権を一層確実にするために自然権を侵害する者を罰する権力を政府に信託し，政府が権力を濫用する場合には，人民は政府に抵抗し，新しい政府をつくることができるとした。

5　ルソーは，人間は自然状態においては自由，平等であり，全体意志は一般意志とは区別され，全体意志は公共の利益をめざす意志であるとして，直接民主制の国家を理想と考えた。

解説

1．ベーコン（1561〜1626）は経験論の先駆者であり，前半は正しい。しかし彼が知識を獲得するための方法として確立したのは，個々の経験的事実からそれらに共通する一般的法則を求める帰納法と呼ばれる方法で，演繹法と対をなす概念である。

2．正しい。デカルト（1596〜1650）は合理論の祖といわれる。合理論は，認識の起源を理性に求める立場で，感覚的経験を軽視する傾向を持ち，経験論と対立する。彼は，真理を前提として，経験によらず，ただ論理的に個々の結論を導き出す演繹法を確立した。経験論と合理論は17世紀のヨーロッパに登場した近代哲学の2大潮流である。

3．イギリスの政治思想家ホッブズ（1588〜1679）についての記述である。

4．イギリスの政治思想家ロック（1632〜1704）についての記述である。

5．一般意志が公共の利益をめざす意志で，ルソー（1712〜1778）の社会契約説の中心的な概念である。全体意志は私的な特殊意志の総和である。そのほかの記述は正しい。

　3〜5のホッブズ，ロック，ルソーはすべて社会契約説（人民の合意に基づく契約によって社会・国家が成立するとする説）を唱えたが，その主張は微妙に異なり，特にホッブズの社会契約説は結果的に専制君主制を擁護することになった。

正答　**2**

東京都・特別区

文章理解
判断推理
数的処理
資料解釈
空間把握
文化
倫理・哲学

No. 132 教養試験 **倫理・哲学** **江戸時代の思想家** 平成**28**年度 区

江戸時代の思想家に関する記述として，妥当なのはどれか。

1 伊藤仁斎は，古文辞学を唱え，「六経」に中国古代の聖王が定めた「先王の道」を見いだし，道とは朱子学が説くように天地自然に備わっていたものではなく，天下を安んじるために人為的につくった「安天下の道」であると説いた。

2 荻生徂徠は，朱子学を批判して，「論語」こそ「宇宙第一の書」であると確信し，後世の解釈を退けて，「論語」や「孟子」のもともとの意味を究明しようとする古義学を提唱した。

3 本居宣長は，儒教道徳を批判し，「万葉集」の歌風を男性的でおおらかな「ますらをぶり」ととらえ，そこに，素朴で力強い「高く直き心」という理想的精神を見いだした。

4 石田梅岩は，「商人の買利は士の禄に同じ」と述べ，商いによる利益の追求を正当な行為として肯定し，町人が守るべき道徳として「正直」と「倹約」を説いた。

5 安藤昌益は，「農は万業の大本」と唱え，疲弊した農村の復興につとめ，農業は自然の営みである「天道」とそれに働きかける「人道」とがあいまって成り立つと説いた。

解説

1．荻生徂徠についての記述である。江戸前期の儒学はまず朱子学が盛んになり，続いて陽明学，古学が興った。古学は儒学の古典を原文で読み解釈することを重んじる学問で，その中から伊藤仁斎を祖とする古義学と荻生徂徠を祖とする古文辞学が有力になった。伊藤仁斎は孔子・孟子の原典について本来の意義を究めようとし，荻生徂徠は実証的な文献学を確立し，その考究を通して天下の安泰を導く経世済民の学を主張した。

2．伊藤仁斎についての記述である。

3．賀茂真淵についての記述である。国学は，江戸時代中後期に荷田春満，賀茂真淵，本居宣長によって大成された。本居宣長は真淵の門人として『古事記』の実証的研究に励み，国学を大成した。文学の本質を「もののあわれ」とし，儒教や仏教の影響を受けた勧善懲悪主義の文学観を批判した。

4．正しい。石田梅岩は江戸時代中期の心学の創始者である。

5．二宮尊徳についての記述である。安藤昌益は江戸中期の思想家で，階級・貧富の差のない「万人直耕の自然世」を理想とし，封建思想・儒教・仏教を厳しく批判した。

正答　**4**

東京都・特別区

No. 133

教養試験

歴史　江戸幕府の政策

都

令和 5 年度

日本史

世界史

地理

法律

政治

経済

社会事情

江戸幕府の政策に関する記述として、妥当なのはどれか。

1 　徳川家康は、武家諸法度を発布し、大名に 3 年おきに国元と江戸とを往復させる参勤交代を義務づける制度を定めることにより、将軍の権威強化を図った。

2 　徳川綱吉は、百姓の江戸出稼ぎを禁じ、江戸に流入した居住者を強制的に農村へ帰らせる人返しの法を出した。

3 　徳川吉宗は、評定所（ひょうじょうしょ）に目安箱を設けて庶民の意見を聞くとともに、公事方御定書（くじかたおさだめがき）を制定して裁判や刑罰の基準を定めた。

4 　田沼意次は、困窮する武士を救済するため棄捐令（きえんれい）を出し、各地に米や雑穀を蓄える社倉・義倉を設けさせた。

5 　松平定信は、陽明学を正学としてそれ以外の学問を禁じ、小石川の学問所に中江藤樹らを儒官として迎えて陽明学の講義をさせた。

解説

1. 最初の武家諸法度（元和令）は、徳川家康が南禅寺金地院の崇伝に起草させたものであるが、2 代将軍秀忠の名で公布した。また、参勤交代制の法制化は、3 代将軍家光が発した武家諸法度（寛永令）によって行われ、そのときの参勤交代は原則として 1 年交代であった。参勤交代が 3 年に 1 回に緩和されるのは、幕末期に徳川慶喜が行った文久の幕政改革のときである。

2. 人返しの法は老中水野忠邦が行った天保の改革で実施された強制的帰農策である。多くの職で出稼ぎが禁止され、許可制となった。

3. 妥当である。

4. 棄捐令や社倉・義倉の設置は、老中松平定信が行った寛政の改革の施策である。

5. 松平定信は「寛政異学の禁」といわれる学問統制を行ったが、正学（官学）としたのは儒学の一派である朱子学である。それ以外の学派は異学とされ、湯島にあった林家の聖堂学問所で教授することを禁じられた。聖堂学問所は官立の昌平坂学問所となり、柴野栗山ら寛政三博士が教官となって朱子学振興に努めた。小石川にあるのは、水戸光圀が、日本に帰化した明の儒学者、朱舜水の意見を取り入れて作庭した小石川後楽園である。

正答　**3**

No. 134 教養試験 ⬚区

歴史 **国風文化** 令和 **5 年度**

国風文化に関する記述として、妥当なのはどれか。

1 末法思想を背景に浄土教が流行し、源信が「往生要集」を著し、極楽往生の方法を説いた。

2 和歌が盛んになり、紀貫之らが最初の勅撰和歌集である万葉集を編集し、その後も勅撰和歌集が次々に編集された。

3 貴族の住宅として、檜皮葺、白木造の日本風で、棚、付書院を設けた書院造が発達した。

4 仏師定朝が乾漆像の手法を完成させ、平等院鳳凰堂の本尊である薬師如来像などを作った。

5 仮名文字が発達し、万葉仮名の草書体をもとに片仮名が生まれ、使用されるようになった。

解説

1. 妥当である。

2. 和歌が隆盛期を迎えたことは正しいが、国風文化期に成立した最初の勅撰和歌集は「古今和歌集」であり、紀貫之は「古今和歌集」の撰者である。「万葉集」は奈良時代に成立した最古の歌集である。

3. 棚、付書院、床などを設けた書院造は、室町後期の東山文化を代表する武家住宅の建築様式であり、国風文化期の貴族の住宅様式は寝殿造である。屋根は檜皮葺、柱は白木造であったことは正しい。

4. 定朝が国風文化を代表する仏師であることは正しいが、彼は寄木造の手法を用いて定朝様と呼ばれる優美な和様を完成した。定朝作と確証のある唯一の仏像は平等院鳳凰堂阿弥陀如来像である。乾漆像は天平文化を代表する漆で固めてつくった像で、興福寺阿修羅像などがある。

5. 国風文化期に仮名文字が発達したことは正しく、国文学発達の原因ともなった。しかし、万葉仮名の草書体を簡略化して生まれたのは平仮名であり、片仮名は漢字の偏やつくりを省略して生まれたものである。

正答 **1**

東京都・特別区

No. **135**

教養試験

歴史

鎌倉仏教

都

令和 **4** 年度

日本史

世界史

地理

法律

政治

経済

社会事情

鎌倉仏教に関する記述として，妥当なのはどれか。

1 一遍は，煩悩の深い人間こそが，阿弥陀仏の救いの対象であるという悪人正機を説き，「愚管抄」をあらわし，時宗の開祖と仰がれた。

2 栄西は，坐禅によってみずからを鍛練し，釈迦の境地に近づくことを主張する禅宗を日本に伝え，「興禅護国論」をあらわし，日本の臨済宗の開祖と仰がれた。

3 親鸞は，善人・悪人や信仰の有無を問うことなく，すべての人が救われるという念仏の教えを説き，「選択本願念仏集」をあらわし，浄土宗を開いた。

4 日蓮は，「南無妙法蓮華経」と題目を唱えることで救われると説き，武士を中心に広まった日蓮宗は，鎌倉幕府の保護を受けた。

5 法然は，「南無阿弥陀仏」の念仏を唱えれば，極楽浄土に往生できるという専修念仏の教えを説き，「立正安国論」をあらわし，浄土真宗（一向宗）を開いた。

解説

1. 煩悩にとらわれ自分の非力さ罪深さに自覚を持つ悪人こそが阿弥陀仏の救いの対象であるとする悪人正機説を唱えたのは，浄土真宗の開祖親鸞である。親鸞の主著には『教行信証』がある。悪人正機説など親鸞の中心思想を伝える『歎異抄』は親鸞の弟子唯円の著書である。『愚管抄』は天台宗の僧侶，慈円が著した歴史書である。一遍が時宗の開祖であることは正しい。一遍は念仏を唱えながら全国を遊行し，念仏に合わせて踊る踊念仏を行った。死の直前に著書をすべて焼いたとされ，著書は残っていないが，門弟たちが一遍の法語などを編集した『一遍上人語録』が江戸後期に刊行されている。

2. 妥当である。

3. 阿弥陀仏は一切の差別なく，すべての人々に救いの手を差しのべるとし，『選択本願念仏集』を著した浄土宗の開祖は法然である。親鸞は法然の弟子で浄土真宗の開祖。自分で善行を積める善人よりも，煩悩にとらわれ自分の非力さ罪深さに自覚をもつ悪人こそが阿弥陀仏の救いの対象であるとする悪人正機説を唱えた。

4. 日蓮が題目を唱えれば往生できると説いたことは正しく，日蓮宗は地方の武士や農民，商人などの間で広まった。しかし，他宗の排斥や幕政批判を行ったので，幕府によって伊豆・佐渡へ流され，また他宗の迫害を受けることも多かった。

5. 法然が，念仏を唱えることが極楽往生のための唯一の手段であるとする専修念仏を説いたことは正しいが，彼が開いたのは浄土宗であり，浄土真宗（一向宗）を開いたのは弟子の親鸞である。また，『立正安国論』は日蓮の主著である。

正答 **2**

東京都・特別区
教養試験
区
No.
136
歴史
室町幕府
令和 4 年度

日本史

世界史

地理

法律

政治

経済

社会事情

室町幕府に関する記述として，妥当なのはどれか。

1 足利尊氏は，建武の新政を行っていた後醍醐天皇を廃して持明院統の光明天皇を立て，17か条からなる幕府の施政方針である建武式目を定めて幕府再興の方針を明らかにし，自らは征西将軍となって室町幕府を開いた。

2 室町幕府の守護は，荘園の年貢の半分を兵粮として徴収することができる守護段銭の賦課が認められるなど，任国全域を自分の所領のようにみなし，領主化した守護は国人と呼ばれた。

3 室町幕府では，裁判や行政など広範な権限を足利尊氏が握り，守護の人事などの軍事面は弟の足利直義が担当していたが，やがて政治方針をめぐって対立し，観応の擾乱が起こった。

4 室町幕府の地方組織として関東に置かれた鎌倉府には，長官である管領として足利尊氏の子の足利義詮が派遣され，その職は，義詮の子孫によって世襲された。

5 足利義満は，京都の室町に花の御所と呼ばれる邸宅を建設して政治を行い，山名氏清など強大な守護を倒して権力の集中を図り，1392年には南北朝合一を果たした。

解説

1. 朝廷軍を破り京都に入った尊氏が光明天皇を即位させたことは正しい。それにより建武の新政は崩壊した。しかし，尊氏に譲位を迫られた後醍醐天皇は京都を脱出して奈良県の吉野に逃れ南朝（大覚寺統）政権を立てたため，これ以後60年間弱，京都の北朝（持明院統）と吉野の南朝（大覚寺統）の２つの朝廷，２人の天皇による南北朝の対立が続いた。また，尊氏が建武式目を定めて京都に幕府を開いたことは正しいが，尊氏が光明天皇に任ぜられたのは征夷大将軍である。

2. 荘園の年貢の半分を兵粮として守護が徴収することは半済という。守護段銭は守護が田畑の段別に課した臨時税のことである。また，国人とは，荘官や地頭らが在地に土着し，領主層に成長した武士のことで，その国人や地侍を家臣化し，荘園を侵略して土地の一円支配を行うようになった職権が拡大された守護のことは守護大名という。

3. 幕府機構を掌握して裁判や行政を受け持ったのが弟の足利直義，征夷大将軍として全国の武士との間の主従関係を掌握していたのが足利尊氏である。政治方針を巡って対立し，観応の擾乱が起こったことは正しい。

4. 管領は将軍の補佐役で政務を総括する幕府の最高責任者である。鎌倉府では，尊氏の二男基氏の子孫が代々鎌倉公方となり，関東管領の上杉氏がそれを補佐した。

5. 妥当である。

正答 **5**

東京都・特別区

教養試験

No. 137 歴史 明治時代の教育・文化 令和3年度 都

日本史
世界史
地理
法律
政治
経済
社会事情

明治時代の教育・文化に関する記述として，妥当なのはどれか。

1 政府は，1872（明治5）年に教育令を公布し，同年，小学校令によって6年間の義務教育が定められた。

2 文学の分野において，坪内逍遙が「小説神髄」で自然主義をとなえ，夏目漱石ら「文学界」の人々を中心に，ロマン主義の作品が次々と発表された。

3 芸術の分野において，岡倉天心やフェノロサが日本の伝統的美術の復興のために努力し，1887（明治20）年には，官立の東京美術学校が設立された。

4 1890（明治23）年，教育に関する勅語が発布され，教育の基本として，国家主義的な教育方針を排除し，民主主義教育の導入が行われた。

5 絵画の分野において，洋画ではフランスに留学した横山大観らが印象派の画風を日本に伝え，日本画では黒田清輝らの作品が西洋の美術に影響を与えた。

解説

1. 1872（明治5）年に制定されたのは学制である。フランスの制度に倣って近代学校教育制度の基礎がつくられ，教育の機会均等と国民皆学の精神がうたわれた。しかしその制度の画一性は実情に合わないことも多かったため，1879（明治12）年に廃止され，代わって出されたのが教育令である。アメリカの制度に倣った自由主義的なものだったが，翌年には改正され，国家主義的な改正教育令となった。その後，1886（明治19）年に初代文部大臣森有礼が学校令を制定し，帝国大学を頂点とする近代日本の教育体系が確立した。小学校令もその中の一つとして制定され，義務教育期間は4年とされた。

2. 坪内逍遙が『小説神髄』を著して確立したのは，写実主義の文学論である。雑誌「文学界」の中心人物でロマン主義を進めたのは北村透谷である。夏目漱石は，晩年「則天去私」の倫理を追求し，余裕派・高踏派などと称された。

3. 妥当である。

4. 1879（明治12）年に制定された教育令はアメリカの制度に倣った自由主義的なものだったが，翌年には早くも改正され，国家主義教育を導入した改正教育令が出された。教育の指導原理を示した教育勅語が1890（明治23）年に発布されたことは正しいが，その基本理念は「忠君愛国」で，儒教的道徳思想を基礎に，天皇制の強化を図るものだった。

5. 横山大観が日本画家で，黒田清輝が洋画家である。横山大観は洋画技法をとり入れて近代的日本画を開拓した。代表作は「無我」など。黒田清輝はフランスに留学して印象派の技法を学び，近代洋画の確立者となった。代表作に「湖畔」などがある。

正答 **3**

東京都・特別区

教養試験

No.
138

歴史

日清戦争と日露戦争

区

令和 3 年度

日清戦争又は日露戦争に関する記述として，妥当なのはどれか。

1 1894年に，朝鮮で壬午事変が起こり，その鎮圧のため朝鮮政府の要請により清が出兵すると，日本も清に対抗して出兵し，8月に宣戦が布告され日清戦争が始まった。

2 日清戦争では，日本が黄海海戦で清の北洋艦隊を破るなど，圧倒的勝利を収め，1895年4月には，日本全権伊藤博文及び陸奥宗光と清の全権袁世凱が下関条約に調印した。

3 下関条約の調印直後，ロシア，ドイツ，アメリカは遼東半島の清への返還を日本に要求し，日本政府はこの要求を受け入れ，賠償金3,000万両と引き換えに遼東半島を清に返還した。

4 ロシアが甲申事変をきっかけに満州を占領したことにより，韓国での権益を脅かされた日本は，1902年にイギリスと日英同盟を結び，1904年に宣戦を布告し日露戦争が始まった。

5 日露戦争では，日本が1905年1月に旅順を占領し，3月の奉天会戦及び5月の日本海海戦で勝利し，9月には，日本全権小村寿太郎とロシア全権ウィッテがアメリカのポーツマスで講和条約に調印した。

解説

1．日清戦争の契機となったのは，1894年に起きた甲午農民戦争（東学の乱）といわれる農民反乱である。壬午事変は，1882年，親日策をとる王妃の閔妃に対し，守旧派の兵士が国王の父大院君（親清派）を担いで起こしたクーデタである。

2．下関条約締結の際の清国側全権は李鴻章である。それ以外の記述は正しい。

3．遼東半島の清国への返還を要求してきたのは，ロシア・フランス・ドイツの3国である。これを三国干渉という。それ以外の記述は正しい。

4．ロシアの満州占領は北清事変（1900年）を機に行われた。甲申事変は，1884年，朝鮮の独立党が日本と結んで政権をとろうとしたクーデタである。

5．妥当である。

正答 **5**

東京都・特別区

No. 139

教養試験

歴史　第二次世界大戦直後の日本　令和2年度

都

日本史
世界史
地理
法律
政治
経済
社会事情

第二次世界大戦直後の日本の状況に関する記述として，妥当なのはどれか。

1　ワシントンの連合国軍最高司令官総司令部（GHQ）の決定に従い，マッカーサーは東京に極東委員会（FEC）を置いた。

2　経済の分野では，財閥解体とともに独占禁止法が制定され，農地改革により小作地が全農地の大半を占めるようになった。

3　現在の日本国憲法は，幣原喜重郎内閣の草案を基礎にしてつくられ，1946年5月3日に施行された。

4　新憲法の精神に基づいて作成された地方自治法では，都道府県知事が国会の任命制となり，これまで以上に国の関与が強められた。

5　教育の機会均等をうたった教育基本法が制定され，中学校までを義務教育とする，六・三制が採用された。

解説

1．極東委員会（FEC）は，日本と交戦した11か国代表で構成され，ワシントンに設置された占領政策決定の最高機関である。連合国軍最高司令官にはアメリカのマッカーサー元帥が就任し，東京に置かれた連合国軍最高司令官総司令部（GHQ）が実際の日本管理に当たり，総司令部が日本政府に対して指示・命令を行う間接統治方式をとった。

2．経済の分野では経済の民主化が行われ，財閥解体や農地改革が行われた。財閥解体とともに独占禁止法が制定されたのは正しいが，農地改革によって小作地は全農地の約1割に減少し，寄生地主制が消滅した。

3．1945年，マッカーサーから憲法改正の指示を受けた幣原内閣は，松本烝治国務相を委員長とする憲法問題調査委員会を設け，46年，松本私案をGHQに提出した。しかし，私案が旧憲法の部分的修正にすぎなかったために，GHQはそれを拒否し，象徴天皇制と戦争放棄の原則を含むGHQ草案を提示した。政府がこれをもとに発表した「帝国憲法改正草案要綱」は，国会で審議され，日本国憲法として1946年11月3日公布された。なお，施行は翌1947年の5月3日である。

4．都道府県知事は，従来の任命制から住民の直接選挙による公選制へと変わり，中央集権主義が排除されて，地方分権主義が強化された。

5．妥当である。

正答　**5**

次の文は，江戸時代の元禄文化における美術作品に関する記述であるが，文中の空中A〜Cに該当する作者名又は作品名の組合せとして，妥当なのはどれか。

　　京都の　　A　　が残した「紅白梅図屏風」は，中央に水流を描き，左右に白梅・紅梅を配している。　A　のほかの作品には，「　　B　　」や，工芸品の「　　C　　」等がある。

	A	B	C
1	尾形光琳	燕子花図屏風	八橋蒔絵螺鈿硯箱
2	尾形光琳	見返り美人図	色絵藤花文茶壺
3	俵屋宗達	燕子花図屏風	八橋蒔絵螺鈿硯箱
4	俵屋宗達	見返り美人図	色絵藤花文茶壺
5	菱川師宣	燕子花図屏風	色絵藤花文茶壺

解説

A：「紅白梅図屏風」は，江戸中期，元禄文化期の画家・工芸家，尾形光琳の最晩年の代表作で，大胆な構図が有名である。尾形光琳は華麗で装飾性に富む琳派（光琳派）と呼ばれる画風を大成した。俵屋宗達は，光琳が傾倒した江戸前期，寛永期の画家で，「風神雷神図屏風」が有名である。菱川師宣は，光琳と同じ元禄文化期の画家だが，浮世絵の大成者である。

B：「燕子花図屏風」は光琳の晩年の大作である。「見返り美人図」は菱川師宣の肉筆浮世絵。

C：「八橋蒔絵螺鈿硯箱」は光琳蒔絵（漆工芸の一種）の代表作である。「色絵藤花文茶壺」は，元禄文化期の京焼色絵陶器の大成者，野々村仁清の作品。

　　よって，正答は**1**である。

正答　**1**

東京都・特別区

No.
141

教養試験
都

歴史　第一次世界大戦後の国際秩序　令和 5 年度

日本史　世界史　地理　法律　政治　経済　社会事情

第一次世界大戦後の国際秩序等に関する記述として妥当なのはどれか。

1　パリ講和会議は、アメリカ大統領セオドア゠ローズヴェルトが1918年に発表した十四か条の平和原則に基づき開催され、革命直後のソヴィエト政府も参加した。

2　ヴェルサイユ条約により、ドイツは、アルザス・ロレーヌをオーストリアに返還し、ラインラントを除く全ての地域の非武装化を義務づけられた。

3　国際連盟は、1920年に発足した史上初の国際平和機構であったが、アメリカは上院の反対により加盟しなかった。

4　ワシントン会議において、海軍軍縮条約が結ばれ、アメリカ・イギリス・日本・フランス・オランダの主力艦の保有総トン数比率は、同率と定められた。

5　ロンドン軍縮会議において、九か国条約が結ばれ、太平洋諸島の現状維持等を相互に約束した。

解説

1. 十四か条の平和原則はアメリカ大統領ウィルソンが発表した講和のための原則である。また、パリ講和会議は戦勝国側である連合国の代表らが集まって開かれたもので、ソヴィエト政府や敗戦した同盟国側は参加できなかった。

2. アルザス・ロレーヌは古くからのドイツとフランスの係争地であり、オーストリアにではなくフランスに返還された。また、ラインラントも独仏間の係争地の一つであり、非武装地帯とされたのはラインラントである。

3. 妥当である。

4. ワシントン会議において海軍軍縮条約が結ばれたことは正しい。しかし、調印したのはアメリカ、イギリス、日本、フランス、イタリア、の5か国で、定められた海軍主力艦の保有総トン比率は、米5：英5：日3：仏1.67：伊1.67である。

5. 九か国条約もワシントン会議で結ばれた条約である。しかし、太平洋諸島の現状維持を定めたのは同会議で結ばれた四か国条約であり、九か国条約では、中国の主権尊重・領土保全と機会均等・門戸開放などが約束された。ロンドン軍縮会議はワシントン会議開催から9年後の1930年に開かれた会議であり、海軍補助艦の保有比率について話し合われた。

正答　**3**

イギリスの産業革命に関する記述として、妥当なのはどれか。

1　18世紀前半に、ニューコメンが木炭の代わりに石炭を加工したコークスを燃料とする製鉄法を開発し、鉄鋼生産が飛躍的に上昇した。

2　1733年にジョン・ケイが発明した飛び梭により綿織物の生産量が急速に増えると、ハーグリーヴズのミュール紡績機やアークライトの水力紡績機など新しい紡績機が次々と発明された。

3　1814年にカートライトが製作した蒸気機関車は、1825年に実用化され、1830年にはマンチェスター゠リヴァプール間の鉄道が開通した。

4　機械制工場による大量生産が定着すると、従来の家内工業や手工業は急速に衰え、職を失った職人たちは、機械を打ち壊すラダイト運動を行った。

5　社会主義思想を否定したオーウェンなどの産業資本家は、大工場を経営して経済活動を支配するようになり、そこで働く労働者が長時間労働や低賃金を強いられるなどの労働問題が発生した。

解説

1. コークス製鉄法を確立したのはダービー父子である。ニューコメンは蒸気機関を発明した人物である。

2. ハーグリーヴズが発明したのはジェニー紡績機である。ジョン゠ケイが飛び梭、アークライトが水力紡績機を発明したことは正しい。

3. 1814年に蒸気機関車をつくったのはスティーヴンソンである。その後の実用化と鉄道開通についての記述は正しい。

4. 妥当である。

5. 工場などの生産手段を所有し工場生産を行う産業資本家らは、資本主義社会において支配的な地位を占め、一方、そこで働く労働者は劣悪な労働環境に置かれるなどの労働問題が生まれたことは正しい。しかし、イギリスのオーウェンは、紡績工場の経営者として労働者の待遇改善を実施し、工場法の制定にも貢献した初期の社会主義者である。

正答　**4**

モンゴル帝国又は元に関する記述として，妥当なのはどれか。

1 チンギス＝ハンは，モンゴル高原の諸部族が平定したイル＝ハン国，キプチャク＝ハン国，チャガタイ＝ハン国を統合し，モンゴル帝国を形成した。

2 オゴタイ＝ハンは，ワールシュタットの戦いでオーストリア・フランス連合軍を破り，西ヨーロッパへの支配を拡大した。

3 モンゴル帝国の第2代皇帝フビライ＝ハンは，長安に都を定めて国号を元とし，南宋を滅ぼして中国全土を支配した。

4 元は，中国の伝統的な官僚制度を採用したが，実質的な政策決定はモンゴル人によって行われ，色目人が財務官僚として重用された。

5 モンゴル帝国は，交通路の安全性を重視し，駅伝制を整えて陸上交易を振興させたが，海洋においては軍事を優先し，海上交易を縮小していった。

解説

1. チンギス＝ハンはモンゴルの諸部族を統一してモンゴル帝国を形成し，さらに領土を広げて一代で世界帝国の礎を築いた。イル＝ハン国やキプチャク＝ハン国，チャガタイ＝ハン国は，広大なモンゴル帝国がやがて元と各ハン国に分裂したのち，独立化した国である。

2. チンギス＝ハンの第3子でモンゴル帝国第2代皇帝となったオゴタイ＝ハンは，父の遺志をついで1234年に金を滅ぼして中国に進出し，首都カラコルムを建設して帝国の基礎を整え，バトゥに西方遠征を行わせた。ワールシュタットの戦いに勝ってヨーロッパ世界を脅かしたのはこのバトゥだが，破ったのはドイツとポーランドの連合軍である。

3. フビライ＝ハンはモンゴル帝国第5代皇帝（在位1260〜94）で，元の初代皇帝（在位1271〜94）である。彼の時代までに，モンゴル帝国はユーラシアの東西に広がる世界帝国となっていたが，分割相続で分裂していた諸ハン国は独立していった。フビライ＝ハンは1264年に都をカラコルムから大都（現在の北京）に遷都した。国号を元とし，南宋を滅ぼして全中国を支配下に入れたことは正しい。

4. 妥当である。

5. モンゴル帝国が広大な領域内の交通路の安全性を重視し，駅伝制を整えたことは正しい。しかし，海上交通においても，元代には泉州・広州などの都市に市舶司をおいて海上交通路を掌握し，西アジアとの海上貿易が盛んになり，イスラーム商人の往来も活発化した。

正答 **4**

大航海時代に関する記述として，妥当なのはどれか。

1 航海王子と呼ばれたエンリケは，アフリカ大陸の西側沿岸を南下し，南端の喜望峰に到達した。

2 ヴァスコ・ダ・ガマは，喜望峰を経て，インド西岸のカリカットに到達し，インド航路を開拓した。

3 ポルトガルの支援を得たコロンブスは，大西洋を横断してカリブ海のサンサルバドル島に到達した。

4 バルトロメウ・ディアスの探検により，コロンブスが到達した地は，ヨーロッパ人には未知の大陸であることが突き止められた。

5 スペイン王の支援を得たマゼランは，東周りの大航海に出発し，太平洋を横断中に死亡したが，部下が初の世界周航を達成した。

解説

1. ポルトガルのエンリケ航海王子はアフリカ西海岸の探検を奨励し，彼の探検隊によってヴェルデ岬が発見されるなどポルトガルによる探検の基礎がつくられた。しかし，アフリカ南端の喜望峰に到達したのはバルトロメウ＝ディアスである。

2. 妥当である。

3. コロンブスが支援を得たのは，ポルトガルに対抗意識を持つスペイン女王イサベルである。大西洋を横断してサンサルバドル島に到達したことは正しい。

4. コロンブスが到着した地がインドではなくヨーロッパ人にとっての未知の大陸であることを明らかにしたのは，イタリア人のアメリゴ＝ヴェスプッチである。

5. ポルトガル人のマゼランがスペイン王の命令で出発したこと，探検の途中で死亡したが部下が史上初の世界周航を成し遂げたことは正しい。しかし，彼はスペインを出発してまず大西洋を縦断し，次いで太平洋に出て西航を続けたので，西周りの世界周航を行ったことになる。

正答　**2**

No. 145 歴史 20世紀前半の民族運動 令和3年度

20世紀前半における民族運動に関する記述として，妥当なのはどれか。

1 軍人ビスマルクは，祖国防衛戦争を続けて勝利すると，1923年にロカルノ条約を締結し，オスマン帝国にかわるトルコ共和国の建国を宣言した。

2 アラブ地域に民族主義の気運が高まり，第一次世界大戦直後の共和党の反米運動によって独立を認められたエジプト王国などが建国された。

3 イギリスは，ユダヤ人に対しパレスチナでのユダヤ人国家の建設を約束するバルフォア宣言を発したが，アラブ人に対しては，独立国家の建設を約束するフサインーマクマホン書簡を交わしていた。

4 フランスの植民地であったインドでは，国民会議派の反仏闘争と第一次世界大戦後の民族自決の世界的な流れにより，1919年に自治体制が成立し，同時に制定されたローラット法により，民族運動は保護された。

5 アフガニスタンでは，ガンディーを指導者に，イスラム教徒を中心に組織されたワッハーブ派による非暴力・不服従の運動が起こった。

解説

1. トルコ共和国の建国者はムスタファ゠ケマルである。第一次世界大戦の敗戦国となったオスマン帝国は，屈辱的な講和条約セーヴル条約（1920年）によって小国化し，ギリシアに侵入されるなど危機が続いた。オスマン帝国の軍人ケマルはトルコ大国民議会を開催して新政府を樹立し（1920年），ギリシア゠トルコ戦争に勝利してギリシア軍を撃退し（1922年），1923年，セーヴル条約に代わる新講和条約であるローザンヌ条約を結んで治外法権の廃止・関税自主権と一部領土の回復等を勝ち取った。スルタン制を廃止（1922年）してオスマン帝国が滅亡すると，翌年トルコ共和国を建国し，初代大統領として諸改革を断行し，トルコの近代国家としての基礎を築いた。ビスマルクは19世紀後半のプロイセン・ドイツ帝国の政治家で，ドイツ帝国の初代宰相である。

2. エジプトはイギリスの保護国だった。第一次世界大戦後，ワフド党を中心に独立を求める民族運動が高まり，イギリスが保護権を廃止してエジプト王国となった。しかし，それはイギリスが軍事支配権を温存した名目的な独立であり，独立運動はその後も続いた。イギリスがエジプトの完全独立を認めたのは，1936年である。

3. 妥当である。

4. インドはイギリスの植民地だった。第一次世界大戦中，イギリスはインドに戦後の自治を約束して戦争に協力させた。しかし，戦後の1919年に制定したインド統治法は形式的な自治しか認めず，ローラット法は，インド人に対する令状なしの逮捕等，民族運動を抑圧するための法令だった。

5. ガンディーは「インド独立の父」と呼ばれる社会運動家で，非暴力・不服従の運動を展開した。アフガニスタンもイギリスの保護国だったが，1919年に独立した。ワッハーブ派は，18世紀のアラビア半島で，ワッハーブが起こしたイスラーム教の原点回帰をめざす一派で，アラビア半島の豪族サウード家と結んで建てたワッハーブ王国が1932年に建国されたサウジアラビアの基礎となった。

正答 **3**

ローマ帝国に関する記述として，妥当なのはどれか。

1 オクタウィアヌスは，アントニウス，レピドゥスと第2回三頭政治を行い，紀元前31年にはアクティウムの海戦でエジプトのクレオパトラと結んだアントニウスを破り，前27年に元老院からアウグストゥスの称号を与えられた。

2 3世紀末，テオドシウス帝は，2人の正帝と2人の副帝が帝国統治にあたる四分統治制を敷き，皇帝権力を強化し，以後の帝政はドミナトゥスと呼ばれた。

3 コンスタンティヌス帝は，313年にミラノ勅令でキリスト教を公認し，また，325年にはニケーア公会議を開催し，アリウス派を正統教義とした。

4 ローマ帝国は，395年，テオドシウス帝の死後に分裂し，その後，西ローマ帝国は1千年以上続いたが，東ローマ帝国は476年に滅亡した。

5 ローマ法は，はじめローマ市民だけに適用される市民法だったが，やがて全ての市民に適用される万民法としての性格を強め，6世紀には，ユスティニアヌス帝の命令で，法学者キケロらによってローマ法大全として集大成された。

解説

1. 妥当である。

2. 3世紀末に四分統治制を敷き，ドミナトゥス（専制君主政）を始めたのはディオクレティアヌス帝である。テオドシウス帝は，4世紀末，ローマ帝国が東西に分裂する前の最後の皇帝である。四分統治制についての記述は正しい。

3. ニケーア公会議（宗教会議）で正統教義とされたのは三位一体説（アタナシウス派）である。三位一体説は，父なる神・子なるキリスト・聖霊の三者は，本質的に同一であるとする説である。父なる神とキリストは同一ではないとするアリウス派は異端とされ，帝国の北方のゲルマン人に伝道され広まっていった。それ以外の記述は正しい。

4. ローマ帝国がテオドシウス帝の死とともに東西に分裂したことは正しい。しかし，その後の西ローマ帝国と東ローマ帝国についての記述が逆である。西ローマ帝国は476年に滅亡したが，東ローマ（ビザンツ）帝国は1453年に滅亡するまで1千年以上続いた。

5. ユスティニアヌス帝の命で『ローマ法大全』を編さんしたのは，法学者トリボニアヌスである。キケロは紀元前1世紀の古代ローマの政治家・文人で，『国家論』の著者である。それ以外の記述は正しい。

正答 **1**

教養試験

No. 147 地理 世界の資源・エネルギー 令和5年度

都

世界の資源・エネルギーに関する記述として、妥当なのはどれか。

1 産業革命以前のエネルギーは石炭が中心であったが、産業革命後は近代工業の発展に伴い、石油の消費が増大した。

2 レアメタルの一種であるレアアースの産出量が最も多いのは、以前は中国であったが、近年はアメリカ合衆国となっている。

3 産油国では、自国の資源を自国で開発・利用しようという資源ナショナリズムの動きが高まり、石油輸出国機構（OPEC）が結成された。

4 都市鉱山とは都市再開発によって生じる残土に含まれる金属資源のことであり、低コストで再利用できる資源として多くの先進国で活用されている。

5 ブラジルで生産されているバイオエタノールは、大量の作物を消費することで森林破壊が進むことが危惧されるため、自動車の燃料としての使用が禁止されている。

解説

1. 産業革命以前のエネルギー資源は、人力や家畜による畜力、風力や水力などの自然力が中心であった。産業革命後は蒸気機関の発明によって石炭がエネルギー資源の主力となった。石油の消費が増大するのは、石炭などの固形燃料から石油・天然ガスなどの流体燃料へエネルギー資源の主力が変化する1960年代のエネルギー革命以降である。

2. 中国のレアアースの生産量は、近年においても世界生産の約7割を占め、世界最大の産出国となっている。

3. 妥当である。

4. 都市鉱山とは、ごみとして大量に捨てられる家電製品や携帯電話などの廃棄物に含まれる、回収・解体して再生すれば再利用が可能な金やレアメタルなどの貴重な資源のことである。

5. 世界最大のさとうきび生産国であるブラジルでは、1930年代より国家主導によるさとうきびを原料としたバイオエタノールの生産が行われ、ガソリンとバイオエタノールを混合した燃料で走る車が普及している。一方で、耕地拡大のための熱帯林伐採や、さとうきびを食用目的以外に大量消費することから起こる食料問題などが懸念されている。

正答 **3**

教養試験　　　　　　　　　　　　　　区

No. **148**　**地理**　**ラテンアメリカ**　令和 **5年度**

ラテンアメリカに関する記述として、妥当なのはどれか。

1　南アメリカ大陸西部には、高く険しいロッキー山脈が連なっており、標高により気候や植生が変化する。

2　アンデス高地のアステカや、メキシコのインカなど、先住民族による文明が栄えたが、16世紀にスペインに征服された。

3　アマゾン川流域には、カンポセラードと呼ばれる熱帯雨林や、セルバと呼ばれる草原が広がっている。

4　19世紀末頃から、日本からラテンアメリカへの移民が始まり、海外最大の日系社会があるペルーでは、現在100万人を超える日系人が暮らしている。

5　ブラジルでは、大農園でコーヒーなどを栽培しており、また、20世紀後半以降は、大豆の生産が急増している。

解　説

1．南アメリカ大陸西部を南北に走る高く険しい山脈はアンデス山脈であり、ロッキー山脈は北アメリカ大陸西部を南北に走る急峻な山脈である。標高により気候や植生が変化するという記述は正しい。

2．アンデス高地で栄えたのがインカ帝国をはじめとするアンデス文明、メキシコ高原で栄えたのがアステカ文明である。16世紀にスペインに征服されたという記述は正しい。

3．アマゾン川流域に広がるのはセルバと呼ばれる熱帯雨林である。カンポセラードは、低木と草丈の長い草が密生するブラジル高原の植物景観である。

4．現在でも100万人を超える日系人が暮らす最大の日系社会が存在するのはブラジルである。19世紀末頃から日本からラテンアメリカへの移民が始まったという記述は正しい。

5．妥当である。

正答　**5**

教養試験

地理　　　　世界の農業　　　令和4年度

世界の農業に関する記述として，妥当なのはどれか。

1　園芸農業は，北アメリカや日本などの大都市近郊でみられる，鉢花や切花など，野菜以外の観賞用植物を栽培する農業であり，近年は輸送手段の発達とともに，大都市から遠く離れた地域にも出荷する輸送園芸農業が発達している。

2　オアシス農業は，乾燥地域においてみられる，外来河川や湧水池などを利用した農業であり，イランではフォガラと呼ばれる人工河川を利用して山麓の水を導水し，オリーブなどを集約的に栽培している。

3　企業的穀物農業は，アメリカやカナダなどでみられる，大型の農業機械を用いて小麦やトウモロコシなどの穀物の大規模な生産を行う農業であり，土地生産性が高いものの労働生産性は低い。

4　混合農業は，ドイツやフランスなどの中部ヨーロッパに広くみられる，中世ヨーロッパの三圃式（さんぽ）農業から発展した農業であり，穀物と飼料作物を輪作で栽培するとともに，肉牛や鶏などの家畜を飼育している。

5　地中海式農業は，アルジェリアやモロッコなどの地中海沿岸地域に特有の農業であり，夏には小麦や大麦などの穀物が，冬には柑橘（かんきつ）類やブドウなどの樹木作物が栽培されている。

解説

1. 園芸農業は，都市への出荷を目的として，野菜・果実・花卉などをきわめて集約的に栽培する農業のことで，観賞用植物であるかどうかは関係ない。大都市周辺に見られ，ヨーロッパの北海・地中海沿岸でも発達している。都市（消費地）との距離によって近郊農業と遠郊農業に区分され，都市（消費地）の遠隔地で行われる遠郊農業はトラックファーミングや輸送園芸ともいわれる。

2. オアシス農業が乾燥地域で人工的な灌漑によって行われる集約的農業であることは正しい。灌漑にはオアシス，外来河川や湧き水のほか，導水中の蒸発を防ぐための地下水路の利用も見られるが，フォガラは北アフリカの地下水路の呼称で，イランの地下水路はカナートと呼ばれる。オアシス農業ではナツメヤシ，綿花，小麦などが栽培される。オリーブは地中海式農業地域でよく栽培される作物である。

3. アメリカ，カナダ，オーストラリアなどのいわゆる「新大陸」で見られる，小麦などの穀物を販売目的で大規模に生産する農業を企業的穀物農業ということは正しい。しかし，少ない労働力を大規模機械で補い粗放的な土地利用を行うため，労働生産性は極めて高いが，土地生産性は低い。

4. 妥当である。

5. 地中海式農業は，夏乾燥，冬多雨の地中海性気候に合った農業形態である。アルジェリアやモロッコなど北アフリカの地中海沿岸地域だけでなく，地中海沿岸地域を始めアメリカのカリフォルニア地方，チリ南部，オーストラリア南西部など世界中の地中海性気候の地域でも見られる。また，夏冬で栽培される作物についての記述が逆であり，夏には夏の乾燥に耐えられる柑橘類・ブドウ・オリーブなどの樹木作物，冬には冬の雨を利用した小麦・大麦などの穀物が栽培されている。

正答　**4**

世界の交通に関する記述として，妥当なのはどれか。

1 交通機関の発達により，地球上の時間距離が拡大し，人やものの移動が活発になった。

2 船舶は，古くから重要な交通手段であり，速度は遅いが，重いものを大量に輸送でき，現在では大型化や専門船化が進んでいる。

3 鉄道は，大量の旅客，貨物を運ぶことに適しており，フランスの ICE やドイツの TGV など，都市間を結ぶ高速鉄道が整備されている。

4 自動車は，1 台当たりの輸送量は限られるが，ルートを選択できるなど自由度が高く，モーダルシフトにより鉄道輸送からの転換が進んでいる。

5 航空機は，最も高速な移動手段であり，安価で比較的重い物品の大量輸送に適している。

解説

1．時間距離とは 2 地点間を移動するために要する時間によって表される距離で，絶対距離の対語である。よって，交通の発達により，時間距離は急速に短縮している。

2．妥当である。

3．重量物資の大量輸送に最も適しているのは船舶だが，鉄道も船舶に次いで大量輸送が可能である。しかし，ICE がドイツ，TGV がフランスの都市間高速鉄道である。

4．陸上交通の主役が鉄道交通から自動車交通に移ったことは正しい。しかし，モーダルシフトとは，トラックなどの自動車で行われている貨物輸送を，環境負荷の小さい鉄道や船舶の利用へと転換することをいう。

5．航空機が最も高速な交通機関であることは正しい。しかし，輸送コストは高く，重量物を大量に輸送するのは難しい。航空機は旅客輸送のほか，IC などの電子部品や精密機械，生花，高級生鮮食料品などの高価で軽量な品物の貨物輸送に適している。

正答 **2**

気候に関する記述として，妥当なのはどれか。

1 気候とは，刻一刻と変化する，気温・気圧などで示される大気の状態や雨・風など，大気中で起こる様々な現象をいう。

2 年較差とは，1年間の最高気温と最低気温との差であり，高緯度になるほど小さく，また，内陸部から海岸部に行くほど小さい。

3 貿易風は，亜熱帯高圧帯から熱帯収束帯に向かって吹く恒常風で，北半球では北東風，南半球では南東風となる。

4 偏西風は，亜熱帯高圧帯と亜寒帯低圧帯において発生する季節風で，モンスーンとも呼ばれる。

5 年降水量は，上昇気流の起こりやすい熱帯収束帯で少なく，下降気流が起こりやすい亜熱帯高圧帯で多くなる傾向にある。

解説 ━━━━━━━━━━━━━━━━━━━━━━━━━━━

1. 気候とは，ある地域で，一年を周期として繰り返される大気の状態，具体的には気温・降水・風・湿度・気圧などの傾向をさす。

2. 年較差とは，気温だけでなく，気温や水温などの年最高値と年最低値の差のことであり，また，気温の場合は，最暖月平均気温と最寒月平均気温の差をさす場合が多い。年較差は，一般に，高緯度地方のほうが低緯度地方より大きい。大陸内部より海岸地方のほうが小さいという点は正しい。

3. 妥当である。

4. 偏西風は，亜熱帯高圧帯から亜寒帯低圧帯へ，恒常的に吹く卓越風（それぞれの地域で最も頻繁に吹く風）で，両半球とも西寄りの風となる。季節によって風向きが逆になる季節風（モンスーン）ではない。

5. 上昇気流が発達する場所では雨が多く悪天候となり，下降気流が発達する場所は高気圧となり，好天となる。熱帯収束帯（赤道低圧帯）は太陽の直射を受け，常に上昇気流が生じ，激しい降水がある。亜熱帯高圧帯は，赤道付近で上昇した大気が集積し，下降気流となって発生する。下降気流の下では天気が安定し，高圧帯では雨はほとんど降らない。

正答 **3**

世界の地形に関する記述として，妥当なのはどれか。

1　地球表面の起伏である地形をつくる営力には，内的営力と外的営力があるが，内的営力が作用してつくられる地形を小地形といい，外的営力が作用してつくられる地形を大地形という。

2　地球の表面は，硬い岩石でできたプレートに覆われており，プレートの境界は，狭まる境界，広がる境界，ずれる境界の３つに分類される。

3　新期造山帯は，古生代の造山運動によって形成されたものであり，アルプス＝ヒマラヤ造山帯と環太平洋造山帯とがある。

4　河川は，山地を削って土砂を運搬し，堆積させて侵食平野をつくるが，侵食平野には，氾濫原，三角州などの地形が見られる。

5　石灰岩からなる地域では，岩の主な成分である炭酸カルシウムが，水に含まれる炭酸と化学反応を起こして岩は溶食され，このことによって乾燥地形がつくられる。

解説

1．内的営力とは地球内部にエネルギー源を持つ火山活動や地殻変動のことで，地表面の起伏を大きくする働きがあり，大山脈・大陸・海洋底など小縮尺の地図や地球儀で表現可能な大地形を形成する。外的営力とは太陽放射エネルギーなど地球外部から作用して地形を変える風化・侵食・堆積・運搬などの力で，最終的には地表を平たんにする働きがあり，扇状地・谷地形・砂丘など大縮尺の地形図で表現される小地形を形成する。

2．妥当である。

3．新期造山帯は，中生代末から現在に至るまで激しい造山運動を行っている地域である。アルプス＝ヒマラヤ造山帯と環太平洋造山帯が新期造山帯であることは正しい。

4．侵食平野とは，流水や風が地球の表面を削る侵食作用によって形成された準平原や構造平野などの規模の大きな平野で，日本には見られない。流水などが，侵食を受けてつくられた土砂や岩せつを運搬し，運搬作用が衰えた場所に堆積させて形成した平野は堆積平野であり，氾濫原・三角州・扇状地などはそれに該当する。

5．石灰岩の主成分である炭酸カルシウムが，雨水や地下水にわずかに含まれる炭酸ガスによって徐々に溶解されることは正しい。その作用を溶食という。しかし，石灰岩地域で石灰岩が溶食されてつくられる地形は，乾燥地形でなくカルスト地形であり，鍾乳洞やドリーネなどがある。

正答　**2**

東京都・特別区

No.
153

教養試験

地理

ラテンアメリカ

都

令和2年度

ラテンアメリカに関する記述として，妥当なのはどれか。

1 大西洋側には，最高峰の標高が8000mを超えるアンデス山脈が南北に広がり，その南部には，世界最長で流域面積が世界第2位のアマゾン川が伸びている。

2 アンデス山脈のマヤ，メキシコのインカ，アステカなど先住民の文明が栄えていたが，16世紀にイギリス，フランスの人々が進出して植民地とした。

3 アルゼンチンの中部にはパンパと呼ばれる大草原が広がり，小麦の栽培や肉牛の飼育が行われており，アマゾン川流域にはセルバと呼ばれる熱帯林がみられる。

4 ブラジルやアルゼンチンでは，自作農による混合農業が発達しており，コーヒーや畜産物を生産する農場はアシエンダと呼ばれている。

5 チリにはカラジャス鉄山やチュキカマタ鉄山，ブラジルにはイタビラ銅山がみられるなど，鉱産資源に恵まれている。

解説

1. 南アメリカ大陸を南北に走る世界最長のアンデス山脈は，大陸の太平洋側にあり，最高峰は標高6,960mのアコンカグア山である。アマゾン川は南アメリカ大陸北部にある大河で，長さはナイル川に次ぐ世界2位，流域面積は世界最大である。

2. マヤ文明はユカタン半島（現在メキシコ）を中心に，インカ文明はアンデス山脈中のクスコを中心に栄えた。アステカ文明については，アナワク高原（現在メキシコ）を中心に栄えたので正しい。また，16世紀にこの地域に侵入したのは，ラテン民族のスペイン人とポルトガル人で，メキシコ以南のほぼ全域が両国の植民地となり，ラテンアメリカが形成された。

3. 妥当である。

4. ラテンアメリカでは，植民地時代からの大土地所有制が続き，少数の大地主が土地を占有し，多くの農民は地主に隷属している。大地主の大農場や大牧場は，ブラジルではファゼンダ，アルゼンチンではエスタンシアと呼ばれ，プランテーション農業（大規模な商業的農園農業）で，コーヒー・大豆・とうもろこし・小麦等の輸出用商品作物が栽培され，また，企業的牧畜が行われている。アシエンダは，メキシコ・ペルー・チリ・コロンビア・パラグアイなどでの呼称である。混合農業は作物栽培と家畜飼育を組み合わせたヨーロッパの農牧業の基本型で，ヨーロッパやアメリカで発達している。

5. ラテンアメリカが鉱産資源に恵まれていることは正しいが，銅の生産が多いチリにあるのはチュキカマタ銅山，鉄鉱石が豊富なブラジルにあるのはイタビラ鉄山とカラジャス鉄山である。

正答 **3**

次の文は，温帯の気候に関する記述であるが，文中の空所A～Dに該当する語の組合せとして，妥当なのはどれか。

　温帯は，四季の変化がはっきりした温和な気候に恵まれ，人間活動が活発にみられるのが特徴である。

　ヨーロッパの西岸では，　　A　　が吹くため，冬は温和で夏は涼しく，季節にかかわらず適度な降水があり，穀物栽培と牧畜が組み合わされた混合農業や　　B　　が広く行われている。また，森林では，　　C　　が多くみられる。

　東アジアでは，　　D　　が吹くため，夏は高温で冬は寒冷となっており，稲作が広く行われている。

	A	B	C	D
1	季節風	遊牧	針葉樹	極偏東風
2	季節風	酪農	落葉広葉樹	偏西風
3	極偏東風	酪農	落葉広葉樹	季節風
4	偏西風	遊牧	針葉樹	極偏東風
5	偏西風	酪農	落葉広葉樹	季節風

解説

A：偏西風は，中緯度高圧帯から高緯度低圧帯へ恒常的に吹く西風である。大西洋岸の西・北ヨーロッパでは，一年を通して暖流の北大西洋海流上を吹いてくる偏西風の影響で，年間を通じて降水量が一定で，高緯度のわりに温和な西岸海洋性気候となっている。極偏東風は極高圧帯から亜寒帯低圧帯に向かって吹く東風である。季節風についてはDの解説を参照のこと。

B：酪農は，乳牛を飼育して乳製品を生産する農業で，年間を通じて降雨があって牧草が育ちやすく，夏に冷涼な気候が向いている。デンマークは模範的酪農王国といわれている。遊牧は家畜とともに牧草を求めて移動する粗放的な牧畜で，ステップ気候やツンドラ気候の地域で行われている。

C：西岸海洋性気候は温帯の気候である。温帯林の大部分は広葉樹林で，その中でもやや冷涼な西岸海洋性気候はブナ気候ともいわれ，ブナ・ナラ・ケヤキなどの落葉広葉樹が多い。針葉樹は西岸海洋性気候の北部にも分布するが，亜寒帯気候北部のタイガ（一種の針葉樹のみで構成された森林）が有名である。

D：季節風は，夏は海洋上から大陸部へ，冬は大陸部から海洋上へと季節によって風向きが逆になる風で，モンスーンともいわれる。大陸東岸に多い。夏は海から湿った風が吹いて雨が多く，冬は海に向かって乾燥した風が吹き，少雨となる。風向きが逆になるため季節の違いが大きく，温暖湿潤気候となる。夏の高温多湿な気候は稲作に適している。

　よって，正答は**5**である。

正答　**5**

東京都・特別区

教養試験

区

No.
155

地理

世界の人口問題

令和 元年度

世界の人口問題に関する記述として，妥当なのはどれか。

1 人口転換とは，人口の出生・死亡率が，多産多死から多産少死の時代を経て，少産少死へと変化することをいう。

2 第二次世界大戦後，アジア，アフリカ，ラテンアメリカの発展途上国では，人口が爆発的に増加し，中国では人口を抑制するための家族計画が推進されたが，インドでは推進されなかった。

3 人間が常に居住する地域はアネクメーネ，人間の居住がみられない地域はエクメーネと呼ばれ，アネクメーネは拡大している。

4 人口の増加には，人口の移動によって生じる自然増加と，出生数と死亡数の差によって起きる社会増加とがある。

5 人口ピラミッドにおいて，底辺の広い富士山型は多産多死型を示し，つぼ型は少産少死型を示しており，つぼ型より更に出生率が低いときにみられるのが釣鐘型である。

解説

1．妥当である。

2．中国の一人っ子政策のような効果はあがっていないが，インド政府も人口抑制政策を行ってきた。1952年には産児制限による人口抑制策を実施，1976年には結婚年齢の引上げやその他の規制を強化したが，国民の反発を招き翌年中止した。その後，緩やかな家族計画政策を進めているが，なかなか浸透していない。

3．アネクメーネとエクメーネの記述が逆であり，人間は，人間が常に居住する地域であるエクメーネを拡大してきた。

4．自然増加と社会増加の記述が逆である。

5．発展途上国に多い富士山型が多産多死型を示しているのは正しいが，つぼ型と釣鐘型の記述が逆である。多くの先進国で見られる釣鐘型は少産少死で人口停滞型を示し，少子化が著しい一部の先進国で見られるつぼ型は，人口減少型を示す。

正答 **1**

日本史

世界史

地理

法律

政治

経済

社会事情

中国に関する記述として，妥当なのはどれか。

1　中国は，1953年に，市場経済を導入したが，経済運営は順調に進まず，1970年代末から計画経済による改革開放政策が始まった。

2　中国は，人口の約7割を占める漢民族と33の少数民族で構成される多民族国家であり，モンゴル族，マン族，チベット族，ウイグル族，チョワン族は，それぞれ自治区が設けられている。

3　中国は，1979年に，夫婦一組に対し子供を一人に制限する「一人っ子政策」を導入したが，高齢化や若年労働力不足などの問題が生じ，現在は夫婦双方とも一人っ子の場合にのみ二人目の子供の出産を認めている。

4　中国は，外国からの資本と技術を導入するため，沿海地域に郷鎮企業を積極的に誘致し，「漢江の奇跡」といわれる経済発展を遂げている。

5　中国は，沿海地域と内陸部との地域格差を是正するため，西部大開発を進めており，2006年には青海省とチベット自治区を結ぶ青蔵鉄道が開通している。

解説

1．中国では1949年に社会主義の中華人民共和国が樹立された。1953年からは計画経済による第1次5か年計画が始まり，市場経済は導入されていない。その後「大躍進政策」などの急激な改革で経済は混乱し，さらに1966〜77年のプロレタリア文化大革命によって中国社会は大混乱に陥った。プロレタリア文化大革命が失敗のうちに終わると，1978年以降，鄧小平の指導下に改革・開放政策が推進され，中国経済は著しく発展して今日に至っている。しかしそれは計画経済によるものではなく，社会主義市場経済化と規定される外国資本や技術の導入による改革だった。

2．中国は，人口の約9割を占める漢民族と50以上の少数民族による多民族国家である。自治区を形成する5つの少数民族は，モンゴル族，チベット族，ウイグル族，チョワン族，そして，マン族ではなくホイ族である。

3．「一人っ子政策」が行われたこと，また，それによる弊害が生じたことは正しい。しかし，2016年に「一人っ子政策」は正式に撤廃され，現在はすべての夫婦に二人目の子どもを持つことが認められている。

4．外国資本や技術の導入を目的に，経済的な優遇措置が与えられた経済特区などが沿岸地域に設置されていることは正しい。しかし，そこに主に進出しているのは，多数の外国企業や合弁企業である。郷鎮企業とは，市町村や個人が経営する中小企業のことである。また，漢江（ハンガン）とは韓国の首都ソウルを流れる川のことで，「漢江の奇跡」とは1960年代後半からの韓国経済の高度成長のことであり，中国の経済成長をさす言葉ではない。

5．妥当である。

正答　**5**

No. 157 地理 都市 平成 **30年度** 区

都市に関する記述として，妥当なのはどれか。

1 メガロポリスとは，広大な都市圏を形成し，周辺の都市や地域に大きな影響力をもつ大都市をいい，メトロポリスとは，多くの大都市が鉄道，道路や情報などによって密接に結ばれ，帯状に連なっている都市群地域をいう。

2 コンパクトシティとは，国や地域の中で，政治や経済，文化，情報などの機能が極端に集中し，人口規模でも第2位の都市を大きく上回っている都市のことをいう。

3 プライメートシティとは，都市の郊外化を抑え，都心部への業務機能の高集積化や職住近接により移動距離を短縮し，環境負荷を減らして生活の利便性の向上をめざした都市構造のあり方のことをいう。

4 日本では，1950年代半ば頃からの高度経済成長期に都市人口が急激に増大し，郊外では住宅地が無秩序に広がるドーナツ化現象が起こり，都心部では地価高騰や環境悪化によって定住人口が減るスプロール現象が見られた。

5 早くから都市化が進んだ欧米の大都市の中では，旧市街地から高所得者層や若者が郊外に流出し，高齢者や低所得者層が取り残され，コミュニティの崩壊や治安の悪化などが社会問題となっているインナーシティ問題が発生している。

解説

1. メガロポリスとメトロポリスの説明が逆である。メガロポリスでは，アメリカ北東岸のボストンからワシントンにかけてのアメリカン・メガロポリスと呼ばれる地域や，日本の太平洋ベルトのうち，京葉地域から京阪神地域に到る東海道メガロポリスが有名である。メトロポリスでは，ニューヨーク，ロンドン，東京などが代表的である。

2. プライメートシティ（首位都市）についての記述である。プライメートシティは発展途上国の首都に多く，バンコク，メキシコシティ，カイロなどが代表的である。

3. コンパクトシティについての記述である。地方では，少子高齢化の深刻化，自治体の財政難などからコンパクトシティへの模索が加速化している。

4. ドーナツ化現象とスプロール現象の説明が逆である。「スプロール」とは「虫食い状」の意味である。

5. 妥当である。

正答 **5**

憲法第25条に定める生存権に関する記述として、妥当なのはどれか。

1　生存権は社会権的側面を持ち、国の介入の排除を目的とする権利である自由権とは性質を異にするため、自由権的側面が認められることはないとされる。

2　プログラム規定説では、生存権を具体化する法律がない場合に、裁判所に対して国の立法不作為の違憲確認訴訟を提起できるとされる。

3　抽象的権利説では、生存権は国民に法的権利を保障したものではないが、生存権を具体化する法律を前提とした場合に限り、違憲性を裁判上で主張することができるとされる。

4　最高裁判所は、昭和42年の朝日訴訟判決において、憲法第25条１項の規定は、直接個々の国民に対して具体的権利を賦与したものではないとした。

5　最高裁判所は、昭和57年の堀木訴訟判決において、憲法第25条の規定の趣旨に基づき具体的に講じられる立法措置の選択決定は、立法府の広い裁量に委ねられており、いかなる場合も裁判所が審査判断するのに適しない事柄であるとした。

解 説

1．生存権は社会権である以上、社会権的側面を持つが、自由権的側面も認められると解されている。

2．生存権を具体化する法律がない場合に、裁判所に対して国の立法不作為の違憲確認訴訟を提起できるとするのは、具体的権利説である。プログラム規定説は、憲法25条は国に政治的、道義的義務を課したにとどまり、個々の国民に具体的権利を保障したものではないとする。

3．抽象的権利説では、生存権は国民に法的権利を保障したものであるが、生存権を具体化する法律を前提とした場合に限り、違憲性を裁判上で主張することができるとされる。

4．妥当である（最大判昭42・5・24）。

5．最高裁判所は、昭和57年の堀木訴訟判決において、憲法25条の規定の趣旨に基づき具体的に講じられる立法措置の選択決定は、立法府の広い裁量に委ねられており、それが著しく合理性を欠き明らかに裁量の逸脱・濫用と見ざるをえないような場合を除き、裁判所が審査判断するのに適しない事柄であるとした（最大判昭57・7・7）。

正答　**4**

東京都・特別区

No.
159

教養試験

法律　　日本の裁判制度

都

令和 5 年度

日本の裁判制度に関する記述として、妥当なのはどれか。

1 憲法は裁判官の独立を定め、裁判官に身分保障を与えており、裁判官は心身の故障のために職務を行えない場合を除いて罷免されることはない。

2 裁判所には、最高裁判所と地方裁判所があり、地方裁判所には高等裁判所、家庭裁判所、特別裁判所の3種類がある。

3 再審制度とは、第一審に不服があるときに上級審の裁判所の判断を求めることをいい、原則として三度の機会がある。

4 行政裁判は民事裁判の一種で、国や地方公共団体の行為や決定に対して、国民や住民が原告となって訴えを起こすものである。

5 日本の裁判員制度は陪審制に当たり、無作為に選ばれた裁判員が、裁判官から独立して有罪・無罪を決定したあと、裁判官が量刑を確定する。

解　説

1. 憲法は裁判官の独立を定め（憲法76条3項）、裁判官に身分保障を与えており、裁判官は心身の故障のために職務を行えない場合を除いては、公の弾劾によらなければ罷免されることはない（同78条前段）。ただし、最高裁判所の裁判官は、国民審査によって罷免される場合もある（同79条3項）。

2. 裁判所には、最高裁判所と下級裁判所があり（憲法76条1項）、下級裁判所には高等裁判所、地方裁判所、家庭裁判所および簡易裁判所の4種類がある（裁判所法2条1項）。なお、特別裁判所は、明治憲法下では設置されていたが、現在は設置することができない（憲法76条2項前段）。

3. 第一審に不服があるときに上級審の裁判所の判断を求めることをいい、原則として3度の機会があるのは審級制度である。再審制度は、裁判で有罪判決が確定した場合において、一定の要件を満たす重大な理由がある場合に、再審理を行うことである。

4. 妥当である。

5. 日本の裁判員制度は陪審制には当たらない。無作為に選ばれた裁判員が、裁判官と一緒に有罪・無罪を決定し、量刑を確定する（裁判員の参加する刑事裁判に関する法律66条、67条）。これに対し、陪審制は、無作為に選ばれた裁判員が、裁判官から独立して有罪・無罪を決定した後、裁判官が量刑を確定する。

正答　**4**

No. 160 法律 日本における労働者の権利の保障 令和 5 年度

我が国における労働者の権利の保障に関する記述として、妥当なのはどれか。

1 団結権とは、労働者が労働組合を結成する権利であり、警察職員を含めた全ての地方公務員に適用される。

2 団体交渉権とは、労働組合が使用者と交渉する権利であり、地方公営企業の職員には、労働協約の締結権がある。

3 争議権による正当な争議行為については、労働組合に民事上の免責が認められるが、刑事上の免責は認められない。

4 労働基準監督署は、労働関係調整法に基づき設置されており、労働関係調整法の施行を監督している。

5 労働紛争の迅速な解決のため、2006年から、労働委員会のあっせん、調停及び仲裁により争議を調整する労働審判制度が開始された。

解説

1. 団結権とは、労働者が労働組合を結成する権利であるが、警察職員などには適用されない（地方公務員法52条5項）。

2. 妥当である（地方公営企業等の労働関係に関する法律7条）。

3. 争議権による正当な争議行為については、労働組合に民事上の免責（労働組合法1条2項）も、刑事上の免責も認められる（同法8条）。

4. 労働基準監督署は、労働基準法に基づき設置されており、労働基準法の施行を監督している。

5. 労働紛争の迅速な解決のため、2006年から、労働審判制度（労働審判法）が開始されたが、労働委員会のあっせん、調停および仲裁により争議を調整するのは労働関係調整法である。

正答 **2**

No. 161 法律 債務不履行による損害賠償 令和4年度

債務不履行による損害賠償に関する記述として，妥当なのはどれか。

1 債務不履行により債権者が損害を被った場合には，損害賠償の範囲は債務不履行がなければ生じなかった損害全てに及び，特別な事情による損害も，通常生ずべき損害と同様に損害賠償の対象となる。

2 債権者と債務者の間であらかじめ違約金を定めておいた場合には，その違約金は原則として債務不履行に対する制裁と推定されるため，債務者は，債権者に対し，現実に発生した損害賠償額に加えて違約金を支払わなければならない。

3 金銭賠償とは，損害を金銭に算定して賠償するものであり，原状回復とは，債務不履行がなかったのと同じ状態に戻すものであるが，債務不履行による損害賠償の方法としては金銭賠償が原則とされる。

4 昭和48年に最高裁は，金銭を目的とする債務の履行遅滞による損害賠償については，法律に別段の定めがなくとも，債権者は，約定または法定の利率以上の損害が生じたことを立証すれば，その賠償を請求することができるとした。

5 平成23年に最高裁は，売買契約の締結に先立ち，信義則上の説明義務に違反して，契約締結の判断に影響を及ぼす情報を買主に提供しなかった場合，売主は契約締結により買主が被った損害に対し，契約上の債務不履行による賠償責任を負うとした。

解説

1. 債務不履行により債権者が損害を被った場合に，損害賠償の範囲は債務不履行がなければ生じなかった損害すべてに及ぶわけではない。債務の不履行に対する損害賠償の請求は，これによって通常生ずべき損害の賠償をさせることをその目的とするからである（民法416条1項）。また，特別な事情による損害は，通常生ずべき損害と同様に損害賠償の対象となるわけではない。特別の事情によって生じた損害であっても，当事者がその事情を予見すべきであったときは，債権者は，その賠償を請求することができるからである（同条2項）。

2. 債権者と債務者の間であらかじめ違約金を定めておいた場合には，その違約金は，賠償額の予定と推定される（民法420条3項）から，債務者は，債権者に対し，現実に発生した損害賠償額に加えて違約金を支払わなければならないわけではない。

3. 妥当である（民法417条）。

4. 昭和48年に最高裁は，金銭を目的とする債務の履行遅滞による損害賠償については，債権者は，たとえ約定または法定の利率以上の損害が生じたことを立証しても，その賠償を請求することはできないとした（最判昭48・10・11）。

5. 平成23年に最高裁は，売買契約の締結に先立ち，信義則上の説明義務に違反して，契約締結の判断に影響を及ぼす情報を買主に提供しなかった場合，売主は契約締結により買主が被った損害に対し，不法行為責任を負うことはあっても，契約上の債務不履行責任を負うことはないとした（最判平23・4・22）。

正答 **3**

No. 162 法律 法の分類

教養試験

区

令和 4 年度

法の分類に関する記述として，妥当なのはどれか。

1 条約は，国家間で合意された国際法であり，条約には国連憲章や日米安全保障条約などがある。

2 公法は，国家と私人の権力関係や，私人相互の関係を公的に規律する法であり，公法には刑法や民法などがある。

3 社会法は，国家や地方公共団体相互の関係を規律する法であり，社会法には地方自治法や国家公務員法などがある。

4 自然法は，長い期間繰り返され，定着された行動や振る舞いがルールとなったものであり，自然法には慣習法などがある。

5 成文法は，権限に基づく行為により定められ，文書の形をとった法であり，成文法には判例法などがある。

解説

1. 妥当である。

2. 国家と私人の権力関係を公的に規律する法が公法であり，公法には刑法や訴訟法などがある。これに対し，私人相互の関係を規律する法は私法であり，私法には民法や商法などがある。

3. 国家や地方公共団体相互の関係を規律する法は公法であり，地方自治法や国家公務員法などがある。これに対し，社会法は，福祉や労働などの社会的な問題を解決する法であり，社会法には労働法などがある。

4. 長い期間繰り返され，定着された行動や振る舞いがルールとなったものを慣習法といい，自然法の一種ではない。自然法とは，神の意志や人間の理性・本性などに基づいた法である。

5. 成文法は，権限に基づく行為により定められ，文書の形をとった法であるが，判例法は不文法である。

正答　**1**

No. 163 法律 日本の国会 令和 3 年度 区

我が国の国会に関するA～Dの記述のうち，妥当なものを選んだ組合せはどれか。

 A 両議院の議員は，法律の定める場合を除いては，国会の会期中逮捕されず，会期前に逮捕された議員は，その議院の要求があれば，会期中これを釈放しなければならない。

 B 特別国会は，いずれかの議院の総議員の4分の1以上の要求がある場合に召集されるものであり，臨時国会は，衆議院解散後の総選挙の日から30日以内に召集されるものである。

 C 両議院は，各々その会議その他の手続及び内部の規律に関する規則を定め，また，院内の秩序を乱した議員を懲罰することができるが，議員を除名するには，出席議員の3分の2以上の多数による議決を必要とする。

 D 両議院は，各々国政に関する調査を行い，これに関して，証人の出頭及び証言並びに記録の提出を要求することができるが，その証人が虚偽の証言をしても懲役等の罰則はない。

1 A B
2 A C
3 A D
4 B C
5 B D

解 説

A：妥当である（憲法50条）。

B：特別国会（特別会）と臨時国会（臨時会）が逆である。内閣は，国会の臨時会の召集を決定することができる。いずれかの議院の総議員の4分の1以上の要求があれば，内閣は，その召集を決定しなければならない（憲法53条）。衆議院が解散されたときは，解散の日から40日以内に，衆議院議員の総選挙を行い，その選挙の日から30日以内に，国会（特別会）を召集しなければならない（同54条1項）。

C：妥当である（憲法58条2項）。

D：両議院は，おのおの国政に関する調査を行い，これに関して，証人の出頭および証言ならびに記録の提出を要求することができる（憲法62条）。しかし，「議院における証人の宣誓及び証言等に関する法律」により宣誓した証人が虚偽の陳述をしたときは，3月以上10年以下の懲役に処する（議院証言法6条1項）ので，証人が虚偽の証言をした場合には懲役の罰則がある。

よって，正答は**2**である。

正答 **2**

東京都・特別区

教養試験

No.
164

法律 日本の司法制度

区

令和 3 年度

我が国の司法制度に関するA～Dの記述のうち，妥当なものを選んだ組合せはどれか。

A　2009年に導入された裁判員制度は，重大な刑事事件の第一審において，国民から選ばれた裁判員が，裁判官とともに，有罪・無罪の決定や量刑を行う制度である。

B　ADRとは，民事上及び刑事上の紛争について，裁判によらない解決をめざし民間機関等の第三者が和解の仲介や仲裁を行う裁判外紛争解決手続のことである。

C　2008年に導入された被害者参加制度により，一定の重大事件の犯罪被害者や遺族が刑事裁判に出席し，意見を述べることができるようになったが，被告人や証人に質問することはできない。

D　検察審査会制度とは，国民の中からくじで選ばれた検察審査員が検察官の不起訴処分の適否を審査するものであり，同一の事件で起訴相当と2回議決された場合には，裁判所が指名した弁護士によって，強制的に起訴される。

1　A　B
2　A　C
3　A　D
4　B　C
5　B　D

解説

A：妥当である。裁判員の参加する刑事裁判に関する法律1条，2条，6条など参照。

B：ADRとは，民事上の紛争に関する手続きであり，刑事上の紛争は対象とならない。裁判外紛争解決手続の利用の促進に関する法律1条など参照。

C：前半は正しい（刑事訴訟法316条の33～316条の35）が，後半が誤り。被害者参加人またはその委託を受けた弁護士は，一定の要件の下，証人を尋問したり，被告人に質問したりすることができる（刑事訴訟法316条の36第1項，同316条の37第1項）。

D：妥当である。検察審査会法4条，41条の6，41条の10など参照。

　　よって，正答は**3**である。

正答　**3**

日本史　世界史　地理　法律　政治　経済　社会事情

No.
165 法律　　労働法　　都 令和2年度

労働法に関する記述として，妥当なのはどれか。

1 労働基本権とは，団結権，団体交渉権，団体行動権（争議権）の三つをいい，労働基準法において定められている。

2 労働法とは，個別的労働関係，団体的労働関係を規律する法の総称であり，労働三法とは労働基準法，労働契約法，労働関係調整法をいう。

3 国家公務員や地方公務員は労働三権に制限が加えられ，最高裁では全農林警職法事件において公務員の争議行為の一律禁止は合憲であるとの判断を示し，今日に至っている。

4 労働関係調整法は，労働争議が発生し，当事者間の自主的な解決が不調の場合に労働基準監督署が，あっせん・調停・勧告の三つの方法によって，争議の収拾にあたることなどを定めている。

5 労働組合法は，労働組合が争議行為を行った場合，労働者は正当な行為である限り刑罰を科されることはないが，使用者は当該争議行為によって受けた損害について，労働組合に賠償請求できるとしている。

解説

1．労働基本権とは，団結権，団体交渉権，団体行動権（争議権）の3つをいうが，これは，労働基準法ではなく，憲法28条において定められている。

2．労働法とは，個別的労働関係，団体的労働関係を規律する法の総称であるが，労働三法とは労働基準法，「労働組合法」，労働関係調整法をいう。

3．妥当である（国家公務員法98条2項・3項，地方公務員法37条，最大判昭48・4・25）。

4．労働関係調整法は，労働争議が発生し，当事者間の自主的な解決が不調の場合に，「労働委員会」が，あっせん・調停・「仲裁」の3つの方法によって，争議の収拾に当たることなどを定めている。

5．労働組合法は，労働組合が争議行為を行った場合，労働者は正当な行為である限り刑罰を科されることはなく（同1条2項），使用者は当該争議行為によって受けた損害について，労働組合に賠償請求できないとしている（同8条）。

正答　**3**

No. 166 法律 法の下の平等 令和2年度

法の下の平等に関するA～Dの記述のうち，妥当なものを選んだ組合せはどれか。

A　日本国憲法は，全て国民は法の下に平等であって，人権，信条，性別，社会的身分又は門地により，政治的，経済的又は社会的関係において差別されないとし，また，華族その他の貴族の制度を禁止している。

B　ヘイトスピーチとは，特定の人種や民族への差別をあおる言動のことをいい，国連から法的規制を行うよう勧告されているが，我が国ではヘイトスピーチを規制する法律は制定されていない。

C　最高裁判所は，2013年に，婚外子の法定相続分を嫡出子の半分とする民法の規定を違憲と判断し，これを受けて国会は同規定を改正した。

D　1999年に制定された男女共同参画社会基本法は，性的少数者に対する偏見の解消に向けた地方公共団体の責務を定めており，これを受けて地方公共団体は，同性カップルのパートナーシップの証明を始めた。

1　A　B
2　A　C
3　A　D
4　B　C
5　B　D

解説

A：妥当である（憲法14条1項・2項）。

B：わが国でもヘイトスピーチを規制する法律が制定されている。正式名称は，「本邦外出身者に対する不当な差別的言動の解消に向けた取組の推進に関する法律」である。

C：妥当である（最大決平25・9・4）。

D：1999年に制定された男女共同参画社会基本法は，性的少数者に対する偏見の解消に向けた地方公共団体の責務を定めていないので，誤り。ただし，一部の地方公共団体は，同性カップルのパートナーシップの証明を始めている。

よって，正答は**2**である。

正答　**2**

東京都・特別区

No.
167

教養試験

法律　　　外国人の人権

都

令和 元年度

外国人の人権に関する記述として，妥当なのはどれか。

1　権利の性質上，日本国民のみを対象としているものを除き，外国人にも人権が保障されるが，不法滞在者には人権の保障は及ばない。

2　地方自治体における選挙について，定住外国人に法律で選挙権を付与することは憲法上禁止されている。

3　外国人に入国の自由は国際慣習法上保障されておらず，入国の自由が保障されない以上，在留する権利も保障されない。

4　政治活動の自由は外国人にも保障されており，たとえ国の政治的意思決定に影響を及ぼす活動であっても，その保障は及ぶ。

5　在留外国人には，みだりに指紋の押捺を強制されない自由が保障されておらず，国家機関が正当な理由もなく指紋の押捺を強制しても，憲法には反しない。

解 説

1．判例は，憲法第３章の諸規定による基本的人権の保障は，権利の性質上日本国民のみをその対象としているものを除き，わが国に在留する外国人に対しても等しく及ぶとしている（最大判昭53・10・4）ので，前半は正しい。しかし，判例は，人たることにより当然享有する人権は，不法入国者といえどもこれを有するとしている（最判昭25・12・28）ので，後半は誤り。

2．判例は，わが国に在留する外国人のうちでも永住者等であってその居住する区域の地方公共団体と特段に緊密な関係を持つに至ったと認められるものについて，法律をもって，地方公共団体の長，その議会の議員等に対する選挙権を付与する措置を講ずることは，憲法上禁止されているものではないとしている（最判平7・2・28）。

3．妥当である。マクリーン事件の判例である（最大判昭53・10・4）。

4．判例は，政治活動の自由については，わが国の政治的意思決定またはその実施に影響を及ぼす活動等外国人の地位にかんがみ，これを認めることが相当でないものを除き，その保障が及ぶとしている（最大判昭53・10・4）。

5．判例は，憲法13条は，国民の私生活上の自由が国家権力の行使に対して保護されるべきことを規定しているので，個人の私生活上の自由の一つとして，何人もみだりに指紋の押捺を強制されない自由を有するものというべきであり，国家機関が正当な理由もなく指紋の押捺を強制することは，同条の趣旨に反して許されず，また，この自由の保障はわが国に在留する外国人にも等しく及ぶとしている（最判平7・12・15）。

正答　**3**

東京都・特別区

教養試験

区

No.
168

法律

衆議院の優越

令和 元年度

日本国憲法に規定する衆議院の優越に関する記述として，妥当なのはどれか。

1 法律案及び予算については，衆議院に先議権があるため，参議院より先に衆議院に提出しなければならない。

2 参議院が，衆議院の可決した法律案を受け取った後，国会休会中の期間を除いて60日以内に議決しないときは，直ちに衆議院の議決が国会の議決となる。

3 参議院が，衆議院の可決した予算を受け取った後，国会休会中の期間を除いて30日以内に議決しないときは，衆議院は，参議院がその予算を否決したものとみなすことができる。

4 条約の締結に必要な国会の承認について，衆議院で可決し，参議院で衆議院と異なった議決をした場合に，衆議院で総議員の3分の2以上の多数で再び可決したときは，衆議院の議決が国会の議決となる。

5 内閣総理大臣の指名について，衆議院と参議院とが異なった議決をした場合に，両院協議会を開いても意見が一致しないときは，衆議院の議決が国会の議決となる。

解 説

1. 憲法は，予算は，先に衆議院に提出しなければならないと規定しているので（憲法60条1項），予算については正しいが，法律案には衆議院に先議権はない。

2. 憲法は，参議院が，衆議院の可決した法律案を受け取った後，国会休会中の期間を除いて60日以内に議決しないときは，衆議院は，参議院がその法律案を否決したものとみなすことができると規定している（憲法59条4項）。したがって，直ちに衆議院の議決が国会の議決となるわけではない。

3. 憲法は，参議院が，衆議院の可決した予算を受け取った後，国会休会中の期間を除いて30日以内に議決しないときは，衆議院の議決を国会の議決とすると規定している（憲法60条2項）。したがって，衆議院は，参議院がその予算を否決したものとみなすことができるわけではない。

4. 憲法は，条約の締結に必要な国会の承認について，参議院で衆議院と異なった議決をした場合に，法律の定めるところにより，両議院の協議会を開いても意見が一致しないときは，衆議院の議決を国会の議決とすると規定している（憲法61条による60条2項の準用）。したがって，衆議院で総議員の3分の2以上の多数で再び可決する必要はない。

5. 妥当である（憲法67条2項）。

正答　**5**

日本史 世界史 地理 法律 政治 経済 社会事情

No. 169 教養試験 政治 日本の地方自治 令和5年度 区

我が国の地方自治に関する記述として、妥当なのはどれか。

1 地方自治法は、都道府県を普通地方公共団体と定め、特別区及び市町村を特別地方公共団体と定めている。

2 地方公共団体の事務には、自治事務と法定受託事務があり、旅券の交付や戸籍事務、病院・薬局の開設許可などが法定受託事務に該当する。

3 地方交付税交付金とは、地方公共団体間の財政格差を是正するために、国が使途を指定して交付する補助金である。

4 地方公共団体の議会は首長の不信任決議権を持ち、首長は議会の解散権を持つが、首長は議会の議決に対して拒否権を行使することはできない。

5 行政機関を監視し、住民からの苦情申立てを処理するためのオンブズパーソン制度が一部の地方公共団体で導入されている。

解説

1. 市町村も普通地方公共団体である。特別地方公共団体には、東京都の特別区のほか、財産区（市町村内の財産や公の施設の管理・処分等のために設立される）、一部事務組合と広域連合（いずれも広域行政のために複数の都道府県、市区町村によって設立される）がある。

2. 病院・薬局の開設許可は自治事務である。なお、法定受託事務の例には、国政選挙、国道の管理、生活保護などもある。

3. 地方交付税交付金は、使途が指定されておらず、補助金とは呼べない。なお、補助金のように、国から使途を指定されたうえで地方公共団体に支給される資金を、総称して国庫支出金という。

4. 首長は議会による条例案などの議決内容に異議がある場合、議会に再議を求める権限を持っている。この権限は再議請求権や拒否権と呼ばれている。なお、首長による議会の解散権の行使は、議会が首長の不信任決議を行った後、10日以内に限定されている。

5. 妥当である。なお、オンブズパーソン（オンブズマン）は、1990年に神奈川県川崎市が導入したのが、日本の地方公共団体における初の導入例である。

正答 **5**

No. 170 政治 **東西冷戦** 令和 **5**年度 区

東西冷戦に関する記述として、妥当なのはどれか。

1 第二次世界大戦で連合国であったアメリカと枢軸国であったソ連の両国の対立は、戦後、資本主義と社会主義の対立となり、これを冷戦と呼ぶ。

2 アメリカは、1947年に、西欧諸国に対する経済復興のためのトルーマン=ドクトリンや、共産主義封じ込め政策であるマーシャル=プランを発表した。

3 アメリカと西欧諸国は NATO を結成し、これに対抗したソ連と東欧諸国は軍事同盟である COMECON を結成した。

4 1962年のキューバ危機では、米ソは核戦争の危機に直面し、この対立を新冷戦と呼ぶ。

5 ソ連の共産党書記長に就任したゴルバチョフはペレストロイカを進め、米ソ首脳はマルタ会談で冷戦終結を宣言した。

解説

1．ソ連も連合国だった。枢軸国とは、連合国と戦い、敗戦した日本、ドイツ、イタリアなどのことである。

2．共産主義の封じ込め政策がトルーマン=ドクトリン、西欧諸国に対する経済復興のための援助計画がマーシャル=プランである。

3．ソ連と東欧諸国による軍事同盟は、ワルシャワ条約機構である。COMECON は経済相互援助会議の略称で、ソ連と東欧諸国がマーシャル=プランに対抗して設立した会議である。

4．新冷戦とは、1979年のソ連によるアフガニスタン侵攻に伴う、米ソ両国間のデタント（緊張緩和）の終了、すなわち対立の再燃のこと。キューバ危機後、米ソ両国は核戦争回避のために歩み寄るようになり、デタントの時代を迎えた。

5．妥当である。ペレストロイカとは、政治や経済などの諸改革のこと。ゴルバチョフは、ペレストロイカやグラスノスチ（情報公開）、新思考外交を推し進めた。また、東欧革命によって東欧諸国の共産党政権が次々と打倒されたのを受けて、1989年にはアメリカのブッシュ大統領とマルタ会談を行い、冷戦終結を宣言した。

正答 **5**

東京都・特別区

No.
171

教養試験

政治

国際連合

都

令和 4 年度

国際連合に関する記述として，妥当なのはどれか。

1 総会は全加盟国により構成され，一国一票の投票権を持つが，総会での決議に基づいて行う勧告には，法的拘束力はない。

2 国際連合には現在190か国以上の国々が加盟しており，日本は，国際連合が設立された当初から加盟している。

3 安全保障理事会は，常任理事国 6 か国と非常任理事国10か国によって構成されており，安全保障理事会における手続き事項の決定は，常任理事国だけの賛成で行うことができる。

4 国際司法裁判所は，国際的紛争を平和的に解決することを目的として設立され，現在では，国際人道法に反する個人の重大な犯罪も裁いている。

5 平和維持活動（PKO：Peacekeeping Operations）について，日本は，紛争当事者のいずれかが平和維持隊への参加国に日本を指名していることなど，全部で 6 つの原則を参加の条件としている。

解 説

1. 妥当である。「主権平等の原則」に基づき，各加盟国は等しく 1 票を行使できる。

2. 国連は1945年に第二次大戦で連合国側に属した国々によって設立された。枢軸国側だったわが国の国連加盟は1956年で，同年の日ソ共同宣言によってソ連と国交を正常化したことにより，加盟が実現した。

3. 安全保障理事会の常任理事国は，アメリカ，イギリス，フランス，中国，ロシアの 5 か国。それに，手続き事項の決定は 9 か国以上の賛成によって行われ，常任理事国に拒否権は認められていない。これに対し，実質事項の決定は， 9 か国以上の賛成に加え，拒否権を発動する常任理事国が存在しないことが要件となっている。

4. 国際司法裁判所は，紛争当事国双方の同意を前提として，領土問題などの国際紛争を裁く裁判所であり，個人の刑事裁判は行わない。なお，戦争犯罪や集団殺害（ジェノサイド）の罪を犯した個人を裁く裁判所として，国際刑事裁判所が設置されているが，これは国連の機関ではない。

5. 「PKO 5 原則」と呼ばれているが，日本は 5 つの原則を PKO 参加の条件としている。それに，紛争当事者の指名ではなく，当該地域の属する国を含む紛争当事者が PKO およびわが国の PKO 参加に同意していることが，参加の条件とされている。

正答 **1**

No. 172 教養試験

政治 日本が批准している国際人権条約 令和 **4** 年度 〔区〕

次のA～Eの国際人権条約のうち，日本が批准しているものを選んだ組合せとして，妥当なのはどれか。

- A　難民の地位に関する条約
- B　ジェノサイド条約
- C　移住労働者権利保護条約
- D　障害者権利条約
- E　死刑廃止条約

1　A　C
2　A　D
3　B　D
4　B　E
5　C　E

解説

A：日本が批准している。1951年の難民および無国籍者の地位に関する国際連合全権委員会議で，難民の人権保障と難民問題解決のための国際協力を効果的にするため採択した条約である。日本においては，1981年6月5日の国会で加入が承認，10月3日に加入書寄託，10月15日に公布，1982年1月1日に発効した。B：日本は批准していない。集団殺害を国際法上の犯罪とし，防止と処罰を定めるための条約で，「ジェノサイド」を定義する。C：日本は批准していない。季節労働者も含め，その職種を問わずすべての国外からの移住労働者（移民を含む）とその家族の尊厳と権利を保障するための条約である。D：日本が批准している。あらゆる障害者（身体障害，知的障害，精神障害など）の，尊厳と権利を保障するための条約である。2006年に第61回国連総会において採択。2013年12月4日，日本の参議院の本会議は，障害者基本法や障害者差別解消法の成立に伴い，国内の法律が条約の求める水準に達したとして，条約の批准を承認した。日本の批准は2014年1月20日付けで，国際連合事務局で承認された。E：日本は批准していない。日本は死刑制度を存置している（刑法199条など参照）。

　よって，正答は**2**である。

正答　**2**

日本の選挙制度に関する記述として，妥当なのはどれか。

1 2015年に公職選挙法の一部を改正する法律が成立し，2016年6月の施行日後に初めて行われる国政選挙の公示日以後にその期日を公示又は告示される選挙から，選挙権年齢が満20歳以上から満18歳以上へと引き下げられた。

2 小選挙区制は，選挙民が候補者を理解しやすいという長所があるが，少数分立の不安定な政権が生まれやすいとされており，死票が多く，多額の選挙費用が必要とされている。

3 2000年の公職選挙法改正後，衆議院議員選挙では，比例代表区には政党名のほかに候補者名も書くことができ，得票順に政党内の当選者が決まる拘束名簿式比例代表制に改められた。

4 「一票の格差」とは，選挙区ごとの議員一人当たりの有権者数に格差が生じ，一票の価値が選挙区で異なっている状態をいうが，衆議院議員選挙において，最高裁判所が違憲又は違憲状態と判示したことはない。

5 公職選挙法による連座制では，選挙運動の総括主宰者など，当該候補者と一定の関係にある者が，買収などの選挙違反で有罪となった場合，当該候補者は当選が無効となるほか，全ての選挙区から10年間，立候補できなくなる。

解説

1. 妥当である。ちなみに，2022年4月からは，成年年齢も18歳に引き下げられた。

2. 小選挙区制は，定数が1名のみの選挙制度であるため，小規模な政党は議席を獲得しにくく，二大政党制をもたらしやすい。それに，選挙費用も少なくて済むとされている。ただし，死票（落選者の得票のこと）が多くなりやすいという短所があるのは事実。

3. 「衆議院議員選挙」と「拘束名簿式」の部分が誤りで，正しくは「参議院議員選挙」と「非拘束名簿式」。ただし，2018年の公職選挙法改正により，参議院の比例代表選挙で各政党の名簿の「特定枠」に掲載された候補者は，個人名での得票数と関係なく，優先的に当選とすることが可能になっている。

4. 最高裁が，衆院選の「一票の格差」を違憲・違憲状態と判断した例は複数ある。ただし，選挙結果を無効とした例はない。ちなみに，参院選の「一票の格差」は，最高裁で違憲と判断された例はなく，違憲状態と判断された例が複数あるにとどまっている（2021年5月現在）。

5. 「全ての選挙区から10年間」の部分が誤りで，正しくは「当該選挙区から5年間」。連座制の適用によって当選を無効とされ，まだ5年を経過していない者でも，他の選挙区から立候補するのは差し支えない。

正答 **1**

第二次世界大戦後の地域紛争に関する記述として，妥当なのはどれか。

1 ユダヤ人国家としてイスラエルが1948年に建国されたが，周辺アラブ諸国と数次にわたる中東戦争が発生し，多くのパレスチナ人が難民となった。

2 1990年，スーダンで多数派フツ族と少数派ツチ族との内戦が起こり，フツ族によりツチ族が3か月間で80～100万人殺害された。

3 1991年，チェチェン共和国はコソボからの独立を宣言したが，この独立を認めないコソボとの間で2度にわたりチェチェン紛争が起こった。

4 アルバニア系住民が多数を占めるボスニア・ヘルツェゴビナは，1999年にNATO軍によって軍事介入され，2008年にはセルビアからの独立を宣言した。

5 2003年，ソマリアでダルフール紛争が起き，2009年に国際刑事裁判所は，人道に対する罪で現職の国家元首として初めてバシル大統領の逮捕状を発布した。

解説

1. 妥当である。1993年のオスロ合意により，ヨルダン川西岸地区とガザ地区にパレスチナ自治政府が発足した。だが，現在もなお，パレスチナ問題は終息にほど遠い状態にある。

2. スーダンではなく，ルワンダに関する記述。1994年のルワンダ虐殺では，フツ族の過激派によって多くのツチ系住民が犠牲となった。なお，スーダン西部では，2003年に，政府軍やその支援を受けたアラブ系民兵組織と非アラブ系住民との間で，ダルフール紛争が勃発した。

3. 「コソボ」の部分が誤りで，正しくは「ロシア」。1990年代には，チェチェンのロシアからの独立を求めるイスラム系組織とロシア軍との間で，2度にわたり紛争が勃発したが，ロシア軍によって鎮圧される結果に終わった。

4. ボスニア・ヘルツェゴビナではなく，コソボに関する記述。ユーゴスラビア解体の過程で，1998年にセルビアの自治州だったコソボとユーゴスラビア軍およびセルビア人勢力との間でコソボ紛争が勃発し，翌年にはNATOがコソボを支援して空爆を実施した。2008年にコソボは独立を宣言している。なお，ボスニア・ヘルツェゴビナもセルビアと並ぶユーゴスラビアの構成国の一つだった国で，1992年にボスニア・ヘルツェゴビナ紛争が勃発した。

5. ソマリアではなく，スーダンに関する記述。1990年代には，ソマリア内戦の終結のためにアメリカや国連が介入したものの，事態はかえって悪化した。

正答　**1**

No. 175 教養試験 **政治** **世界の政治体制** 令和 **2** 年度 都

世界の政治体制に関する記述として，妥当なのはどれか。

1 フランス及びロシアの大統領は，議院内閣制のもとで議会を中心に選出され，名目的・儀礼的な権限しかもたない。

2 議院内閣制を採用するイギリスでは，政権を担当できなかった野党は，「影の内閣」を組織し，次期政権を担う準備をする。

3 イタリアでは大統領制を採用しており，大統領は議会や裁判所に対して強い独立性を持ち，違憲立法審査権など強い権限をもっている。

4 フィリピンやインドネシアは，権力集中制と呼ばれる軍人や官僚中心の政権が国民の政治的・市民的自由を制限し，経済開発を最優先する体制である。

5 中国では，全国民の意思は中国共産党に集約されているため，立法府に当たるものは存在しない。

解説 ━━━━━━━━━━━━━━━━━━━━━━━━━━━━

1. ドイツやイタリアなどに関する記述。フランスやロシアの政治体制は，半大統領と呼ばれ，大統領制と議院内閣制を融合した仕組みとなっている。大統領と首相が役割分担をしつつ，ともに行政を担っているが，大統領の権限は強い。

2. 妥当である。19世紀からの伝統で，野党党首は自身を「首相」とする「影の内閣（シャドウ・キャビネット）」を組織している。政府も「影の内閣」に必要な情報を提供している。

3. イタリアやドイツの政治体制は議院内閣制に分類され，大統領は名目的，儀礼的な権限を行使するのみとされている。また，イタリアで違憲立法審査を行っているのは憲法裁判所。そもそも，違憲立法審査権は裁判所の権限である。

4. 権力集中制（民主的権力集中制）は，中国など社会主義国で採用されている政治体制。フィリピンやインドネシアは社会主義国ではない。経済開発を優先することを理由とした，軍人や官僚らによる抑圧的体制は，開発独裁と呼ばれている。そもそも，フィリピンやインドネシアが開発独裁体制だったのは過去の話である。

5. 中国にも全人代（全国人民代表大会）という一院制議会がある。権力集中制の中国において，全人代は最高権力機関に位置づけられている。立法のほか，国家主席や国務院総理（首相），最高人民法院の裁判官の選出などを行う権限を有している。

正答 **2**

第二次世界大戦の終結と戦後の国際政治の動向に関する記述として，妥当なのはどれか。

1　1945年，アメリカ・ソ連・イギリスの 3 首脳は，マルタ会談で，国際連合の設立と運営原則を取り決め，同時にソ連の対日参戦について話し合った。

2　1955年，インドネシアのバンドンでアジア・アフリカ会議が開催され，主権と領土保全の尊重及び内政不干渉等からなる「平和10原則」が採択された。

3　1989年，アメリカのブッシュ大統領とソ連のゴルバチョフ共産党書記長は，ヤルタ会談で，冷戦終結を宣言した。

4　1990年，全欧安全保障協力機構（OSCE）が発足し，ヨーロッパの対立と分断の終結を約した「パリ憲章」を宣言したが，1995年に OSCE は解散した。

5　1991年，ソ連が解体し，ソ連に属していた11か国は，緩やかな結びつきである経済相互援助会議（COMECON）を創設した。

解説

1.「マルタ会談」の部分が誤りで，正しくは「ヤルタ会談」。クリミア半島の保養地であるヤルタ近郊で開催されたことから，ヤルタ会談と呼ばれている。この会談によって，東西冷戦が始まったとされている。

2. 妥当である。アジア・アフリカ会議（バンドン会議）開催前年の1954年には，中国の周恩来首相とインドのネルー首相が，共同声明において「平和五原則」を発表していた。

3.「ヤルタ会談」の部分が誤りで，正しくは「マルタ会談」。地中海のマルタ島で開催されたことから，マルタ会談と呼ばれている。1989年には東欧諸国で連鎖的に民主化革命（東欧革命）が起き，社会主義政権が打倒されていた。こうした状況を背景に，12月にマルタ会談が実施された。

4. 全欧安全保障協力機構（OSCE）の発足は，1995年の出来事。その前身である全欧安全保障協力会議（CSCE）の発足は，1972年の出来事である。ただし，1990年にパリ憲章が採択されたのは事実。

5.「経済相互援助会議（COMECON）」の部分が誤りで，正しくは「独立国家共同体（CIS）」。経済相互援助会議とは，1949年に発足した東側諸国による経済協力機構。ソ連や東欧諸国のほか，モンゴルやキューバなども参加していたが，ソ連解体と同年の1991年に解体された。

正答　**2**

No. 177 教養試験 | 経済 | **金融のしくみ** | 都 令和 5 年度

金融のしくみと働きに関する記述として、妥当なのはどれか。

1 直接金融とは、企業が必要とする資金を、金融機関から直接借り入れて調達する方法であり、実質的な貸し手は預金者である。

2 間接金融とは、企業が株式や社債などの有価証券を発行して、必要な資金を金融市場から調達する方法である。

3 日本銀行による金融調節の手法としては、公定歩合操作、預金準備率操作及び公開市場操作があるが、公開市場操作は現在行われていない。

4 外国通貨と自国通貨の交換比率をプライムレートといい、政府が外国為替市場に介入することをペイオフという。

5 信用創造は、金融機関が貸し付けを通して預金通貨をつくることであり、通貨量を増大させる効果をもつ。

解説

1. 直接金融ではなく、間接金融に関する記述である。

2. 間接金融ではなく、直接金融に関する記述である。

3. 前半の記述は正しい。現在、公定歩合操作と預金準備率操作は行われておらず、公開市場操作は行われている。公定歩合操作が行われなくなった背景には金利の自由化が完了したことがあり、預金準備率操作が行われなくなった背景には短期資金市場が発達したことがある。

4. 外国通貨と自国通貨の交換比率は為替レートである。また、政府が外国為替市場に介入することは為替介入という。ちなみに、プライムレートは優良企業に対する貸付に適用される最優遇貸付金利、ペイオフは預金保護制度のことである。

5. 妥当である。

正答 **5**

我が国の農業と食料問題に関する記述として、妥当なのはどれか。

1　食生活の変化により、米の供給が過剰となったため、1970年から米の生産調整である減反政策が始まり、現在まで維持されている。

2　農業経営の規模拡大のため、2009年の農地法改正により、株式会社による農地の借用が規制された。

3　6次産業化とは、1次産業である農業が、生産、加工、販売を一体化して事業を行うことにより、付加価値を高める取組である。

4　農林業センサスにおける農家の分類では、65歳未満で年間60日以上農業に従事する者がいない農家を、準主業農家という。

5　食の安全に対する意識の高まりなどから、地元の農産物を、地元で消費するフェアトレードが注目されている。

解説

1．減反政策は2018年に廃止された。

2．2009年の農地法改正では、株式会社による農地の借用ができるようになった。

3．妥当である。

4．農林業センサスでいう準主業農家とは、農外所得が主（農家所得の50％未満が農業所得）で、1年間に60日以上自営農業に従事している65歳未満の世帯員がいる農家のことである。

5．フェアトレードではなく、地産地消に関する記述である。フェアトレードとは、発展途上国で作られた農作物などを適正な価格で継続的に取り引きする仕組みのことである。

正答　**3**

No.
179

教養試験

経済

景気変動

都

令和 **4** 年度

景気変動に関する記述として，妥当なのはどれか。

1 景気変動は，世界貿易機関（WTO）設立協定の前文で，好況，均衡，不況の３つの局面が，安定的に一定の周期で出現する現象と定義されている。

2 不況期のため生産物の売れ行きが鈍るにもかかわらず，物価が持続的に上昇する現象を，デフレスパイラルという。

3 コンドラチェフは，企業の在庫投資による在庫調整の変動を原因とする，約１年の短期波動があることを明らかにした。

4 フリードマンは，政府が公共投資などによって有効需要を創出し，景気を回復させるべきであると説いた。

5 財政には，累進課税制度等が組み込まれることにより景気変動を緩和させる仕組みが備わっており，これをビルトイン・スタビライザーという。

解　説

1. 世界貿易機関（WTO）設立協定の前文は，景気変動について言及していない。また，景気変動は，好況，後退，不況，回復の４局面が出現するものである。さらに，景気変動は，安定的に一定の周期で現れるものではない。

2. デフレスパイラルとは，物価下落に伴う企業の業績悪化が消費を減退させて，さらに物価が下落するという現象である。

3. コンドラチェフが主張した景気波動は，技術革新を要因とする，約50年周期の長期波動である。ちなみに，企業の在庫投資による在庫調整の変動を起因とする短期波動はキチンが主張したものであり，その周期は約40か月である。

4. 記述内容を説いたのは，フリードマンではなく，ケインズである。フリードマンは記述されている裁量的総需要管理政策を批判し，ルールに基づく政策を説いた。

5. 妥当である。

正答 **5**

我が国における現代の企業に関する記述として，妥当なのはどれか。

1　企業の資金の調達方法には，株式や社債の発行があり，これらにより調達した資金を全て他人資本という。

2　合同会社は，1人以上の有限責任社員で構成され，所有と経営の分離を特徴とし，ベンチャー企業の設立に適している。

3　中小企業基本法では，サービス業は，資本金5,000万円以下及び従業員数100人以下のいずれも満たす場合に限り，中小企業と定義している。

4　芸術・文化の支援活動であるフィランソロピーや，福祉などに対する慈善活動であるメセナは，企業の社会的責任の1つである。

5　平成18年施行の会社法により，有限会社は新設できなくなったが，既存の有限会社については，存続が認められている。

解　説

1．前半の記述は正しい。しかし，株式発行で調達した資金は自己資本である。

2．所有と経営の分離を特徴とする会社形態は，合同会社ではなく，株式会社である。

3．中小企業基本法では，サービス業は，資本金5,000万円以下と従業員数100人以下のうち，いずれか一方でも満たせば中小企業であると定義している。

4．前半の記述がメセナに関するものであり，後半の記述がフィランソロピーに関するものである。

5．妥当である。

正答　**5**

日本史　世界史　地理　法律　政治　経済　社会事情

競争的な状態である市場に関する記述として，妥当なのはどれか。

1 供給量が需要量を上回る超過供給の時には価格が上昇し，需要量が供給量を上回る超過需要の時には価格が下落する。

2 価格が上昇すると需要量が増え，価格が下落すると需要量が減るので，縦軸に価格，横軸に数量を表したグラフ上では，需要曲線は右上がりとなる。

3 縦軸に価格，横軸に数量を表したグラフ上では，需要曲線と供給曲線の交点で需要量と供給量が一致しており，この時の価格は均衡価格と呼ばれる。

4 需要量と供給量の間にギャップがあるときには，価格の変化を通じて品不足や品余りが自然に解消される仕組みを，プライマリー・バランスという。

5 技術革新でコストが下がり，全ての価格帯で供給力が高まると，縦軸に価格，横軸に数量を表したグラフ上では，供給曲線は左にシフトする。

解説

1. ワルラス調整過程によれば，超過供給（供給量が需要量を上回る状態）のときには価格が下落し，超過需要（需要量が供給量を上回る状態）のときには価格が上昇する。

2. 一般に，価格が上昇すると需要量が減るので，縦軸に価格，横軸に数量をとるとき，需要曲線は右下がりとなる。

3. 妥当である。

4. 記述はプライマリー・バランスではなく，価格調整メカニズムに関するものである。プライマリー・バランス（基礎的財政収支）とは，公債金発行を除く税収などの歳入から国債費を除く歳出（基礎的財政収支対象経費）を差し引いた額である。

5. 技術革新でコストが下がり，すべての価格帯で供給力が高まるとき，追加的な1単位の増産にかかる費用（限界費用）が低下するので，縦軸に価格，横軸に数量をとったグラフでは，供給曲線は下（右）にシフトする。

正答　**3**

我が国の消費者問題に関する記述として，妥当なのはどれか。

1　1960年代に，アメリカのケネディ大統領が，消費者の4つの権利として，安全を求める権利，知らされる権利，選ぶ権利，意見が反映される権利を示し，日本でも，消費者運動が活発になった。

2　1968年に制定された消費者保護基本法では，国と地方公共団体が消費者保護の責務を負うこととされ，この法律に基づき，国によって，消費者の相談窓口である消費生活センターが設置された。

3　製造物責任法（PL法）では，消費者が欠陥製品による被害を受けた場合，製品の欠陥を立証しなくても，説明書どおりに使用して事故にあったときは，製品に欠陥があったと推定され，損害賠償を求めることができるようになった。

4　クーリング・オフ制度とは，消費者が，訪問販売や電話勧誘販売等で契約した場合に，一定期間内であれば無条件で契約を解除できるものであるが，本制度は宅地建物取引には一切適用されない。

5　2000年に制定された特定商取引法により，事業者の不適切な行為で消費者が誤認又は困惑して契約をした場合はその契約を取り消すことができることとなり，2006年の同法改正では，消費者団体訴訟制度が導入された。

解説

1．妥当である。

2．1968年制定の消費者保護基本法は，国，地方公共団体および企業の消費者に対する責任等を定めた。また，消費生活センターは国ではなく，地方公共団体が設置している行政機関であり，国が設置したのは国民生活センターである。

3．製造物責任法（PL法）では，製造した企業の過失について立証する必要はないが，製品の欠陥については立証する必要がある。

4．訪問販売や電話勧誘販売等であっても，条件によってはクーリング・オフできない場合がある。また，宅地建物取引の中には，クーリング・オフができる取引きがある。

5．記述は特定商取引法ではなく，消費者契約法に関するものである。

正答　**1**

株式会社の仕組みに関する記述として，妥当なのはどれか。

1 株式会社が倒産した際には株式の価値はなくなるが，株主は自身が出資した資金を失う以上の責任を負うことはないことを，無限責任制度という。

2 会社の最高意思決定機関である株主総会において，株主1人につき1票の議決権を持っている。

3 会社が大規模になり，会社の意思決定を左右できるほど株式を所有していないが，専門的知識を有する人が会社経営にあたることを，所有と経営の分離という。

4 ストックオプションとは，株主などが企業経営に関してチェック機能を果たすことをいう。

5 現代の日本における株式会社の経営は，株主の利益の最大化よりもステークホルダーの利益を優先するよう会社法で義務付けられている。

解 説

1. 無限責任制度ではなく，有限責任制度に関する記述である。

2. 株主は株主総会において，1人1票ではなく，1株につき1票（単元株制度を採用している場合には1単元につき1票）の議決権を持つ。

3. 妥当である。

4. ストックオプションとは，株式会社の経営者や従業員が自社株を一定の行使価格で購入できる権利のことである。

5. 会社法は，株主の利益の最大化よりもステークホルダーの利益を優先するように義務づけていない。

正答 **3**

教養試験

No. 184 経済 国際経済体制の変遷 令和2年度

国際経済体制の変遷に関する記述として，妥当なのはどれか。

1 ブレトン・ウッズ体制とは，自由貿易を基本とした国際経済秩序をめざして，IMF と IBRD（国際復興開発銀行）が設立され，GATT が結ばれた体制をいい，この体制下では，ドルを基軸通貨とする固定相場制が採用された。

2 1971年，ニクソン大統領がドル危機の深刻化により金とドルの交換を停止したため，外国為替相場は固定相場制を維持できなくなり，1976年に IMF によるスミソニアン合意で，変動相場制への移行が正式に承認された。

3 1985年，先進5か国は，レーガン政権下におけるアメリカの財政赤字と経常収支赤字を縮小するため，G5を開き，ドル高を是正するために各国が協調して為替介入を行うルーブル合意が交わされた。

4 GATT は，自由，無差別，多角を3原則として自由貿易を推進することを目的としており，ケネディ・ラウンドでは，サービス貿易や知的財産権に関するルール作りを行うことが1993年に合意された。

5 UNCTAD（国際貿易開発会議）は，GATT を引き継ぐ国際機関として設立され，貿易紛争処理においてネガティブ・コンセンサス方式を取り入れるなど，GATT に比べて紛争解決の機能が強化された。

解説

1. 妥当である。

2. 1976年に変動相場制への移行を認めたのは，スミソニアン合意ではなく，キングストン合意である。スミソニアン合意（1971年12月）は，ニクソン・ショック（1971年8月）を受けて，1ドル＝360円から308円へと変更するなどして固定相場制を維持する内容であった。

3. ルーブル合意ではなく，プラザ合意に関する記述である。ルーブル合意とは，1987年に G7が，プラザ合意に始まるドル安に歯止めをかけるために形成した合意である。

4. 前半の記述は正しい。サービス貿易や知的財産権に関するルール作りなどを合意したのは，ケネディ・ラウンド（1964〜67年）ではなく，ウルグアイ・ラウンドであり，ウルグアイ・ラウンドの合意文書に署名されたのは1994年である。

5. UNCTAD（国連貿易開発会議）ではなく，WTO（世界貿易機関）に関する記述である。UNCTAD は，1964年に南北問題の対策を検討するために設置された国連の機関である。

正答 **1**

No. 185　経済　市場の失敗

教養試験　都　平成30年度

経済学における市場の失敗に関する記述として，妥当なのはどれか。

1　市場を通さずに他の経済主体に影響を与える外部性のうち，正の影響を与える外部経済の場合には，財の最適な供給が実現するが，負の影響を与える外部不経済の場合には，財の最適な供給が実現しない。

2　公共財とは，複数の人が不利益なしで同時に利用でき，料金を支払わない人の消費を防ぐことができない財のことをいい，利益が出にくいため，市場では供給されにくい。

3　情報の非対称性とは，市場において虚偽の情報が流通することによって，取引の当事者同士が，当該情報を正しいものとして認識し合っている状態のことをいう。

4　寡占・独占市場においては，企業が少数であることから，十分な競争が行われないため，消費者にとって不利益になるが，社会全体の資源配分に対する効率性は失われない。

5　寡占・独占企業が市場の支配力を用いて価格を釣り上げないように行われるのが独占禁止政策であり，日本ではこれを実施する機関として消費者庁が設けられ，カルテルなどの行動に対して罰金支払命令等の措置をとることができる。

解説

1．正の外部経済が発生する場合も，財の最適な供給は実現しない。ちなみに，正の外部経済が発生する場合には財の供給量は最適な供給量より少なくなり，負の外部経済が発生する場合には財の供給量は最適な供給より多くなる。

2．妥当である。

3．情報の非対称性とは，取引の当事者（売り手と買い手）のうち一方しか情報を得ていない状況をいう。

4．買い手が少数である寡占・独占市場の場合は，生産者（企業）にとって不利益となる。また，一般に，寡占・独占市場においては，十分な競争が行われない結果として，社会全体の資源配分に対する効率性が損なわれる。

5．独占禁止政策を実施するのは消費者庁ではなく，公正取引委員会である。

正答　**2**

国際収支に関する記述として，妥当なのはどれか。

1　国際収支は，一国の一定期間における対外経済取引の収支を示したものであり，経常収支，資本移転等収支，金融収支に大別され，統計上の誤差を調整する誤差脱漏も国際収支に含まれる。

2　経常収支は，財，サービスの国際取引を示す「貿易・サービス収支」，政府援助や国際機関への分担金などの「第一次所得収支」，国際間の雇用者報酬と利子・配当金などの投資収益を示す「第二次所得収支」からなる。

3　金融収支は，海外工場の建設にかかわる「直接投資」，株式・債券への投資である「証券投資」，デリバティブ取引などの「金融派生商品」からなり，通貨当局が保有する対外資産を表わす外貨準備は，金融収支に含まれない。

4　資本移転等収支は，資本形成を伴う無償資金協力や債務免除，資産の権利売買などが計上され，発展途上国への社会資本のための無償資金協力はプラスとなる。

5　国際収支は，金融収支において，対外資産の増加がプラスに，対外負債の増加がマイナスに計上され，理論上，「金融収支＋資本移転等収支－経常収支＋誤差脱漏＝0」となる。

解説

1．妥当である。

2．第一次所得収支と第二次所得収支の説明が逆である。

3．外貨準備も金融収支に含まれる。

4．資本移転等収支において，無償資金協力はマイナスとなる。

5．金融収支は，対外金融資産負債の増減に着目するため，対外負債の増加はプラスに計上される。また，理論上，国際収支は「経常収支＋資本移転等収支－金融収支＋誤差脱漏＝0」となる。

正答　**1**

No. 187 教養試験 都

社会事情 『令和4年版　少子化社会対策白書』 令和 5 年度

昨年 6 月に内閣府が公表した「令和 4 年版　少子化社会対策白書」に関する記述として、妥当なのはどれか。

1 日本の総人口は、2021年10月 1 日時点で 1 億2,550万人、そのうち年少人口（0～14歳）は3,621万人で、総人口に占める割合は28.9％である。

2 2020年の全国の出生数は136万人で、東京都は、都道府県別出生数では最も多いが、都道府県別合計特殊出生率では1.83で二番目に低い。

3 新型コロナウイルス感染症を踏まえた少子化対策の主な取組の一つとして、地方公共団体が行う結婚新生活支援事業の支援内容を充実するとしている。

4 重点課題として、「子育て支援施策の一層の充実」、「結婚・出産の希望が実現できる環境の整備」、「3 人以上子供が持てる環境の整備」、「男女の働き方改革の推進」の四つを挙げている。

5 ライフステージを結婚、妊娠・出産、子育ての 3 段階に分けて、各段階で施策を掲げており、子育て段階ではライフプランニング支援の充実や、妊娠や家庭・家族の役割に関する教育・啓発等を行うとしている。

解説

1. 「年少人口（0～14歳）」の部分が誤りで、正しくは「65歳以上人口」。2021年10月 1 日時点での年少人口は1,478万人で、総人口に占める割合は11.8％だった。ちなみに、生産年齢人口（15～64歳）は7,450万人で、総人口に占める割合は59.4％だった。

2. 2020年の出生数は84万835人となり、過去最少を更新した（当時）。それに、東京都の出生数が最多だったのは事実だが、合計特殊出生率は全国最低の1.12で、全国の合計特殊出生率は1.33だった。なお、2023年の人口動態統計（概数）によると、2023年の出生数は72万7,277人で、8 年連続で減少し、過去最小となっている。都道府県別出生数では、東京都が最も多いが、合計特殊出生率は全国最低の0.99（全国の合計特殊出生率は1.20）だった。

3. 妥当である。なお、結婚新生活支援事業とは、家賃や引越費用など、結婚に伴う新生活のスタートアップに要する費用を地方公共団体が補助する事業のことである。

4. 本肢にある重点課題は、2015年閣議決定の少子化社会対策大綱で掲げられたもの。令和 4 年版白書では、2020年閣議決定の少子化社会対策大綱の柱立てに基づき、「結婚・子育て世代が将来にわたる展望を描ける環境をつくる」、「多様化する子育て家庭の様々なニーズに応える」、「地域の実情に応じたきめ細かな取組を進める」、「結婚、妊娠・出産、子供・子育てに温かい社会をつくる」、「科学技術の成果など新たなリソースを積極的に活用する」が「重点課題」とされている。

5. 結婚、妊娠・出産、子育てだけでなく、結婚前の段階の施策も掲げており、ライフプランニング支援の充実や妊娠や家庭・家族の役割に関する教育・啓発等は、まだ結婚前の段階にある児童生徒らに対する施策とされている。

正答 **3**

No.
188 教養試験
社会事情　　総合経済対策　都　令和 5 年度

昨年10月に閣議決定された「物価高克服・経済再生実現のための総合経済対策」に関する記述として、妥当なのはどれか。

1 本対策は、「物価高・円安への対応」、「グリーン社会の実現」及び「活力ある地方創り」を重点分野とした総合的な経済対策である。

2 本対策の規模は、財政支出で約56兆円、事業規模で約79兆円であり、これにより GDP を約5.6パーセント押し上げる効果が期待できるとした。

3 物価高騰の主な要因である「エネルギー・食料品」に重点を置いた効果的な対策を講じることなどにより、国民生活と事業活動を守り抜くとした。

4 経済安全保障及び食料安全保障の重要性が高まっており、永久磁石などの重要物資や農林水産物の輸出を抑制し、国内への供給量を増やすとした。

5 妊娠・出産時の負担軽減策として、住民税非課税世帯を対象に、令和 4 年 4 月以降に生まれたこどもに対して、一人あたり計 5 万円を支給するとした。

解説

1．新しい資本主義の旗印の下での、「物価高・円安への対応」、「構造的な賃上げ」、「成長のための投資と改革」を重点分野とした総合的な経済対策である。

2．本対策の規模は財政支出で約39兆円、事業規模で約71.6兆円であり、これにより実質 GDP（国内総生産）を約4.6パーセント押し上げる効果が期待できるとした。

3．妥当である。本対策には、「特に来年春以降の急激な電気料金の上昇によって影響を受ける家計や価格転嫁の困難な企業の負担を直接的に軽減する、前例のない、思い切った対策を講ずることで、国民生活と事業活動を守り抜く」とある。

4．国際競争力のある農林水産物の輸出拡大などに取り組むとした。それに、永久磁石などの海外が日本に供給を期待する重要物資につき、国内の生産能力を強化し、安定供給体制を整備するとした。

5．令和 5 年度当初予算において出産育児一時金の大幅な増額を図るとし、妊娠届出時および出生届出時を通じて計10万円相当とするとした。それに、住民税非課税世帯に支給対象を絞るとはしていない。

正答　**3**

No. 189 社会事情 法人等による寄附の不当な勧誘の防止 _{令和} 5 年度

昨年12月に成立した「法人等による寄附の不当な勧誘の防止等に関する法律」に関する記述として、妥当なのはどれか。

1　契約を伴わない寄附である「単独行為」を除き、個人と法人等との間で締結される契約に基づく寄附は、全て本法律による規制の対象となるとした。

2　寄附の勧誘に際し、霊感等の合理的実証が困難な特別な能力による知見を用い不安をあおる行為は、不当な勧誘行為に該当し禁止されるとした。

3　寄附の勧誘に際し、対象者を退去困難な場所に同行する行為は、勧誘することについての事前告知の有無に関わらず、不当な勧誘行為に該当し禁止されるとした。

4　不特定・多数の個人に対して寄附の不当な勧誘等の違反行為をしている法人等が、必要な措置をとるべき旨の勧告に従わなかったときは、当該法人等には、1年以下の禁錮刑又は50万円以下の罰金刑のいずれかが科されるとした。

5　子や配偶者が養育費等を保全するための特例として、被保全債権が扶養義務等に係る定期金債権である場合、債務者が寄附した金銭の返還請求権等について、履行期が到来したものに限り債権者代位権の行使を可能とするとした。

解説

1. 個人と法人との間で締結される契約に基づく寄附だけでなく、契約を伴わない寄附である「単独行為」も規制の対象とされた（2条）。

2. 妥当である。霊感などを用いて、このままだと勧誘相手である個人やその親族が不幸な目にあうなどと騙って不安をあおり、それに乗じて、寄附をしないとその不幸は避けられないなどと告げることは、不当な勧誘行為として禁止されるとした（4条の6号）。ちなみに、寄附ではなく、壺などの商品を高値で買わせる霊感商法の被害者救済のため、この法律の制定と同時に消費者契約法も改正された。

3. 「勧誘をすることを告げずに」（4条の3号）対象者を退去困難な場所に同行する行為が、不当な勧誘行為に該当し禁止されるとした。

4. 勧告に従わなかった場合には、勧告に係る措置をとるべきことを命令することができるとした（7条3項）。この命令に違反した者には、1年以下の拘禁刑もしくは100万円以下の罰金刑のいずれかが科されるとした（16条）。なお、拘禁刑とは改正刑法により導入予定の懲役刑と禁錮刑を一本化した刑罰だが、改正刑法の施行までは懲役刑が科される。

5. 民法では債権者代位権の行使は履行期が到来した分のみとされているが、特例で、履行期が到来していなくても債権者代位権を行使可能にするとした（10条）。

正答　**2**

No. 190 社会事情 銃砲刀剣類所持等取締法 令和 5 年度

昨年 3 月に施行された「銃砲刀剣類所持等取締法の一部を改正する法律」に関する記述として、最も妥当なのはどれか。

1 クロスボウの規制対象の範囲が従前に比べて強化され、人の生命に危険を及ぼし得る威力を有するか否かに関わらず、標的射撃等の用途に供する場合を除き、原則として所持してはならないとされた。

2 標的射撃等の用途に供するため本法律に定めるクロスボウを所持しようとする者は、所持しようとするクロスボウごとに、その所持について、都道府県公安委員会の許可を受けなければならないとされた。

3 標的射撃等の用途に供する場合以外でのクロスボウの発射が禁止されたが、予め都道府県公安委員会に届け出れば、クロスボウの携帯や運搬は可能であるとされた。

4 クロスボウを譲渡する場合には、譲渡の相手方の確認が義務化されたが、具体的な確認内容等については、政令に基づき各都道府県の条例において定めるとされた。

5 本法律の施行日前からクロスボウを所持する者が、施行日以降所定の期間が経過した後もなお適切な手続きを経ずクロスボウを所持している場合、懲役又は罰金に処せられることはないが、クロスボウの使用停止が命ぜられるとされた。

解 説

1. 標的射撃の用途に供する場合も含めて、クロスボウ（通称でボウガンとも呼ばれている）の所持には許可証を要することとされた（銃砲刀剣類所持等取締法 3 条）。

2. 妥当である。従来の銃砲等や刀剣類と同じく、所持しようとするクロスボウごとに、その所持につき、都道府県公安委員会の許可を要することとされた（同 4 条）。

3. クロスボウの携帯や運搬に都道府県公安委員会への届出は不要。ただし、携帯や運搬は、許可された用途のための場合やその他の正当な理由がある場合に限られる（同10条）。

4. クロスボウの譲渡の相手方が適法に所持することができる人物であることの確認が義務化されたが、確認内容などは法律で定められているし、確認方法は内閣府令で定める方法によるとされた（同21条の 2）。

5. 施行日前からクロスボウを所持する者も、施行日から 6 か月後の2022年 9 月15日以降は、適切な手続きを経ずにクロスボウを所持していれば不法所持とされ、 3 年以下の懲役または50万円以下の罰金に処せられる（同31条の16）。なお、2022年 9 月14日までは、警察によってクロスボウの無償回収が行われていた。

正答 **2**

日本史 世界史 地理 法律 政治 経済 社会事情

No. 191 教養試験 社会事情　国際情勢　都 令和5年度

国際情勢に関する記述として、妥当なのはどれか。

1 昨年11月、米国のバイデン大統領は政権発足以来2度目となる中国の習近平国家主席と対面での会談を行い、ロシアのウクライナ侵略について、ウクライナでの核兵器の使用や威嚇に反対することで一致し、共同声明を発表した。

2 昨年11月に開催されたASEAN＋3首脳会議では、ロシアのウクライナ侵略や違法な「併合」は、ウクライナの主権及び領土一体性を侵害し、国連憲章をはじめとする国際法に違反する行為であるとする、議長声明が採択された。

3 昨年11月に開催されたAPEC首脳会議では、持続可能な地球のために、全ての環境上の課題に包括的に対処するための世界的な取組を支援することなどを表明した「バイオ・循環型・グリーン経済に関するバンコク目標」が承認された。

4 昨年12月に開催されたG20バリ・サミットでは、全ての国がウクライナでの戦争を非難したとした上で、核兵器の使用又はその威嚇は許されないこと及び現代を戦争の時代にしてはならないことなどを明記した首脳宣言が採択された。

5 昨年12月に開催された生物多様性条約第15回締約国会議（COP15）では、「昆明・モントリオール生物多様性枠組」が採択され、2050年までに陸と海の面積の少なくとも50％を保全する「50by50」などの目標が定められた。

解説

1. 2022年11月のバイデン大統領と習近平国家主席の会談は、2度目ではなく、初の対面での会談だった。それに、ウクライナ問題で意見が一致したという事実はなく、共同声明も発表されなかった。

2. 2022年のASEAN＋3首脳会議の議長声明には、ロシアのウクライナ侵略に関する言及はなかった。なお、ASEAN＋3とは、東南アジア諸国連合（ASEAN）と日本、中国、韓国による協力の枠組みのことである。

3. 妥当である。APECとはアジア太平洋経済協力のこと。2022年のAPEC首脳会議は、タイの首都バンコクで開催された。

4. 「全ての国」の部分が誤りで、正しくは「ほとんどのG20メンバー」。ウクライナ侵略の当事国であるロシアやロシアと友好関係にある中国も、G20メンバーである。

5. 「昆明・モントリオール生物多様性枠組」には、2030年までに陸と海の面積の少なくとも30％を保全する「30by30」などの目標が定められた。なお、「昆明・モントリオール生物多様性枠組」は、2020年までの国際目標だった愛知目標に代わる「ポスト2020生物多様性枠組」として採択された。

正答　**3**

昨年のイギリスの首相就任に関するA〜Dの記述のうち、妥当なものを選んだ組合せはどれか。

A　リズ・トラス氏は、昨年9月、保守党党首選の決選投票でリシ・スナク氏に勝利し、党首に選出され、首相に就任した。

B　トラス氏は、マーガレット・サッチャー氏に続くイギリス史上2人目の女性首相となった。

C　スナク氏は、昨年10月、保守党所属の下院議員100人以上の推薦を得て保守党党首選に立候補し、無投票で党首に選出され、首相に就任した。

D　ジョンソン政権で外相を務めたスナク氏は、イギリス史上初のアジア系の首相となり、42歳での首相就任は過去最年少である。

1　A　B
2　A　C
3　A　D
4　B　C
5　B　D

解説

A：妥当である。トラス氏はジョンソン氏に替わり、2022年9月に首相に就任した。だが、大型減税を打ち出したことで金融市場に大混乱をもたらした責任を取る形で、辞任した。在任期間は、イギリス史上最短記録となる49日だった。

B：トラス氏は、イギリス史上3人目の女性首相だった。サッチャー氏に次ぐ史上2人目の女性首相はメイ氏（在任期間：2016〜2019年）であり、メイ氏はEUからの離脱協定案がイギリス議会で可決されなかったことから辞任し、ジョンソン氏が次の首相に就任した。

C：妥当である。スナク氏は、Aのとおり、トラス氏との保守党党首選挙では敗北したが、トラス氏の辞意表明に伴う保守党党首選挙では、対立候補が現れず、無投票で当選した。なお、イギリスでは2024年7月に総選挙が行われ、最大野党の労働党が大勝を収めた。これにより、14年ぶりとなる政権交代が決まり、スナク氏に替わり労働党のスターマー党首が首相に就任した。

D：スナク氏は、ジョンソン政権では財務相を務めた。それに、イギリス史上最年少で首相に就任したのは、18世紀の小ピット（同名でかつ同じく首相を務めた父親は「大ピット」と呼ばれている）であり、彼の首相就任時の年齢は24歳だった。なお、スナク氏の両親はインド系移民であり、スナク氏がイギリス史上初のアジア系の首相となったのは事実である。

よって、正答は**2**である。

正答　**2**

昨年 7 月に行われた第26回参議院議員通常選挙に関する記述として、妥当なのはどれか。

1　期日前投票者数は約1,961万人となり、2017年に行われた衆議院議員総選挙を約255万人上回り、国政選挙では過去最多となった。

2　選挙区の投票率は48.80％となり、2019年に行われた参議院議員通常選挙の投票率を下回った。

3　女性当選者数は35人で、2016年と2019年に行われた参議院議員通常選挙の28人を上回り、参議院議員通常選挙では過去最多となった。

4　比例代表の得票率 2 ％以上という、公職選挙法上の政党要件を新たに満たす政治団体も、政党要件を満たさなくなる政党もなかった。

5　今回の通常選挙から合区を導入したことで選挙区間の「一票の格差」が最大3.03倍となり、2019年に行われた参議院議員通常選挙より最大格差が縮小した。

解 説

1．期日前投票者数が約1,961万人だったのは事実だが、2019年に行われた前回の参議院議員通常選挙を約255万人上回り、参議院議員通常選挙として過去最多となった。2017年の衆議院議員総選挙では約2,137万人が期日前投票をしており、2023年 4 月の時点では、これが国政選挙では過去最多記録である。

2．選挙区の投票率は52.05％だった。48.80％は2019年の参議院議員通常選挙における選挙区の投票率である。いうまでもないが、前回の選挙よりも投票率は上昇した。

3．妥当である。女性の候補者も過去最多の181人で、候補者全体の約 3 割を占めた。また、非改選分を合わせた参議院の女性議員の割合は、25.8％となった。

4．参政党が 2 ％以上の得票率を確保し、公職選挙法上の政党要件を満たした。なお、公職選挙法上の政党要件は、所属国会議員が 5 人以上あるいは直近の選挙での得票率が 2 ％以上とされており、これら 2 つのうちいずれかを満たせば国庫から政党交付金が支給される。

5．鳥取県と島根県、高知県と徳島県が合区とされたのは、2016年の選挙からである。それに、2019年に行われた参議院議員選挙の「一票の格差」は最大3.00倍であったため、最大格差が拡大した。

正答　**3**

日本史

世界史

地理

法律

政治

経済

社会事情

令和4年度の文化勲章受章者及び文化功労者に関する記述として、妥当なのはどれか。

1 日本画の山勢松韻氏は文化勲章受章者に、詩の安藤元雄氏は文化功労者に選出された。

2 将棋の加藤一二三氏は文化勲章受章者に、小説の辻原登氏は文化功労者に選出された。

3 歌舞伎の松本白鸚氏は文化勲章受章者に、脚本の池端俊策氏は文化功労者に選出された。

4 発酵学の榊裕之氏は文化勲章受章者に、大衆音楽の松任谷由実氏は文化功労者に選出された。

5 電子工学の別府輝彦氏は文化勲章受章者に、箏曲の勅使川原三郎氏は文化功労者に選出された。

解 説

1. 山勢松韻氏は箏曲家として文化勲章を受章した。日本画家として文化勲章を受章したのは、上村淳之氏である。なお、安藤元雄氏に関する記述は正しい。

2.「ひふみん」こと加藤一二三氏は文化功労者に選出された。なお、辻原登氏に関する記述は正しい。

3. 妥当である。文化勲章を受章した松本白鸚氏の前名は「松本幸四郎」であり、2016年、実子（先代の市川染五郎）の「松本幸四郎」襲名に伴い、自身は隠居名の「松本白鸚」を襲名した。歌舞伎だけでなく、ミュージカルやテレビドラマなど、多方面で活躍してきた。俳優の松たか子氏の実父、俳優の川原和久氏（テレビ朝日の刑事ドラマ『相棒』の「イタミン」の役で有名）の岳父（妻の父）でもある。また、文化功労者に選出された脚本家の池端俊策氏は、近年の作品では、2020年のNHK大河ドラマ『麒麟が来る』の脚本を手掛けた。

4. 榊裕之氏は電子工学者として文化勲章を受章した。なお、「ユーミン」こと松任谷由実氏に関する記述は正しい。

5. 別府輝彦氏は発酵学などの研究者として文化勲章を受章した。それに、勅使川原三郎氏はダンサー、振付師として文化功労者に選出された。

正答 **3**

No. 195

社会事情　ヤングケアラーの支援　令和 4 年度

昨年 5 月に厚生労働省及び文部科学省が公表した「ヤングケアラーの支援に向けた福祉・介護・医療・教育の連携プロジェクトチーム報告」に関する記述として，最も妥当なのはどれか。

1 本来大人が担うと想定されている家事や家族の世話などを日常的に行っている児童（ヤングケアラー）を早期に発見して適切な支援につなげるため，「早期発見・把握」，「社会的認知度の向上」などを今後取り組むべき施策とした。

2 ヤングケアラーは大都市地域で顕著に見られることから，全国規模の実態調査に先駆け，まずは東京都及び政令指定都市の存する道府県において実態調査を行うことが，ヤングケアラーに関する問題意識を喚起するのに有効であるとした。

3 家族介護において，すでに児童が主たる介護者となっている場合には，児童を「介護力」とすることを前提とした上で，ヤングケアラーの家族に対して必要な支援を検討するよう地方自治体や関係団体に働きかけるとした。

4 幼いきょうだいをケアするヤングケアラー向けの支援として，ヤングケアラーが気軽に集い，悩みや不安を打ち明けることのできる「ヤングケアラーオンラインサロン」を開設するとした。

5 2022年度からの 5 年間をヤングケアラー認知度向上のための「普及啓発期間」とし，広報媒体の作成や全国フォーラム等の広報啓発イベントの開催等を通じて，国民の認知度 8 割を目指すとした。

解説

1. 妥当である。「早期発見・把握」，「支援策の推進」，「社会的認知度の向上」を，厚生労働省・文部科学省として今後取り組むべき施策とした。

2. 報告はヤングケアラーに関する初の全国調査に基づいて作成されたものである。それに，特定の地域でヤングケアラーが顕著に見られるとも実態調査を先にすべきともしていない。ヤングケアラーに関する問題意識の喚起には，地方自治体単位による実態調査が有効で，国はこうした取組みの全国展開を推進するとした。

3. 子どもを「介護力」とすることを前提とせず，ヤングケアラーがケアする場合のその家族に対するアセスメントの留意点などについて，地方自治体や関係団体に周知するとした。

4. 国が「ヤングケアラーオンラインサロン」を開設するとはしていない。ヤングケアラーへの相談支援やオンラインサロンなどを提供する支援団体が存在しており，地方自治体による支援者団体などを活用した悩み相談を行う事業につき，国は支援を検討するとした。そもそも，こうした取組みは幼いきょうだい以外をケアするヤングケアラーにも行われるべきことである。

5. 2022年度から 3 年間を「集中取組期間」とし，中高生の認知度 5 割を目標とした。社会全体の認知度に関しては，調査を行うとはしたものの，数値目標は設定されなかった。

正答　**1**

日本史
世界史
地理
法律
政治
経済
社会事情

昨年 6 月に環境省が公表した「令和 3 年版　環境白書・循環型社会白書・生物多様性白書」に関する記述として，妥当なのはどれか。

1 新型コロナウイルス感染症を始めとする新興感染症は，土地利用の変化等に伴う生物多様性の損失や地球環境の変化に影響されないものの，人間活動と自然との共生の在り方については再考が必要であるとしている。

2 2020年の世界の温室効果ガス排出量は，新型コロナウイルス感染症による経済活動の減速により減少し，2030年までの排出量削減に大きく寄与するとしている。

3 脱炭素経営に取り組む日本企業の数は先進国の中で最下位であり，今後，排出量等の情報について透明性の高い情報開示を行っていくべきであるとしている。

4 G20大阪サミットにおいて，日本は2050年までに海洋プラスチックごみによる追加的な汚染をゼロにすることを目指す「大阪ブルー・オーシャン・ビジョン」を提案し，G20以外の国にもビジョンの共有を呼び掛けているとしている。

5 世界の食料システムによる温室効果ガスの排出量は，人為起源の排出量の2.1〜3.7％を占めると推定され，食料システムに関連する政策は気候変動対策への効果が小さいとしている。

解 説

1. 新型コロナウイルス感染症をはじめとする新興感染症は，土地利用の変化などに伴う生物多様性の損失や気候変動等の地球環境の変化にも深く関係しているといわれているとしている。

2. 国連環境計画（UNEP）の報告を紹介する形で，2020年の世界の温室効果ガス排出量は減少したものの，新型コロナウイルス感染症の影響は短期的な排出削減には寄与しても，各国が経済刺激策を脱炭素型のものとしない限り，2030年までの排出量削減には大きく寄与しないとしている。

3. 気候関連財務情報開示タスクフォース（TCFD）に賛同する企業数は世界 1 位，パリ協定に整合した科学的根拠に基づく中長期の温室効果ガス削減目標（SBT）を設定し，認定を受けた企業数は世界 2 位であり，日本には世界的に見て脱炭素経営に取り組む企業が多いとしている。

4. 妥当である。わが国の呼びかけにより，「大阪ブルー・オーシャン・ビジョン」を86の国・地域で共有したとしている。

5. IPCC（気候変動に関する政府間パネル）の報告を紹介する形で，世界の食料システムにおける温室効果ガス排出量は，人為起源の排出量の21〜37％を占めると推定され，食料システムに関連する政策は気候変動対策に資するとしている。

正答　**4**

昨年 6 月に閣議決定された「まち・ひと・しごと創生基本方針2021」に関する記述として，妥当なのはどれか。

1 地方創生の 3 つの視点である，「デジタル」，「グリーン」，「ファイナンス」に係る取組を，積極的に推進するとした。

2 地方創生テレワークを推進するため，「地方創生テレワーク交付金」によるサテライトオフィス等の整備・利用を促進するとした。

3 魅力ある地方大学を創出するため，地方の大学等による東京圏へのサテライトキャンパスの設置を抑制するとした。

4 地域における DX（デジタル・トランスフォーメーション）を推進するため，地方公共団体の職員をデジタル専門人材として民間に派遣するとした。

5 地方創生 SDGs 等の推進にあたり，地方が牽引すべき最重点事項として，各地域の自然環境を活かした生物多様性の保全・回復を掲げた。

解 説

1．地方創生の 3 つの視点とされたのは，「ヒューマン」，「デジタル」，「グリーン」。「ヒューマン」として，地方への人の流れの創出や人材支援に着目した施策を進めることとされた。

2．妥当である。サテライトオフィスとは，企業が本拠地から離れた場所に設置する，小規模なオフィスのこと。サテライトオフィスの整備には，地方移住を促す効果が期待されている。

3．東京圏の大学などの地方へのサテライトキャンパスの設置を推進するとした。また，「キラリと光る地方大学づくり」も推進・加速することで，魅力ある地方大学づくりを推進するとした。

4．情報通信関連事業者などの民間事業者と連携して，DX などにも対応できる社員らをデジタル専門人材として人材を求める地方公共団体に派遣するとした。

5．生物多様性保全は，基本方針に言及はあるものの，地方創生 SDGs 推進にあたり地方が牽引すべき最重点事項には位置づけられていない。なお，基本方針では，地方公共団体の脱炭素化に対する取組姿勢を重視した SDGs 未来都市の選定などを行うとした。

正答　**2**

教養試験

No. 198 社会事情 **デジタル庁設置法** 令和4年度

都

昨年9月に施行された「デジタル庁設置法」に関する記述として，妥当なのはどれか。

1 デジタル庁の任務として，デジタル社会の形成に関する内閣の事務を内閣府と共に助け，デジタル社会形成のための技術開発を着実に実施することが規定された。

2 デジタル庁が所掌する事務の一つとして，行政手続における個人等を識別する番号等の利用に関する総合的・基本的な政策の企画立案が規定された。

3 デジタル庁の長及び主任の大臣であるデジタル大臣に対し，関係行政機関の長に対する勧告権のほか，デジタル庁の命令としてデジタル庁令を発出する権限が与えられた。

4 デジタル監は，デジタル大臣を助けると共に，特定の政策及び企画に参画し，政務を処理することを任務とし，その任免はデジタル大臣の申出により内閣が行うとされた。

5 デジタル社会の形成のための施策の実施を推進すること及びデジタル社会の形成のための施策について必要な関係行政機関相互の調整を行うことを所掌事務とする，高度情報通信ネットワーク社会推進戦略本部の設置が規定された。

解説

1. 技術開発ではなく，「デジタル社会の形成に関する行政事務の迅速かつ重点的な遂行を図ること」（3条第2項）が，デジタル庁の任務とされた。

2. 妥当である。マイナンバーカードの普及と利活用促進もデジタル庁の所掌事務となった。

3. デジタル庁の長および主任の大臣は，内閣総理大臣。デジタル庁令を発出する権限も，内閣総理大臣にある。デジタル大臣は，内閣総理大臣を補佐し，デジタル庁の事務を統括し，職員の服務を統督する立場にある。なお，デジタル大臣に関係行政機関の長に対する勧告権があるのは正しい。

4. デジタル監は事務方のトップであり，特定の政策・企画への参画や政務の処理を任務とはしていない。デジタル大臣への意見具申や庁務の整理，各部局などの事務の監督が，デジタル監の任務である。それに，デジタル監の任免は，内閣総理大臣の申し出によって内閣が行うことになっている。

5. 「高度情報通信ネットワーク社会推進戦略本部」の部分が誤りで，正しくは「デジタル社会推進会議」。高度情報通信ネットワーク社会推進戦略本部（IT総合戦略本部）は，デジタル庁設置に伴い廃止され，デジタル庁に設置されたデジタル社会推進会議に引き継がれた。

正答 **2**

日本史 世界史 地理 法律 政治 経済 社会事情

教養試験 社会事情　　経済連携協定等　　令和4年度 都

日本が署名している経済連携協定等に関する記述として，妥当なのはどれか。

1 環太平洋パートナーシップ（TPP）協定の加盟国は，現在12か国であり，TPP 域内の人口は約5億人，GDP は約40兆ドルとなっている。

2 日・EU 経済連携協定（日 EU・EPA）は，GDP の規模が約30兆ドルで，日本の実質 GDP を約3％押し上げる経済効果があると試算されている。

3 日米貿易協定は，世界の GDP の約5割を占める貿易協定であり，日本の実質 GDP を約2％押し上げる経済効果があると試算されている。

4 日英包括的経済連携協定（日英 EPA）は，英国の EU 離脱後の新たな貿易・投資の枠組みとして，2021年1月1日に発効した。

5 地域的な包括的経済連携（RCEP）協定は，ASEAN 加盟国，中国，インド，豪州など15か国が参加しており，世界の GDP の約4割を占めている。

解説

1. TPP は12か国で署名されたものの，米国が離脱し，2022年時点の加盟国は11か国である。TPP 域内の人口は約5.1億人で，GDP は約11.2兆ドルとなっている。

2. 2018年の締結時の段階で，日 EU・EPA の GDP の規模は約21兆ドル。それに，日本の実質 GDP を約1％押し上げる経済効果があると試算されている。

3. 2019年の締結時の段階で，日米貿易協定は世界の GDP の約3割を占め，日本の実質 GDP を約0.8％押し上げる経済効果があると試算されている。

4. 妥当である。英国は2020年末をもって EU 離脱を完了し，2021年から日英 EPA が発効した。

5. RCEP 協定の締結に向けた交渉は，ASEAN 加盟の10か国と日本，中国，韓国，オーストラリア，ニュージーランド，インドの16か国間で行われていたが，途中でインドが離脱し，2020年に残る15か国間で締結に至った。それに，世界の GDP の約3割を占めている。

正答　4

昨年9月のドイツ連邦議会選挙又は同年12月のドイツ新政権発足に関する記述として，妥当なのはどれか。

1 社会民主党は，連邦議会選挙で，アンゲラ・メルケル氏が所属する自由民主党に僅差で勝利し，第1党となった。

2 16年間首相を務めたメルケル氏は，新政権発足に伴い政界を引退し，退任式の音楽には，自分が育った旧東ドイツの女性パンク歌手の曲などを選んだ。

3 社会民主党のオラフ・ショルツ氏が首相に就任し，社会民主党出身の首相はヘルムート・コール氏以来16年ぶりとなった。

4 社会民主党，緑の党及びキリスト教民主・社会同盟による連立政権が発足し，各党のシンボルカラーが赤，緑，黄であるため，信号連立と呼ばれた。

5 新政権では，外相，国防相，内相といった重要閣僚に女性は就任しなかったが，ショルツ氏を除く閣僚は男女同数となった。

解説

1.「自由民主党」の部分が誤りで，正しくは「キリスト教民主／社会同盟」。ドイツの自由民主党は中規模の中道政党であり，2021年の連邦議会選挙では第4党となった。

2. 妥当である。アンゲラ・メルケル氏は旧西ドイツで出生したが，旧東ドイツで育った。退任式では，自身のリクエストにより，旧東ドイツ出身のパンク歌手ニナ・ハーゲンの「カラーフィルムを忘れたのね」が演奏された。

3.「ヘルムート・コール氏」の部分が誤りで，正しくは「ゲアハルト・シュレーダー氏」。コール氏はシュレーダー氏の前の首相で，保守政党の「キリスト教民主／社会同盟」の所属だった。

4.「キリスト教民主／社会同盟」の部分が誤りで，正しくは「自由民主党」。社会民主党が赤，自由民主党が黄，緑の党が緑をシンボルカラーにしているため，信号連立と呼ばれた。ちなみに，「キリスト教民主／社会同盟」のシンボルカラーは黒である。

5. 外相，防衛相，内務相にはいずれも女性が就任した。なお，選挙期間中，ショルツ氏は閣僚の男女比を等しくすることを公約としていた。

正答 **2**

昨年 5 月に成立したデジタル改革関連法に関する記述として, 妥当なのはどれか।

1　デジタル庁設置法, 高度情報通信ネットワーク社会形成基本法 (IT 基本法) など 6 本の法律が成立し, 個人情報の保護に関する法律などが改正された।

2　デジタル庁は, 首相をトップに, 事務次官に相当する特別職であるデジタル監を配置して, 国のシステム関連予算を一括計上し管理するなど総合調整を担うが, 他省庁への勧告権は持たない।

3　地方公共団体情報システムの標準化に関する法律の改正により, 自治体に対する国の基準に合わせたシステムの利用推進と, 行政手続の押印廃止を定めた।

4　公的な給付金の受取を迅速化し, 相続時や災害時の口座照会も行えるように, 全てのマイナンバーと預貯金口座のひも付けを義務化した।

5　個人情報保護について法律を一本化し, 国や地方などで異なっていた個人情報の扱いに共通ルールを定め, 民間の監督を担ってきた個人情報保護委員会が, 行政機関を含めて監督することとなった।

解 説

1．IT 基本法は, デジタル改革関連法の施行に伴い, 廃止された। これに代わり, デジタル改革関連法の一つとしてデジタル社会形成基本法が制定された।

2．首相を補佐するため, デジタル庁にはデジタル大臣が置かれる। デジタル大臣は, デジタル社会形成のための施策に関する基本方針に関する企画・立案・総合調整につき, 必要がある場合, 関係行政機関の長に勧告ができる।

3．「地方公共団体情報システムの標準化に関する法律」には, 行政手続の押印などに関する規定はない।「デジタル社会の形成を図るための関係法律の整備に関する法律」に, 押印・書面の交付などを求める手続の見直しに関する規定が置かれた।

4．マイナンバーと預貯金口座のひも付けは義務化されていない। 公金受取口座登録制度が創設され, 希望者が預貯金の口座情報を登録できることになっただけである।

5．妥当である। 行政機関個人情報保護法と独立行政法人等個人情報保護法は, これまで民間のみを対象としていた個人情報保護法に統合された। また, 地方自治体の個人情報保護制度に関しても, 個人情報保護法に全国的な共通ルールが規定された। なお, 内閣府の個人情報保護委員会は, 個人情報保護法に基づいて設置されている行政委員会である।

正答　5

教養試験

No. 202 社会事情 2022年に発効したRCEP協定 令和4年度 区

本年発効した地域的な包括的経済連携（RCEP）協定に関する記述として，妥当なのはどれか。

1 日本や中国，韓国，東南アジア諸国連合（ASEAN）など15か国が参加し，1月に10か国で発効し，2月にインドで発効した。

2 昨年11月にオーストラリアと日本が批准し，ASEAN加盟国のうち6か国とそれ以外の5か国のうち3か国が批准したことで，協定発効の条件を満たした。

3 日本にとって中国，韓国との初の経済連携協定であり，RCEP域内の人口，国内総生産がいずれも世界の約3割を占める巨大経済圏の誕生となった。

4 加盟国全体で91％の品目の関税が即時撤廃され，その水準は環太平洋パートナーシップ（TPP）協定を上回っている。

5 約20の分野で共通ルールを作り，投資では，外資企業に対して政府が技術移転を要求できるようにするなど，企業の自由な経済活動を確保するための規定を設けた。

解説

1．インドは協定締結に向けた交渉から途中で離脱したため，RCEP協定には署名していない。よって，インドで発効したという事実もない。

2．「日本」の部分が誤りで，正しくは「ニュージーランド」。ASEAN6か国と日本，中国は2021年11月の時点ですでに批准済みだった。11月のオーストラリアとニュージーランドの批准によって非ASEANの批准国が3か国以上になったことにより，RCEP協定は発効要件を満たした。

3．妥当である。RCEP域内の人口，GDP，貿易額は，世界全体の約3割を占める。

4．加盟国全体で91％の品目の関税が撤廃されるが，即時撤廃というわけではない。それに，RCEP協定による加盟国全体の関税撤廃率は，TPP協定を下回っている。

5．外資企業への技術移転や関連情報の開示の要求を禁止するための規定を設けた。技術移転を外資企業受入れの条件とすることは，企業の自由な経済活動の確保とは相いれない。

正答 **3**

昨年7月に国際連合教育科学文化機関（ユネスコ）が決定した「北海道・北東北の縄文遺跡群」の世界文化遺産への登録に関するA〜Eの記述のうち，妥当なものを選んだ組合せはどれか。

A 　遺跡群を構成する青森県青森市の三内丸山遺跡は，道路や大型建設などが計画的に配置された大規模集落跡で，国の特別史跡に指定されている。

B 　遺跡群を構成する青森県外ヶ浜町の大平山元遺跡は，日本最古の石器のほか，火を使った祭祀（さいし）を行っていたと推定できる獣の骨が見つかっている。

C 　遺跡群を構成する秋田県鹿角市の大湯環状列石は，大小の石を同心円状に配したストーンサークルを主体とする遺跡である。

D 　ユネスコの諮問機関である国際記念物遺跡会議（イコモス）は，遺跡群について，先史時代における農耕を伴う定住社会及び複雑な精神文化を示すと評価した。

E 　遺跡群の登録は，国内の世界文化遺産として，「奄美大島，徳之島，沖縄島北部及び西表島」に続き，20件目となった。

1 　A 　C
2 　A 　D
3 　B 　D
4 　B 　E
5 　C 　E

解説

A：妥当である。三内丸山遺跡は，定住が発展し，拠点集落が出現するようになった時代の遺跡である。土偶や石棒など，祭祀に関する遺物も出土している。B：現在，日本最古の石器は島根県出雲市の砂原遺跡から出土された石器で，約12万年前のものと推計されている。縄文時代より前の旧石器時代のものである。それに，大平山元遺跡は定住が始まった時期の遺跡であり，火を使った祭祀を行っていたと推定できる獣の骨は出土していない。獣の骨を占いのために焼く骨卜（こつぼく）（太占（ふとまに））は，弥生時代に始まったと考えられている。C：妥当である。大湯環状列石は2つの環状列石（ストーンサークル）によって構成される祭祀遺跡であり，内陸地域における生業と祭祀・儀礼のあり方を示している。D：イコモスは，遺跡群は先史時代における農耕を伴わない定住社会および複雑な精神文化を示すと評価した。農耕は縄文時代にもなされてはいたが，縄文時代にはまだ狩猟，漁労，木の実などの採集が主な食料調達法だった。E：「奄美大島，徳之島，沖縄島北部及び西表島」は，2021年に世界自然遺産に登録された。2011年の小笠原諸島以来，10年ぶりとなる世界自然遺産登録だった。なお，「北海道・北東北の縄文遺跡群」の世界文化遺産登録が国内20件目だったのは正しい。

よって，正答は**1**である。

正答 **1**

No. 204　社会事情　　核軍縮等　　令和 3 年度

核軍縮等に関する記述として，妥当なのはどれか。

1　核兵器不拡散条約は原子力の平和的利用の軍事技術への転用を制限しており，非核兵器国は国際原子力機関の保障措置を受諾するよう努めなければならない。

2　化学兵器禁止条約は，化学兵器の開発，生産，保有などを包括的に禁止する法的枠組みであるが，条約遵守の検証制度に関する規定はない。

3　核兵器の開発，保有，使用等を禁止する核兵器禁止条約は，昨年，条約を批准した国と地域が条約の発効要件である50に達したことから，本年 1 月に発効した。

4　包括的核実験禁止条約は，宇宙空間，大気圏内，水中，地下を含むあらゆる空間における，核兵器の実験的爆発以外の核爆発を禁止している。

5　国連軍縮会議は，毎年ニューヨークで開催され，部分的核実験禁止条約や生物兵器禁止条約など，重要な軍縮関連条約等を決議している。

解説

1．核兵器不拡散条約（NPT）は，非核兵器国に対し，国際原子力機関（IAEA）と包括的保障措置協定を締結し，その保障措置を受諾することを義務づけている。なお，保障措置とは，核物質が核兵器などに転用されないことを担保するために行われる検認活動のことである。

2．化学兵器禁止条約に基づき，条約の遵守を検証するために，化学兵器禁止機関（OPCW）が設置されている。ちなみに，生物兵器禁止条約（BWC）には，条約遵守に関する検証に関する制度の規定はない。

3．妥当である。ちなみに，核兵器保有国やNATO加盟国，日本，豪州，韓国などは，核兵器禁止条約には参加していない。

4．包括的核実験禁止条約（CTBT）は，その名のとおり，爆発を伴うあらゆる核実験を禁止している。なお，包括的核実験禁止条約は，1996年に国連総会で採択されたが，発効要件となるアメリカや中国などが批准しておらず，現在も未発効である。

5．国連軍縮会議は，各国の政府代表や有識者らが個人の資格で討議を行うために開催されている。なんらかの決議や条約の採択・署名を行うことを目的とする会議ではない。それに，1989年からほぼ毎年，広島や長崎など，日本国内のさまざまな地方都市で開催されている。なお，部分的核実験禁止条約（PTBT）は1963年に米英ソの 3 か国間で署名された。また，生物兵器禁止条約は1971年に国連総会で採択され，その翌年に署名が行われた。

正答　**3**

本年1月のアメリカ新政権発足に関する記述として，妥当なのはどれか。

1 ジョー・バイデン氏は，史上最高齢となる78歳で第46代アメリカ大統領に就任したが，同氏の大統領選挙への挑戦は，1988年の選挙以来2度目であった。

2 ジョー・バイデン氏は，大統領就任初日に世界保健機関（WHO）の脱退撤回と環太平洋経済連携協定（TPP）への復帰について，大統領令に署名した。

3 アメリカ大統領選挙で再選をめざした現職が敗れたのは，民主党のビル・クリントン氏が敗れた1992年以来となった。

4 カマラ・ハリス氏は，カリフォルニア州司法長官や上院議員を経て，女性として初のアメリカ副大統領に就任した。

5 アメリカ大統領選挙と同時に行われた連邦上院選では，ジョージア州の2議席で決選投票が実施され，いずれも共和党が勝利した。

解説 ●━━━━━━━━━━━━━━━━━━━━━━━━━━━

1．バイデン氏は，1988年だけでなく，2008年の大統領選挙にも挑戦している。ただし，いずれも民主党の大統領候補者を決める予備選挙の段階で撤退した。

2．TPPではなく，パリ協定への復帰に関する大統領令に署名した。パリ協定は，地球温暖化対策の国際的枠組みだが，トランプ政権時代にアメリカは離脱していた。

3．「民主党のビル・クリントン氏」の部分が誤りで，正しくは「共和党のジョージ・H・W・ブッシュ氏」。クリントン氏は，1992年の大統領選挙で当選し，2期にわたり大統領を務めた。

4．妥当である。ちなみに，ハリス氏の父親はジャマイカ，母親はインドからの移民。ゆえに，ハリス氏は黒人系，アジア系，さらに有色人種としても，アメリカ初の副大統領である。

5．ジョージア州はアメリカ南部に位置し，長らく共和党の牙城だったが，2020年は大統領選挙だけでなく，上院選でも民主党が勝利した。BLM（Black lives matter）と呼ばれる黒人差別撤廃運動の盛り上がりによる黒人投票者の増加などが，その要因と考えられている。

正答 **4**

鉛直上向きに発射した小球の最高点が19.6m であったとき、小球の初速度の大きさとして、正しいのはどれか。ただし、重力加速度は9.8m/s²とし、空気抵抗は無視できるものとする。

1　　9.8 m/s

2　14.7 m/s

3　19.6 m/s

4　24.5 m/s

5　29.4 m/s

解 説

一般に、一直線上を運動する物体の加速度が一定の場合、この運動を等加速度直線運動という。重力のもとでの鉛直投げ上げによる物体の運動は等加速度直線運動の一種である。等加速度直線運動において、原点における時刻を $t=0$〔s〕、物体の初速度を v_0〔m/s〕、一定の加速度を a〔m/s²〕、時間 t〔s〕後の原点からの変位を x〔m〕、物体の速度を v〔m/s〕とすると、

$$v=v_0+at \qquad \cdots\cdots ①$$

$$x=v_0 t+\frac{1}{2}at^2 \quad \cdots\cdots ②$$

$$v^2-v_0^2=2ax \quad \cdots\cdots ③$$

が成り立つ。ここで、③の式は①、②から t を消去すると得られることに注意する。

さて、鉛直投げ上げの場合は、鉛直上向きを正にとり、物体の最初の位置を原点として、初速度 v_0〔m/s〕で鉛直に投げ上げたとすると、投げ上げてから t〔s〕後の物体の速度 v〔m/s〕、位置の座標 x〔m〕は、①、②、③の式で $a=-g$（g は重力加速度）とおいて、

$$v=v_0-gt \qquad \cdots\cdots ①'$$

$$x=v_0 t-\frac{1}{2}gt^2 \quad \cdots\cdots ②'$$

$$v^2-v_0^2=-2gx \quad \cdots\cdots ③'$$

となる。本問の場合、最高点においては $v=0$〔m/s〕、また時間 t を考える必要がないので、③'の式に、$g=9.8$〔m/s〕、$v=0$〔m/s〕、$x=19.6$〔m〕を代入して、

$$v_0^2=0^2+2\times9.8\times19.6=19.6^2$$

ここで、$v_0>0$ であるから、$v_0=19.6$〔m/s〕を得る。

よって、正答は **3** である。

正答 **3**

次の図のように、ボールが、水平でなめらかな床に角度30°で衝突し、角度60°ではね返った。このとき、ボールと床との間の反発係数として、妥当なのはどれか。

1 0.17

2 0.33

3 0.50

4 0.58

5 0.71

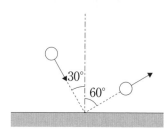

解説

本問のように、ボールが滑らかな平面に斜めに衝突する場合には、平面に平行な速度成分を考慮する必要がある。衝突直前の速度 $\vec{v}$〔m/s〕を面に平行な成分 v_x〔m/s〕と、面に垂直な成分 v_y〔m/s〕に、衝突直後の速度 $\vec{v}'$〔m/s〕を面に平行な成分 v_x'〔m/s〕と、面に垂直な成分 v_y'〔m/s〕にそれぞれ分解して考える。面がなめらかな場合、ボールは面に平行な方向には力を受けない（摩擦力が働かない）ので、面に平行な速度成分は衝突の前後で変化しない。すなわち、$v_x'=v_x$　……①

一方、面に垂直な方向では、衝突直後の速度成分と衝突直前の速度成分の大きさの比が反発係数 e になる。すなわち、$v_y'=-ev_y$　……②

なお、②式で右辺に－がついているのは、v_y' と v_y が逆向きになっているためである。

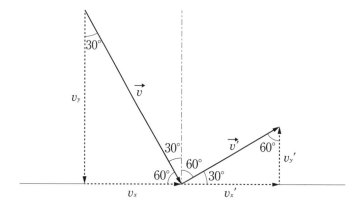

ここで、鉛直方向は下向きを正、水平方向は右向きを正として扱うと、30°、60°を内角として持つ直角三角形が2つできているので、$v_y=\sqrt{3}\,v_x$、$v_y'=-\dfrac{1}{\sqrt{3}}v_x'=-\dfrac{1}{\sqrt{3}}v_x$ が成り立っている。これらを②式に代入して、$-\dfrac{1}{\sqrt{3}}v_x=-e\sqrt{3}\,v_x$。したがって、$\dfrac{1}{\sqrt{3}}=e\sqrt{3}$ より、$e=\dfrac{1}{\sqrt{3}}\times\dfrac{1}{\sqrt{3}}=\dfrac{1}{3}$。すなわち $e=\dfrac{1}{3}=0.33333……$ となる。

よって、正答は**2**である。

正答　**2**

東京都・特別区

教養試験

No.
208

物理

倍率器の抵抗値

区

令和 5 年度

物理

化学

生物

地学

内部抵抗 $2\,\mathrm{k\Omega}$ で10Vまで測定できる電圧計がある。今、この電圧計の測定範囲を10倍に広げるとき、電圧計に直列に接続する倍率器の抵抗値はどれか。

1 $18\mathrm{k\Omega}$

2 $20\mathrm{k\Omega}$

3 $22\mathrm{k\Omega}$

4 $38\mathrm{k\Omega}$

5 $44\mathrm{k\Omega}$

解 説

電圧計は回路に並列に接続する。電圧計の最大目盛りが $V_{\max}$〔V〕であるとき、測定範囲を n 倍、すなわち最大電圧 $nV_{\max}$〔V〕まで測定できるようにするには、下図のように倍率器を電圧計に直列に接続すればよい。このときの倍率器の抵抗を R_{V}〔Ω〕とし、流れる電流を I〔A〕、電圧計の内部抵抗を r_{V}〔Ω〕とすると、電圧計と倍率器を流れる電流は等しいので、$I = \dfrac{V_{\max}}{r_{\mathrm{V}}}$ $= \dfrac{(n-1)V_{\max}}{R_{\mathrm{V}}}$ より、倍率器の抵抗値 R_{V}〔Ω〕は、$R_{\mathrm{V}} = (n-1)r_{\mathrm{V}}$ となる。

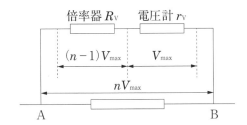

このとき、電圧計の指針が示す値の n 倍が AB 間の電圧となる。本問の場合は、$r_{\mathrm{V}} = 2$〔kΩ〕、$n = 10$を代入して、この場合の倍率器の抵抗値 $R_{\mathrm{V}} = (n-1)r_{\mathrm{V}} = (10-1)\times 2 = 18$〔kΩ〕となることがわかる。

よって、正答は**1**である。

正答 **1**

　6℃の液体A，28℃の液体B，46℃の液体Cの比熱の異なる三つの液体から二つを選んで混ぜ合わせてしばらくすると，混ぜ合わせた液体の温度が次のように変化した。

ア　同じ質量の液体Aと液体Bとを混ぜ合わせると，液体の温度が16℃となった。

イ　同じ質量の液体Bと液体Cとを混ぜ合わせると，液体の温度が36℃となった。

以上から，同じ質量の液体Aと液体Cとを混ぜ合わせてしばらくした後の液体の温度として，正しいのはどれか。ただし，液体の混ぜ合わせによる状態変化又は化学変化はなく，混ぜ合わせる二つの液体以外に熱は移動しないものとする。

1　16℃

2　18℃

3　20℃

4　22℃

5　24℃

一般に，温度の異なる2つの液体を混ぜ合わせると，温度の高い液体から温度の低い液体へと熱エネルギーが移り，液体は全体として同じ温度の熱平衡の状態になる。このとき，（両液体間以外には熱の出入りがなければ）高温の液体が失った熱量を低温の液体が受け取り，液体全体としての熱量は増減しない。すなわち，「高温液体が失った熱量＝低温液体が得た熱量」が成り立つ。これを，熱量の保存という。

いま，液体Aと液体Bの質量をそれぞれ同じ m〔g〕，比熱をそれぞれ c_A〔J/g・K〕，c_B〔J/g・K〕とすると，液体Aが得る熱量 Q_A〔J〕＝$mc_A(16-6)$〔J〕，液体Bが失う熱量 Q_B〔J〕＝$mc_B(28-16)$〔J〕となるが，$Q_A＝Q_B$ であるから，$c_A(16-6)＝c_B(28-16)$，すなわち $5c_A＝6c_B$ ……①

同様に考えて，液体Bと液体Cの場合は，液体Cの比熱を c_C〔J/g・K〕として，

$c_B(36-28)＝c_C(46-36)$，すなわち $4c_B＝5c_C$ ……②

したがって，①，②より，$2c_A＝3c_C$ ……③

そこで，同じ質量の液体Aと液体Cを混ぜ合わせた場合，熱平衡の状態になった時点での液体の温度を t〔℃〕とすると，$c_A(t-6)＝c_C(46-t)$ が成り立つが，③より，$t＝22$〔℃〕を得る。

よって，正答は**4**である。

【注意1】

比熱とは，単位質量の物質の温度を1K（℃でも同じ）上げるのに必要な熱量のことである。比熱の単位としては，物理ではジュール毎グラム毎ケルビン（記号 J/g・K），またはジュール毎キログラム毎ケルビン（記号 J/kg・K）が用いられる。そして，質量 m〔g〕，比熱 c〔J/g・K〕の物質の温度を T_1〔K〕から T_2〔K〕に変化させるのに必要な熱量 Q〔J〕は，$Q＝mc(T_2-T_1)$ と表される。ここで，Q の値が負の場合は，失われる熱量を示している。

【注意2】

温度の単位には，絶対温度（K）とセ氏温度（℃）が用いられるが，絶対温度 T〔K〕とセ氏温度 t〔℃〕の間には $T＝t+273.15$ の関係があり，温度差の場合は，単位が℃でもKでも同じ値になるので，℃での値をそのまま用いてもよいことに注意。

正答 4

物理
化学
生物
地学

物理

化学

生物

地学

媒質Ⅰから媒質Ⅱへ平面波が伝わっていき，媒質Ⅰと媒質Ⅱの境界面で波が屈折している。媒質Ⅰに対する媒質Ⅱの屈折率は1.4であり，媒質Ⅰにおける波の速さは28m/s，振動数は4.0Hzであるとき，媒質Ⅱにおける波の速さ V〔m/s〕と波長 λ〔m〕の組合せとして，妥当なのはどれか。

	V	λ
1	20m/s	5.0m
2	20m/s	7.0m
3	20m/s	9.8m
4	39m/s	5.0m
5	39m/s	9.8m

解説

波の屈折は，媒質によって波の速さが異なるために起こる現象である。いま，媒質Ⅰにおける波の速さを v_1，波長を λ_1，振動数を f_1，媒質Ⅱにおけるそれらを v_2，λ_2，f_2 とし，境界面における入射角を i，屈折角を r とすると，屈折では振動数は変化せず，$f_1=f_2$ であり，かつ，$\dfrac{\sin i}{\sin r}=\dfrac{v_1}{v_2}=\dfrac{\lambda_1}{\lambda_2}=n_{12}$（一定）が成り立つ。

ここで，n_{12} を，媒質Ⅰに対する媒質Ⅱの（相対）屈折率という。

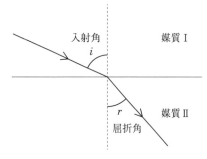

入射角
i
媒質Ⅰ

r
屈折角
媒質Ⅱ

以上を，屈折の法則という。

本問の場合は，$n_{12}=1.4$，$v_1=28$m/s，$f_1=4.0$Hz，かつ，波の基本式 $v_1=f_1\lambda_1$ が成り立つので，$\lambda_1=28\div4.0=7.0$〔m〕となる。ここで，$v_2\to V$，$\lambda_2\to\lambda$ と読み換えて，屈折の法則を適用すると，$\dfrac{28}{V}=\dfrac{7.0}{\lambda}=1.4$ となり，これから，$V=28\div1.4=20$〔m/s〕，$\lambda=7.0\div1.4=5.0$〔m〕が得られる。

よって，正答は **1** である。

正答 **1**

物理

化学

生物

地学

電気と磁気についての法則に関する記述として，妥当なのはどれか。

1　2つの点電荷の間にはたらく静電気力が，それぞれの電気量の積に比例し，点電荷間の距離の2乗に反比例することを，ガウスの法則という。

2　任意の閉じた曲面の内部の電荷を Q〔C〕，ガウスの法則の比例定数を k〔N・m^2/C^2〕とするとき，曲面を貫く電気力線の本数が $4\pi kQ$ 本となることを，クーロンの法則という。

3　導体を流れる電流が，導体の両端に加える電圧に比例することを，キルヒホッフの法則という。

4　回路中の任意の点について，流れ込む電流の和と流れ出る電流の和が等しく，また，回路中の任意の閉じた経路について，起電力の和と電圧降下の和が等しいことを，オームの法則という。

5　誘導電流のつくる磁場がコイルを貫く磁束の変化を妨げる向きに，誘導起電力が生じることを，レンツの法則という。

解説

1.　2つの点電荷の間に働く静電気力に関するこの法則は，ガウスの法則ではなく，クーロンの法則である。両電荷の電気量を q, Q〔C〕，距離を r〔m〕，静電気力を F〔N〕とするとき，クーロンの法則は，$F = k\dfrac{qQ}{r^2}$ と表される（k は比例定数）。

2.　任意の閉じた曲面の内部の電荷を Q〔C〕，クーロンの法則の比例定数を k〔N・m^2/C^2〕とするとき，曲面を貫く電気力線の本数が $4\pi kQ$ 本となることを，ガウスの法則という。

3.　導体を流れる電流が，導体の両端に加える電圧に比例することを，オームの法則という。導体を流れる電流を I〔A〕，両端の電圧を V〔V〕，導線の電気抵抗を R〔Ω〕とするとき，オームの法則は，$I = \dfrac{V}{R}$ と表される。ここで，電気抵抗 R の逆数が比例定数に相当することに注意。

4.　直流回路において，回路中の任意の点について，流れ込む電流の和と流れ出る電流の和が等しく，また，回路中の任意の閉じた経路について，起電力の和と電圧降下の和が等しいことを，キルヒホッフの法則という。

5.　妥当である。

正答　**5**

熱運動及び温度に関する次の文章の空欄に当てはまる語句の組合せとして，最も妥当なのはどれか。

　煙の微粒子や，水に溶かした絵の具の微粒子を顕微鏡で観察すると，微粒子が　ア　運動とよばれる不規則な運動をしていることがわかる。このような原子・分子の乱雑な運動を熱運動という。温度が高くなるにつれて，　ア　運動は激しくなる。これは，原子・分子の熱運動がより激しくなるためである。温度は，熱運動の激しさを表す物質量である。

　日常生活でよく使われる温度目盛りは，　イ　と呼ばれるもので，単位の記号は℃を用いる。一方，科学の世界では，　ウ　を使うことが多く，単位の記号は　エ　を用いる。

	ア	イ	ウ	エ
1	コリオリ	カ氏温度（ファーレンハイト温度）	セ氏温度（セルシウス温度）	℉
2	コリオリ	セ氏温度（セルシウス温度）	カ氏温度（ファーレンハイト温度）	K
3	コリオリ	セ氏温度（セルシウス温度）	絶対温度（熱力学温度）	℉
4	ブラウン	カ氏温度（ファーレンハイト温度）	セ氏温度（セルシウス温度）	℉
5	ブラウン	セ氏温度（セルシウス温度）	絶対温度（熱力学温度）	K

解　説

　ブラウン運動とは，気体や液体の媒質中のコロイド粒子（直径がミクロン程度の微粒子）が行う不規則運動のこと。イギリスの植物学者R.ブラウンが，花粉から出た粒子の水中における運動を顕微鏡で観測中に発見した。ブラウン運動は，媒質の分子の熱運動に起因する。すなわち，コロイド粒子と媒質の分子がランダムに衝突するために起こり，分子の熱運動を証拠づける重要な現象である（ア）。ブラウン運動は，温度が高くなるにつれて激しさを増し，温度が原子や分子の熱運動の激しさを表す物質量であることを示している。日常生活でよく使われる温度目盛りはセ氏温度（セルシウス温度）であり，もともとはスウェーデンの天文学者セルシウスによって，1気圧での水の氷点を0度，沸点を100度とし，その間を100等分して定められた（単位の記号は℃）（イ）。しかし，現在は熱力学に基づく絶対温度（熱力学温度，単位の記号はK〔ケルビン〕）より，熱力学温度の値が T〔K〕であるとき，セルシウス温度 t〔℃〕は $t=T-T_0(T_0=273.15$〔K〕$)$ で定められる（ウ，エ）。

　よって，正答は**5**である。

正答　**5**

滑らかな水平面上で，長さ 2 m の糸の一端に質量0.5kg の小球を付け，糸の他端を中心として，毎分60回の割合で等速円運動をさせたとき，糸の張力として，妥当なのはどれか。ただし，円周率を3.14とする。

1　3.14 N

2　6.28 N

3　19.72 N

4　39.44 N

5　78.88 N

解　説

等速円運動する物体には向心力が働いているが，本問の場合，向心力として働いているのは糸の張力である。また，毎分60回の割合で等速円運動している場合，60〔s〕の間に中心角は$2\pi \times 60$〔rad〕だけ変化していることになるので，この場合の角速度 ω〔rad/s〕は，

$\omega = 2\pi \times 60 \div 60 = 2\pi$〔rad/s〕……①

となる。

等速円運動をしている物体の運動方程式は，半径を r〔m〕，角速度を ω〔rad/s〕，質量を m〔kg〕，向心力の大きさを F〔N〕とするとき，

$F = mr\omega^2$……②

と表される。ここで，①式および，$m = 0.5$〔kg〕，$r = 2$〔m〕，$\pi = 3.14$を②式に代入すると，

$F = 0.5 \times 2 \times (2 \times 3.14)^2 \fallingdotseq 39.44$〔N〕

を得る。この向心力が糸の張力にほかならない。

よって，正答は**4**である。

［参考］

等速円運動に関しては，意味を理解しつつ，以下の公式をしっかり覚えておくこと。

周期 $T = \dfrac{2\pi}{\omega}$

速さ $v = r\omega$

加速度 $a = r\omega^2 = \dfrac{v^2}{r}$

向心力 $F = mr\omega^2 = m\dfrac{v^2}{r}$ （中心に向かう向きの力）

正答　**4**

No. 214 物理 電気回路

教養試験

区

令和 **3**年度

一次コイルと二次コイルの巻数が600回と150回の電力の損失がない理想的な変圧器がある。一次コイルの電圧が200 V，電流が0.10 A であるとき，二次コイルに生じる電圧 V_2〔V〕と流れる電流 I_2〔A〕の組合せはどれか。

	V_2	I_2
1	50 V	0.025 A
2	50 V	0.40 A
3	450 V	0.40 A
4	800 V	0.025 A
5	800 V	0.40 A

解説

変圧器は，相互誘導を利用して交流の電圧を変化させる装置である。変圧器では，共通の鉄芯に一次コイルと二次コイルが巻かれており，一次コイルに交流電流を流すと，鉄心を通じて二次コイルを貫く磁束が変化して相互誘導が起こる。電力の損失がない理想的な変圧器において，一次コイル，二次コイルに起こる誘導起電力をそれぞれ V_1，V_2，巻き数をそれぞれ n_1，n_2とすると，

$$\frac{V_1}{V_2}=\frac{n_1}{n_2}\cdots\cdots①$$

すなわち，電圧の比は巻き数の比に等しい。

また，一次コイル，二次コイルに流れる交流電流をそれぞれ I_1，I_2とすると，理想的な変圧器では，一次側の電力と二次側の電力は等しいと考えられるので，$I_1V_1=I_2V_2$ が成り立ち，結果として電流に関しては，

$$\frac{I_1}{I_2}=\frac{V_2}{V_1}=\frac{n_2}{n_1}\cdots\cdots②$$

すなわち，電流の比は巻き数の逆比に等しい。

以上に基づいて計算すると，本問の場合，$V_1=200$〔V〕，$I_1=0.10$〔A〕，$n_1=600$〔回〕，$n_2=150$〔回〕であるから，①式より，

$$V_2=200\times\frac{150}{600}=50 \text{〔V〕}$$

②式より，

$$I_2=0.10\times\frac{600}{150}=0.40 \text{〔A〕}$$

となる。

よって，正答は **2** である。

[参考]

交流電圧や交流電流は，実際には絶えず時間的に変化している。たとえば，100V（と呼ばれている）交流電圧の最大値は約140V（厳密には$100\sqrt{2}$V）である。このような扱いをするのは，最大値約140Vの交流で点灯させたときの電球の明るさと，同じ電球を100Vの直流電源で点灯させたときの明るさが等しくなるからである。このように，交流電圧や交流電流には，電力が直流と同等の効果を持つ値が使用される。これを実効値という。実効値を用いると，交流においても，オームの法則や電力の計算を直流と同様に扱うことができる。本問の問題文中に出てくる電圧や電流の値も実効値である。

正答 **2**

下の図のように，物体に3本のひもをつなぎ，ばねはかりで水平面内の3方向に引き，静止させた。ひもA，B，Cから物体にはたらく力の大きさをそれぞれ F_A，F_B，F_C とするとき，これらの比として，正しいのはどれか。

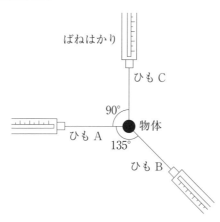

	F_A	:	F_B	:	F_C
1	1	:	1	:	1
2	1	:	$\sqrt{2}$	:	1
3	1	:	$\sqrt{2}$	:	2
4	1	:	2	:	1
5	$\sqrt{2}$	:	1	:	$\sqrt{2}$

解説

物体にはたらく3力 F_A，F_B，F_C を図示すると次のようになる。

上図において，水平方向のつり合いから，

$$F_A = F_B \times \cos 45° = F_B \times \frac{1}{\sqrt{2}}$$

鉛直方向のつり合いから，

$$F_c = F_B \times \sin 45° = F_B \times \frac{1}{\sqrt{2}}$$

したがって，

$$F_A : F_B : F_c = \frac{F_B}{\sqrt{2}} : F_B : \frac{F_B}{\sqrt{2}} = \frac{1}{\sqrt{2}} : 1 : \frac{1}{\sqrt{2}}$$

$$= 1 : \sqrt{2} : 1$$

となる。

よって，正答は**2**である。

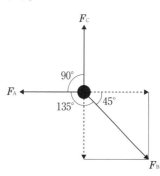

正答 **2**

東京都・特別区

教養試験

No. 216 物理 観測者に電車が近づくときの警笛音の振動数 令和 2 年度

区

電車が振動数864Hzの警笛を鳴らしながら，20m/sの速さで観測者に近づいてくる。観測者が静止しているとき，観測される音の振動数はどれか。ただし，音速を340m/sとする。

1 768Hz

2 816Hz

3 890Hz

4 918Hz

5 972Hz

解 説 ━━━━━━━━━━━━━━━━━━━━━━━━━━━━━━━━━━

音のドップラー効果の一般式は次のとおり。

　一直線上を音源S，観測者Oが，それぞれ速度v_s，v_oで運動しているとする。このとき，音速をVとし，音源Sから出ている音波の振動数をfとすると，観測者Oに届く音波の振動数f'は，

$$f' = \frac{V - v_o}{V - v_s} f$$

となる。ただし，v_s，v_oの符号は，SからOに向かう向きを正，OからSに向かう向きを負とする。

　本問の場合は，$f = 864$〔Hz〕，$v_s = 20$〔m/s〕，$v_o = 0$〔m/s〕，$V = 340$〔m/s〕であるから，これらを上式に代入して，観測者が観測する音波の振動数f'は，

$$f' = \frac{340 - 0}{340 - 20} \times 864 = \frac{340}{320} \times 864 = 918 〔Hz〕$$

となる。

　よって，正答は**4**である。

〔注意〕上記の公式においては，v_s，v_oのどちらが分子にくるか迷いやすいので，O（Observer 観測者）→ over（上，分子）のように覚えておくとよい。

正答 **4**

東京都・特別区

教養試験

No.
217

物理

可変抵抗器接続回路での抵抗値と電池の端子電圧

区

令和 2 年度

物理

化学

生物

地学

起電力が3.0V，内部抵抗が0.50Ωの電池に可変抵抗器を接続したところ，電流が1.2A流れた。このときの電池の端子電圧 V〔V〕と可変抵抗器の抵抗値 R〔Ω〕の組合せはどれか。

	V	R
1	3.6V	3.0Ω
2	3.6V	2.0Ω
3	2.4V	3.0Ω
4	2.4V	2.0Ω
5	0.60V	3.0Ω

解説

下図において，電池の内部抵抗による電圧降下は0.50×1.2〔V〕であるから，端子電圧 V は，$V=3.0-0.50×1.2=2.4$〔V〕となる。一方，オームの法則 $V=RI$ により，$V=R×1.2$〔V〕であるから，可変抵抗器の抵抗 R は，$R=V÷1.2=2.4÷1.2=2.0$〔Ω〕となる。

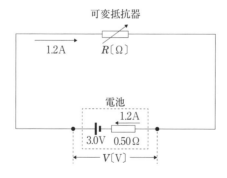

可変抵抗器

1.2A

R〔Ω〕

電池

1.2A

3.0V 0.50Ω

V〔V〕

よって，正答は**4**である。

正答 **4**

化学の法則に関する記述として、妥当なのはどれか。

1 ファントホッフの法則とは、希薄溶液の浸透圧は、溶媒や溶質の種類に関係なく溶液のモル濃度と絶対温度に比例するという法則である。

2 ヘスの法則とは、一定の温度において、一定量の溶媒に溶けることができる気体の物質量は、その気体の圧力に比例するという法則である。

3 ヘンリーの法則とは、物質が変化するときに出入りする反応熱の大きさは、変化の前後の状態だけで決まり、変化の経路には無関係であるという法則である。

4 ボイル・シャルルの法則とは、一定質量の気体体積は、絶対温度と圧力に比例するという法則である。

5 ラウールの法則とは、高濃度溶液の蒸気圧は、溶質の種類に関係なく、溶媒のモル分率に反比例するという法則である。

解説

1. 妥当である。

2. ヘスの法則は、「物質が変化する際の反応熱の総和は、変化する前と変化した後の物質とその物質の状態だけで決まり、変化の経路や方法には関係しない」という法則である。

3. ヘンリーの法則は、「一定の温度において、一定量の溶媒に溶けることができる気体の物質量は、溶媒に接している気体の圧力に比例する」という法則である。

4. ボイル・シャルルの法則は、「一定量の気体の体積は、圧力に反比例し、絶対温度に比例する」という法則である。

5. ラウールの法則は、「不揮発性物質の溶けた希薄溶液では、その蒸気圧は溶液中の溶媒のモル分率に比例する」という法則である。

正答　**1**

周期表と元素に関する記述として、妥当なのはどれか。

1 周期表の1族、2族及び12族〜18族の元素を遷移元素といい、遷移元素の同族元素は、性質が似ている。

2 周期表の13族に属するケイ素の単体は、金属のような光沢がある黒紫色の結晶で、高純度のケイ素は、半導体として太陽電池などに利用されている。

3 周期表の15族に属するリンの同素体のうち、赤リンは、空気中で自然発火するため、水中に保存する。

4 周期表の16族に属する酸素と硫黄の原子は、6個の価電子をもち、二価の陽イオンになりやすい。

5 周期表の17族に属する元素であるハロゲンのうち、臭素の単体は、常温、常圧において液体である。

解説

1. 遷移元素とは、通常は周期表の3族から12族の元素をいう。遷移元素では、原子番号が増えても最外殻より内側の電子殻の電子の数が増えていくため、最外殻電子の数はほとんど変わらない。そのため、元素の性質は同族元素（周期表の上下）よりも左右（同周期）の元素どうしのほうが類似していることが多い。

2. ケイ素は周期表の14族に属する。また、結晶の色は黒紫色というより黒灰色といったほうが近い。ほかの記述は正しい。

3. 15族に属するリンの同素体のうち、黄リンは軟らかいロウ状固体で毒性があり、空気中で自然発火するので水中に保管する。赤リンは自然発火せず毒性もないのでマッチに利用されている（マッチ箱の側面の赤色の部分）。

4. 16族に属する酸素と硫黄の原子は6個の価電子を持ち、二価の陰イオンになりやすい。

5. 妥当である。

正答 **5**

次のア～オのうち、元素記号とその元素が炎色反応で示す色を選んだ組合せとして、妥当なのはどれか。

	元素記号	炎色反応
ア	Na	黄
イ	Mg	黄
ウ	Ca	青緑
エ	Cu	青緑
オ	Ba	赤紫

1 ア　ウ

2 ア　エ

3 イ　エ

4 イ　オ

5 ウ　オ

解説

炎色反応は、熱せられて高いエネルギー状態になった原子が、元の安定したエネルギー状態に戻るとき、余分なエネルギーを光として放出する現象である。放出するエネルギーによって光の波長が異なるため、元素によって発せられる光の色が異なる。一般に、アルカリ金属元素、アルカリ土類金属元素（ただし Be、Mg を除く）、銅では放出されるエネルギーが小さく、放出される光が可視領域に入るので炎色反応が観察され、元素の識別に利用される。主な元素の炎色反応の色を次に示す。

リチウム Li →赤	ナトリウム Na →黄	カリウム K →赤紫
ルビジウム Rb →赤	カルシウム Ca →橙赤	ストロンチウム Sr →紅
バリウム Ba →黄緑	銅 Cu →青緑	

なお、Be と Mg はアルカリ土類金属に属するが、他の 2 族元素とは性質が異なり炎色反応を示さないことに注意。

よって、正答は**2**である。

正答　**2**

炭素に関する記述として，妥当なのはどれか。

1 黒鉛は，炭素原子が共有結合により六角形網面構造をなす灰黒色の結晶であり，電気をよく通し，電極に用いられる。

2 活性炭は，黒鉛の微小な結晶が規則的に配列した集合体であり，単位質量当たりの表面積は小さいが，気体等の物質を吸着する性質がある。

3 ダイヤモンドは，炭素原子の単体からなる共有結合の結晶であり，光の屈折率が低く硬いため，宝石や研磨材に用いられる。

4 一酸化炭素は，炭素や炭素化合物が不完全燃焼したときに生じる有毒な気体であり，無色無臭の不燃性で，水によく溶ける。

5 二酸化炭素は，炭素や炭素化合物が完全燃焼したときに生じる気体であり，空気に比べて軽く，無色無臭の不燃性で，水に溶けて弱い塩基性を示す。

解 説

1. 妥当である。

2. 活性炭は，黒鉛の微小な結晶が不規則に配列した集合体であり，単位質量当たりの表面積が大きい。最後の吸着に関する記述は正しい。

3. ダイヤモンドは，光の屈折率が大きい。そのほかの部分の記述は正しい。

4. 一酸化炭素は，水には溶けにくい。また，空気中で点火すると燃焼し，二酸化炭素になる。そのほかの部分の記述は正しい。

5. 二酸化炭素は，水に少し溶けて弱い酸性を示す。また，空気に比べて重いので，下方置換法で捕集する。そのほかの部分の記述は正しい。

正答 **1**

物理

化学

生物

地学

No. 222 教養試験 **化学** **金属** 区 令和**4年度**

金属に関する記述として，妥当なのはどれか。

1 金は，王水にも溶けない典型元素である。

2 銀は，湿った空気中では，硫化水素と反応して淡黄色の硫化銀を生じる。

3 銅は，乾燥空気中では酸化されにくいが，湿った空気中では白銅というさびを生じる。

4 鉄は，鉄鉱石の酸化で得られ，濃硝酸に溶けるが，塩酸とは不動態になる。

5 アルミニウムは，ボーキサイトから得られる酸化アルミニウムの溶融塩電解によってつくられる。

解説

1. 金は，王水には溶ける。王水は，濃硝酸と濃塩酸を1：3の割合で混合（1硝3塩）したもので，白金や金も酸化されて溶ける。

2. 硫化銀の色は黒色である。そのほかの記述は正しい。

3. 銅は常温の乾燥空気中ではわずかに酸化される程度であるが，湿った空気中では，表面に緑青と呼ばれるさびを生ずる。なお，白銅は銅とニッケルの合金で，硬貨（50円玉，100円玉）に用いられている。

4. 鉄は，鉄鉱石の還元で得られ，塩酸には溶けるが，濃硝酸には溶けない。濃硝酸では，表面に緻密な酸化物の被膜を形成し，不動態となるため溶けない。

5. 妥当である。

正答 **5**

物質の三態と熱運動に関する記述として，妥当なのはどれか。

1 純物質では，状態変化している間，温度は一定に保たれる。

2 粒子の熱運動は温度が高いほど激しくなり，温度には上限も下限もない。

3 物質は，温度や圧力によって状態変化するが，粒子の集合状態は変化しない。

4 拡散は，気体で起こる現象であり，液体では起こらない。

5 固体から直接気体になる変化を蒸発という。

解説

1. 妥当である。純物質では，状態変化している間は，熱エネルギーが物質粒子間の引力を切るのに消費されるため，熱運動の大きさは一定となり，温度は変わらなくなる。

2. 温度には上限は存在しないが，下限は存在する。物質粒子の運動エネルギーが0のときの温度は0K（絶対零度）であり，これより低温は存在しない。

3. 物質の状態変化に応じて粒子の集合状態も変化する。物質粒子の間には，分子間力，クーロン力（静電気的引力）などの引力が働いており，粒子間の引力に比べて熱運動のレベルがある程度低いときは，粒子は互いに拘束し合って身動きできない状態にある。この状態が固体である。粒子間の引力に比べて熱運動のレベルがある程度高くなると，粒子は移動できる空間があれば自由に広がっていく。この状態が気体である。そして，気体と固体の中間の状態が液体で，粒子が位置を変えることはできるが，自由に空間に広がっていくことはできない。

4. 拡散は，液体でも起こる。液体や気体では，物質粒子が熱運動により位置を変えうるので，その中に他の物質を入れると，その物質の粒子は，熱運動により液体や気体の粒子の中に自然に混ざっていく。この現象が，拡散である。

5. 固体から液体状態を経ずに直接気体になる変化を，昇華という。逆に気体から直接固体になる変化も昇華という。蒸発とは液体が気体になることをいう。

正答 **1**

No. 224 化学 酸化と還元

教養試験

都

令和 3 年度

酸化と還元に関する記述として，妥当なのはどれか。

1 物質が水素原子と化合したときは「酸化された」といい，逆に物質が水素原子を失ったときは「還元された」という。

2 酸化数とは原子の酸化の状態を示す数値であり，水素分子中の水素原子の酸化数と化合物中の水素原子の酸化数は等しい。

3 酸化還元反応において，相手の物質を酸化し，自身は還元される物質を還元剤といい，相手の物質を還元し，自身は酸化される物質を酸化剤という。

4 水素よりイオン化傾向の大きい銀は，塩酸や希硫酸とは反応しないが，酸化力の強い硝酸や高温の濃硫酸と反応し，水素を発生する。

5 イオン化傾向の大きいリチウムとカリウムは，空気中では速やかに内部まで酸化される。

解説

1．物質が酸素原子と化合したときは「酸化された」といい，逆に物質が酸素原子を失ったときは「還元された」という。また，水素原子と化合したときは「還元された」といい，水素原子を失ったときは「酸化された」という。

2．前半の酸化数の定義に関する記述は正しい。水素分子 H_2 は単体（同じ元素の原子だけでできている）であるから，その中の水素原子の酸化数は 0 である。しかし，水素の化合物，たとえば H_2O の中の水素原子の酸化数は＋1 である。

3．酸化還元反応においては，相手の物質を酸化し，自身は還元される物質を酸化剤，相手の物質を還元し，自身は酸化される物質を還元剤という。

4．水素よりイオン化傾向の小さい銀は，塩酸や希硫酸とは反応しないが，酸化力の強い硝酸や高温の濃硫酸とは反応する。しかし，水素を発生することはない。

5．妥当である。

［参考］

すぐに決まる酸化数として次のものは覚えておくこと。

①単体中の原子の酸化数は 0 である。

②単原子イオンの酸化数はイオンの価数に等しい。

③一部例外はあるが，化合物中の H の酸化数は基本的には＋1 としてよい。

④一部例外はあるが，化合物中の O の酸化数は基本的には－2 としてよい。

酸化数の計算では，すぐに決まるものをもとにして，他の原子の酸化数は計算によって求められる。その場合，化合物の成分原子の酸化数の総和は 0 になること，多原子イオンの価数はその成分原子の酸化数の総和に等しいことに注意する。

正答 **5**

糖類に関する記述として，妥当なのはどれか。

1 ガラクトースは，ガラクタンを加水分解すると得られる単糖である。

2 グルコースは，水溶液中では3種類の異性体が平衡状態で存在し，フェーリング液を還元する二糖である。

3 グリコーゲンは，動物デンプンともよばれる分子式 $(C_6H_{12}O_6)_n$ の多糖である。

4 セルロースは，還元性がなく，ヨウ素デンプン反応を示す多糖である。

5 マルトースは，デンプンを酵素マルターゼで加水分解すると生じる二糖である。

 解 説

1. 妥当である。ガラクタン（多糖）は寒天の成分である。

2. グルコースは単糖である。ほかの記述は正しい。

3. グリコーゲンの分子式はデンプンと同様に $(C_6H_{10}O_5)_n$ で表される。ほかの記述は正しい。

4. セルロースはヨウ素デンプン反応を示さない。ほかの記述は正しい。

5. 「マルターゼ」の部分が誤りで，正しくは「アミラーゼ」。マルターゼは，マルトース（二糖）が加水分解してグルコース（単糖）ができるときに働く酵素である。

正答　**1**

No. **226** 教養試験 | **化学** | **金属結晶の構造** | 区 令和 **3** 年度

次の表は，金属結晶の構造に関するものであるが，表中の空所 A 〜 D に該当する語又は数値の組合せとして，妥当なのはどれか。

	体心立方格子	面心立方格子	六方最密構造
単位格子中の原子の数	A 個	4 個	B 個
充填率	68%	C %	74%
金属の例	Na	Cu	D

	A	B	C	D
1	2	2	68	Mg
2	2	2	74	Mg
3	2	4	68	Al
4	4	4	74	Mg
5	4	4	74	Al

解説

金属結晶とは，金属元素の原子が多数次々に結合してできた結晶であり，このときの化学結合を金属結合という。金属結合においては，個々の原子に属する価電子の一部が自由電子となって結晶内を自由に運動しているとみなすことができる。その自由電子の負電荷で満たされた空間の中に，価電子を失った金属原子が正のイオンとして規則的に並んでいるのが金属結晶である。代表的な金属の結晶中の原子の配列は，体心立方格子，面心立方格子，六方細密構造の 3 種類に大別される。これらの結晶格子は，原子を球体と考えて結晶中の原子の 3 次元的配列を模式的に表したものである。このとき，結晶格子の最小となる単位を単位格子という。これら 3 種類の結晶格子を比較する場合，単位格子中の原子の数と，結晶中の空間に占める原子の体積の割合（充填率という）の大小が重要である。単位格子中の原子の数の大小は，面心立方格子＞体心立方格子＝六方細密構造，充填率の大小は，面心立方格子＝六方細密構造＞体心立方格子となっていることに注意したい。

下表は，具体的な数値と，金属の例をまとめたものである。

	体心立方格子	面心立方格子	六方細密構造
単位格子中の原子の数	2 個	4 個	2 個
充填率	68%	74%	74%
金属の例	Na,Ba,Cr,Fe など	Al,Cu,Ag,Au など	Be,Mg,Zn,Cd など

　よって，正答は **2** である。

正答 **2**

東京都・特別区

No.
227

教養試験

化学

化学の法則

都

令和 2 年度

一酸化炭素2.8gを完全燃焼させるときに必要となる酸素の質量として，妥当なのはどれか。ただし，一酸化炭素の分子量を28，酸素の分子量を32とする。

1　0.8g

2　1.4g

3　1.6g

4　2.8g

5　4.4g

解 説

一酸化炭素 CO が完全燃焼するときの化学反応式は，$2CO + O_2 \longrightarrow 2CO_2$ となるので，2 mol の CO が 1 mol の酸素 O_2 と反応して，2 mol の二酸化炭素 CO_2 ができる。2 mol の CO は 28×2 〔g〕，1 mol の O_2 は32g であるから，2.8g の CO を完全燃焼させるときに xg の O_2 が必要だとすると，

　$(28 \times 2) : 32 = 2.8 : x$ より，

　$x = 32 \times 2.8 \div (28 \times 2) = 1.6$ 〔g〕

となる。

　よって，正答は**3**である。

正答　**3**

No.
228 化学　アルコール　令和2年度
教養試験 区

アルコールに関する記述として，妥当なのはどれか。

1 メタノールやエタノールのように，炭化水素の水素原子をヒドロキシ基で置換した化合物をアルコールという。

2 アルコールにナトリウムを加えると，二酸化炭素が発生し，ナトリウムアルコキシドを生じる。

3 濃硫酸を160〜170℃に加熱しながらエタノールを加えると，分子内で脱水反応が起こり，ジエチルエーテルが生じる。

4 グリセリンは，2価のアルコールで，自動車エンジンの冷却用不凍液，合成繊維や合成樹脂の原料として用いられる。

5 エチレングリコールは，3価のアルコールで，医薬品や合成樹脂，爆薬の原料として用いられる。

解説

1．妥当である。

2．エタノール C_2H_5OH にナトリウム Na を加えた場合の反応式は，

$$2C_2H_5OH + Na \longrightarrow 2C_2H_5ONa + H_2$$

となり，水素が発生し，ナトリウムアルコキシド C_2H_5ONa を生じる。

3．エタノールに硫酸を加える場合，130〜140℃の低温では，

$$C_2H_5OH + C_2H_5OH \longrightarrow C_2H_5OC_2H_5 + H_2O$$

のように反応し，ジエチルエーテルが生じる（分子間脱水）。しかし，160〜170℃の高温では，

$$C_2H_5OH \longrightarrow CH_2＝CH_2 + H_2O$$

のように反応し，エチレンを生じる（分子内脱水）。

4．グリセリンの示性式は，

$$HO-CH_2-CH(OH)-CH_2-OH$$

となっており，ヒドロキシ基 -OH を3個持つので3価のアルコールである。グリセリンは医薬品や合成樹脂，爆薬の原料として用いられる。

5．エチレングリコールの示性式は，

$$HO-CH_2-CH_2-OH$$

となっており，ヒドロキシ基 -OH を2個持つので2価のアルコールである。エチレングリコールは凍結しにくいので自動車エンジンの不凍液の原料として用いられる。また，ポリエチレンテレフタレート（PET）の原料としても重要である。

正答　**1**

教養試験 区

化学 ボイル・シャルルの法則と温度・体積・圧力 令和 **2**年度

物理
化学
生物
地学

温度27℃，圧力1.0×10^5Pa，体積72.0L の気体がある。この気体を温度87℃，体積36.0L にしたときの圧力はどれか。ただし，絶対零度は−273℃とする。

1 2.0×10^5Pa
2 2.4×10^5Pa
3 2.8×10^5Pa
4 3.2×10^5Pa
5 3.6×10^5Pa

解説

絶対温度T_1，圧力P_1のとき体積V_1の一定質量の気体が，絶対温度T_2，圧力P_2のとき体積V_2となったとすると，ボイル・シャルルの法則により，

$$\frac{P_1V_1}{T_1}=\frac{P_2V_2}{T_2} \cdots\cdots①$$

が成り立つ。ここで，題意より，

$T_1=273+27=300$ 〔K〕
$P_1=1.0\times10^5$ 〔Pa〕
$V_1=72.0$ 〔L〕
$T_2=273+87=360$ 〔K〕
$V_2=36.0$ 〔L〕

を①式に代入して，

$$P_2=\frac{P_1V_1T_2}{T_1V_2}$$

$$=\frac{1.0\times10^5\times72.0\times360}{300\times36.0}$$ 〔Pa〕

$$=2.4\times10^5$$ 〔Pa〕

となる。

よって，正答は**2**である。

正答 **2**

化学者に関する記述として，妥当なのはどれか。

1 ドルトンは，元素の周期律を発見し，当時知られていた元素を原子量の順に並べた周期表を発表した。

2 カロザースは，窒素と水素の混合物を低温，低圧のもとで反応させることにより，アンモニアを合成する方法を発見した。

3 プルーストは，一つの化合物に含まれる成分元素の質量の比は，常に一定であるという法則を発見した。

4 ハーバーは，食塩水，アンモニア及び二酸化炭素から炭酸ナトリウムを製造する，オストワルト法と呼ばれる方法を発見した。

5 アボガドロは，同温，同圧のもとで，同体積の気体に含まれる分子の数は，気体の種類により異なるという説を発表した。

解説

1. ドルトンはイギリスの化学者で，物質が原子からできているとする原子説を発表した。周期律を発見し周期表を発表したのは，ロシアの化学者メンデレーエフである。

2. カロザースは米国の化学者で，高分子の重合を研究し，ナイロンを発明した（アンモニアの合成については**4**の解説を参照）。

3. 妥当である。定比例の法則と呼ばれる法則である。

4. ドイツの化学者ハーバーはボッシュとともに，アンモニアの工業的合成法として窒素と水素を高温高圧下で触媒を用いて直接反応させる方法を完成させた。オストワルト法は，白金触媒のもとでアンモニアを酸化して硝酸を工業的に合成する方法であり，ドイツの化学者オストワルトにより発見された。

5. イタリアの物理学者アボガドロは，同温・同圧のもとでは，同体積の気体に含まれる分子の数は，気体の種類にかかわらず一定であるという説を発表した。これはアボガドロの分子説と呼ばれる。

正答 **3**

酵素に関する次の記述として、妥当なのはどれか。

1 だ液に含まれているアミラーゼは、デンプンをグルコースとフルクトースに分解する。

2 タンパク質は、胃液中のリパーゼや、小腸の壁にある消化酵素などのはたらきで、アミノ酸に分解される。

3 ペプシンは、胆汁に含まれる分解酵素の一つであり、乳糖や脂肪の分解にはたらく。

4 カタラーゼは、過酸化水素によって分解されることで、酸素とアミノ酸を生成する。

5 マルターゼは、腸液に含まれる分解酵素の一つであり、マルトースをグルコースに分解する。

解説

1. だ液に含まれている消化酵素であるアミラーゼ（プチアリン）は、デンプンをデキストリンやマルトース（麦芽糖）に分解する加水分解酵素である。グルコース（ブドウ糖）、フルクトース（果糖）は腸液に含まれるマルターゼ、スクラーゼなどで分解される。

2. タンパク質は、胃液中のペプシンや小腸の壁にあるペプチダーゼなどの消化酵素の働きによって、アミノ酸に分解される。リパーゼはすい液に含まれ、脂質の消化を行う。

3. ペプシンは胃腺から分泌されたペプシノーゲンが塩酸などによって活性化されてできる消化酵素で、タンパク質をペプトンというポリペプチドにまで分解する。

4. カタラーゼは、細胞内でアミノ酸などが代謝されてできる有害な過酸化水素を無毒化する酵素で、肝臓の細胞などに存在する。

5. 妥当である。

正答　**5**

物理
化学
生物
地学

生物集団における、ハーディ・ワインベルグの法則が成り立つ条件に関するA〜Eの記述のうち、妥当なものを選んだ組合せはどれか。

A 集団が小さい。
B 自由な交配が行われる。
C 自然選択がはたらく。
D 突然変異が起こらない。
E 他の集団との間で個体の移入や移出がある。

1 A C
2 A D
3 B D
4 B E
5 C E

解説

ハーディ・ワインベルグの法則とは、「特定の条件を満たす生物集団では、対立遺伝子の比は世代を重ねても変化しない」というもので、特定の条件としては次の5つの条件が挙げられている。

①ある程度集団の個体数が大きい。
②他の集団との間で個体の移出や移入がない。
③当該遺伝子に突然変異が起こらない。
④自然選択がはたらかない。
⑤自由な交配が行われる。

逆にいえば、これらの条件が満たされている環境が崩れると、集団内の遺伝子構成の頻度が変化し、進化が起こることが示唆される。A〜Eの記述のうち、Aは①と、Cは④と、Eは②と矛盾する。したがって、妥当なのはBとDだけである。

よって、正答は**3**である。

正答 **3**

ヒトの脳に関する記述として、妥当なのはどれか。

1 大脳の新皮質には、視覚や聴覚などの感覚、随意運動、記憶や思考などの高度な精神活動の中枢がある。

2 間脳には、呼吸運動や心臓の拍動など生命維持に重要な中枢や、消化液の分泌の中枢がある。

3 中脳には、からだの平衡を保ち、随意運動を調節する中枢がある。

4 延髄には、姿勢を保ち、眼球運動や瞳孔の大きさを調節する中枢がある。

5 小脳は、視床と視床下部に分かれており、視床下部には、自律神経系の中枢がある。

解 説

1．妥当である。

2．呼吸運動や心臓の拍動および消化液の分泌などの中枢があるのは、延髄である。

3．からだの平衡を保ち、随意運動を調節する中枢があるのは小脳である。

4．姿勢を保ち、眼球運動や瞳孔の大きさを調節する中枢があるのは中脳である。

5．視床と視床下部に分かれ、自律神経系の中枢があるのは間脳である。

正答　**1**

ヒトの腎臓に関する記述として，妥当なのはどれか。

1 腎臓は，心臓と肝臓の中間に左右一対あり，それぞれリンパ管により膀胱（ぼうこう）につながっている。

2 腎臓は，タンパク質の分解により生じた有害なアンモニアを，害の少ない尿素に変えるはたらきをしている。

3 腎臓は，血しょうから不要な物質を除去すると同時に，体液の濃度を一定の範囲内に保つはたらきをしている。

4 腎うは，腎臓の内部にある尿を生成する単位構造のことで，1個の腎臓に約1万個ある。

5 腎小体は，毛細血管が集まって球状になったボーマンのうと，これを包む袋状の糸球体からなっている。

解 説 ━━━━━━━━━━━━━━━━━━━━━━━━━━━━━━

1．腎臓は肝臓よりも下側にあり，左右の腎臓はそれぞれ膀胱と輸尿管でつながっている。

2．タンパク質の分解により生じた有害なアンモニアを，害の少ない尿素に変えるはたらきをしているのは肝臓である。

3．妥当である。

4．腎臓の内部にある尿を生成する単位構造はネフロン（腎単位）と呼ばれ，1個の腎臓中に約100万個ある。腎うは，腎臓が輸尿管と接続する箇所から腎臓内へと広がっている部分で，腎臓で生成された尿はまずここに集まり，ついで輸尿管を通じて膀胱へと運ばれる。

5．腎小体は，毛細血管が集まって球状になった糸球体と，これを包む袋状のボーマンのうからなっている。

正答 **3**

細胞の構造に関する記述として，妥当なのはどれか。

1 生物の細胞には，核をもたない真核細胞と，核をもつ原核細胞がある。

2 細胞液は，中心体やゴルジ体などの細胞小器官の間を満たす成分である。

3 細胞壁は，植物や菌類などに見られ，細胞膜の内側にある。

4 ミトコンドリアは，核の DNA とは別に独自の DNA をもつ。

5 液胞は，成熟した動物細胞で大きく発達している。

解 説

1．核を持たない細胞を原核細胞，核を持つ細胞を真核細胞という。

2．中心体やゴルジ体などの細胞小器官の間を満たす成分を，細胞質基質という。

3．細胞壁は細胞膜の外側にあり，植物細胞の支持と保護に役立っている。なお，菌類も細胞壁を持っているが，近年は植物とは異なる独立の生物群として扱われるようになった。

4．妥当である。ミトコンドリアに関しては，近年では，原始的な真核細胞に好気性細菌が取り込まれて共生することによってミトコンドリアになったとする共生説が有力である。

5．液胞は，発達した植物細胞で見られ，物質の貯蔵，分解，解毒など各種の働きを担っている。

正答 **4**

No. 236 教養試験 **生物 ヒトのホルモン** 区 令和 **4** 年度

ヒトのホルモンに関する記述として，妥当なのはどれか。

1 体内環境の維持を行う自律神経系は，ホルモンと呼ばれる物質を血液中に分泌し，特定の器官に働きかける。

2 脳下垂体から分泌されるチロキシンの濃度が上がると，視床下部に作用を及ぼし，甲状腺刺激ホルモンの分泌が促進される。

3 体液中の水分量が減少すると，腎臓でパラトルモンが分泌され，水分の再吸収を促進し，体液の塩類濃度が低下する。

4 血糖濃度が上昇すると，すい臓のランゲルハンス島のA細胞からグルカゴンが分泌され，グリコーゲンの合成を促進する。

5 血糖濃度が低下すると，副腎髄質からアドレナリンが分泌され，グリコーゲンの分解を促進する。

解説

1．ホルモンと呼ばれる物質を血液中に分泌する器官を内分泌腺といい，そこから分泌されたホルモンは，特定の器官や細胞にのみ作用する。なお，自律神経系のうち，交感神経末端からはノルアドレナリンが，副交感神経末端からはアセチルコリンが分泌されるが，これらはホルモンではなく，神経伝達物質と呼ばれるものである。

2．甲状腺から分泌されるチロキシンの濃度が上がると，視床下部に作用を及ぼし，視床下部からの甲状腺刺激ホルモン放出ホルモンや，脳下垂体前葉からの甲状腺刺激ホルモンの分泌が抑制される。その結果，甲状腺からのチロキシンの分泌量も減少する。

3．体液中の水分量が減少すると，脳下垂体後葉からのバソプレシンの分泌が促進され，腎臓での水分再吸収が促進され，尿量が減少し，体液の塩類濃度が低下する。

4．血糖濃度が上昇すると，すい臓のランゲルハンス島のB細胞からインスリンが分泌され，グルコースからグリコーゲンへの合成が促進されるなどして，結果として血糖濃度が低下する。

5．妥当である。

正答 **5**

植物のつくりとはたらきに関する記述として，最も妥当なのはどれか。

1 裸子植物であるアブラナの花は，外側から，がく，花弁，おしべ，めしべの順についており，めしべの根もとの膨らんだ部分を柱頭といい，柱頭の中には胚珠とよばれる粒がある。

2 おしべの先端にある小さな袋をやく，めしべの先端を花粉のうといい，おしべのやくから出た花粉が，めしべの花粉のうに付くことを受精という。

3 根は，土の中にのび，植物の体を支え，地中から水や水に溶けた養分などを取り入れるはたらきをしており，タンポポは太い根の側根を中心に，側根から枝分かれして細い根のひげ根が広がっている。

4 茎には，根から吸収した水や水に溶けた養分などが通る道管，葉でつくられた栄養分が運ばれる師管の2種類の管が通っている。

5 葉の表皮は，水蒸気の出口，酸素や二酸化炭素の出入り口としての役割を果たしており，葉の内部の細胞の中には，ミドリムシといわれる緑色の粒が見られる。

解説

1. アブラナは被子植物である。アブラナの花の構造は，ほぼ記述のとおりであるが，めしべの根もとの膨らんだ部分は子房と呼ばれ，中に胚珠が入っている。柱頭はめしべの先端部分である。

2. 被子植物の花において，おしべの先端にある小さな袋をやくといい，その中に花粉のうがある。おしべの花粉のうから出た花粉が，めしべの柱頭に付くことを受粉という。

3. 前半部分の記述は正しい。タンポポの根の外部形態は主根構造であり，太い根の主根を中心に，主根から枝分かれして細い根の側根が広がっている。タンポポのような双子葉類の根は一般に主根構造である。一方，タマネギのような単子葉類の根はひげ根構造で，比較的細くて均一な太さの根のみが広がっている。

4. 妥当である。

5. 前半部分の記述は正しい。葉の内部の細胞の中には，葉緑体という緑色の細胞小器官が見られる。

正答 **4**

No. 238

教養試験

区

生物　　　　**動物の発生**　　　令和 **3年度**

動物の発生に関するA〜Dの記述のうち，妥当なものを選んだ組合せはどれか。

A　カエルの卵は，卵黄が植物極側に偏って分布している端黄卵であり，第三卵割は不等割となり，卵割腔は動物極側に偏ってできる。

B　カエルの発生における原腸胚期には，外胚葉，中胚葉，内胚葉の区別ができる。

C　脊椎動物では，外胚葉から分化した神経管は，のちに脳や脊索となる。

D　胚のある領域が接している他の領域に作用して，分化を促す働きを誘導といい，分化を促す胚の領域をアポトーシスという。

1　A　　B
2　A　　C
3　B　　C
4　B　　D
5　C　　D

解説

A：妥当である。

B：妥当である。

C：外胚葉から分化した神経管は，後に脳や脊髄となる。脊索は中胚葉から分岐し，後に消滅する（脊椎骨で置き換わる）。

D：分化を促す胚の領域を形成体といい，その働きを誘導という。アポトーシスとは，発生の過程で個体の体が形成される際に，そがれるべき細胞が死ぬことで，プログラムされた細胞死である。

よって，正答は**1**である。

正答　**1**

東京都・特別区

No.
239

教養試験

生物

植物ホルモン

区

令和 3 年度

植物ホルモンに関する記述として，妥当なのはどれか。

1 エチレンには，果実の成熟や落果，落葉を抑制する働きがある。

2 ジベレリンには，種子の発芽や茎の伸長を促進する働きがある。

3 オーキシンには，種子の発芽や果実の成長を抑制する働きがある。

4 フロリゲンには，昆虫の消化酵素の働きを阻害する物質の合成を促進し，食害の拡大を防ぐ働きがある。

5 サイトカイニンには，細胞分裂の抑制や葉の老化の促進，葉の気孔を閉じる働きがある。

解 説

1．エチレンには，果実の成熟や落果，落葉を促進する働きがある。

2．妥当である。

3．オーキシンには，種子の発芽を抑制する働きはなく，果実の成長を促進する働きがある。

4．昆虫の消化酵素の働きを阻害する物質の合成を促進するのはジャスモン酸であり，葉などが食害を受けたときに生成される。なお，ジャスモン酸は，ジャスミンの花の香りの成分でもある。フロリゲンは花芽形成促進物質で，花成ホルモンとも呼ばれる。

5．サイトカイニンには，細胞分裂の促進，葉の老化防止などの働きがある。

正答 **2**

両生類，は虫類，鳥類，哺乳類に属する動物の組合せとして，妥当なのはどれか。

	両生類	は虫類	鳥類	哺乳類
1	イモリ	カメ	ダチョウ	ペンギン
2	イモリ	ヘビ	ムササビ	イルカ
3	サンショウウオ	イモリ	カモノハシ	イルカ
4	サンショウウオ	カメ	ペンギン	カモノハシ
5	ヘビ	イモリ	ダチョウ	カモノハシ

解説

選択肢に出てくる動物を正しく分類すると，以下のようになる。

両生類…イモリ，サンショウウオ

は虫類…ヘビ，カメ

鳥類…ダチョウ，ペンギン

哺乳類…ムササビ，カモノハシ，イルカ

なお，カモノハシは「生きた化石」とも呼ばれ，オーストラリアにだけ生息する，不思議な生態・形態の哺乳類である。

よって，正答は**4**である。

正答 **4**

次の文は，DNA の構造に関する記述であるが，文中の空所 A〜C に該当する語の組合せとして，妥当なのはどれか。

　DNA は，リン酸と糖と塩基からなるヌクレオチドが連なったヌクレオチド鎖で構成される。DNA を構成するヌクレオチドの糖は　A　であり，塩基にはアデニン，　B　，　C　，シトシンの 4 種類がある。

　DNA では，2 本のヌクレオチド鎖は，塩基を内側にして平行に並び，アデニンが　B　と，　C　がシトシンと互いに対になるように結合し，はしご状になり，このはしご状の構造がねじれて二重らせん構造となる。

	A	B	C
1	デオキシリボース	ウラシル	グアニン
2	デオキシリボース	グアニン	チミン
3	デオキシリボース	チミン	グアニン
4	リボース	グアニン	チミン
5	リボース	チミン	ウラシル

解説

ヌクレオチドの糖はデオキシリボースと呼ばれる五炭糖である（A）。また，塩基にはアデニン，チミン，グアニン，シトシンの 4 種類がある（B，C）。DNA では，2 本のヌクレオチド鎖は，塩基を内側にして平行に並び，塩基どうしの間で水素結合により結ばれている。塩基はそれぞれ結合する相手が決まっており，アデニンはチミン（B）と，グアニンはシトシン（C）と，それぞれ結合する。この塩基どうしの結合によって，2 本のヌクレオチド鎖ははしご状になり，このはしご状の構造がねじれて二重らせん構造となる。

　よって，正答は **3** である。

正答　**3**

No. 242 教養試験 **地学** 火山活動と災害 都 令和 **5** 年度

火山活動と災害に関する記述として、最も妥当なのはどれか。

1 火山がある場所はプレート運動に関係し、海嶺・沈み込み帯といった境界部に多いが、ハワイ諸島のようなプレート内部でも火山活動が活発なアスペリティと呼ばれる場所があり、その場所はプレートの動きにあわせて移動する。

2 水蒸気噴火は、マグマからの熱により熱せられた地下水が高温高圧の水蒸気となって噴出する小規模な噴火で、日本では人的被害が発生したことはない。

3 粘性が低い玄武岩質マグマの噴火では、山頂の火口や山腹の割れ目から溶岩が噴出し溶岩流となり、時速100km 以上の高速で流れることもあるため、逃げることは難しい。

4 高温の火砕物が火山ガスとともに山体を流れる火砕流は、流れる速度が遅いため、逃げ場さえあれば歩いて逃げることもできることが多い。

5 都の区域内で住民が居住している火山島のうち、特に活発に活動している伊豆大島と三宅島では、過去の噴火で住民が避難する事態が発生したことがある。

解説

1. 前半の記述は正しい。ハワイ諸島のようなプレート内部でも火山活動が活発な場所があり、マントル深部から高温物質が上昇しマグマの供給源となっている。これをホットスポットという。ホットスポットはプレートの下にほぼ固定され、プレートが動いても移動しない。

2. 水蒸気噴火の仕組みについての記述は正しい。水蒸気噴火は水蒸気爆発と呼ばれることもあり、大規模な例では明治21年の福島県磐梯山の噴火災害（500人以上の死傷者）が知られている。最近では2014年の御嶽山の噴火も水蒸気噴火の例である。

3. 粘性の低い玄武岩質マグマの噴火では、山頂の火口や山腹の割れ目などから大量の溶岩流が流出して穏やかな噴火をし、広大で緩やかな溶岩台地や楯状火山を形成する。この種の噴火での溶岩流は火砕流とは異なり時速100km 以上の高速で流れることはないので、逃げ場さえあれば逃げられる。

4. 火砕流は、高温の火砕物が火山ガスとともに山体を高速で流れ下る現象で、流れる速度が極めて速いため大変危険である。

5. 妥当である。

正答 **5**

物理 化学 生物 地学

太陽系の惑星に関する記述として、**妥当でない**のはどれか。

1 水星は、太陽系最小の惑星で、表面は多くのクレーターに覆われ、大気の成分であるメタンにより青く見え、自転周期が短い。

2 金星は、地球とほぼ同じ大きさで、二酸化炭素を主成分とする厚い大気に覆われ、表面の大気圧は約90気圧と高く、自転の向きが他の惑星と逆である。

3 火星は、直径が地球の半分くらいで、表面は鉄が酸化して赤く見え、二酸化炭素を主成分とする薄い大気があり、季節変化がある。

4 木星は、太陽系最大の惑星で、表面には大気の縞模様や大赤斑と呼ばれる巨大な渦が見られ、イオやエウロパなどの衛星がある。

5 天王星は、土星に比べて大気が少なく、氷成分が多いため、巨大氷惑星と呼ばれ、自転軸がほぼ横倒しになっている。

解説

1. 水星は見た目は月と似ており、クレーターに覆われ、大気はほとんど存在しない。また、自転速度が遅いため、自転周期は長く、昼夜の温度差が極めて大きい（約600℃）。ほかの記述は正しい。

2. 妥当である。金星は二酸化炭素を主成分とする厚い大気に覆われているため、温室効果により表面温度は460℃にも達する。

3. 妥当である。火星の表面には巨大な火山や峡谷、極冠（二酸化炭素の氷）があり、かつて液体の水が存在したと考えられる証拠が多数見つかっている。太陽系最大の火山であるオリンポス山もある。また、2つの衛星（フォボス、ダイモス）を持つ。

4. 妥当である。衛星のイオには火山、エウロパには氷の地殻がある。また、木星は強い磁場を持つため、オーロラが見られる。

5. 妥当である。天王星の大気の主成分は水素・ヘリウムであるが、微量のメタンが含まれているため天王星の表面は青白く見える。自転軸は公転面に横倒しになっている。

正答 **1**

次の文は、地層に関する記述であるが、文中の空所A～Cに該当する語の組合せとして、妥当なのはどれか。

　地層が波状に変形した構造を褶曲といい、波の山の部分を[　　A　　]、波の谷の部分を[　　B　　]という。

　地層には、上の地層は下の地層より新しいという地層累重の法則があり、下から上へ連続的に堆積して形成される重なりの関係を[　　C　　]という。

	A	B	C
1	背斜	向斜	整合
2	向斜	背斜	整合
3	背斜	向斜	断層
4	向斜	背斜	断層
5	生痕	流痕	断層

解説

　褶曲とは、造山運動に伴う大きな力を長期間にわたって受けて、地層の層理面が曲がって波打った構造になったものをいい、地層が褶曲して上に凸になっている波の山に相当する部分を背斜（A）、下に凸になっている波の谷に相当する部分を向斜（B）という。

　地層は、一般に水中で下から順に水平に連続して堆積していくが、このような下から上へと連続的に堆積して形成された地層と地層の関係を整合（C）という。しかし、地殻変動により地層が傾いた場合には、地表に地層が露出して侵食作用を受ける期間が入るため、侵食前に堆積していた地層と後の地層との間に時間的断絶が起こる。このような場合の地層と地層の関係を不整合という。また、地層は下から順に上に重なっていくので、褶曲などの変形による地層の逆転が見られない限り、「上の地層は下の地層より新しい」という地層塁重の法則が成り立つ。

　よって、正答は**1**である。

正答　1

太陽の進化に関する次のA～Dのうち，太陽の現在の進化段階と次の進化段階に分類されるものの組合せとして，妥当なのはどれか。

A　主系列星
B　赤色巨星
C　白色矮星（わい）
D　惑星状星雲

1　A，B
2　A，C
3　B，C
4　B，D
5　C，D

解 説

太陽は，現在の進化段階では，HR図上の主系列星の領域に属している。恒星は一生の大部分を主系列星として過ごすが，主系列星以降の運命はその質量の大きさによって決まる。すなわち，太陽質量の0.5倍以上の恒星は，球核の外側が膨張し始めて表面温度が下がる一方で，表面積が大きくなるため光度を上げて，赤色巨星となる。さらに，太陽と同程度（0.5～数倍）の質量の恒星は，その後，外層部のガスを放出して中心に白色矮星が残り，外層部は惑星状星雲となって宇宙空間に広がっていく。以上のことから，太陽は，［主系列星］→［赤色巨星］→［白色矮星＋惑星状星雲］という進化段階をたどることが予想される。

　よって，正答は**1**である。

正答　**1**

No. 246

教養試験

区

地学　　太陽の表面　　令和4年度

太陽の表面に関する記述として，妥当なのはどれか。

1 可視光線で見ることができる太陽の表面の層を光球といい，光球面の温度は約5800Kである。

2 光球面に見られる黒いしみのようなものを黒点といい，黒点は，周囲より温度が低く，太陽活動の極大期にはほとんど見られない。

3 光球の全面に見られる，太陽内部からのガスの対流による模様を白斑といい，白斑の大きさは約1000kmである。

4 光球の外側にある希薄な大気の層を彩層といい，彩層の一部が突然明るくなる現象をコロナという。

5 彩層の外側に広がる，非常に希薄で非常に高温の大気をプロミネンスといい，プロミネンスの中に浮かぶガスの雲をフレアという。

解説

1. 妥当である。

2. 黒点は，太陽活動の極大期に特に多くなる。そのほかの記述は正しい。

3. 光球の全面に見られる，太陽内部からのガスの対流による模様を粒状斑といい，その大きさ（直径）は約1,000kmである。白斑は，太陽表面の特に明るく見える部分で，周囲より高温であり，黒点の周囲に見られることが多い。

4, 5. 彩層は，光球の表面から針状に噴出した気体が無数に並んだものである。彩層のさらに外側に広がる非常に希薄な大気の層をコロナといい，その温度は100万～200万Kと極めて高温である。彩層からコロナにかけて，細長い雲のようなガス体が浮かぶことがあり，プロミネンス（紅炎）という。フレアは，彩層やコロナの一部が突然高温となって明るく輝く爆発現象で，太陽活動の極大期に頻繁に発生する。フレアの多発は，デリンジャー現象，磁気嵐，オーロラなどを引き起こし，地球にさまざまな影響を及ぼす。

正答 **1**

日本の四季の天気に関する記述として，妥当なのはどれか。

1　冬は，西高東低の気圧配置が現れ，冷たく湿ったオホーツク海高気圧から吹き出す北西の季節風により，日本海側に大雪を降らせる。

2　春は，貿易風の影響を受け，移動性高気圧と熱帯低気圧が日本付近を交互に通過するため，天気が周期的に変化する。

3　梅雨は，北の海上にある冷たく乾燥したシベリア高気圧と，南の海上にある暖かく湿った太平洋高気圧との境界にできる停滞前線により，長期間ぐずついた天気が続く。

4　夏は，南高北低の気圧配置が現れ，日本付近が太平洋高気圧に覆われると，南寄りの季節風が吹き，蒸し暑い晴天が続く。

5　台風は，北太平洋西部の海上で発生した温帯低気圧のうち，最大風速が17.2m/s以上のものをいい，暖かい海から供給された大量の水蒸気をエネルギー源として発達し，等圧線は同心円状で，前線を伴い北上する。

解説

1．冬の北西の季節風は，冷たく湿ったオホーツク海高気圧からではなく，冷たく乾燥したシベリア高気圧から吹き出す。そのほかの記述は正しい。

2．春は，偏西風の影響を受け，移動性高気圧と温帯低気圧が日本付近を交互に通過する。そのほかの記述は正しい。

3．梅雨期の停滞前線（梅雨前線）は，北の海上にある冷たく湿ったオホーツク海高気圧と南の海上にある暖かく湿った太平洋高気圧との境界にできる。そのほかの記述は正しい。

4．妥当である。

5．台風は，北太平洋西部の海上で発生した熱帯低気圧のうち，最大風速が17.2m/s以上のものをいう。熱帯低気圧である台風は，前線を伴わない。台風に関するそのほかの記述は正しい。

正答　**4**

低気圧に関する記述として，妥当なのはどれか。

1 低気圧は，中心付近に比べて周囲が低圧であり，北半球では時計回りに回転する渦であるという性質を持つ。

2 低気圧は温帯低気圧と熱帯低気圧とに大きく分けられ，温帯低気圧は前線を伴うことが多いが，熱帯低気圧は前線を伴わないなどの違いがある。

3 熱帯低気圧のうち，北太平洋西部で発達し，最大風速が33m/s以上に達したものを台風といい，北大西洋で発達したものをサイクロンという。

4 台風のエネルギー源は，暖かい海から蒸発した大量の水蒸気が融解して雲となるときに放出される顕熱である。

5 発達した台風の目の中では，強い上昇気流と，積乱雲群による激しい雨が観測される。

解　説

1. 低気圧は，中心付近に比べて周囲が高圧であり，北半球では反時計回りに回転する渦である。

2. 妥当である。

3. 熱帯低気圧のうち，北太平洋西部で発達し，最大風速が17.2〔m/s〕以上になったものを台風という。この定義は1953年以降用いられている。同じ熱帯低気圧でも北大西洋で発達したものはハリケーン，インド洋で発達したものはサイクロンと呼ばれる。

4. 台風の主要なエネルギー源は，暖かい海から蒸発した大量の水蒸気が凝結して雲粒になるときに放出される潜熱である。「潜熱」は温度変化を伴わないが，「顕熱」は温度変化を伴う。

5. 台風の中心付近では，激しい上昇気流によって厚い積乱雲の壁が形成されているが，中心に近づくほど風速が大きくなり遠心力が増すため，吹き込んだ風は中心近くで上昇してしまい，中心には風の吹き込まない部分ができる。これが台風の目であり，そこでは下降気流が発生し，雲が晴れてほぼ無風状態になる。

正答 **2**

次の文は，宇宙の膨張に関する記述であるが，文中の空所A，Bに該当する語，語句又は人物名の組合せとして，妥当なのはどれか。

　　　　A　　　は銀河を観測し，銀河の後退速度は，その銀河までの　　　B　　　に比例していることを発見した。この関係を　　　A　　　の法則という。

	A	B
1	ケプラー	距離
2	ケプラー	距離の 2 乗
3	ケプラー	距離の 3 乗
4	ハッブル	距離
5	ハッブル	距離の 2 乗

解　説

　ハッブルは，数多くの銀河を観察し，ごく近くの銀河を除く大部分の銀河の光のスペクトルが赤方偏移を示すことを発見した。さらに，ハッブルは，赤方偏移の大きさから銀河の後退速度（銀河の遠ざかる速さ）を計算し，それがその銀河までの距離に比例していることも発見した。これをハッブルの法則という。ハッブルの法則は，銀河系が宇宙の中心にあるのではなく，宇宙全体が膨張していることを示している。

　　よって，正答は**4**である。

［参考］

　光のスペクトルを観察すると，光源が近づくときは本来の色より波長の短い青色側にずれて見え（青方偏移），遠ざかるときは本来の色より波長の長い赤色側にずれて見える（赤方偏移）。この現象は「光のドップラー効果」によるものであり，このときの偏移の大きさから光源の移動速度を計算することができる。

正答　**4**

海洋に関する記述として，妥当なのはどれか。

1 海水の塩類の組成比は，塩化ナトリウム77.9％，硫酸マグネシウム9.6％，塩化マグネシウム6.1％などで，ほぼ一定である。

2 海水温は，鉛直方向で異なり，地域や季節により水温が変化する表層混合層と水温が一定の深層に分けられ，その間には，水温が急激に低下する水温躍層が存在する。

3 一定の向きに流れる水平方向の海水の流れを海流といい，貿易風や偏西風，地球の自転の影響により形成される大きな海流の循環を熱塩循環という。

4 北大西洋のグリーンランド沖と南極海では，水温が低いため，密度の大きい海水が生成され，この海水が海洋の深層にまで沈み込み，表層と深層での大循環を形成することを表層循環という。

5 数年に一度，赤道太平洋のペルー沖で貿易風が弱まって，赤道太平洋西部の表層の暖水が平年よりも東に広がり，海面水温が高くなる現象をラニーニャ現象という。

解 説

1. 海水に含まれる塩類の組成比はどこでもほぼ一定で，割合の多いほうから順に塩化ナトリウム77.9％，塩化マグネシウム9.6％，硫酸マグネシウム6.1％となっている。なお，海水に含まれる塩類の濃度（塩分）は海域や深さによって異なることに注意。

2. 妥当である。

3. 海流は海洋表層の水平循環であり，海水面上を定常的に吹く風（貿易風や偏西風）と転向力（地球の自転によって生ずる）の影響力を受ける。北半球の海洋では，亜熱帯高圧帯を取り巻くように時計回りに流れる海流が見られ，亜熱帯還流という。亜熱帯還流は南半球でも見られるが，転向力の向きが逆になるため，反時計回りの還流になっている。なお，熱塩循環とは，海洋の鉛直循環をいい，海水の温度と塩分の違いによって引き起こされる。

4. 海洋の表層と深層での鉛直方向の大循環は，表層循環ではなく熱塩循環である。

5. この現象は，エルニーニョ現象である。ラニーニャ現象は，エルニーニョ現象とは逆に，赤道太平洋東部の海面水温が広範囲にわたって低下する現象である。

［参考］

エルニーニョ現象とラニーニャ現象は，ペルー周辺だけでなく，地球規模の異常気象と関係が深く，日本付近では，エルニーニョ現象が発生した年は冷夏や暖冬になる傾向がある。反対に，ラニーニャ現象が発生した年は暑い夏や寒い冬になる傾向がある。

正答　**2**

地球の内部構造に関する記述として，妥当なのはどれか。

1 地球の内部構造は，地殻・マントル・核の3つの層に分かれており，表層ほど密度が大きい物質で構成されている。

2 マントルと核の境界は，モホロビチッチ不連続面と呼ばれ，地震学者であるモホロビチッチが地震波の速度が急に変化することから発見した。

3 地殻とマントル最上部は，アセノスフェアという低温でかたい層であり，その下には，リソスフェアという高温でやわらかく流動性の高い層がある。

4 地球の表面を覆うプレートの境界には，拡大する境界，収束する境界，すれ違う境界の3種類があり，拡大する境界はトランスフォーム断層と呼ばれる。

5 地殻は，大陸地殻と海洋地殻に分けられ，大陸地殻の上部は花こう岩質岩石からできており，海洋地殻は玄武岩質岩石からできている。

解説

1. 地球の内部構造は，地殻・マントル・外核・内核の4つの層に分かれており，深層に行くほど密度が増加する。

2. モホロビチッチ不連続面（モホ面）は，ユーゴスラビアの地震学者モホロビチッチによって発見された。モホ面より上部が地殻，下部がマントルである。地震波の速度は，モホ面で急に変化する。

3. 地殻とマントル最上部は，リソスフェアという低温で硬い層であり，その下にアセノスフェアという高温で軟らかく流動性の高い層がある。リソスフェアはいくつかのプレートに分かれていて，アセノスフェアの上をそれぞれ別々の方向に移動している。

4. プレートの境界には，拡大（発散）する境界，収束する境界，すれ違う境界の3種類があるが，すれ違う境界はトランスフォーム断層と呼ばれる。トランスフォーム断層の例としては，北アメリカ西岸にほぼ平行して走るサンアンドレアス断層が有名である。

5. 妥当である。大陸地殻の上層部は花こう岩質岩石からできているが，下層部は玄武岩質岩石からできている。

正答 **5**

教養試験

都

No. 252 地学 岩 石 令和 元年度

地球の岩石に関する記述として，妥当なのはどれか。

1 深成岩は，斑晶と細粒の石基からなる斑状組織を示し，代表的なものとして玄武岩や花こう岩がある。

2 火山岩の等粒状組織は，地表付近でマグマが急速に冷却され，鉱物が十分に成長することでできる。

3 火成岩は，二酸化ケイ素（SiO_2）の量によって，その多いものから順に酸性岩，中性岩，塩基性岩，超塩基性岩に区分されている。

4 火成岩の中で造岩鉱物の占める体積パーセントを色指数といい，色指数の高い岩石ほど白っぽい色調をしている。

5 続成作用は，堆積岩や火成岩が高い温度や圧力に長くおかれることで，鉱物の化学組成や結晶構造が変わり，別の鉱物に変化することである。

解 説

1. 深成岩はマグマが地下深部でゆっくり冷え固まった岩石で，ほぼ等しい大きさの結晶粒子からなる等粒状組織を示す。また，花こう岩は深成岩に分類されるが，玄武岩は火山岩に分類される。

2. マグマが地表付近で急速に冷却されると，鉱物の結晶が十分に成長する時間がないため，斑晶と石基からなる斑状組織を示す火山岩になる。

3. 妥当である。

4. 火成岩の中で有色鉱物の占める体積パーセントを色指数という。色指数の高い岩石ほど黒っぽい色調をしている。

5. 堆積岩や火成岩が高い温度や圧力に長く置かれることで，鉱物の化学組成や結晶構造が変わって，別の鉱物に変化することがある。このような作用を変成作用といい，こうしてできた岩石を変成岩という。なお，続成作用とは，堆積物を固結させ堆積岩に変化させる作用をいう。

正答 **3**

東京都・特別区[I類] 専門試験

過去問&解説 No.253〜No.364

東京都・特別区

専門試験

No. **253**

憲法 **プライバシーの権利** 令和 **5年度**

区

日本国憲法におけるプライバシーの権利に関する記述として、最高裁判所の判例に照らして、妥当なのはどれか。

1 何人も、その承諾なしに、みだりにその容貌・姿態を撮影されない自由を有するので、警察官による個人の容貌・姿態の写真撮影が、現に犯罪が行われ、又は、行われたのち間がないと認められる場合で、証拠保全の必要性及び緊急性があり、一般的に許容される限度を超えない相当な方法で行われるとしても、本人の同意がなく、また裁判官の令状がないときは許されないとした。

2 大学が講演会の主催者として参加者を募る際に収集した参加申込者の学籍番号、氏名、住所及び電話番号は、大学が個人識別等を行うための単純な情報であって、その性質上、他者に知られたくないと感じる程度が低いものであるため、大学がこれらの個人情報を参加申込者に無断で警察に開示したとしても、プライバシーの侵害には当たらないとした。

3 児童買春の被疑事実に基づき逮捕されたという事実は、他人にみだりに知られたくないプライバシーに属する事実であり、当該事実を公表されない法的利益は、当該事実が掲載されたURL等情報を検索結果として提供する理由に関する諸事情と比較衡量して、優越することが明らかであり、検索事業者に対し、当該URL等情報を検索結果から削除することを求めることができるとした。

4 作中人物と容易に同定可能な小説のモデルにされた者が、公共の利益にかかわらないその者のプライバシーにわたる事項を表現内容に含む小説を承諾なく公表されたことは、公的立場にないその者の名誉、プライバシー、名誉感情が侵害され、小説の出版等により重大で回復困難な損害を被るおそれがあるというべきであり、小説の出版の差止めは認められるとした。

5 行政機関が住民基本台帳ネットワークシステムにより住民の本人確認情報を管理、利用等する行為は、個人に関する情報をみだりに第三者に開示又は公表するものではないが、当該個人がこれに同意していなければ、自己のプライバシーにかかわる情報の取扱いについて自己決定する権利ないし利益を違法に侵害するものであるとした。

解説

1. 判例は、何人も、その承諾なしに、みだりにその容貌・姿態を撮影されない自由を有するが、警察官による個人の容貌・姿態の写真撮影が、現に犯罪が行われ、または、行われたのち間がないと認められる場合で、証拠保全の必要性および緊急性があり、一般的に許容される限度を超えない相当な方法で行われるときは、本人の同意がなく、また裁判官の令状がないときにも許されるとした（最大判昭44・12・24）。

2. 判例は、大学が講演会の主催者として参加者を募る際に収集した参加申込者の学籍番号、氏名、住所および電話番号は、大学で個人識別等を行うための単純な情報であって、秘匿されるべき必要性が必ずしも高いものではないが、本人が、自己が欲しない他者にはみだりにこれを開示されたくないと考えることは自然なことであり、そのことへの期待は保護されるべきものであるから、プライバシーに係る情報として法的保護の対象となり、本人の意思に基づかずにみだりにこれを他者に開示することは許されず、無断でそれらの個人情報を警察に開示した大学の行為は、プライバシーの侵害に当たるとした（最判平15・9・12）。

3. 判例は、児童買春をしたとの被疑事実に基づき逮捕されたという事実は、他人にみだりに知られたくないプライバシーに属する事実ではあるが、児童買春が児童に対する性的搾取および性的虐待と位置づけられており、社会的に強い非難の対象とされ、罰則をもって禁止されていることに照らし、今なお公共の利害に関する事項であり、当該事実を公表されない法的利益が優越することが明らかであるとはいえないことから、原告は、検索事業者に対し、当該事実が含まれた URL 等情報を検索結果から削除することを認めることはできないとした（最決平29・1・31）。

4. 妥当である（最判平14・9・24）。

5. 判例は、行政機関が住民基本台帳ネットワークシステムにより住民の本人確認情報を管理、利用等する行為は、個人に関する情報をみだりに第三者に開示または公表するものということはできず、当該個人がこれに同意していないとしても、自己のプライバシーにかかわる情報の取扱いについて自己決定する権利ないし利益を違法に侵害するものではないとした（最判平20・3・6）。

正答 **4**

東京都・特別区

専門試験

No.
254

憲法

区

人身の自由

令和 **5** 年度

日本国憲法に規定する人身の自由に関する記述として、妥当なのはどれか。

1 何人も、現行犯として逮捕される場合を含めて、権限を有する司法官憲が発し、かつ、理由となる犯罪を明示する令状によらなければ逮捕されず、また、裁判所において裁判を受ける権利を奪われない。

2 何人も、理由を直ちに告げられ、かつ、直ちに弁護人に依頼する権利を与えられなければ、抑留又は拘禁されず、また、正当な理由がなければ、拘禁されず、要求があれば、その理由は直ちに本人及びその弁護人の出席する公開の法廷で示されなければならない。

3 最高裁判所の判例では、弁護人に依頼する権利は、被告人が自ら行使すべきものであり、裁判所は、被告人がこの権利を行使する機会を与え、その行使を妨げないというだけでは足りず、弁護人に依頼する方法、費用等について被告人に告げる義務を負うものであるとした。

4 最高裁判所の判例では、捜索及び差押えが、被疑者の緊急逮捕に先行することは、時間的に接着し、場所的にも逮捕現場と同一であるとしても許容されず、違憲であるとした。

5 最高裁判所の判例では、捜索する場所及び押収する物を明示し、かつ、正当な理由に基づいて発せられたことを明示して記載した令状がなければ、何人も、その住居、書類及び所持品について、侵入、捜索及び押収を受けることのない権利について、いずれの明示も憲法の要求するものであるとした。

解説

1. 前半が誤り。何人も、現行犯として逮捕される場合を除いては、権限を有する司法官憲が発し、かつ、理由となる犯罪を明示する令状によらなければ逮捕されない（憲法33条）。後半は正しい（同32条）。

2. 妥当である（憲法34条）。

3. 最高裁判所の判例では、弁護人に依頼する権利は、被告人が自ら行使すべきものであり、裁判所は、被告人がこの権利を行使する機会を与え、その行使を妨げなければよいのであって、弁護人に依頼する方法、費用等について被告人に告げる義務を負うものではないとした（最大判昭24・11・30）。

4. 最高裁判所の判例では、捜索および差押えが、被疑者の緊急逮捕に先行することは、時間的に接着し、場所的にも逮捕現場と同一で、その対象が緊急逮捕する場合の必要の限度内のものであれば、違憲とする理由はないとした（最大判昭36・6・7）。

5. 最高裁判所の判例では、憲法35条1項は、捜索する場所および押収する物を明示することを要求するにとどまり、その令状が正当な理由に基づいて発せられたことを明示することまで要求しているものではなく、この点の明示は憲法の要求するところではなく、刑事訴訟法に委ねられているとした（最大決昭33・7・29）。

正答 **2**

東京都・特別区

No.
255

専門試験

憲法

国会議員の特権

区

令和 5 年度

憲法

行政法

民法

経済原論

財政学

日本国憲法に規定する国会議員の特権に関する記述として、通説に照らして、妥当なのはどれか。

1 国会議員は、院内における現行犯罪の場合を除いては、国会の会期中、その議員の属する議院の許諾がなければ逮捕されない。

2 国会閉会中の委員会における継続審査は、国会の会期に含まれるため、継続審査中の委員会の委員には、不逮捕特権が認められる。

3 参議院の緊急集会前に逮捕された参議院議員は、参議院の要求があれば、緊急集会中、釈放しなければならない。

4 国会議員の免責特権の対象となる行為は、院内で行った演説、討論又は表決に限られるため、地方公聴会で行った発言について免責されることはない。

5 国会の議席を有しない国務大臣が行った発言については、国会議員と同様に、免責特権が及ぶ。

解 説

1. 両議院の議員は、法律の定める場合を除いては、国会の会期中逮捕されない（憲法50条前段）。そして、国会法33条は、各議院の議員は、「院外」における現行犯罪の場合を除いては、会期中その院の許諾がなければ逮捕されない、と規定している。

2. 不逮捕特権は、国会の会期中の特権であるが、国会閉会中の委員会における継続審査は、国会の会期に含まれないため、継続審査中の委員会の委員には、不逮捕特権が認められない。

3. 妥当である（国会法100条 4 項）。

4. 両議院の議員は、議院で行った演説、討論または表決について、院外で責任を問われない（憲法51条）。「議院で行った」とは、議員が議院の活動として職務上行ったことをいうから、地方公聴会で行った発言についても免責されうる。

5. 免責特権は、国会議員の特権であるから、国会の議席を有しない国務大臣が行った発言については、免責特権が及ばない。

正答 **3**

専門試験

No. 256 憲法 国会、議院の権能 令和5年度 区

日本国憲法に規定する国会又は議院の権能に関する記述として、通説に照らして、妥当なのはどれか。

1 両議院は、各々その役員を選任するが、議院の役員は、議長、副議長、仮議長及び事務総長に限られる。

2 内閣が条約の締結について国会に事前承認を求めた場合に、承認が得られないときであっても、条約は有効に成立する。

3 皇室が財産を譲り渡す場合は、国会の議決に基づかなければならないが、皇室が財産を譲り受ける場合は、国会の議決を経る必要は一切ない。

4 国会は、内閣が提出する国の収入支出の決算を審査し、議決するが、当該決算を否決した場合、既になされた支出の法的効果に影響を及ぼす。

5 憲法の改正は、各議院の総議員の3分の2以上の賛成で国会が発議をするが、この発議とは、国民投票に付す憲法改正案を国会が決定することをいう。

解説

1. 両議院は、おのおのその役員を選任する（憲法58条1項）が、議院の役員は、議長、副議長、仮議長、「常任委員長」および事務総長である（国会法16条）。

2. 内閣が条約の締結について国会に事前承認を求めた場合（憲法73条3号但書）に、承認が得られないときには、条約は有効に成立しない。

3. 皇室に財産を譲り渡し、または皇室が財産を譲り受けることは、国会の議決に基づかなければならない（憲法8条）。

4. 前半は正しい（憲法90条1項参照）が、後半が誤り。国会が当該決算を否決した場合でも、すでになされた支出の法的効果に影響を及ぼさない。

5. 妥当である（憲法96条1項前段）。

正答 **5**

専門試験

No. 257 憲法 裁判の公開 区 令和 5 年度

日本国憲法に規定する裁判の公開に関する記述として、妥当なのはどれか。

1 裁判の公開とは、広く国民一般に審判を公開し、その傍聴を認めることであり、裁判についての報道の自由を含むが、民事訴訟では、裁判長の許可を得なければ、法廷における速記をすることができない。

2 出版に関する犯罪の対審は、裁判所が、裁判官の全員一致で、公の秩序又は善良の風俗を害するおそれがあると決したときには、公開しないでこれを行うことができる。

3 最高裁判所の判例では、憲法は、裁判を一般に公開して裁判が公正に行われることを、制度として保障するものであり、各人が裁判所に対して傍聴することを権利として要求できることを認めたものであるとした。

4 最高裁判所の判例では、刑事訴訟における証人尋問が行われる場合に、傍聴人と証人との間で遮へい措置を採り、あるいはビデオリンク方式によることは、審理が公開されているとはいえず、憲法に違反するとした。

5 最高裁判所の判例では、裁判官に対する懲戒は、一般の公務員に対する懲戒と同様、裁判官に対する行政処分であるが、裁判所が裁判という形式をもってするため、懲戒の裁判を非公開の手続で行うことは、憲法に違反するとした。

解説

1. 妥当である。裁判の公開は憲法82条1項に定められており、報道の自由を含むが、民事訴訟では法廷における写真の撮影、速記、録音、録画または放送は、裁判長の許可を得なければできないとされており（民事訴訟規則77条）、判例も、このような制約は、法廷の秩序維持と被告人等の利益保護のために必要なものであり、合憲とする（最大判昭33・2・17）。

2. 裁判所が、裁判官の全員一致で、公の秩序または善良の風俗を害するおそれがあると決した場合には、対審は、公開しないでこれを行うことができる。ただし、政治犯罪、出版に関する犯罪または憲法第3章で保障する国民の権利が問題となっている事件の対審は、常にこれを公開しなければならない（憲法82条2項）。

3. 最高裁判所の判例では、憲法は、裁判を一般に公開して裁判が公正に行われることを制度として保障するが、各人が裁判所に対して傍聴することを権利として要求できることまでを認めたものでないとした（最大判平元・3・8）。

4. 最高裁判所の判例では、刑事訴訟における証人尋問が行われる場合に、傍聴人と証人との間で遮へい措置を採り、あるいはビデオリンク方式によることも、審理が公開されていることに変わりはないから、憲法に違反しないとした（最判平17・4・14）。

5. 最高裁判所の判例では、裁判官に懲戒を課する作用は固有の意味における司法権の作用ではなく、純然たる訴訟事件の裁判に当たらないことは明らかであるうえ、懲戒を行う裁判所は申立てを端緒として職権で事実を探知し、証拠調べを行って自ら処分するのであって訴訟事件とはまったく構造を異にするため、分限事件については憲法82条1項の適用はないとした（最大決平10・12・1）。したがって、裁判官に対する懲戒の裁判を非公開の手続で行うことは、憲法に違反しない。

正答 **1**

日本国憲法に規定する職業選択の自由についての最高裁判所の判例に関する記述として，妥当なのはどれか。

1 酒税法が酒類販売業について免許制を採用したことは，酒税の適正かつ確実な賦課徴収を図るという国家の財政目的のために，その必要性と合理性があったというべきであるが，社会経済状態にも大きな変動があった今日においては，このような制度をなお維持すべき必要性と合理性があるとはいえず，憲法に違反するとした。

2 京都府風俗案内所の規制に関する条例が，青少年が多く利用する施設又は周辺の環境に特に配慮が必要とされる施設の敷地から一定の範囲内における風俗案内所の営業を禁止し，これを刑罰をもって担保するといった強力な職業の自由の制限措置をとることは，目的と手段の均衡を著しく失するものであって，合理的な裁量の範囲を超え，憲法に違反するとした。

3 薬事法の薬局の開設等の許可における適正配置規制は，実質的には職業選択の自由に対する大きな制約的効果を有するものであり，設置場所の制限が存在しない場合に一部地域において業者間に過当競争が生じ，不良医薬品の供給の危険が発生する可能性があるとすることは，単なる観念上の想定にすぎず，必要かつ合理的な規制とはいえないため，憲法に違反するとした。

4 司法書士及び公共嘱託登記司法書士協会以外の者が，他人の嘱託を受けて，登記に関する手続について代理する業務及び登記申請書類を作成する業務を行うことを禁止し，これに違反した者を処罰することにした司法書士法の規定は，登記制度が国民の社会生活上の利益に重大な影響を及ぼすものであることに鑑み，公共の福祉に合致しない不合理なものとして，憲法に違反するとした。

5 小売商業調整特別措置法が小売市場を許可規制の対象としているのは，国が社会経済の調和的発展を企図するという観点から中小企業保護政策の一方策としてとった措置ということができるが，その規制の手段・態様において，著しく不合理であることが明白であると認められることから，憲法に違反するとした。

解説

1. 酒税の適正かつ確実な賦課徴収を図るという国家の財政目的のために，酒税法が酒類販売業について免許制を採用したことは，当初は必要性と合理性があったというべきであり，また，その後の社会状況の変化と租税法体系の変遷により，酒税の国税全体に占める割合等が相対的に低下するに至った本件処分当時の時点においてもなお，酒類販売業の免許制度を存置しておくことに必要性と合理性があるとした立法府の判断が，政策的，技術的な裁量の範囲を逸脱するもので，著しく不合理であるとまでは断定し難く，憲法22条1項に違反するということはできないとした（最判平4・12・15）。

2. 京都府風俗案内所の規制に関する条例が，青少年が多く利用する施設または周辺の環境に特に配慮が必要とされる施設の敷地から一定の範囲内における風俗案内所の営業を禁止し，これを刑罰をもって担保するといった職業の自由の制限措置をとることは，必要性，合理性があるということができ，憲法22条1項に違反するものでないとした（最判平28・12・15）。

3. 妥当である。薬局距離制限事件の判例である（最大判昭50・4・30）。

4. 司法書士および公共嘱託登記司法書士協会以外の者が，他人の嘱託を受けて，登記に関する手続について代理する業務および登記申請書類を作成する業務を行うことを禁止し，これに違反した者を処罰することにした司法書士法の規定は，登記制度が国民の社会生活上の利益に重大な影響を及ぼすものであることに鑑み，公共の福祉に合致した合理的なものであり，憲法22条1項に違反するものでないとした（最判平12・2・8）。

5. 小売市場の許可規制は，国が社会経済の調和的発展を企図するという観点から中小企業保護政策の一方策としてとった措置ということができ，その目的において，一応の合理性を認めることができないわけではなく，また，その規制の手段，態様においても，それが著しく不合理であることが明白であるとは認められないから，憲法22条1項に違反するものでないとした（最大判昭47・11・22）。

正答 **3**

日本国憲法に規定する生存権に関する記述として，妥当なのはどれか。

1 生存権には，国民各自が自らの手で健康で文化的な最低限度の生活を維持する自由を有し，国家はそれを阻害してはならないという社会権的側面と，国家に対してそのような営みの実現を求める自由権的側面がある。

2 プログラム規定説によれば，生存権実現のための法律の不存在そのものが，生存権という個別具体的な国民の権利を侵害していると主張することが可能であり，立法の不作為自体を訴訟で争うことが可能である。

3 最高裁判所の判例は，一貫して具体的権利説を採用し，すべての国民が健康で文化的な最低限度の生活を営み得るよう国政を運営すべきことを国家の責務とする生存権の規定により直接に，個々の国民は，国家に対して具体的，現実的な権利を有するものであるとしている。

4 最高裁判所の判例では，限られた財源の下で福祉的給付を行う場合であっても，自国民を在留外国人より優先的に扱うことは，許されるべきことではないと解され，障害福祉年金の支給対象者から在留外国人を除外することは，憲法に違反するとした。

5 最高裁判所の判例では，健康で文化的な最低限度の生活の内容について，どのような立法措置を講ずるかの選択決定は，立法府の広い裁量にゆだねられており，それが著しく合理性を欠き明らかに裁量の逸脱濫用と見ざるをえないような場合を除き，裁判所が審査判断するのに適しない事柄であるとした。

解説

1. 自由権的側面と社会権的側面の説明が逆である。

2. 本肢の説明は，プログラム規定説ではなく，具体的権利説である。プログラム規定説は，生存権規定は，国に政治的，道義的義務を課したにとどまり，個々の国民に具体的，現実的権利を保障したものではないとする。

3. 最高裁判所の判例は，具体的権利説を採用していない。憲法25条1項は，すべての国民が健康で文化的な最低限度の生活を営み得るように国政を運営すべきことを国の責務として宣言したにとどまり，直接個々の国民に対して具体的権利を賦与したものではなく，具体的権利としては，憲法の規定の趣旨を実現するために制定された生活保護法などによって，はじめて与えられているというべきであるとした（最大判昭42・5・24）。

4. 最高裁判所の判例では，限られた財源の下で福祉的給付を行う場合に，自国民を在留外国人より優先的に扱うことは，許されるべきことであると解され，障害福祉年金の支給対象者から在留外国人を除外することは，憲法に違反しないとした（最判平元・3・2）。

5. 妥当である。堀木訴訟の判例である（最大判昭57・7・7）。

正答　**5**

東京都・特別区

No. **260** 専門試験

憲法　　内　閣　　令和 **4** 年度

区

憲法

行政法

民法

経済原論

財政学

日本国憲法に規定する内閣に関する記述として，妥当なのはどれか。

1　内閣は，国会の承認を経ずに，既存の条約を執行するための細部の取決めや条約の委任に基づいて具体的個別的問題についてなされる取決めを締結することができる。

2　内閣は，日本国憲法及び法律の規定を実施するために，政令を制定することができるほか，国に緊急の必要があるときには，法律の根拠をもたない独立命令を制定することができる。

3　内閣は，自発的に総辞職することができるが，内閣総理大臣が病気又は生死不明の場合には，総辞職しなければならず，この場合，総辞職した内閣は，新たに内閣総理大臣が任命されるまで，引き続きその職務を行う。

4　内閣は，行政権の行使について，国会に対し連帯して責任を負うため，特定の国務大臣が，個人的理由に基づき，又はその所管事項について，個別責任を負うことは，憲法上否定される。

5　内閣は，予備費の支出について，事後に国会の承諾を得なければならないが，承諾を得られない場合には，内閣の責任は解除されないため，既になされた予備費の支出の法的効果に影響を及ぼす。

解説

1．妥当である。内閣は，条約を締結することができるが，国会の承認を経ることを必要とする（憲法73条3号）。ここでいう条約には，既存の条約を執行するための細部の取決めや条約の委任に基づいて具体的個別的問題についてなされる取決めは含まれない。

2．内閣は，日本国憲法および法律の規定を実施するために，政令を制定することができる（憲法73条6号）が，国会が，「国の唯一の立法機関」（憲法41条）とされていることから（国会中心立法の原則），国に緊急の必要があるときでも，法律の根拠をもたない独立命令を制定することはできない。

3．内閣は，自発的に総辞職することができる。また，内閣総理大臣が欠けたときは，内閣は総辞職をしなければならない（憲法70条）が，この内閣総理大臣が欠けたときには，内閣総理大臣が病気または生死不明の場合は含まれない。病気などの暫定的な故障の場合は，「事故のあるとき」として，副総理などが臨時に職務を代行する（内閣法9条）。なお，総辞職した内閣は，新たに内閣総理大臣が任命されるまで，引き続きその職務を行う（憲法71条）。

4．内閣は，行政権の行使について，国会に対し連帯して責任を負う（憲法66条3項）が，特定の国務大臣が，個人的理由に基づき，またはその所管事項について，個別責任を負うことも，憲法上否定されない。

5．内閣は，予備費の支出について，事後に国会の承諾を得なければならない（憲法87条2項）が，承諾を得られない場合でも，すでになされた予備費の支出の法的効果には影響を及ぼさない。

正答　**1**

東京都・特別区

No. 261 専門試験 憲法 **裁判官** 区 令和 **4**年度

日本国憲法に規定する裁判官に関する記述として，妥当なのはどれか。

1 最高裁判所の裁判官の任命は，任命後10年を経過した後初めて行われる衆議院議員総選挙の際に，最初の国民審査に付し，その後10年を経過した後初めて行われる衆議院議員総選挙の際，更に審査に付し，その後も同様とする。

2 公の弾劾により裁判官を罷免するのは，職務上の義務に著しく違反し，若しくは職務を甚だしく怠ったとき又は職務の内外を問わず，裁判官としての威信を著しく失うべき非行があったときに限られる。

3 すべて裁判官は，独立してその職権を行うこととされているが，上級裁判所は，監督権により下級裁判所の裁判官の裁判権に影響を及ぼすことができる。

4 最高裁判所の長たる裁判官は，国会の指名に基づいて，天皇が任命し，最高裁判所の長たる裁判官以外の裁判官は，内閣が任命する。

5 裁判官は，監督権を行う裁判所の長たる裁判官により，心身の故障のために職務を執ることができないと決定されたときは，分限裁判によらず罷免される。

解説

1．最高裁判所の裁判官の任命は，「その任命後」初めて行われる衆議院議員総選挙の際に，最初の国民審査に付し，その後10年を経過した後初めて行われる衆議院議員総選挙の際，さらに審査に付し，その後も同様とする（憲法79条2項）。

2．妥当である（憲法78条前段，裁判官弾劾法2条各号）。

3．すべて裁判官は，独立してその職権を行うこととされている（憲法76条3項）ので，上級裁判所は，監督権により下級裁判所の裁判官の裁判権に影響を及ぼすことができない。

4．最高裁判所の長たる裁判官は，「内閣」の指名に基づいて，天皇が任命し（憲法6条2項），最高裁判所の長たる裁判官以外の裁判官は，内閣が任命する（同79条1項）。

5．裁判官は，分限裁判により，心身の故障のために職務を執ることができないと決定された場合に罷免される（憲法78条前段）。なお，分限事件は，高等裁判所においては，5人の裁判官の合議体で，最高裁判所においては，大法廷で，これを取り扱う（裁判官分限法4条）。

正答 **2**

日本国憲法に規定する条例又は特別法に関する記述として，判例，通説に照らして，妥当なのはどれか。

1 　地方公共団体は，法律の範囲内で条例を制定することができるが，この条例には，議会が制定する条例のみならず，長が制定する規則も含まれる。

2 　地方公共団体は，法律の範囲内で条例を制定することができるが，法律で定める規制基準より厳しい基準を定める条例は一切認められない。

3 　財産権の内容については，法律によってのみ制約可能であり，条例による財産権の制限は認められない。

4 　最高裁判所の判例では，大阪市売春取締条例事件において，条例によって刑罰を定める場合，法律の授権が相当な程度に具体的で，限定されていれば足りると解するのは正当でなく，必ず個別的・具体的委任を要するものとした。

5 　一の地方公共団体のみに適用される特別法は，法律の定めるところにより，特別の国民投票においてその過半数の同意を得なければ，制定することができない。

解説

1．妥当である。憲法94条にいう「条例」には，議会が制定する条例のみならず，長や委員会が制定する規則も含まれると一般には解されている。

2．法律で定める規制基準より厳しい基準を定める条例も認められうる（徳島市公安条例事件：最大判昭50・9・10参照）。

3．財産権の内容については，法律によってのみ制約可能なわけではなく，条例による財産権の制限も認められうる（奈良県ため池条例事件：最大判昭38・6・26参照）。

4．最高裁判所の判例では，大阪市売春取締条例事件（最大判昭37・5・30）において，条例によって刑罰を定める場合，法律の授権が相当な程度に具体的で，限定されていれば足りるとした。

5．一の地方公共団体のみに適用される特別法は，法律の定めるところにより，特別の国民投票ではなく「その地方公共団体の住民の投票」においてその過半数の同意を得なければ，国会は，制定することができない（憲法95条）。

正答　**1**

No. 263 行政法 行政計画

区 | 令和 5 年度

行政法学上の行政計画に関する記述として、妥当なのはどれか。

1 行政計画は、目標を設定し、その目標を達成するための手段を総合的に提示する条件プログラムである。

2 行政計画の策定には、必ず法律の根拠が必要であり、根拠法に計画の目標や策定の際に考慮すべき要素が規定される。

3 法的拘束力を持つ行政計画を拘束的計画といい、例として、土地区画整理法に基づく土地区画整理事業計画がある。

4 最高裁判所の判例では、都市計画区域内において工業地域を指定する決定は、当該地域内の土地所有者等に建築基準法上新たな制約を課すものであり、直ちに当該地域内の個人に対する具体的な権利侵害を伴う処分があったものとして、抗告訴訟の対象となるとした。

5 最高裁判所の判例では、都市計画法の基準に従って都市施設の規模、配置等に関する事項を定めるに当たっては、当該都市施設に関する諸般の事情を総合的に考慮して判断することが不可欠であるが、これを決定する行政庁の広範な裁量に委ねられるものではないとした。

解説

1. 行政基準（法規命令・行政規制）が、「Aの条件が満たされればBを行う」という条件プログラムであるのに対し、行政計画は、計画の目的・目標を示す目的プログラムであると解されている。

2. 行政計画の策定には、必ずしも法律の根拠は必要ではない。なお、一般に、私人に対し法的拘束力を持つ計画（拘束的計画）の策定については法律の根拠が必要であると解されている。

3. 妥当である。土地区画整理事業計画の施行地区内の宅地所有者等は、事業計画の決定がされることによって、換地処分を受けるべき地位に立たされ、その法的地位に直接的な影響が生ずることから、土地区画整理法に基づく土地区画整理事業計画は、拘束的計画である（最大判平20・9・10参照）。

4. 最高裁判所の判例では、都市計画区域内において工業地域を指定する決定は、当該地域内の土地所有者等に建築基準法上新たな制約を課し、その限度で一定の法状態の変動を生ぜしめるものではあるが、その効果は、そのような制約を課する法令が制定された場合と同様の当該地域内の不特定多数の者に対する一般的抽象的なそれにすぎないから、直ちに当該地域内の個人に対する具体的な権利侵害を伴う処分があったものとすることはできず、抗告訴訟の対象とならないとした（最判昭57・4・22）。

5. 最高裁判所の判例では、都市計画法の基準に従って都市施設の規模、配置等に関する事項を定めるに当たっては、当該都市施設に関する諸般の事情を総合的に考慮して判断することが不可欠であり、これを決定する行政庁の広範な裁量に委ねられているとした（最判平18・11・2）。

正答 **3**

No. 264 行政法　行政行為の効力　令和5年度

行政法学上の行政行為の効力に関する記述として、通説に照らして、妥当なのはどれか。

1 行政行為の拘束力とは、一度行った行政行為について、処分庁は自ら変更できないという効力をいい、審査請求に対する裁決等の争訟裁断的性質をもつ行政行為に認められる。

2 行政行為の自力執行力とは、行政行為の内容を行政が自力で実現することができるという効力をいい、私人が行政の命令に従わない場合において、行政は強制執行を根拠付ける法律を必要とせず、命令を根拠付ける法律により行政行為の内容を実現することができる。

3 行政行為の不可争力とは、一定期間を経過すると、私人から行政行為の効力を争うことができなくなるという効力をいい、不服申立期間又は出訴期間の限定による結果として認められるものであるが、これらの期間経過後に行政庁が職権により行政行為を取り消すことは可能である。

4 行政行為の実質的確定力とは、行政行為がたとえ違法であっても、無効と認められる場合でない限り、一定の手続を経るまでは有効なものとして扱われるという効力をいい、違法な行政行為が取消権限のある機関によって取り消されるまでは、何人もその効力を否定できない。

5 行政行為の形式的確定力とは、行政行為の内容が、以後、当該法律関係の基準となり、処分庁だけでなく上級庁も矛盾した判断をなし得ないという効力をいい、裁判所に対しても生じる。

解説

1. 一度行った行政行為について、処分庁は自ら変更できないという効力を、行政行為の不可変更力という。不可変更力は、審査請求に対する裁決等の争訟裁断的性質を持つ行政行為に認められる。

2. 前半は正しいが、後半が誤り。私人が行政の命令に従わない場合において、行政行為の内容を実現するためには、強制執行を根拠づける法律（行政代執行法など）を必要とする。命令を根拠づける法律により行政行為の内容を実現することはできない。

3. 妥当である。不服申立期間につき行政不服審査法18条、出訴期間につき行政事件訴訟法14条参照。

4. 行政行為がたとえ違法であっても、無効と認められる場合でない限り、一定の手続を経るまでは有効なものとして扱われるという効力を、行政行為の公定力という。行政行為の公定力により、違法な行政行為が取消権限のある機関によって取り消されるまでは、何人もその効力を否定できない。

5. 行政行為の内容が、以後、当該法律関係の基準となり、処分庁だけでなく上級庁も矛盾した判断をなしえないという効力を、行政行為の実質的確定力という。実質的確定力は、裁判所に対しても効力を生じると解されている。

正答 **3**

専門試験

区

No. 265 行政法 行政文書の開示 令和5年度

行政機関の保有する情報の公開に関する法律（情報公開法）における行政文書の開示に関する記述として、妥当なのはどれか。

1 開示請求の対象となる行政文書とは、行政機関の職員が職務上作成した文書であって、当該行政機関の職員が組織的に用いるものとして、当該行政機関が保有しているものであり、決裁、供覧の手続をとっていない文書は含まない。

2 行政文書の開示請求をすることができる者は、日本国民に限られないが、日本での居住が要件とされているため、外国に居住する外国人は、行政文書の開示請求をすることができない。

3 行政文書の開示請求をする者は、氏名、住所、行政文書の名称その他の開示請求に係る行政文書を特定するに足りる事項及び請求の目的を記載した開示請求書を、行政機関の長に提出しなければならない。

4 行政機関の長は、開示請求に係る行政文書に不開示情報が記録されている場合には、公益上特に必要があると認めるときであっても、開示請求者に対し、当該行政文書を開示することは一切できない。

5 行政機関の長は、開示請求に対し、当該開示請求に係る行政文書が存在しているか否かを答えるだけで、不開示情報を開示することとなるときは、当該行政文書の存否を明らかにしないで、当該開示請求を拒否することができる。

解説

1. 行政文書とは、行政機関の職員が職務上作成し、または取得した文書、図画および電磁的記録であって、当該行政機関の職員が組織的に用いるものとして、当該行政機関が保有しているものをいい（情報公開法2条2項柱書本文）、決裁、供覧の手続をとっていない文書も含まれる。

2. 何人も、情報公開法の定めるところにより、行政機関の長に対し、当該行政機関の保有する行政文書の開示を請求することができる（情報公開法3条）。行政文書の開示請求をすることができる者は、日本国民に限られず、日本での居住が要件とされていないため、外国に居住する外国人も、行政文書の開示請求をすることができる。

3. 開示請求は、①開示請求をする者の氏名または名称および住所または居所ならびに法人その他の団体にあっては代表者の氏名、②行政文書の名称その他の開示請求に係る行政文書を特定するに足りる事項を記載した開示請求書を行政機関の長に提出してしなければならない（情報公開法4条1項）。請求の目的の記載は要求されていない。

4. 行政機関の長は、開示請求に係る行政文書に不開示情報が記録されている場合であっても、公益上特に必要があると認めるときは、開示請求者に対し、当該行政文書を開示することができる（情報公開法7条）。

5. 妥当である（情報公開法8条）。

正答 **5**

東京都・特別区

No.
266
専門試験
行政法

区

審査請求

令和 5 年度

憲法 行政法 民法 経済原論 財政学

行政不服審査法に規定する審査請求に関する記述として、妥当なのはどれか。

1 不作為についての審査請求は、当該不作為に係る処分についての申請の日の翌日から起算して 3 月を経過したときは、正当な理由があるときを除き、することができない。

2 審査請求は、口頭でできる旨の定めがある場合を除き、審査請求書を提出してしなければならず、審査請求をすべき行政庁が処分庁と異なる場合、審査請求人は、必ず処分庁を経由して審査請求書を提出しなければならない。

3 審理員は、審理手続を計画的に遂行する必要がある場合に、審理関係人を招集し意見の聴取を行うことができるが、遠隔地に居住している審理関係人と、音声の送受信による通話で意見の聴取を行うことはできない。

4 処分庁の上級行政庁又は処分庁である審査庁は、必要があると認める場合には、審査請求人の申立てにより又は職権で、処分の効力、処分の執行又は手続の続行の全部又は一部の停止その他の措置をとることができる。

5 事情裁決の場合を除き、事実上の行為についての審査請求が理由がある場合、処分庁の上級行政庁以外の審査庁は、裁決で、当該事実上の行為を変更すべき旨を当該処分庁に命ずることができる。

解説

1. 不作為についての審査請求に審査請求期間の規定はない（行政不服審査法18条参照）。

2. 前半は正しい（行政不服審査法19条 1 項）が、後半が誤り。審査請求をすべき行政庁が処分庁と異なる場合における審査請求は、処分庁等を経由してすることができる（同21条 1 項前段）とされているのであって、必ず処分庁を経由して審査請求を提出しなければならないわけではない。

3. 前半は正しい（行政不服審査法37条 1 項）が、後半が誤り。審理員は、審理関係人が遠隔の地に居住している場合その他相当と認める場合には、審理員および審理関係人が音声の送受信により通話をすることができる方法によって、意見の聴取を行うことができる（同条 2 項）。

4. 妥当である（行政不服審査法25条 2 項）。

5. 事情裁決の場合を除き、事実上の行為についての審査請求が理由がある場合には、審査庁は、裁決で、当該事実上の行為が違法または不当である旨を宣言するとともに、①処分庁以外の審査庁は、当該処分庁に対し、当該事実上の行為の全部もしくは一部を撤廃し、またはこれを変更すべき旨を命じ、②処分庁である審査庁は、当該事実上の行為の全部もしくは一部を撤廃し、またはこれを変更することとされ、処分庁の上級行政庁以外の審査庁は、当該事実上の行為を変更すべき旨を当該処分庁に命ずることはできない（行政不服審査法47条 1 項柱書）。

正答 **4**

国家賠償法に関する記述として、妥当なのはどれか。

1 国の公権力の行使に当たる公務員がその職務を行うにつき、過失により、違法に外国人に損害を加えたときには、国家賠償法で、相互の保証がないときにもこれを適用すると規定していることから、国が損害賠償責任を負う。

2 公共団体の公権力の行使に当たる公務員がその職務を行うにつき、故意により、違法に他人に損害を加えた場合において、当該公務員の選任・監督者と費用負担者が異なるときには、費用負担者に限り、損害賠償責任を負う。

3 最高裁判所の判例では、書留郵便物についての郵便業務従事者の故意又は重過失により損害が生じた場合の国の損害賠償責任の免除又は制限につき、行為の態様、侵害される法的利益の種類及び侵害の程度、免責又は責任制限の範囲及び程度等から、郵便法の規定の目的の正当性や目的達成の手段として免責又は責任制限を認めることの合理性、必要性を総合的に考慮し、合憲と判断した。

4 最高裁判所の判例では、裁判官がした争訟の裁判につき国家賠償法の規定にいう違法な行為があったものとして国の損害賠償責任が肯定されるためには、裁判官がその付与された権限の趣旨に明らかに背いてこれを行使したものと認めうるような特別の事情は必要とせず、上訴等の訴訟法上の救済方法により是正されるべき瑕疵が存在すれば足りるとした。

5 最高裁判所の判例では、厚生大臣が医薬品の副作用による被害の発生を防止するために薬事法上の権限を行使しなかったことが、副作用を含めた当該医薬品に関するその時点における医学的、薬学的知見の下、薬事法の目的及び厚生大臣に付与された権限の性質等に照らし、その許容される限度を逸脱して著しく合理性を欠くと認められるときは、国家賠償法の適用上、違法となるとした。

解説

1． 国家賠償法6条は、「この法律は、外国人が被害者である場合には、相互の保証があるときに限り、これを適用する」と規定している。

2． 公共団体の公権力の行使に当たる公務員がその職務を行うにつき、故意により、違法に他人に損害を加えた場合において、当該公務員の選任・監督者と費用負担者が異なるときには、当該公務員の選任・監督者と費用負担者の双方が損害賠償責任を負う（国家賠償法3条1項）。

3． 最高裁判所の判例では、本件について、郵便法の規定の目的の正当性や目的達成の手段として免責または責任制限を認めることの合理性、必要性を総合的に考慮し、違憲と判断した（最大判平14・9・11）。

4． 最高裁判所の判例では、本件について、国の損害賠償責任が肯定されるためには、裁判官がその付与された権限の趣旨に明らかに背いてこれを行使したものと認めうるような特別の事情を必要とし、上訴等の訴訟法上の救済方法により是正されるべき瑕疵が存在するだけでは足りないとした（最判昭57・3・12）。

5． 妥当である（最判平7・6・23）。

正答 **5**

No. 268 行政法 法律による行政の原理 令和4年度

専門試験 区

行政法学上の法律による行政の原理に関する記述として，妥当なのはどれか。

1 法律による行政の原理の内容として，法律の優位の原則，法律の留保の原則及び権利濫用禁止の原則の3つがある。

2 法律の優位の原則とは，新たな法規の定立は，議会の制定する法律又はその授権に基づく命令の形式においてのみなされうるというものである。

3 社会留保説とは，侵害行政のみならず，社会保障等の給付行政にも法律の授権が必要であるとするものであり，明治憲法下で唱えられて以来の伝統的な通説である。

4 権力留保説とは，行政庁が権力的な活動をする場合には，国民の権利自由を侵害するものであると，国民に権利を与え義務を免ずるものであるとにかかわらず，法律の授権が必要であるとするものである。

5 重要事項留保説とは，国民の自由と財産を権力的に制限ないし侵害する行為に限り，法律の授権が必要であるとするものである。

解説

1. 法律による行政の原理の内容は，法律の優位の原則，法律の留保の原則及び法律の法規創造力の原則の3つである。権利濫用禁止の原則は，法律による行政の原理の内容には含まれず，信義誠実の原則などとともに一般原則に含まれる。

2. 新たな法規の定立は，議会の制定する法律又はその授権に基づく命令の形式においてのみなされうるというのは，法律の法規創造力の原則である。法律の優位の原則とは，いかなる行政活動も，法律の定めに違反してはならないというものである。

3. 社会留保説とは，侵害行政のみならず，社会保障等の給付行政にも法律の授権が必要であるとするものであるが，明治憲法下で唱えられて以来の伝統的な通説ではない。伝統的な通説は侵害留保説である。

4. 妥当である。

5. 国民の自由と財産を権力的に制限ないし侵害する行為に限り，法律の授権が必要であるとするのは，侵害留保説である。重要事項留保説は，国民の基本的人権にかかわりのある重要な行政活動については，その基本的内容について，法律の授権が必要であるとするものである。

正答 **4**

専門試験

No. 269 行政法 　行政行為の附款　 区 令和4年度

行政法学上の行政行為の附款に関する記述として，通説に照らして，妥当なのはどれか。

1 条件とは，行政行為の効力の発生，消滅を発生不確実な事実にかからしめる附款をいい，条件の成就により効果が発生する解除条件と，条件の成就により効果が消滅する停止条件に区別することができる。

2 期限とは，行政行為の効力の発生，消滅を発生確実な事実にかからしめる附款をいい，到来することは確実であるが，いつ到来するか確定していない不確定期限を付すことはできない。

3 負担とは，法令に規定されている義務以外の義務を付加する附款をいい，負担に対する違反は，本体たる行政行為の効力に直接関係するものではなく，また，不作為義務に係る負担を付すことはできない。

4 附款は，法律が付すことができる旨を明示している場合に付すことができるが，公益上の必要がある場合には，当該法律の目的以外の目的で附款を付すことができる。

5 附款なしでは行政行為がなされなかったであろうと客観的に解され，附款が行政行為本体と不可分一体の関係にある場合は，当該附款だけでなく行政行為全体が瑕疵を帯びるため，附款だけの取消訴訟は許されない。

解説

1．条件とは，行政行為の効力の発生，消滅を発生不確実な事実にかからしめる附款をいうが，条件の成就により効果が発生する停止条件と，条件の成就により効果が消滅する解除条件に区別することができる。

2．期限とは，行政行為の効力の発生，消滅を発生確実な事実にかからしめる附款をいい，到来することは確実であるが，いつ到来するか確定していない不確定期限を付すこともできる。

3．負担とは，法令に規定されている義務以外の義務を付加する附款をいい，負担に対する違反は，本体たる行政行為の効力に直接関係するものではなく，また，不作為義務に係る負担を付すこともできる。

4．公益上の必要がある場合であっても，当該法律の目的以外の目的で附款を付すことはできない。

5．妥当である。

正答 **5**

No. 270 行政法 意見公募手続等 令和4年度

行政手続法に規定する意見公募手続等に関する記述として，妥当なのはどれか。

1 法律に基づく命令等を定めようとする場合には，当該命令等の案及びこれに関連する資料をあらかじめ公示して，広く一般の意見を求めなければならず，その公示は，官報に掲載して行わなければならない。

2 意見公募手続を実施して法律に基づく命令等を定める場合には，意見提出期間内に提出された当該命令等の案についての意見を考慮する義務はない。

3 法律に基づく命令等を定めようとする場合において，当該命令等が，他の行政機関が意見公募手続を実施して定めた命令等と実質的に同一のときは，意見公募手続を実施する義務はない。

4 意見公募手続を実施して法律に基づく命令等を定めた場合には，当該命令等の公布と同時期に，提出意見を公示しなければならず，当該提出意見に代えて，意見を要約したものを公示することはできない。

5 法律に基づく命令等を定めるに当たって意見公募手続を実施したにもかかわらず，当該命令等を定めないこととした場合，その旨を公示する必要はない。

解説

1. 法律に基づく命令等を定めようとする場合には，当該命令等の案及びこれに関連する資料をあらかじめ公示して，広く一般の意見を求めなければならない（行政手続法39条1項）が，その公示は，電子情報処理組織を使用する方法その他の情報通信の技術を利用する方法により行うものとする（同45条1項）。

2. 意見公募手続を実施して法律に基づく命令等を定める場合には，意見提出期間内に提出された当該命令等の案についての意見を十分に考慮しなければならない（行政手続法42条）。

3. 妥当である（行政手続法39条4項5号）。

4. 意見公募手続を実施して法律に基づく命令等を定めた場合には，当該命令等の公布と同時期に，提出意見を公示しなければならない（行政手続法43条1項3号）が，当該提出意見に代えて，意見を要約したものを公示することができる（同条2項前段）。

5. 法律に基づく命令等を定めるに当たって意見公募手続を実施したにもかかわらず，当該命令等を定めないこととした場合，その旨を速やかに公示しなければならない（行政手続法43条4項）。

正答 **3**

専門試験

No.271 行政法　行政事件訴訟　令和4年度

行政事件訴訟法に規定する行政事件訴訟に関する記述として，通説に照らして，妥当なのはどれか。

1　行政事件訴訟には抗告訴訟，機関訴訟，民衆訴訟及び当事者訴訟の4つの種類があり，抗告訴訟と機関訴訟は主観訴訟，民衆訴訟と当事者訴訟は客観訴訟に区別される。

2　行政事件訴訟法は，抗告訴訟について，処分の取消しの訴え，裁決の取消しの訴え，無効等確認の訴え，不作為の違法確認の訴え，義務付けの訴え，差止めの訴えの6つの類型を規定しており，無名抗告訴訟を許容する余地はない。

3　義務付けの訴えとは，行政庁が法令に基づく申請に対し，相当の期間内に何らかの処分又は裁決をすべきであるにかかわらず，これをしないことについての違法の確認を求める訴訟をいう。

4　民衆訴訟とは，国又は公共団体の機関の法規に適合しない行為の是正を求める訴訟で，選挙人たる資格その他自己の法律上の利益にかかわらない資格で提起するものであり，具体例として，地方自治法上の住民訴訟がある。

5　当事者訴訟のうち，当事者間の法律関係を確認し又は形成する処分又は裁決に関する訴訟で法令の規定によりその法律関係の当事者の一方を被告とするものを，実質的当事者訴訟という。

解説

1. 行政事件訴訟には抗告訴訟，当事者訴訟，民衆訴訟および機関訴訟の4つの種類があり（行政事件訴訟法2条），抗告訴訟と当事者訴訟は主観訴訟，民衆訴訟と機関訴訟は客観訴訟に区別される。

2. 行政事件訴訟法は，抗告訴訟について，処分の取消しの訴え，裁決の取消しの訴え，無効等確認の訴え，不作為の違法確認の訴え，義務付けの訴え，差止めの訴えの6つの類型を規定している（行政事件訴訟法3条2項〜7項）が，無名抗告訴訟を許容する余地はある。

3. 行政庁が法令に基づく申請に対し，相当の期間内に何らかの処分または裁決をすべきであるにかかわらず，これをしないことについての違法の確認を求める訴訟を，不作為の違法確認の訴えという（行政事件訴訟法3条5項）。義務付けの訴えとは，行政庁が一定の処分をすべきであるにかかわらずこれがされないときや，行政庁に対し一定の処分または裁決を求める旨の法令に基づく申請または審査請求がされた場合において，当該行政庁がその処分または裁決をすべきであるにかかわらずこれがされないときにおいて，行政庁がその処分または裁決をすべき旨を命ずることを求める訴訟をいう（同3条6項1号・2号）。

4. 妥当である（行政事件訴訟法5条，具体例につき地方自治法242条の2）。

5. 当事者訴訟のうち，当事者間の法律関係を確認しまたは形成する処分または裁決に関する訴訟で法令の規定によりその法律関係の当事者の一方を被告とするものを，形式的当事者訴訟という（行政事件訴訟法4条前段）。実質的当事者訴訟とは，当事者訴訟のうち，公法上の法律関係に関する確認の訴えその他の公法上の法律関係に関する訴訟をいう（同条後段）。

正答　**4**

専門試験

行政法 **損害賠償責任** 令和 4 年度 区

国家賠償法に規定する公の営造物の設置又は管理の瑕疵に基づく損害賠償責任に関する記述として，判例，通説に照らして，妥当なのはどれか。

1 公の営造物とは，道路，河川，港湾，水道，下水道，官公庁舎，学校の建物等，公の目的に供されている，動産以外の有体物を意味する。

2 公の営造物の管理の主体は国又は公共団体であり，その管理権は，法律上の根拠があることを要し，事実上管理する場合は含まれない。

3 営造物の設置又は管理の瑕疵とは，営造物が通常有すべき安全性を欠いていることをいい，これに基づく国及び公共団体の損害賠償責任については，その過失の存在を必要としない。

4 営造物の設置又は管理の瑕疵には，供用目的に沿って利用されることとの関連において危害を生ぜしめる危険性がある場合を含むが，その危害は，営造物の利用者に対してのみ認められる。

5 未改修である河川の管理についての瑕疵の有無は，通常予測される災害に対応する安全性を備えていると認められるかどうかを基準として判断しなければならない。

解説

1．公の営造物とは，道路，河川，港湾，水道，下水道，官公庁舎，学校の建物等，公の目的に供されている有体物を意味し，動産も含まれる。

2．公の営造物の管理の主体は国または公共団体であるが，その管理権は，法律上の根拠がある場合だけでなく，事実上管理する場合も含まれる（最判昭59・11・29）。

3．妥当である。高知落石事件の判例である（最判昭45・8・20）。

4．営造物の設置または管理の瑕疵には，供用目的に沿って利用されることとの関連において危害を生ぜしめる危険性がある場合を含み，また，その危害は，営造物の利用者に対してのみならず，利用者以外の第三者に対するそれをも含むとするのが判例である（大阪国際空港訴訟：最大判昭56・12・16）。

5．未改修である河川の管理についての瑕疵の有無は，通常予測される災害に対応する安全性を備えていると認められるかどうかを基準として判断しなければならないものではなく，財政的，技術的，社会的制約のもとで一般に施行されてきた治水事業による河川の改修，整備の過程に対応する，いわば過渡的な安全性をもって足りるとするのが判例である（大東水害訴訟：最判昭59・1・26）。

正答 **3**

No. 273 民法①[総則・物権] 法人、権利能力のない社団 令和5年度

法人又は権利能力のない社団に関する記述として、最高裁判所の判例に照らして、妥当なのはどれか。

1 法人格の付与は、社会的に存在する団体についてその価値を評価してなされる立法政策によるものであって、法人格が全くの形骸にすぎない場合においても、これを権利主体として表現せしめるに値すると認め、法人格を否認すべきでないとした。

2 税理士会が政党など政治資金規正法上の政治団体に金員の寄付をすることは、税理士に係る法令の制定改廃に関する政治的要求を実現するためのものであっても、税理士法で定められた税理士会の目的の範囲外の行為であり、当該寄付をするために会員から特別会費を徴収する旨の決議は無効であるとした。

3 権利能力のない社団の財産は、社団を構成する総社員の総有に属するものであり、総社員の同意をもって総有の廃止その他当該財産の処分に関する定めがなされなくとも、現社員及び元社員は、当然に当該財産に関し、共有の持分権又は分割請求権を有するとした。

4 権利能力のない社団の代表者が社団の名においてした取引上の債務は、その社団の構成員全員に、一個の義務として総有的に帰属するとともに、構成員各自は、取引の相手方に対し、直接に個人的債務ないし責任を負うとした。

5 権利能力のない社団は、構成員全員に総有的に帰属する不動産について、その所有権の登記名義人に対し、当該社団の代表者の個人名義に所有権移転登記手続をすることを求める訴訟の原告適格を有しないとした。

解 説

1. 判例は、法人格の付与は、社会的に存在する団体についてその価値を評価してなされる立法政策によるものであって、法人格がまったくの形骸にすぎない場合には、これを権利主体として表現せしめるに値すると認められず、法人格を否認すべきであるとした（最判昭44・2・27）。

2. 妥当である（最判平8・3・19）。

3. 判例は、権利能力のない社団の財産は、社団を構成する総社員の総有に属するものであり、総社員の同意をもって総有の廃止その他当該財産の処分に関する定めがなされなければ、現社員および元社員は、当然に当該財産に関し、共有の持分権または分割請求権を有するものではないとした（最判昭32・11・14）。

4. 判例は、権利能力のない社団の代表者が社団の名においてした取引上の債務は、その社団の構成員全員に、一個の義務として総有的に帰属し、社団の総有財産だけがその責任財産となり、構成員各自は、取引の相手方に対し、直接に個人的債務ないし責任を負わないとした（最判昭48・10・9）。

5. 判例は、権利能力のない社団は、構成員全員に総有的に帰属する不動産について、その所有権の登記名義人に対し、当該社団の代表者の個人名義に所有権移転登記手続をすることを求める訴訟の原告適格を有するとした（最判平26・2・27）。

正答 **2**

No. 274 専門試験　民法①[総則・物権]　取得時効　区　令和5年度

民法に規定する取得時効に関する記述として、判例、通説に照らして、妥当なのはどれか。

1　自己に所有権があると信じ、かつ、善意であることについて過失のある者が、10年間所有の意思をもって平穏に、かつ、公然と他人の物を占有したときは、その所有権を取得する。

2　所有権の取得時効には、占有が継続することを要するが、前後の2つの時点において占有したことを立証できれば、その間は占有が継続したものと推定される。

3　所有権の取得時効において、占有者の承継人は、その選択に従い、自己の占有に前の占有者の占有を併せて主張することができるが、その場合、前の占有者の瑕疵は、承継されない。

4　所有権の取得時効における所有の意思とは、所有者として占有する意思であって、この意思をもってする占有を自主占有というが、この所有の意思の立証責任は、取得時効を主張する者にある。

5　自主占有かどうかは、占有者が所有の意思をもっているかによって定められるべきものであるため、物の賃借人が内心で所有者となる意思を抱いて20年間占有をした場合には、その所有権を取得する。

解説

1. 自己に所有権があると信じ、かつ、善意であることについて過失のない者が、10年間所有の意思をもって平穏に、かつ、公然と他人の物を占有したときは、その所有権を取得する（民法162条2項）。善意であることについて過失のある者が所有権を取得するには、20年間、所有の意思をもって平穏に、かつ、公然と他人の物を占有する必要がある（同条1項）。

2. 妥当である（民法162条、186条2項）。

3. 前半は正しい（民法187条1項）が、後半が誤り。自己の占有に前の占有者の占有を併せて主張する場合、前の占有者の瑕疵も、承継される（同条2項）。

4. 前半は正しいが、後半が誤り。この所有の意思の立証責任は、取得時効を否定する者にある（民法186条1項、最判昭54・7・31）。

5. 自主占有かどうかは、占有取得の原因たる事実によって外形的・客観的に定められるべきものである（最判昭45・6・18）。したがって、物の賃借人が内心で所有者となる意思を抱いて20年間占有をした場合であっても、その所有権を取得することはない。

正答　**2**

No. 275 専門試験 民法①[総則・物権] 即時取得 令和**5**年度 区

民法に規定する即時取得に関する記述として、判例、通説に照らして、妥当なのはどれか。

1 即時取得者は、即時取得の効果として、所有権又は留置権を原始取得するため、前主について いていた権利の制限は消滅する。

2 他人の山林を自己の山林と誤信して伐採した者が、動産となった立木を占有した場合には、 即時取得が適用される。

3 占有者が、古物商又は質屋以外の者である場合において、公の市場で盗品を善意で買い受 け、即時取得したとき、被害者は、占有者が支払った代価を弁償しなければ、その物を回復 することができない。

4 最高裁判所の判例では、物の譲渡人である占有者が、占有物の上に行使する権利はこれを 適法に有するものと推定されない以上、即時取得を主張する譲受人たる占有取得者において、 過失のないことを立証することを要するとした。

5 最高裁判所の判例では、即時取得は、前主の占有を信頼して取引をした者を保護する制度 であるため、占有取得の方法が一般外観上変更を来さない占有改定による場合であっても、 即時取得が適用されるとした。

解説

1. 即時取得（民法192条）によって取得することができる権利は、所有権、質権および譲渡 担保権であり、留置権は即時取得の対象とはなりえない。

2. 民法192条は、現に動産であるものを占有した場合の規定であり、本来不動産の一部を組 成するものを事実上の行為により動産として占有した場合に適用すべきものではない（大判 昭7・5・18）。したがって、他人の山林を自己の山林と誤信して伐採した者が、動産とな った立木を占有した場合には、即時取得は適用されない。

3. 妥当である（民法194条）。なお、古物営業法および質屋営業法の規定により、被害者また は遺失主は、古物商または質屋に対しては、代価を弁償することなく、盗品の回復を請求す ることができるとされている。

4. 最高裁判所の判例では、物の譲渡人である占有者が、占有物の上に行使する権利はこれを 適法に有するものと推定される以上、占有取得者の無過失も推定されるため、即時取得を主 張する譲受人たる占有取得者において、過失のないことを立証することを要しないとした （最判昭41・6・9）。

5. 最高裁判所の判例では、占有取得の方法が一般外観上変更を来さない占有改定による場合 には、即時取得は適用されないとした（最判昭35・2・11）。

正答 **3**

東京都・特別区

専門試験

No. 276

民法① [総則・物権]

所有権の取得

区

令和 5 年度

憲法

行政法

民法

経済原論

財政学

民法に規定する所有権の取得に関する記述として、妥当なのはどれか。

1 埋蔵物は、遺失物法の定めるところに従い公告をした後、3箇月以内にその所有者が判明しないときには、これを発見した者がその所有権を取得するが、他人の所有する物の中から発見された埋蔵物については、これを発見した者ではなく、その他人がその所有権を取得する。

2 所有者を異にする物が混和して識別することができなくなったときには、混和物についての主従の区別の有無にかかわらず、各物の所有者が、その混和の時における価格の割合に応じて、その混和物を共有する。

3 最高裁判所の判例では、ゴルファーが誤ってゴルフ場内にある人工池に打ち込み、放置したいわゆるロストボールは、ゴルフ場側において、早晩その回収、再利用を予定していたとしても、ゴルフ場側の所有に帰さない無主物であるとした。

4 最高裁判所の判例では、公有水面を埋め立てるため投入された土砂は、その投入によって直ちに公有水面の地盤に附合して国の所有となり、独立した動産としての存在を失うとした。

5 最高裁判所の判例では、建築途上において未だ独立の不動産に至らない建前に、第三者が材料を供して工事を施し、独立の不動産である建物に仕上げた場合において、この建物の所有権の帰属は、民法の動産の附合の規定によるのではなく、同法の加工の規定に基づき決定すべきとした。

解説

1. 埋蔵物は、遺失物法の定めるところに従い公告をした後、6か月以内にその所有者が判明しないときには、これを発見した者がその所有権を取得するが、他人の所有する物の中から発見された埋蔵物については、これを発見した者およびその他人が等しい割合でその所有権を取得する（民法241条）。

2. 所有者を異にする物が混和して識別することができなくなったときは、その混和物の所有権は、主たる物の所有者に帰属する。混和物について主従の区別をすることができないときは、各物の所有者は、その混和の時における価格の割合に応じてその混和物を共有する（民法245条、243条、244条）。

3. 最高裁判所の判例では、ゴルファーが誤ってゴルフ場内にある人工池に打ち込み、放置したいわゆるロストボールは、ゴルフ場側において、早晩その回収、再利用を予定していたときは、ゴルフ場側の所有に帰していたものであって、無主物ではないとした（最決昭62・4・10）。

4. 最高裁判所の判例では、公有水面を埋め立てるため投入された土砂は、その投入によって直ちに公有水面の地盤に附合して国の所有となることはなく、原則として独立した動産としての存在を失わないとした（最判昭57・6・17）。

5. 妥当である（最判昭54・1・25）。

正答 **5**

No. 277 民法①[総則・物権] 根抵当権

民法に規定する根抵当権に関する記述として、妥当なのはどれか。

1　根抵当権者は、元本の確定前に債務の引受けがあったとき、引受人の債務について、その根抵当権を行使することができる。

2　元本の確定前においては、根抵当権の担保すべき債権の範囲の変更をすることができるが、後順位の抵当権者その他の第三者の承諾を得ることを要する。

3　根抵当権者は、担保すべき元本の確定すべき期日の定めがない場合には、いつでも、元本の確定を請求することができ、元本はその請求の時に確定する。

4　根抵当権者は、確定した元本及び利息その他の定期金の全部について、極度額を限度として、その根抵当権を行使することができるが、債務の不履行により生じた損害の賠償については、その根抵当権を行使することができない。

5　元本の確定後において現に存する債務の額が根抵当権の極度額を超えるとき、抵当不動産について所有権を取得した第三者は、その極度額に相当する金額を払い渡し、又は供託して、その根抵当権の消滅請求をすることができない。

解 説

1.　元本の確定前に債務の引受けがあったときは、根抵当権者は、引受人の債務について、その根抵当権を行使することができない（民法398条の 7 第 2 項）。

2.　前半は正しいが、後半が誤り。元本の確定前においては、根抵当権の担保すべき債権の範囲の変更をすることができ、後順位の抵当権者その他の第三者の承諾を得ることを要しない（民法398条の 4 第 1 項前段・ 2 項）。

3.　妥当である（民法398条の19第 2 項・ 3 項）。

4.　前半は正しいが、後半が誤り。根抵当権者は、確定した元本ならびに利息その他の定期金および債務の不履行によって生じた損害の賠償の全部について、極度額を限度として、その根抵当権を行使することができる（民法398条の 3 第 1 項）。

5.　元本の確定後において現に存する債務の額が根抵当権の極度額を超えるときは、抵当不動産について所有権を取得した第三者は、その極度額に相当する金額を払い渡し、または供託して、その根抵当権の消滅請求をすることができる（民法398条の22第 1 項前段）。

正答　**3**

専門試験

民法②［債権・親族・相続］

区

弁　済

令和5年度

民法に規定する弁済に関する記述として、妥当なのはどれか。

1 受領権者である、債権者及び法令の規定又は当事者の意思表示によって弁済を受領する権限を付与された第三者を除き、取引上の社会通念に照らして受領権者としての外観を有する者に対してした弁済は、その弁済をした者が善意であり、かつ、過失がなかったときに限り、その効力を有する。

2 弁済をすることができる者は、債務者の負担した給付に代えて他の給付をすることにより債務を消滅させる、要物契約である代物弁済をすることができ、その弁済をすることができる者が当該他の給付をしたときには、その給付は、弁済と同一の効力を有する。

3 弁済の費用について別段の意思表示がないときには、その費用は、債権者と債務者の双方が等しい割合で負担するが、債権者が住所の移転によって弁済の費用を増加させたときには、その増加額は、債権者が負担する。

4 債権に関する証書がある場合において、債権者がこの証書を所持するときには、債権はなお存在するものと推定され、債務の一部の弁済をした者は、いかなる場合においても、この証書の返還を請求することができる。

5 弁済をすることができる者が無過失で債権者を確知することができないときには、債権者のために弁済の目的物を供託することができるが、この弁済をすることができる者は、当該無過失について主張・立証責任を負う。

解説

1. 妥当である（民法478条）。

2. 弁済をすることができる者が、債権者との間で、債務者の負担した給付に代えて他の給付をすることにより債務を消滅させる旨の契約をした場合において、その弁済者が当該他の給付をしたときは、その給付は、弁済と同一の効力を有する（民法482条）。代物弁済は要物契約ではなく、諾成契約である。

3. 後半は正しいが、前半が誤り。弁済の費用について別段の意思表示がないときは、その費用は、債務者の負担とするが、債権者が住所の移転によって弁済の費用を増加させたときは、その増加額は、債権者の負担とする（民法485条）。

4. 債権に関する証書がある場合において、弁済をした者がその証書の返還を請求するためには、全部の弁済をしたことが必要であるが（民法487条）、債務の一部の弁済をした者であっても、弁済金額の不足がごくわずかであるときは、信義則（同1条2項）により、この証書の返還を請求することができるとされる（大判昭9・2・26）。

5. 前半は正しい（民法494条2項）が、後半が誤り。債権者など、供託の効力を争う者が、弁済者に過失があることの主張・立証責任を負うと解されている。

正答　**1**

東京都・特別区
専門試験
区
No.
279
民法②[債権・親族・相続]
詐害行為取消権
令和5年度
憲法
行政法
民法
経済原論
財政学

民法に規定する詐害行為取消権に関する記述として、妥当なのはどれか。

1 債権者は、債務者が債権者を害することを知ってした詐害行為の取消しを裁判所に請求することができるが、この行為は、法律行為に限られるため、弁済を含まない。

2 債権者は、その債権が詐害行為の前に生じたものである場合に限り、詐害行為取消請求をすることができ、最高裁判所の判例では、詐害行為取消権によって保全される債権の額には、詐害行為後に発生した遅延損害金は含まれないとした。

3 債務者が、その有する財産を処分する行為をした場合において、受益者から相当の対価を取得しているときは、その行為の当時、対価として取得した金銭について隠匿等の処分をする意思を有していれば、隠匿等の処分をするおそれを現に生じさせなくとも、債権者は詐害行為取消請求をすることができる。

4 債権者は、受益者に対する詐害行為取消請求において、債務者がした行為の取消しとともに、その行為によって受益者に移転した財産の返還を請求することができ、受益者がその財産の返還をすることが困難であるときは、その価額の償還を請求することができる。

5 受益者に対する詐害行為取消請求に係る訴えにおいては、受益者と債務者を共同被告とし、債権者は、訴えを提起したときは、遅滞なく、他の全ての債権者に対し、訴訟告知をしなければならない。

解 説

1. 債権者は、債務者が債権者を害することを知ってした「行為」の取消しを裁判所に請求することができる（民法424条1項本文）ので、前半は正しいが、後半が誤り。この行為は法律行為に限られないため、弁済も含まれる。

2. 前半は正しい（民法424条3項）が、後半が誤り。最高裁判所の判例では、詐害行為取消権によって保全される債権の額には、詐害行為後に発生した遅延損害金も含まれるとした（最判平8・2・8）。

3. 債務者が、その有する財産を処分する行為をした場合において、受益者から相当の対価を取得しているときは、その行為の当時、対価として取得した金銭について隠匿等の処分をする意思を有しており、隠匿等の処分をするおそれを現に生じさせるものでなければ、債権者は詐害行為取消請求をすることができない（民法424条の2柱書、同条1号・2号）。

4. 妥当である（民法424条の6第1項）。

5. 受益者に対する詐害行為取消請求に係る訴えにおいては、受益者を被告とし（民法424条の7第1項1号）、債権者は、訴えを提起したときは、遅滞なく、債務者に対し、訴訟告知をしなければならない（同第2項）。

正答 **4**

No. 280

民法②［債権・親族・相続］

贈　与

令和5年度

民法に規定する贈与に関する記述として、妥当なのはどれか。

1　贈与は、当事者の一方がある財産を無償で相手方に与える契約であり、目的物の引渡しによって、その効力を生じる。

2　贈与は、当事者の一方が自己の財産を無償で相手方に与える契約であり、他人の所有に属する物の贈与が有効となることはない。

3　書面によらない贈与は、各当事者が解除をすることができるものであり、履行の終わった部分についても、例外なく、契約を解除することができる。

4　贈与者は、贈与の目的である物又は権利を、贈与の目的として特定した時の状態で引き渡し、又は移転することを約したものと推定される。

5　定期の給付を目的とする贈与は、贈与者が死亡した場合にはその効力を失うが、受贈者が死亡した場合にはその効力が受贈者の相続人に移転する。

解 説

1．贈与は、当事者の一方がある財産を無償で相手方に与える意思を表示し、相手方が受諾をすることによって、その効力を生ずる（民法549条）。要物契約ではなく、諾成契約である。

2．贈与は、当事者の一方が「ある財産」を無償で相手方に与える意思を表示し、相手方が受諾をすることによって、その効力を生ずる（民法549条）。他人の所有に属する物の贈与も有効である。

3．書面によらない贈与は、各当事者が解除をすることができるが、履行の終わった部分については、この限りでない（民法550条）。

4．妥当である（民法551条1項）。

5．定期の給付を目的とする贈与は、贈与者または受贈者の死亡によって、その効力を失う（民法552条）。

正答　**4**

専門試験

No.281 民法②[債権・親族・相続] 契約の解除 令和5年度 区

民法に規定する契約の解除に関する記述として、妥当なのはどれか。

1 当事者の一方がその解除権を行使した場合は、各当事者は、その相手方を原状に復させる義務を負い、また、この場合において、金銭以外の物を返還するときには、その受領の時以後に生じた果実をも返還しなければならない。

2 解除権を有する者がその解除権を有することを知らずに、故意に契約の目的物を著しく損傷し、又は返還することができなくなったときは、解除権は消滅する。

3 当事者の一方が数人ある場合には、契約の解除は、そのうちの1人から又はそのうちの1人に対してすることができ、当事者のうちの1人の解除権が消滅しても、他の者の解除権は消滅しない。

4 債権者の責めに帰すべき事由により債務者がその債務を履行しない場合において、債権者が相当の期間を定めてその履行の催告をし、その期間内に履行がないときは、債権者は、契約の解除をすることができる。

5 債務者がその債務の一部の履行を拒絶する意思を明確に表示した場合において、残存する部分のみで契約をした目的を達することができるときには、債権者は、催告をすることなく、直ちに契約の全部の解除をすることができる。

解説

1. 妥当である（民法545条1項本文・3項）。

2. 解除権を有する者が故意もしくは過失によって契約の目的物を著しく損傷し、もしくは返還することができなくなったときは、解除権は消滅するが、解除権を有する者がその解除権を有することを知らなかったときは、この限りでない（民法548条）。

3. 当事者の一方が数人ある場合には、契約の解除は、その全員からまたはその全員に対してのみ、することができ（民法544条1項）、解除権が当事者のうちの1人について消滅したときは、他の者についても消滅する（同条2項）。

4. 債務の不履行が債権者の責めに帰すべき事由によるものであるときは、債権者は、契約の解除をすることができない（民法543条）。

5. 債務者がその債務の一部の履行を拒絶する意思を明確に表示した場合において、残存する部分のみでは契約をした目的を達することができないときには、債権者は、催告をすることなく、直ちに契約の全部の解除をすることができる（民法542条1項3号）。残存する部分のみで契約をした目的を達することができるときには、催告をせずに契約の全部の解除をすることはできない。

正答 **1**

東京都・特別区

No.
282

専門試験

民法① [総則・物権]

無効，取消し

区

令和4年度

民法に規定する無効又は取消しに関する記述として，通説に照らして，妥当なのはどれか。

1 当事者が，法律行為が無効であることを知って追認をしたときは，追認の時から新たに同一内容の法律行為をしたものとみなすのではなく，初めから有効であったものとみなす。

2 錯誤，詐欺又は強迫によって取り消すことができる法律行為は，瑕疵ある意思表示をした者又はその代理人により取り消すことができるが，瑕疵ある意思表示をした者の承継人は取り消すことができない。

3 取り消された法律行為は，取り消された時から無効になるため，その法律行為によって現に利益を受けていても返還の義務を負うことはない。

4 取り消すことができる法律行為の相手方が確定している場合には，その取消し又は追認は，相手方に対する意思表示によって行う。

5 取り消すことができる法律行為を法定代理人が追認する場合は，取消しの原因となっていた状況が消滅し，かつ，取消権を有することを知った後にしなければ，追認の効力を生じない。

解説

1. 当事者が，法律行為が無効であることを知って追認をしたときは，追認の時から新たに同一内容の法律行為をしたものとみなす（民法119条ただし書）。

2. 錯誤，詐欺または強迫によって取り消すことができる法律行為は，瑕疵ある意思表示をした者またはその代理人もしくは承継人に限り，取り消すことができる（民法120条2項）。

3. 取り消された法律行為は，初めから無効であったものとみなす（民法121条）。給付を受けた後に初めから無効であったものとみなされた行為にあっては，給付を受けた当時その行為が取り消すことができるものであることを知らなかったときは，その行為によって現に利益を受けている限度において，返還の義務を負う（121条の2第2項）。

4. 妥当である（民法123条）。

5. 取り消すことができる行為の追認は，取消しの原因となっていた状況が消滅し，かつ，取消権を有することを知った後にしなければ，その効力を生じない（民法124条1項）。もっとも，法定代理人が追認するときは，追認は，取消しの原因となっていた状況が消滅した後にすることを要しない（同条2項1号）。

正答　**4**

専門試験

区

No. 283 民法①[総則・][物権] 　　共　有　　 令和4年度

民法に規定する共有に関する記述として，判例，通説に照らして，妥当なのはどれか。

1 　各共有者が分割を請求することができる共有物については，5年を超えない期間内は分割をしない旨の契約をすることができ，また，当該契約を5年を超えない期間で更新することもできる。

2 　共有物について権利を有する者及び各共有者の債権者は共有物の分割に参加することができ，共有者は共有物を分割する際に，共有物について権利を有する者及び各共有者の債権者へ通知する義務がある。

3 　共有物の管理に関する事項は，共有物の変更の場合を除き，各共有者の持分の価格にかかわらず，共有者の人数の過半数で決するが，保存行為は各共有者がすることができる。

4 　最高裁判所の判例では，持分の価格が過半数を超える共有者は，過半数に満たない自己の持分に基づいて現に共有物を占有する他の共有者に対して，当然に共有物の明渡しを請求することができ，明渡しを求める理由を主張し立証する必要はないとした。

5 　最高裁判所の判例では，共有者の一部が他の共有者の同意を得ることなく共有物に変更を加える行為をしている場合には，他の共有者は，各自の共有持分権に基づいて，行為の禁止を求めることはできるが，原状回復を求めることはできないとした。

解説

1．妥当である（民法256条1項・2項）。

2．共有物について権利を有する者および各共有者の債権者は共有物の分割に参加することができる（民法260条1項）。しかし，これらの者へ通知する義務はない。

3．共有物の管理に関する事項は，共有物の変更の場合を除き，各共有者の持分の価格に従い，その過半数で決するが，保存行為は各共有者がすることができる（民法252条1項，5項）。

4．最高裁判所の判例では，持分の価格が過半数を超える共有者は，過半数に満たない自己の持分に基づいて現に共有物を占有する他の共有者に対して，当然に共有物の明渡しを請求することができるものではなく，多数持分権者が少数持分権者に対して共有物の明渡しを求める場合は，その理由を主張・立証しなければならないとした（最判昭41・5・19）。

5．最高裁判所の判例では，共有者の一部が他の共有者の同意を得ることなく共有物に変更を加える行為をしている場合には，他の共有者は，各自の共有持分権に基づいて，行為の禁止を求めることだけでなく，特段の事情のある場合を除き，行為により生じた結果を除去し共有物の原状回復を求めることもできるとした（最判平10・3・24）。

正答　**1**

東京都・特別区

No. 284

専門試験

民法① [総則・物権]

地上権

区

令和 4 年度

憲法

行政法

民法

経済原論

財政学

民法に規定する地上権に関する記述として，判例，通説に照らして，妥当なのはどれか。

1 地上権は，土地の所有者の承諾なしに賃貸することができるが，土地の所有者の承諾なしに譲渡することはできない。

2 第三者が土地の使用又は収益をする権利を有する場合において，その権利又はこれを目的とする権利を有する全ての者の承諾があるときは，地下又は空間を目的とする地上権を設定することができる。

3 地代の支払は地上権の要素であるため，無償で地上権を設定することはできない。

4 地上権者が土地の所有者に定期の地代を支払わなければならない場合において，不可抗力により収益に損失があったときは，地上権者は，土地の所有者に地代の免除又は減額を請求することができる。

5 最高裁判所の判例では，地上権を時効取得する場合，土地の継続的な使用という外形的事実が存在すればよく，その使用が地上権行使の意思に基づくことが客観的に表現されている必要はないとした。

解説

1．地上権は，土地賃借権（民法612条1項）とは異なり，土地の所有者の承諾なしに賃貸することも，土地の所有者の承諾なしに譲渡することもできる。

2．妥当である（民法269条の2第2項前段）。

3．地代の支払は地上権の要素でないため，無償で地上権を設定することができる（民法265条，270条対比）。

4．地上権者が土地の所有者に定期の地代を支払わなければならない場合において，不可抗力により収益に損失があったときであっても，地上権者は，土地の所有者に地代の免除または減額を請求することができない（民法266条1項，274条）。

5．最高裁判所の判例では，地上権を時効取得する場合，土地の継続的な使用という外形的事実が存在するほか，その使用が地上権行使の意思に基づくことが客観的に表現されている必要があるとした（最判昭45・5・28）。

正答 **2**

民法に規定する抵当権に関する記述として，通説に照らして，妥当なのはどれか。

1　抵当権設定契約の抵当権設定者は，必ずしも債務者に限られず，債務者以外の第三者であっても，抵当権設定者とすることができる。

2　抵当権の目的とすることができるものは不動産に限られ，地上権及び永小作権を抵当権の目的とすることはできない。

3　抵当権の順位は，各抵当権者の合意によって変更することができ，利害関係を有する者の承諾を得る必要はない。

4　抵当権の処分方法のうち，転抵当とは，同一の債務者に対する抵当権のない他の債権者の利益のために抵当権を譲渡することをいう。

5　債務者又は抵当権設定者でない者が，抵当不動産について取得時効に必要な要件を具備する占有をしても，抵当権は消滅しない。

解説

1．妥当である（民法369条 1 項）。

2．抵当権の目的とすることができるものは不動産に限られず，地上権および永小作権を抵当権の目的とすることもできる（民法369条 1 項・ 2 項）。

3．抵当権の順位は，各抵当権者の合意によって変更することができるが，利害関係を有する者の承諾を得る必要がある（民法374条 1 項）。

4．抵当権の処分方法のうち，転抵当とは，その抵当権を他の債権の担保とすることをいう。同一の債務者に対する抵当権のない他の債権者の利益のために抵当権を譲渡することは，抵当権の譲渡という（民法376条 1 項）。

5．債務者または抵当権設定者でない者が，抵当不動産について取得時効に必要な要件を具備する占有をしたときは，抵当権は消滅する（民法397条）。

正答　**1**

東京都・特別区

専門試験

No.
286

民法②[債権・親族・相続]

区

連帯債務

令和4年度

民法に規定する連帯債務に関する記述として，通説に照らして，妥当なのはどれか。

1 連帯債務者の1人について生じた事由には，絶対的効力が認められるのが原則であるが，連帯債務者の1人と債権者の間に更改があったときには，例外として相対的効力が認められる。

2 数人が連帯債務を負担するときには，債権者は，全ての連帯債務者に対して，順次に債務の履行を請求することができるが，同時に全部の債務の履行を請求することはできない。

3 連帯債務者の1人が債権者に対して債権を有する場合において，当該債権を有する連帯債務者が相殺を援用しない間は，その連帯債務者の負担部分の限度において，他の連帯債務者は，債権者に対して債務の履行を拒むことができる。

4 連帯債務者の1人が弁済をし，共同の免責を得たときには，その連帯債務者は，他の連帯債務者に対し求償権を有するが，その求償には，弁済をした日以後の法定利息は含まれない。

5 不真正連帯債務の各債務者は，同一の内容の給付について全部を履行すべき義務を負うが，債務者間に主観的な関連がないため，1人の債務者が弁済をしても他の債務者は弁済を免れない。

解説

1. 連帯債務者の1人について生じた事由には，相対的効力が認められるのが原則であり（民法441条），連帯債務者の1人と債権者の間に更改があったときには，例外として絶対的効力が認められる（同438条）。

2. 数人が連帯債務を負担するときには，債権者は，すべての連帯債務者に対して，順次に債務の履行を請求することができるだけでなく，同時に全部の債務の履行を請求することもできる（民法436条）。

3. 妥当である（民法439条2項）。

4. 連帯債務者の1人が弁済をし，共同の免責を得たときには，その連帯債務者は，他の連帯債務者に対し求償権を有し（民法442条1項），その求償には，弁済をした日以後の法定利息も含まれる（同条2項）。

5. 連帯債務のうち，同一の内容の給付について全部を履行すべき義務を負うが，債権者間に主観的な関連がないものを，不真正連帯債務といい，判例において承認されている（民法715条により使用者が負担する損害賠償債務につき，大判昭12・6・30）。通常の連帯債務と同様に，不真正連帯債務についても，1人の債務者が弁済をすれば他の債務者は弁済を免れる。

正答 **3**

東京都・特別区

専門試験

No.
287 民法② [債権・親族・相続]

区

債権の譲渡

令和 **4年度**

民法に規定する債権の譲渡に関するA〜Dの記述のうち，通説に照らして，妥当なものを選んだ組合せはどれか。

A 債権譲渡は，従前の債権が消滅して同一性のない新債権が成立する更改と異なり，債権の同一性を変えることなく，債権を譲渡人から譲受人に移転する契約である。

B 譲渡を禁止する旨の意思表示がされた金銭の給付を目的とする債権が譲渡され，その債権の全額に相当する金銭を債務の履行地の供託所に供託した場合には，供託をした債務者は，譲渡人に供託の通知をする必要はない。

C 債権が譲渡された場合において，その意思表示の時に債権が現に発生していないときは，譲受人は，債権が発生した後に債務者が承諾をしなければ，当該債権を取得することができない。

D 現に発生していない債権を含む債権の譲渡は，確定日付のある証書によって，譲渡人が債務者に通知をし，又は債務者が承諾をしなければ，債務者以外の第三者に対抗することができない。

1 A B
2 A C
3 A D
4 B C
5 B D

解説

A：妥当である（更改につき，民法513条参照）。

B：譲渡を禁止する旨の意思表示がされた金銭の給付を目的とする債権が譲渡され，その債権の全額に相当する金銭を債務の履行地の供託所に供託した場合には，供託をした債務者は，遅滞なく，譲渡人および譲受人に供託の通知をしなければならない（民法466条の2第1項・2項）。

C：債権が譲渡された場合において，その意思表示の時に債権が現に発生していないときは，譲受人は，発生した債権を当然に取得する（民法466条の6第2項）。

D：妥当である（民法467条1項，2項）。

よって，妥当なものはAとDであるので，正答は**3**である。

正答 **3**

No. 288 専門試験　民法②[債権・親族・相続]　**不当利得**　令和4年度　区

民法に規定する不当利得に関する記述として，判例，通説に照らして，妥当なのはどれか。

1 善意で法律上の原因なく他人の財産又は労務によって利益を受け，そのために他人に損失を及ぼした者は，その受けた利益に利息を付して返還しなければならない。

2 債務の弁済として給付をした者は，その時において，債務の存在しないことを過失によって知らなかったときには，その給付したものの返還を請求することができる。

3 債務者が，錯誤によって，期限前の債務の弁済として給付をしたときには，不当利得とはならず，債権者に対し，債権者が給付により得た利益の返還を請求することができない。

4 債務者でない者が，錯誤によって，債務の弁済をした場合において，債権者が善意で時効によってその債権を失ったときには，その弁済をした者は，返還の請求をすることができる。

5 不法原因給付をした者は，その給付したものの返還を請求することができず，また，給付を受けた不法原因契約を合意の上解除し，その給付を返還する特約をすることは，無効である。

解説

1. 善意で法律上の原因なく他人の財産又は労務によって利益を受け，そのために他人に損失を及ぼした者は，その利益の存する限度において，これを返還する義務を負う（民法703条）。その受けた利益に利息を付して返還しなければならないのは，悪意の受益者である（同法704条前段）。

2. 妥当である。民法705条は，債務の弁済として給付をした者は，その時において，債務の存在しないことを知っていたときは，その給付したものの返還を請求することができないとする。民法705条は，債務の弁済として給付をした者は，そのときにおいて債務の存在しないことを知っていたときは，その給付したものの返還を請求することができないとしているが，債務の存在しないことを過失によって知らなかっただけの場合は，同条は適用されず，不当利得返還請求が認められるとするのが判例である（大判昭16・4・19）。

3. 債務者は，錯誤によって，期限前の債務の弁済として給付をしたときには，債権者に対し，債権者が給付により得た利益の返還を請求することができる（民法706条但書）。

4. 債務者でない者が，錯誤によって，債務の弁済をした場合において，債権者が善意で時効によってその債権を失ったときには，その弁済をした者は，返還の請求をすることができない（民法707条1項）。

5. 不法原因給付をした者は，その給付したものの返還を請求することができない（民法708条本文）。しかし，判例は，給付を受けた不法原因契約を合意のうえ解除し，その給付を返還する特約をすることは，有効であるとしている（最判昭28・1・22）。

正答　**2**

専門試験

No. 289　民法② ［債権・親族・相続］　不法行為　令和4年度　区

民法に規定する不法行為に関する記述として，判例，通説に照らして，妥当なのはどれか。

1　不法行為の成立には，その行為によって損害が発生したことが必要となるが，この損害とは，財産的な損害であり，精神的な損害などの非財産的損害は含まない。

2　緊急避難とは，他人の不法行為に対し，自己又は第三者の権利又は法律上保護される利益を防衛するため，やむを得ず行う加害行為であり，その加害行為をした者は損害賠償の責任を負わない。

3　最高裁判所の判例では，不法行為による損害賠償額を過失相殺するには，被害者に責任能力がなければならず，被害者が未成年者である場合には，その過失は一切斟酌されないとした。

4　数人が共同の不法行為によって他人に損害を加えたときは，行為者間に共同の認識がなくても，客観的に関連共同している場合には，各自が連帯してその損害を賠償する責任を負う。

5　人の生命又は身体を害する不法行為による損害賠償請求権は，被害者又はその法定代理人が，損害及び加害者を知った時から3年間行使しないときには，時効によって消滅し，不法行為の時から20年間行使しないときも，同様である。

解説

1．不法行為の成立には，その行為によって損害が発生したことが必要となるが，この損害とは，財産的な損害だけでなく，精神的な損害などの非財産的損害も含まれる（民法710条）。

2．他人の不法行為に対し，自己または第三者の権利または法律上保護される利益を防衛するため，やむをえず行う加害行為であり，その加害行為をした者は損害賠償の責任を負わないのは，民法上の正当防衛である（民法720条1項）。民法上の緊急避難とは，他人の物から生じた急迫の危難を避けるためその物を損傷した場合である（同条2項）。

3．最高裁判所の判例では，被害者が未成年者である場合に，その過失を斟酌するためには，被害者に事理弁識能力が備わっていれば足り，責任能力が備わっていることを要しないとした（最大判昭39・6・24）。

4．妥当である（最判昭43・4・23）。

5．人の生命または身体を害する不法行為による損害賠償請求権は，被害者またはその法定代理人が，損害および加害者を知った時から「5年間」行使しないときには，時効によって消滅し，不法行為の時から20年間行使しないときも，同様である（民法724条の2，724条）。

正答　4

東京都・特別区

No. **290**

専門試験

民法② [債権・親族・相続]

遺　言

区

令和 **4**年度

憲法

行政法

民法

経済原論

財政学

民法に規定する遺言に関する記述として，妥当なのはどれか。

1　遺言とは，遺言者の死亡とともに一定の効果を発生させることを目的とする相手方のない単独行為であり，未成年者もその年齢にかかわらずこれをすることができる。

2　自筆証書で遺言をする場合において，自筆証書遺言にこれと一体のものとして相続財産の全部又は一部の目録を添付するときには，その目録についても遺言者が自書することを要し，パソコンにより作成することはできない。

3　秘密証書又は公正証書で遺言をする場合には，その保管者は，相続の開始を知った後，これを家庭裁判所に提出しなければならず，その検認を請求する必要がある。

4　遺言に停止条件を付した場合において，その条件が遺言者の死亡後に成就したときは，遺言は，いかなる場合であっても，遺言者の死亡の時に遡ってその効力を生ずる。

5　遺言者は，遺言で，1人又は数人の遺言執行者を指定し，又はその指定を第三者に委託することができるが，未成年者及び破産者は遺言執行者となることができない。

解説

1．遺言とは，遺言者の死亡とともに一定の効果を発生させることを目的とする相手方のない単独行為であるが，未成年者は，その年齢にかかわらず遺言をすることができるわけではなく，15歳に達した者でなければ，遺言をすることはできない（民法961条）。

2．自筆証書によって遺言をするには，遺言者が，その全文，日付および氏名を自書し，これに印を押さなければならない（民法968条1項）が，自筆証書にこれと一体のものとして相続財産の全部または一部の目録を添付する場合には，その目録については，自書することを要しない（同条2項前段）から，目録をパソコンにより作成することができる。

3．公正証書で遺言をする場合には，検認を請求する必要はない（民法1004条1項前段・2項）。

4．遺言に停止条件を付した場合において，その条件が遺言者の死亡後に成就したときは，遺言は，条件が成就した時からその効力を生ずる（民法985条2項）。

5．妥当である（前半につき民法1006条1項，後半につき同1009条）。

正答　**5**

No. 291 民法①[総則・物権] 制限行為能力者 令和3年度

民法に規定する制限行為能力者に関する記述として，妥当なのはどれか。

1 制限行為能力者は，成年被後見人，被保佐人，被補助人の3種であり，これらの者が単独でした法律行為は取り消すことができるが，当該行為の当時に意思能力がなかったことを証明しても，当該行為の無効を主張できない。

2 制限行為能力者の相手方は，その制限行為能力者が行為能力者となった後，その者に対し，1か月以上の期間を定めて，その期間内にその取り消すことができる行為を追認するかどうかを確答すべき旨の催告をすることができる。

3 家庭裁判所は，精神上の障害により事理を弁識する能力が著しく不十分である者については，本人，配偶者，四親等内の親族，補助人，補助監督人又は検察官の請求により，後見開始の審判をすることができる。

4 被保佐人は，不動産その他重要な財産に関する権利の得喪を目的とする行為をするには，その保佐人の同意を得なければならないが，新築，改築又は増築をするには，当該保佐人の同意を得る必要はない。

5 家庭裁判所は，保佐監督人の請求により，被保佐人が日用品の購入その他日常生活に関する行為をする場合に，その保佐人の同意を得なければならない旨の審判をすることができる。

解説

1. 制限行為能力者は，未成年者，成年被後見人，被保佐人，被補助人の4種であり，これらの者が単独でした一定の法律行為は取り消すことができる（民法5条2項，9条，13条4項，17条4項）。しかし，当該行為の当時に意思能力がなかったことを証明すれば，当該行為の無効も主張できる（同3条の2参照）。

2. 妥当である（同20条1項前段）。

3. 家庭裁判所は，精神上の障害により事理を弁識する能力が著しく不十分である者については，本人，配偶者，四親等内の親族，後見人，後見監督人，補助人，補助監督人または検察官の請求により，保佐開始の審判をすることができる（同11条本文）。

4. 被保佐人は，不動産その他重要な財産に関する権利の得喪を目的とする行為をするには，その保佐人の同意を得なければならない（同13条1項3号）。また，新築，改築または増築をする場合にも，当該保佐人の同意を得る必要がある（同条項8号）。

5. 家庭裁判所は，被保佐人が日用品の購入その他日常生活に関する行為をする場合に，その保佐人の同意を得なければならない旨の審判をすることはできない（同13条2項，9条ただし書）。

正答 **2**

民法に規定する債権者代位権に関するA〜Dの記述のうち，妥当なものを選んだ組合せはどれか。

　A　債権者は，その債権が強制執行により実現することのできないものであるときは，被代位権利を行使することができない。

　B　債権者は，その債権の期限が到来しない間は，保存行為であっても，裁判上の代位によらなければ被代位権利を行使することができない。

　C　債権者は，被代位権利を行使する場合において，被代位権利が金銭の支払を目的とするものであるときは，相手方に対し，金銭の支払を自己に対してすることを求めることができない。

　D　債権者が被代位権利を行使した場合であっても，債務者は，被代位権利について，自ら取立てその他の処分をすることを妨げられず，この場合においては，相手方も，被代位権利について，債務者に対して履行をすることを妨げられない。

1　A　B
2　A　C
3　A　D
4　B　C
5　B　D

解説

A：妥当である（民法423条3項）。

B：債権者は，その債権の期限が到来しない間は，被代位権利を行使することができない。ただし，保存行為は，この限りでない（同423条2項）。したがって，債権者は，その債権の期限が到来しない間でも，保存行為であれば，裁判上の代位によらずに被代位権利を行使することができる。

C：債権者は，被代位権利を行使する場合において，被代位権利が金銭の支払を目的とするものであるときは，相手方に対し，金銭の支払を自己に対してすることを求めることができる（同423条の3前段）。なお，この場合において，相手方が債権者に対してその支払をしたときは，被代位権利は消滅する（同条後段）。

D：妥当である（同423条の5）。

　よって，妥当なものはAとDであるので，正答は**3**である。

正答　**3**

専門試験

No. 293 ミクロ経済学 均衡における需要の価格弾力性 令和5年度

ある財の需要曲線と供給曲線がそれぞれ、

$D=3a-P$ $\begin{bmatrix} D：財の需要量，P：財の価格 \\ S：財の供給量，a：正の定数 \end{bmatrix}$
$S=2P$

で示されるとき、均衡点におけるこの財の需要の価格弾力性として、妥当なのはどれか。

1 $\dfrac{1}{4}$

2 $\dfrac{1}{2}$

3 1

4 $\dfrac{3}{2}$

5 2

解説

需要の価格弾力性の計算問題である。価格を P、需要量を D とすると、需要の価格弾力性は次式で計算できる。

$$需要の価格弾力性 = -\frac{需要量の変化}{価格の変化} = \frac{\dfrac{\Delta D}{D}}{\dfrac{\Delta P}{P}} = \frac{P}{D} \times \frac{\Delta D}{\Delta P}$$

$$※\frac{\Delta D}{\Delta P} は、需要曲線の傾きの逆数を表す。$$

初めに、均衡における価格と需要量を求める。均衡では需要量 D と供給量 S が等しいので、需要曲線と供給曲線の式より均衡価格は次のように求められる。

$3a-P=2P$

$3P=3a$

$\therefore P=a$

この価格を需要曲線の式に代入して、均衡における需要量は $D=3a-a=2a$ である。

次に、均衡における需要の価格弾力性を求める。需要曲線の式は $P=3a-D$ と書き直せるので、需要曲線の傾きは -1 である。

最後に、需要の価格弾力性を求める。冒頭の式より、需要の価格弾力性は $-\dfrac{a}{2a} \times \dfrac{1}{-1} = \dfrac{1}{2}$ である。

よって、正答は**2**である。

正答 **2**

完全競争市場において、ある企業の短期の総費用関数が、

$TC＝X^3－6X^2＋16X＋32$ 〔TC：総費用、X：生産量〕

で示されるとき、この企業の操業停止点における価格として、妥当なのはどれか。

1 3

2 4

3 7

4 15

5 16

解 説

操業停止点における価格の計算問題である。操業停止点は平均可変費用曲線の最低点であることを使って、計算すればよい。

初めに、平均可変費用を求める。可変費用は生産量に応じて変化する費用であるので、総費用関数から固定費用である32を除いた $X^3－6X^2＋16X$ である。よって、この可変費用を生産量で割ると、平均可変費用 AVC は、$AVC＝X^2－6X＋16$ である。

次に、操業停止点における生産量を求める。操業停止点は平均可変費用曲線の最低点であるので、操業停止点における生産量は、平均可変費用を生産量で微分して得られる $\dfrac{dAVC}{dX}＝2X－6$ がゼロに等しくなる値、すなわち $X＝3$ である。

最後に、操業停止点における価格を求める。平均可変費用 $AVC＝X^2－6X＋16$ の X に操業停止点における生産量3を代入して、操業停止点における価格は、$3^2－6×3＋16＝7$ である。

よって、正答は**3**である。

正答 **3**

ある独占企業が、市場をAとBの2つに分割し、同一財にそれぞれの市場で異なる価格をつけて販売する場合において、それぞれの市場における需要曲線が、

$$D_A=24-P_A$$
$$D_B=32-2P_B$$

$\begin{bmatrix} D_A：A市場における需要量、P_A：A市場における価格 \\ D_B：B市場における需要量、P_B：B市場における価格 \end{bmatrix}$

で示されるとする。

この企業の総費用曲線が、

$$TC=28+X^2 \qquad 〔TC：総費用、X：生産量〕$$

として示されるとき、それぞれの市場における利潤が最大となる価格の組合せとして、妥当なのはどれか。ただし、この財の市場間での転売はできないものとする。

	A市場	B市場
1	5	2
2	10	4
3	13	9
4	14	14
5	19	15

解　説

差別価格の計算問題である。独占企業が利潤最大化を達成するためには、各市場で限界収入と限界費用が一致するように価格を設定すればよい。

　まず、A市場について考察する。A市場の需要曲線の式は$P_A=-D_A+24$と書き直せる。この式はA市場の需要曲線が右下がりの直線であることを示しているので、A市場の限界収入MR_Aは需要曲線の傾きを2倍にした$MR_A=-2D_A+24$である。A市場向け生産量をX_A、B市場向け生産量をX_Bとすると、総費用曲線は$TC=28+X^2=28+(X_A+X_B)^2=28+X_A^2+2X_AX_B+X_B^2$と書き直せるので、A市場における限界費用は総費用曲線をX_Aで微分して、$\dfrac{\partial TC}{\partial X_A}=2X_A+2X_B$である。均衡では$X_A=D_A$が成立することに留意すると、独占企業が利潤最大化を図るためにはA市場で次式が成立している必要がある。

　　$-2D_A+24=2D_A+2D_B$

　　$4D_A+2D_B=24$

　　$\therefore 2D_A+D_B=12$　…①

　次に、B市場について考察する。B市場の需要曲線の式は$P_B=-\dfrac{1}{2}D_B+16$と書き直せる。この式はB市場の需要曲線が右下がりの直線であることを示しているので、B市場の限界収入MR_Bは需要曲線の傾きを2倍にした$MR_B=-D_B+16$である。独占企業のB市場における限界費用は総費用曲線$TC=28+D_A^2+2D_AD_B+D_B^2$を$D_B$で微分して$\dfrac{\partial TC}{\partial X_B}=2X_A+2X_B$である。均衡では$X_B=D_B$が成立することに留意すると、独占企業が利潤最大化を図るためにはB市場で次式が成立している必要がある。

　　$-D_B+16=2D_A+2D_B$

　　$\therefore 2D_A+3D_B=16$　…②

　最後に、各市場における財の価格を求める。①式と②式からなる連立方程式を解くと、$D_A=5$、$D_B=2$。A市場における価格はA市場の需要曲線の式に$D_A=5$を代入して、$P_A=-5+24=19$、B市場における価格はB市場の需要曲線の式に$D_B=2$を代入して、$P_B=-\dfrac{1}{2}\times2+16=15$である。

　よって、正答は**5**である。

正答　5

次の図は、2人の消費者A、BとX財、Y財の2つの財からなる交換経済のエッジワースの
ボックス・ダイアグラムである。図において、横軸と縦軸の長さは、それぞれX財とY財の
全体量を表す。図中のU_1、U_2、U_3は消費者Aの無差別曲線、V_1、V_2、V_3は消費者Bの無差別
曲線、WW'は契約曲線、TT'は予算制約線、g点は消費者の初期保有点をそれぞれ表している。
この図の説明として妥当なのはどれか。

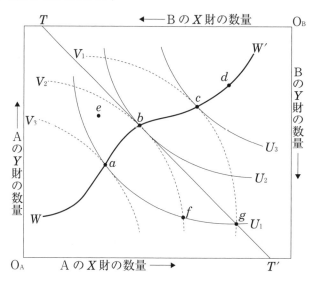

1 a点では、Aの2財の限界代替率は、Bのそれより小さく、X財、Y財をより多くAに配
分すれば、配分の効率性は増加する。

2 b点は競争均衡において達成される配分であるから、a点、c点より配分の効率性の観点
から望ましい配分である。

3 d点はパレート最適な配分ではあるが、A、Bの限界代替率は必ずしも等しくない。

4 e点からc点への移行はパレート改善ではないが、g点からb点への移行はパレート改善
である。

5 f点と比較すると、a点、b点、c点はいずれも配分の効率性の観点から望ましい配分であ
る。

解　説

エッジワースのボックス・ダイアグラムを用いた問題である。一般に、無差別曲線は原点から離れるほど高い効用水準を示すことに留意する必要がある。

1. a 点では両者の無差別曲線が接しているので、無差別曲線の接線の傾きで表される限界代替率はAとBで等しい。また、a 点は契約曲線上の点であり、パレート最適な配分である。それゆえ、X 財、Y 財をより多くAに配分すればAの効用は上昇するものの、Bの効用が低下することになり、配分の効率性が増加するとはいえない。

2. b 点と a 点を比較すると、Aの効用については b 点のほうが高く、Bの効用については a 点のほうが高いので、配分の効率性の観点から b 点が a 点より望ましいとはいえない。同様に、b 点と c 点を比較すると、Bの効用については b 点のほうが高く、Aの効用については c 点のほうが高いので、配分の効率性の観点から b 点が c 点より望ましいとはいえない。

3. d 点は契約曲線上にある、すなわちAとBの無差別曲線の接点の一つであるので、d 点ではAとBの限界代替率は等しい。そもそも、パレート最適な配分においては各消費者の限界代替率は一致する。

4. 妥当である。

5. f 点と a 点を比較すると、Aの効用については同じであるが、Bの効用については a 点のほうが高いので、配分の効率性の観点から a 点のほうが望ましい。f 点と b 点を比較すると、Bの効用については同じであるが、Aの効用については b 点のほうが高いので、配分の効率性の観点から b 点のほうが望ましい。f 点と c 点を比較すると、Aの効用については c 点のほうが高く、Bの効用については f 点のほうが高いので、配分の効率性の観点から c 点は f 点より望ましいとはいえない。

正答　4

憲法

行政法

民法

経済原論

財政学

生産の外部不経済が存在する経済において、企業Aと企業Bの費用関数が次のように表されているものとする。

$$C_A = X_A^2 + 30X_A \qquad \left[\begin{array}{l} C_A：企業Aの総費用、X_A：企業Aの生産量 \end{array} \right.$$

$$C_B = X_B^2 + X_A \cdot X_B \qquad \left. \begin{array}{l} C_B：企業Bの総費用、X_B：企業Bの生産量 \end{array} \right]$$

また、企業Aの生産する財の価格は80、企業Bの生産する財の価格は70で、一定であるとする。

このとき、各企業がそれぞれ、相手企業の生産量を所与として利潤最大化を行っている状態から、両企業の利潤の合計が最大化されている状態に移行するために、企業Aが減らさなければならない生産量として、妥当なのはどれか。

1 10

2 15

3 20

4 25

5 30

初めに、各企業が相手企業の生産量を所与として行動しているときの企業Aの生産量を求める。

企業Aの総費用を企業Aの生産量で微分して、企業Aの限界費用は$\dfrac{dC_A}{dX_A}=2X_A+30$である。この限界費用と企業Aの生産する財の価格80が等しいとき、企業Aの利潤は最大になる。

$$2X_A+30=80$$
$$\therefore X_A=25$$

次に、両企業の利潤の合計を最大化するときの企業Aの生産量を求める。企業Aと企業の総費用を合算した総費用 TC は $TC=C_A+C_B=X_A^2+30X_A+X_B^2+X_A \cdot X_B$ である。この総費用を企業Aの生産量で微分して、企業Aの限界費用は$\dfrac{\partial TC}{\partial X_A}=2X_A+30+X_B$ である。利潤の合計を最大にするためには、この限界費用と企業Aの生産する財の価格80が等しくなっている必要がある。

$$2X_A+30+X_B=80$$
$$\therefore 2X_A+X_B=50 \quad \cdots ①$$

また、総費用 TC を企業Bの生産量で微分して、企業Bの限界費用は$\dfrac{\partial TC}{\partial X_B}=2X_B+X_A$ である。利潤の合計を最大にするためには、この限界費用と企業Bの生産する財の価格70が等しくなっている必要がある。

$$X_A+2X_B=70 \quad \cdots ②$$

①式と②式からなる連立方程式を解くと、企業Aの生産量は$X_A=10$である。

最後に、企業Aの生産量の変化を求める。企業Aの生産量は25から10になるので、企業Aの生産量の変化は$25-10=15$である。

よって、正答は**2**である。

正答 **2**

憲法 行政法 民法 経済原論 財政学

消費関数の理論に関する記述として、妥当なのはどれか。

1 ケインズ型消費関数は、消費が現在の所得に依存するものであり、所得が上昇すると、平均消費性向が下落する。

2 クズネッツは、実証研究により、平均消費性向は短期、長期のいずれにおいても一定とはならず、変動することを示した。

3 デューゼンベリーは、消費は現在の所得ではなく過去の最高所得に依存するとするデモンストレーション効果を提唱した。

4 フリードマンは、消費が所得だけではなく、預金などの流動資産にも依存するとする流動資産仮説を提唱した。

5 トービンは、所得を恒常所得と変動所得に分け、消費は恒常所得に依存し、変動所得は消費に影響が及ばないとする恒常所得仮説を提唱した。

解 説

1. 妥当である。

2. クズネッツは、実証研究により、平均消費性向は長期において一定となる（安定する）ことを示した。

3. 「消費が過去の最高所得に依存する」というのはラチェット効果である。ちなみに、デモンストレーション効果とは、ある消費者の行動が、その消費者の周りの消費者の行動から影響を受ける効果のことである。デューゼンベリーは、ラチェット効果とデモンストレーション効果を重視して相対所得仮説を論じた。

4. 流動資産仮説はフリードマンではなく、トービンによって提唱された。

5. 恒常所得仮説はトービンではなく、フリードマンによって提唱された。

正答 **1**

No. 299 マクロ経済学　加速度原理　令和5年度

第1期の国民所得を290、第2期の国民所得を320、第3期の国民所得及び資本ストックをそれぞれ380、950とするとき、加速度原理により求められる第2期の投資の値として、妥当なのはどれか。ただし、資本係数は一定とする。

1　　45
2　　60
3　　75
4　　90
5　　150

憲法

行政法

民法

経済原論

財政学

解　説

加速度原理の計算問題である。加速度原理では資本係数 $\left(=\dfrac{\text{資本ストック}}{\text{国民所得}}\right)$ を一定として、投資が決まると考える。

　初めに、資本係数を求める。第3期の国民所得は380、資本ストックは950であるので、資本係数は $\dfrac{950}{380}=2.5$ である。

　次に、各期の資本ストックを求める。資本係数2.5より、GDP が290である第1期の資本ストックは290×2.5＝725であり、国民所得が320である第2期の資本ストックは320×2.5＝800である。

　最後に、第2期の投資を求める。第2期に資本ストックは725から800に増えているので、第2期の投資は800－725＝75である。

　よって、正答は**3**である。

正答　**3**

憲法

行政法

民法

経済原論

財政学

ある国のマクロ経済モデルが次のように表されているとする。

$Y=C+I+G$

$C=0.6(Y-T)+50$

$I=60-r$

$G=50$

$T=20$

$L=M$

$L=0.1Y+10-r$

$M=10$

$\begin{bmatrix} Y：国民所得、C：民間消費 \\ I：民間投資、G：政府支出 \\ T：租税、r：利子率 \\ L：貨幣需要量、M：貨幣供給量 \end{bmatrix}$

　このモデルにおいて、政府支出が50から60に増加したとき、クラウディング・アウト効果によって生じる国民所得の減少分の大きさとして、妥当なのはどれか。

1　5

2　10

3　15

4　20

5　25

IS-LM 分析の計算問題である。

　初めに、財政支出拡大後の均衡国民所得を求める。*IS* 曲線は財市場の均衡条件式 $Y=C+I+G$ に租税 $T=20$ を代入した消費関数 $C=0.6(Y-T)+50$、および投資関数 $I=60-r$ を代入して得られる（値が変わる政府支出 G については変数のままにしておく）。

　　　$Y=\{0.6(Y-20)+50\}+(60-r)+G$

　　　$\therefore r=98-0.4Y+G$　…①

　LM 曲線については、貨幣市場の均衡条件式 $L=M$ に貨幣供給量 $M=10$ と貨幣需要関数 $L=0.1Y+10-r$ を代入して得られる。

　　　$0.1Y+10-r=10$

　　　$\therefore r=0.1Y$　…②

　均衡国民所得は、①式と②式からなる連立方程式の解 Y である。

　　　$0.1Y=-0.4Y+98+G$

　　　$\therefore Y=196+2G$　…③

　この式の G に政府支出拡大後の政府支出60を代入すると、財政支出拡大後の均衡国民所得は、$196+2\times60=316$である。

　次に、クラウディング・アウト効果がない場合の国民所得を求める。そのためには、政府支出拡大前の利子率が必要になる。③式の G に政府支出拡大前の政府支出50を代入すると、財政支出拡大前の均衡国民所得は、$196+2\times50=296$となる。これを②式の Y に代入すると、政府支出拡大前の均衡利子率は、$0.1\times296=29.6$である。よって、①式の r に政府支出拡大前の均衡利子率29.6、G に政府支出拡大後の政府支出60を代入して、解いた解 Y が、クラウディング・アウト効果がない場合の国民所得である。

　　　$29.6=98-0.4Y+60$

　　　$\therefore Y=321$

　最後に、クラウディング・アウト効果による国民所得の減少を計算する。クラウディング・アウト効果によって、国民所得は321から316へ5だけ減少する。

　よって、正答は**1**である。

［別解］

　国民所得の変化分に着目して計算することもできる。

　③式の両辺の変数について変化分をとると $\Delta Y=2\Delta G$ であるので、政府支出が50から60に変化したときの均衡国民所得の変化分は $\Delta Y=2(60-50)=20$である。クラウディング・アウト効果がない場合の国民所得の増加分は *IS* 曲線の右シフト幅に等しいので、①式を $Y=245-2.5r+2.5G$ に変形して両辺の変数の変化分をとった $\Delta Y=-2.5\Delta r+2.5\Delta G$ に、$\Delta r=0$ および $\Delta G=10$ を代入すると、国民所得の増加分 $\Delta Y=-2.5\times0+2.5\times10=25$ が得られる。

　よって、クラウディング・アウト効果によって国民所得の増加分は $25-20=5$ だけ減少する。

正答　1

東京都・特別区

憲法

行政法

民法

経済原論

財政学

No.
301
専門試験
マクロ経済学
スタグフレーション
区
令和 5 年度

次の文は、スタグフレーションに関する記述であるが、文中の空所A～Dに該当する語句の組合せとして、妥当なのはどれか。

　1970年代に先進国で起こった、不況と　　　A　　　が同時に生じるスタグフレーションは、下図において、　　B　　の増加などにより、　　C　　が　　D　　にシフトすることで発生した。

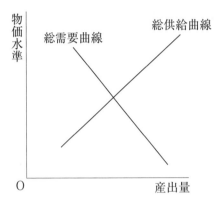

	A	B	C	D
1	インフレーション	生産コスト	総供給曲線	左上方
2	インフレーション	生産コスト	総需要曲線	右上方
3	インフレーション	政府支出	総需要曲線	右上方
4	デフレーション	生産コスト	総供給曲線	左上方
5	デフレーション	政府支出	総需要曲線	右上方

解説

A：「インフレーション」が該当する。スタグフレーションとは、不況（スタグネーション）とインフレーションを組み合わせた造語である。

B：1970年代の不況は、原油価格の上昇等による「生産コスト」の上昇が主因となって生じた。

C：生産コストの変化は供給側の変化であるので、「総供給曲線」のシフトによって示される。

D：生産コストが上昇すると、産出量が一定であってもコストがかかるようになるので、総供給曲線が「左上方」にシフトする。

　よって、正答は**1**である。

正答　**1**

東京都・特別区

No. 302

専門試験

マクロ経済学

成長会計

区

令和 5 年度

次の式は、実質 GDP を Y、全要素生産性を A、資本ストックを K、労働投入量を L として、コブ=ダグラス型生産関数で表したものである。全要素生産性の成長率、資本ストックの成長率及び労働投入量の成長率がいずれも 3 ％であるとき、実質 GDP の成長率として、妥当なのはどれか。

$$Y = AK^{0.3}L^{0.7}$$

1 3 ％

2 6 ％

3 9 ％

4 12％

5 15％

解説

コブ=ダグラス型生産関数 $Y = AK^{0.3}L^{0.7}$ を成長率に変形すると、次式になる。

$$\frac{\Delta Y}{Y} = \frac{\Delta A}{A} + 0.3\frac{\Delta K}{K} + 0.7\frac{\Delta L}{L}$$

題意より、$\frac{\Delta A}{A} = \frac{\Delta K}{K} = \frac{\Delta L}{L} = 0.03$ を代入して、実質 GDP 成長率を求める。

$$\frac{\Delta Y}{Y} = 0.03 + 0.3 \times 0.03 + 0.7 \times 0.03 = 0.06$$

したがって、実質 GDP 成長率は 6 ％であるので、正答は**2**である。

正答 **2**

完全競争下の産業について，どの企業の費用条件も同一であり，それぞれの企業の費用関数が，

$$C = X^3 - 6X^2 + 90X \qquad \begin{bmatrix} C：総費用 \\ X：財の生産量 \end{bmatrix}$$

で示されるとする。企業の参入・退出が自由であるとして，この産業の長期均衡における価格はどれか。ただし，財の生産量 X は 0 より大きいものとする。

1　　3
2　　9
3　　27
4　　81
5　243

解説

参入・退出が自由な完全競争産業における長期均衡の計算問題である。このような市場の長期均衡では「価格＝平均費用＝限界費用」が成立することを使って解けばよい。

初めに，平均費用と限界費用を求める。平均費用 AC は総費用 C を生産量 X で除した値である。

$$AC=\frac{X^3-6X^2+90X}{X}=X^2-6X+90 \quad \cdots ①$$

限界費用 MC は総費用関数を生産量 X で微分して計算できる。

$$MC=\frac{d}{dX}(X^3-6X^2+90X)=3X^2-12X+90$$

次に，長期均衡における生産量を求める。長期均衡では平均費用と限界費用が等しいので，次式が成立する。

$$X^2-6X+90=3X^2-12X+90$$
$$2X^2-6X=0$$
$$\therefore 2X(X-3)=0$$

この式を満たす X の値は 0 と 3 であるが，題意（X は 0 より大きいものとする）より，生産量が 3 であるケースだけを考察すればよい。

最後に，長期均衡における価格を求める。長期均衡では，「価格＝平均費用」が成立するので，①式の X に 3 を代入すると，長期均衡における価格は $3^2-6\times3+90=81$ である。

よって，正答は**4**である。

［別解］

参入・退出が自由な完全競争産業の長期均衡は，長期平均費用曲線の最小点で示されることを使って，解を導出することもできる。長期平均費用曲線の最小点では，長期平均費用曲線の接線の傾きが 0 に等しい。この傾きは①式を生産量 X で微分して得られる $2X-6$ であるので，長期均衡における生産量は $2X-6=0$ の解，すなわち 3 である。この生産量 3 を①式の X に代入すると，長期均衡における価格は $3^2-6\times3+90=81$ である。

正答　4

ある消費者が，所得の全てをX財，Y財の購入に支出し，この消費者の効用関数が，

$$U=X^2 \cdot Y^3$$
$$\begin{bmatrix} U：効用水準 \\ X：X財の消費量 \\ Y：Y財の消費量 \end{bmatrix}$$

で示されるとする。

　この消費者の所得が90,000，X財の価格が45，Y財の価格が60であるとき，効用最大化をもたらすX財の最適消費量及びY財の最適消費量の組合せとして，妥当なのはどれか。

	X財の最適消費量	Y財の最適消費量
1	800	900
2	900	825
3	1,000	750
4	1,100	675
5	1,200	600

解説

効用最大化（最適消費）に関する計算問題である。すべての財を消費することが消費者にとって最適なとき，加重限界効用均等の法則と予算制約式が成立することを使って解けばよい。

　初めに，加重限界効用均等の法則について考える。X財の加重限界効用は，効用関数をX財の消費量で微分して得られるX財の限界効用$2XY^3$をX財の価格45で割った値$\dfrac{2XY^3}{45}$である。

　Y財の加重限界効用は，効用関数をY財の消費量で微分して得られるY財の限界効用$3X^2Y^2$をY財の価格60で割った値$\dfrac{3X^2Y^2}{60}=\dfrac{X^2Y^2}{20}$である。

よって，加重限界効用均等の法則は次式で表せる。

$$\frac{2XY^3}{45}=\frac{X^2Y^2}{20}$$

　この式は次のように変形できる。

$$40XY^3=45X^2Y^2$$
$$40Y=45X$$
$$\therefore Y=\frac{9}{8}X \quad \cdots ①$$

　次に，予算制約式を考える。価格が45であるX財をX単位消費したときの支出額は$45X$，価格が60であるY財をY単位消費したときの支出額は$60Y$であるので，総支出額は$45X+60Y$である。よって，予算制約式は$90000=45X+60Y$である。

　最後に，最適なX財の消費量とY財の消費量を計算する。予算制約式のYに①式の右辺を代入したうえで整理し，X財の最適消費量を求める。

$$90000 = 45X + 60 \times \frac{9}{8}X$$

$$90000 = \frac{900}{8}X$$

$$\therefore X = 800$$

このX財の最適消費量を①式の右辺に代入して，Y財の最適消費量を求める。

$$Y = \frac{9}{8} \times 800 = 900$$

したがって，X財の最適消費量は800，Y財の最適消費量は900であるので，正答は**1**である。

[別解]

解法テクニックを使って，次のように計算することもできる。効用関数が次式で与えられるものとする。

$$U = \alpha X^{\beta} Y^{\gamma} \quad (\alpha, \beta, \gamma は定数)$$

このとき，一般にX財の最適消費量とY財の最適消費量は次式で計算できる。

$$X = \frac{\beta}{\beta + \gamma} \times \frac{所得}{X財の価格}$$

$$Y = \frac{\gamma}{\beta + \gamma} \times \frac{所得}{Y財の価格}$$

本問の場合，$\beta = 2$，$\gamma = 3$，所得 = 90000，X財の価格 = 45，Y財の価格 = 60であるので，X財とY財の最適消費量はそれぞれ次のようになる。

$$X = \frac{2}{2+3} \times \frac{90000}{45} = 800$$

$$Y = \frac{2}{2+3} \times \frac{90000}{60} = 900$$

正答 **1**

次の表は，企業A，B間のゲームについて，企業Aが戦略S，T，U，V，企業Bが戦略W，X，Y，Zを選択したときの利得を示したものである。表中の括弧内の左側の数字が企業Aの利得，右側の数字が企業Bの利得である場合のナッシュ均衡に関する記述として，妥当なのはどれか。ただし，両企業が純粋戦略の範囲で戦略を選択するものとする。

		企業B			
		戦略W	戦略X	戦略Y	戦略Z
企業A	戦略S	（1，4）	（4，1）	（3，5）	（9，3）
	戦略T	（4，1）	（1，4）	（5，6）	（1，9）
	戦略U	（3，3）	（3，5）	（7，8）	（8，1）
	戦略V	（3，6）	（9，7）	（5，6）	（2，5）

1 ナッシュ均衡は，存在しない。

2 ナッシュ均衡は，企業Aが戦略U，企業Bが戦略Wを選択する組合せのみである。

3 ナッシュ均衡は，企業Aが戦略V，企業Bが戦略Xを選択する組合せのみである。

4 ナッシュ均衡は，企業Aが戦略U，企業Bが戦略Yを選択する組合せ及び企業Aが戦略V，企業Bが戦略Xを選択する組合せの2つである。

5 ナッシュ均衡は，企業Aが戦略S，企業Bが戦略Zを選択する組合せ，企業Aが戦略T，企業Bが戦略Yを選択する組合せ及び企業Aが戦略U，企業Bが戦略Wを選択する組合せの3つである。

解説

利得表を用いたゲーム理論の問題である。本問では，両企業が純粋戦略の範囲で戦略を選択したときのナッシュ均衡が問われているので，各企業について相手企業の戦略を所与としたときの最適戦略を考え，両者の最適戦略が一致する組合せを探せばよい。

初めに，企業Aの最適戦略について考える。①企業Bが戦略Wを選択すると仮定する。このとき，戦略Sを選択すれば利得1，戦略Tを選択すれば利得4，戦略Uまたは戦略Vを選択すれば利得3を得られるので，企業Aにとって最適な戦略は戦略Tである。②企業Bが戦略Xを選択すると仮定する。このとき，戦略Sを選択すれば利得4，戦略Tを選択すれば利得1，戦略Uを選択すれば利得3，戦略Vを選択すれば利得9を得られるので，企業Aにとって最適な戦略は戦略Vである。③企業Bが戦略Yを選択すると仮定する。このとき，戦略Sを選択すれば利得3，戦略Tまたは戦略Vを選択すれば利得5，戦略Uを選択すれば利得7を得られるので，企業Aにとって最適な戦略は戦略Uである。④企業Bが戦略Zを選択すると仮定する。このとき，戦略Sを選択すれば利得9，戦略Tを選択すれば利得1，戦略Uを選択すれば利得8，戦略Vを選択すれば利得2を得られるので，企業Aにとって最適な戦略は戦略Sである。

次に，企業Bの最適戦略について考える。①企業Aが戦略Sを選択すると仮定する。このとき，戦略Wを選択すれば利得4，戦略Xを選択すれば利得1，戦略Yを選択すれば利得5，戦略Zを選択すれば利得3を得られるので，企業Bにとって最適な戦略は戦略Yである。②企業Aが戦略Tを選択すると仮定する。このとき，戦略Wを選択すれば利得1，戦略Xを選択すれば利得4，戦略Yを選択すれば利得6，戦略Zを選択すれば利得9を得られるので，企業Bにとって最適な戦略は戦略Zである。③企業Aが戦略Uを選択すると仮定する。このとき，戦略Wを選択すれば利得3，戦略Xを選択すれば利得5，戦略Yを選択すれば利得8，戦略Zを選択すれば利得1を得られるので，企業Bにとって最適な戦略は戦略Yである。④企業Aが戦略Vを選択すると仮定する。このとき，戦略Wまたは戦略Yを選択すれば利得6，戦略Xを選択すれば利得7，戦略Zを選択すれば利得5を得られるので，企業Bにとって最適な戦略は戦略Xである。

最後に，ナッシュ均衡について考える。次の表は，各企業の最適戦略を選択したときの利得に下線を引いたものである。両者の最適戦略が一致する（両者の利得に下線が引かれている）組合せがナッシュ均衡であるので，「企業Aが戦略V，企業Bが戦略Xを選択する組合せ」と「企業Aが戦略U，企業Bが戦略Yを選択する組合せ」の2つがナッシュ均衡である。

よって，正答は**4**である。

		企業B			
		戦略W	戦略X	戦略Y	戦略Z
企業A	戦略S	(1, 4)	(4, 1)	(3, 5)	(9, 3)
	戦略T	(4, 1)	(1, 4)	(5, 6)	(1, 9)
	戦略U	(3, 3)	(3, 5)	(7, 8)	(8, 1)
	戦略V	(3, 6)	(9, 7)	(5, 6)	(2, 5)

正答　4

２人の需要者Ａ，Ｂからなる市場において，公共財に対する限界評価曲線がそれぞれ，

$P_A = 40 - 3X_A$ 　$\begin{bmatrix} P_A = \text{Aの限界評価，} X_A：\text{Aの公共財の需要量} \\ P_B = \text{Bの限界評価，} X_B：\text{Bの公共財の需要量} \end{bmatrix}$

$P_B = 40 - X_B$

で示されるとする。

　また，公共財の限界費用が，

$MC = X_S + 10$ 　〔MC：公共財の限界費用，X_S：公共財の供給量〕

として示されるとき，効率的な公共財の供給量はどれか。

1 　7

2 　7.5

3 　14

4 　15

5 　20

解説

効率的な公共財の供給量に関する計算問題である。社会全体の公共財に対する限界評価を算出し，それと公共財の限界費用が等しくなる公共財の供給量を求めればよい。

　初めに，社会全体の公共財に対する限界評価を算出する。図の直線 RA はＡの限界評価曲線，直線 RB はＢの限界評価曲線を描いたものである，Ａは自らの公共財に対する限界評価が０より大きくなる，すなわち公共財の供給量が $\frac{40}{3}$ を下回る範囲で公共財を需要し，Ｂは自らの公共財に対する限界評価が０より大きくなる，すなわち公共財の供給量が40を下回る範囲で公共財を需要する。よって，公共財の供給量が $\frac{40}{3}$ を下回る範囲ではＡとＢの双方が公共財を需要し，公共財の供給量が $\frac{40}{3}$ を上回り，40を下回る範囲ではＢだけが公共財を需要する。公共財の供給量 X が $\frac{40}{3}$ を下回るとき，非競合性という公共財の性質より，社会全体の公共財に対する限界評価はＡの限界評価 $40-3X$ にＢの限界評価 $40-X$ を加えた $80-4X$ となる。公共財の供給量 X が $\frac{40}{3}$ を上回るとき，Ｂだけが公共財を需要するので，社会全体の公共財に対する限界評価はＢの限界評価 $40-X$ そのものである。以上のことをまとめると，社会全体の公共財に対する限界評価 P は次式で表される。

$$P = \begin{cases} 80 - 4X & X < \dfrac{40}{3}\text{のとき} \\ 40 - X & X \geqq \dfrac{40}{3}\text{のとき} \qquad \cdots ① \end{cases}$$

図の太線 $R'R''B$ は，社会全体の公共財に対する限界評価を描いたものである。

　次に，効率的な公共財の供給量を計算する。効率的な公共財の供給量は，限界費用曲線 MC と社会全体の公共財に対する限界評価が等しくなる水準である。個人Bの限界評価 $P_B=40-X_B$ より点 R'' の高さが $40-\dfrac{40}{3}=\dfrac{80}{3}$ であること，公共財の限界費用 $MC=X_S+10$ より公共財の供給量が $\dfrac{40}{3}$ であるときの公共財の限界費用が $\dfrac{40}{3}+10=\dfrac{70}{3}$ であることに留意すると，公共財の限界費用曲線 MC は限界評価曲線 $R'R''B$ の $R''B$ の範囲で交わる。この交点Eに対応する数量，すなわち①式の右辺と限界費用 $X+10$ が等しくなる量が効率的な公共財の供給量である。

$$40-X=X+10$$
$$2X=30$$
$$\therefore X=15$$

　よって，正答は**4**である。

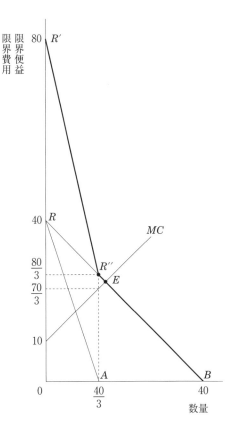

正答　**4**

次の図Ⅰ及び図Ⅱは，２つの異なるモデルについて縦軸に利子率を，横軸に国民所得をとり，IS 曲線と LM 曲線を描いたものであるが，それぞれの図に関する以下の記述において，文中の空所Ａ～Ｄに該当する語又は語句の組合せとして，妥当なのはどれか。

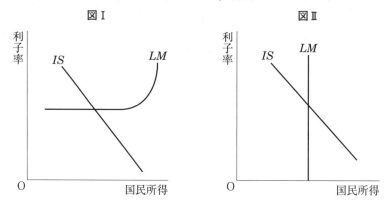

図Ⅰのように，LM 曲線が IS 曲線と交わる部分で水平になる状況は，「流動性のわな」といわれ，ケインズの流動性選好理論によれば，一定限度まで利子率が ┌ Ａ ┐ することで貨幣需要の弾力性が ┌ Ｂ ┐ となるため，金融政策は無効である。

図Ⅱのように，LM 曲線が垂直になる状況では，政府支出を増加させると，国民所得は ┌ Ｃ ┐ が，利子率は ┌ Ｄ ┐ するという「100％クラウディング・アウト」が起こる。

	Ａ	Ｂ	Ｃ	Ｄ
1	下落	無限大	変化しない	上昇
2	下落	無限大	増加する	下落
3	上昇	無限大	変化しない	上昇
4	上昇	ゼロ	増加する	下落
5	上昇	ゼロ	変化しない	上昇

解 説

IS-LM 分析を用いた *LM* 曲線の形状と財政・金融政策の有効性に関するグラフ問題である。

　初めに，*LM* 曲線の形状について考察する。一般に，利子率と債券価格の間では，利子率が下落（上昇）すると債券価格が上昇（下落）するという関係が成り立つ。ケインズの流動性選好理論によれば，利子率が低下する，すなわち債券価格が上昇すると，債券価格の低下を恐れて貨幣に対する需要が増える（貨幣需要の弾力性が大きくなる）。よって，一定限度まで利子率が低下すると貨幣需要の弾力性は無限大になり，貨幣市場が均衡する国民所得と利子率の組合せを示す *LM* 曲線は水平になる。

　次に，財政政策の効果について考察する。政府支出が増加すると，財市場では有効需要が増え，利子率が一定のまま国民所得が増えようとする。これは，*IS* 曲線の右へのシフトで示せる（図中 *IS′*）。このとき，貨幣市場では超過需要が発生するので，利子率が上昇する。財市場と貨幣市場の双方が均衡するまでこの利子率の上昇は続くので，下図が示すように *LM* 曲線が垂直であるとき，均衡は点 *E* から点 *E′* へ移り，国民所得は変化せず，利子率は上昇する。

　よって，A は「下落」，B は「無限大」，C は「変化しない」，D は「上昇」であるので，正答は **1** である。

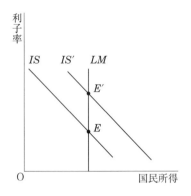

正答　**1**

憲法

行政法

民法

経済原論

財政学

現在毎年500万円の所得があり，800万円の資産を保有している45歳の人がいる。この人が65歳まで働き，85歳まで寿命があり，55歳までの10年間は現在と同額の所得があるが，その後65歳までの10年間は毎年の所得が300万円となり，その後85歳までの20年間は所得がないという予想の下で，今後生涯にわたって毎年同額の消費を行うとしたとき，この人が15年後の60歳の時の年間貯蓄額はいくらか。ただし，個人の消費行動はライフサイクル仮説に基づき，遺産は残さず，利子所得はないものとする。

1　10万円

2　50万円

3　80万円

4　100万円

5　220万円

解 説

ライフサイクル仮説を用いた計算問題である。本問題では，60歳時の年間貯蓄額が問われているので，平準化した年間消費額を算出し，60歳時の所得からこの年間消費額を差し引けばよい。なお。本問題では物価に関する仮定が置かれていないので，物価は一定であると考えられる。

　初めに，年間消費額を算出する。利子所得はないという仮定より，この個人の生涯消費可能額は，現在の資産800万円，45歳から55歳までの10年間に得られる所得の総額500〔万円〕×10＝5000〔万円〕，および56歳から65歳までの10年間に得られる所得の総額300〔万円〕×10＝3000〔万円〕の合計，すなわち800〔万円〕＋5000〔万円〕＋3000〔万円〕＝8800〔万円〕である。

　次に，平準化した年間消費額を算出する。遺産は残さないという仮定より，生涯消費可能額8800万円を余命85－45＝40年間で平準化して使い尽くす。よって，年間消費額は8800〔万円〕÷40＝220〔万円〕である。

　最後に，60歳時の年間貯蓄額を求める。60歳時のこの個人は，300万円の所得を得て，220万円の消費を行うので，年間貯蓄額は300〔万円〕－220〔万円〕＝80〔万円〕である。

　よって，正答は**3**である。

正答　**3**

インフレーションと失業に関する記述として，妥当なのはどれか。

1　フィリップスは，イギリス経済の100年近い長期にわたるデータに基づき，実質賃金の変化率と失業率の間にトレードオフ関係が成立することを発見した。

2　オークンは，アメリカ経済における失業率と実質国民所得の間の法則を発見し，失業率と実質国民所得には，正の相関関係があることを示した。

3　自然失業率とは，労働市場において需要と供給が一致する状況でも依然として存在する失業率であり，自然失業率のもとでの失業には，摩擦的失業がある。

4　自然失業率仮説によれば，短期フィリップス曲線は，失業率が自然失業率に等しくなる水準で垂直となり，短期的に，自然失業率以下に失業率を低下させることはできない。

5　合理的期待形成仮説によれば，各経済主体が利用可能な情報は浪費することなく全て利用して期待を形成し，政策効果の先行きを正確に理解しているため，財政政策は効果があり，失業率が低下する。

解説

1．フィリップスが発見したのは，実質賃金の変化率と失業率の間のトレードオフ関係ではなく，名目賃金の変化率と失業率の間のトレードオフ関係である。

2．オークンが示したのは，失業率と実質国民所得の間の正の相関関係ではなく，失業率の変化と実質経済成長率の間の負の相関関係である。

3．妥当である。

4．記述は，短期に関するものではなく，長期に関するものである。

5．前半の記述は正しい。合理的期待形成学派は，各経済主体が前半の記述のような行動をとる結果として，財政政策は無効となり，失業率は変化しないと主張した。

正答　**3**

次の表は，ある国の，2つの産業部門からなる産業連関表を示したものであるが，この表に関する以下の記述において，文中の空所A，Bに該当する数字の組合せとして，妥当なのはどれか。ただし，投入係数は，全て固定的であると仮定する。

		産出 中間需要		最終需要		総産出額
投入		産業Ⅰ	産業Ⅱ	国内需要	純輸出	
中間投入	産業Ⅰ	50	50	ア	10	イ
	産業Ⅱ	25	100	40	35	200
付加価値		75	50			
総投入額		150	ウ			

この国の，現在の産業Ⅰの国内需要「ア」は　　A　　である。

今後，産業Ⅰの国内需要「ア」が70％増加した場合，産業Ⅱの総投入額「ウ」は　　B　　％増加することになる。

	A	B
1	40	6
2	40	8
3	40	24
4	80	46
5	80	68

解 説

産業連関分析の計算問題である。

A：表の横方向は需要構成（販路構成）を表している。産業Ⅰでは，産業Ⅰが50，産業Ⅱが50購入しており，国内需要がア，純輸出が10であるので，これらの総額は50＋50＋ア＋10＝110＋アである。この総額は産業Ⅰの総投入額150と等しい（イは150）ので，次式が成立する。

110＋ア＝150

∴ア＝40

B：初めに，投入係数を用いて各産業に対する中間需要を表す。表の縦方向は投入構成（費用構成）を表している。産業Ⅰでは，150の生産のために産業Ⅰの財を50投入し，産業Ⅱの財を25投入しているので，産業Ⅰが1生産するために必要な産業Ⅰの投入係数は$50 \div 150 = \frac{1}{3}$，

産業Ⅱの投入係数は$25 \div 150 = \frac{1}{6}$である。産業Ⅱの総投入額が産業Ⅱの総産出額200に等しい

（ウは200）ことに留意すると，産業Ⅱでは，200の生産のために産業Ⅰの財を50投入し，産業Ⅱの財を100投入しているので，産業Ⅱが1生産するために必要な産業Ⅰの投入係数は$50 \div 200$

$=\dfrac{1}{4}$，産業Ⅱの投入係数は$100 \div 200 = \dfrac{1}{2}$である。よって，産業Ⅰの総産出額を$X_1$，産業Ⅱの総産出額を$X_2$とすると，産業Ⅰに対する中間需要は$\dfrac{1}{3}X_1 + \dfrac{1}{3}X_2$であり，産業Ⅱに対する中間需要は$\dfrac{1}{6}X_1 + \dfrac{1}{2}X_2$である。次に，数量方程式を構築して，産業Ⅱの総投入額を求める。産業Ⅰに対する最終需要（国内需要と純輸出の和）をY_1，産業Ⅱに対する最終需要をY_2とすると，産業Ⅰに対する中間需要と最終需要の和は$\dfrac{1}{3}X_1 + \dfrac{1}{4}X_2 + Y_1$であり，産業Ⅱに対する中間需要と最終需要の和は$\dfrac{1}{6}X_1 + \dfrac{1}{2}X_2 + Y_2$である。各産業で総産出額と総需要額は等しくなるので，この国の数量方程式は次のように示せる。

$$\begin{cases} \dfrac{1}{3}X_1 + \dfrac{1}{4}X_2 + Y_1 = X_1 & \cdots ① \\[2mm] \dfrac{1}{6}X_1 + \dfrac{1}{2}X_2 + Y_2 = X_2 & \cdots ② \end{cases}$$

この連立方程式をX_2について解いた解が，産業Ⅱの総投入額である。②式から得られる$X_1 = 3X_2 - 6Y_2$を①式のX_1に代入して，産業Ⅱの総投入額を算出する。

$$\dfrac{1}{3}(3X_2 - 6Y_2) + \dfrac{1}{4}X_2 + Y_1 = 3X_2 - 6Y_2$$

$$\dfrac{7}{4}X_2 = Y_1 + 4Y_2$$

$$\therefore\ X_2 = \dfrac{4}{7}Y_1 + \dfrac{16}{7}Y_2 \quad \cdots ③$$

最後に，産業Ⅱの総投入額の増加率を求める。③式の両辺の変数について変化分をとると，次式が成立する。

$$\Delta X_2 = \dfrac{4}{7}\Delta Y_1 + \dfrac{16}{7}\Delta Y_2$$

本問では，産業Ⅰの国内需要が70％増加した場合，すなわちΔY_1が$40 \times 0.7 = 28$であり，$\Delta Y_2 = 0$である場合について問われているので，産業Ⅱの産出量の変化分は$\Delta X_2 = \dfrac{4}{7} \times 28 + \dfrac{16}{7} \times 0 = 16$である。当初の産業Ⅱの総投入額は200であったので，産業Ⅱの総投入額の増加率は$16 \div 200 \times 100 = 8$〔％〕である。

よって，Aは「40」，Bは「8」であるので，正答は**2**である。

正答　**2**

No. 311 マクロ経済学 ハロッド＝ドーマーの成長モデル 令和4年度

ハロッド＝ドーマーの経済成長理論に関する記述として，妥当なのはどれか。ただし，貯蓄率の値は0.1，必要資本係数の値は2とする。

1 労働の完全雇用と資本の完全利用を同時に実現する均斉成長の状態は，安定的に持続する。

2 資本の完全利用を保証する成長率を保証成長率といい，その値は，0.2である。

3 労働の完全雇用を実現する成長率を自然成長率といい，その値が0.06のとき，均斉成長が実現する。

4 均斉成長の状態で，技術進歩率の値が0.02である場合の労働人口の増加率の値は，0.03である。

5 均斉成長の状態でなく，労働人口の増加率の値が0.03，技術進歩率の値が0.04である場合の自然成長率の値は，保証成長率の値を下回る。

解説

1. 記述はハロッド＝ドーマー経済成長理論ではなく，新古典派経済成長理論（ソロー＝スワン・モデル）の主張である。

2. 前半の記述は正しいが，保証成長率の値が誤り。保証成長率は貯蓄率÷必要資本係数であるから，$0.1 \div 2 = 0.05$である。

3. 前半の記述は正しいが，保証成長率は0.05である（**2**の解説を参照）ので，自然成長率が0.06であるとき均斉成長は実現しない。

4. 妥当である。自然成長率は技術進歩率と労働人口増加率の和である。

5. 労働人口増加率が0.03，技術進歩率が0.04であるとき，自然成長率は0.07である。本問の保証成長率は0.05である（**2**の解説を参照）ので，自然成長率は保証成長率を上回っている。

正答 **4**

東京都・特別区

専門試験

No.
312 ミクロ経済学 代替効果と所得効果 令和3年度

区

憲法

行政法

民法

経済原論

財政学

次の図は，X財とY財との無差別曲線をU_0及びU_1，予算線PT上の最適消費点をE_0，予算線PQ上の最適消費点をE_2，予算線PQと平行に描かれている予算線RS上の最適消費点をE_1で示したものである。今，X財の価格の低下により，予算線PTが予算線PQに変化し，最適消費点がE_0からE_2へと移動した場合のX財の需要変化及び説明に関する記述として，妥当なのはどれか。

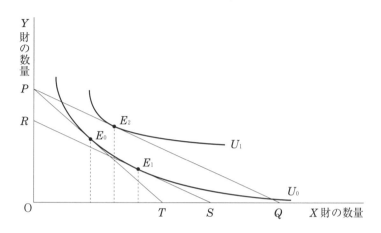

1 E_0からE_1への移動は代替効果，E_1からE_2への移動は所得効果といい，X財への全体効果はプラスであり，X財は上級財である。

2 E_0からE_1への移動は所得効果，E_1からE_2への移動は代替効果といい，X財への全体効果はマイナスであり，X財は上級財である。

3 E_0からE_1への移動は代替効果，E_1からE_2への移動は所得効果といい，X財への全体効果はプラスであり，X財は下級財である。

4 E_0からE_1への移動は所得効果，E_1からE_2への移動は代替効果といい，X財への全体効果はマイナスであり，X財は下級財である。

5 E_0からE_1への移動は代替効果，E_1からE_2への移動は所得効果といい，X財への全体効果はマイナスであり，X財はギッフェン財である。

解説

E_0からE_1への移動は，もとの効用を保ちつつ，財の相対価格が変化（予算制約線の傾きが変化）したことによる需要量の変化を表しているので，代替効果である（**2**，**4**は誤り）。E_1からE_2への移動は，新しい価格体系の下で生じる実質所得の変化（予算制約線がシフト）による需要量の変化を表しているので，所得効果である（**2**，**4**は誤り）。

上級財とは所得が増加したときに需要量が増える財，すなわち所得効果が正の財であり，下級財とは所得が増加したときに需要量が減る財，すなわち所得効果が負の財である。E_1からE_2への移動は，実質所得の増加に伴いX財の需要量が減ることを表しているので，X財は下級財である（**1**，**2**は誤り）。

ギッフェン財とは，価格が低下したときに需要量が減少する財のことである。E_0からE_2への移動（全体効果）は，X財の価格下落によりX財の需要量が増えることを表している（X財への全体効果はプラス）ので，X財はギッフェン財ではない（**5**は誤り）。

よって，正答は**3**である。

正答 **3**

No. 313 専門試験 ミクロ経済学 **完全競争企業の利潤最大化行動** 令和 3 年度 区

完全競争市場において，ある財を生産し販売している企業の平均費用が，

$$AC＝X^2－12X＋90$$ $\begin{bmatrix} AC：平均費用 \\ X(X≧0)：財の生産量 \end{bmatrix}$

で表されるとする。

財の価格が150であるとき，この企業の利潤が最大となる財の生産量はいくらか。

1 9

2 10

3 11

4 12

5 13

解説

完全競争企業の最適生産量に関する計算問題である。平均費用から総費用を導出し，完全競争企業の利潤最大化条件「価格＝限界費用」を用いて最適生産量を求めればよい。

初めに，総費用を導出する。平均費用は生産費用を生産量で除したものであるので，この企業の総費用は平均費用を生産量倍した $X(X^2－12X＋90)＝X^3－12X^2＋90X$ である。

次に，この企業の最適生産量を求める。総費用を生産量 X で微分すると，限界費用は $3X^2－24X＋90$ である。この企業の財の価格は150であるので，完全競争企業の利潤最大化条件「価格＝限界費用」を満たす生産量は次のとおりである。

$$150＝3X^2－24X＋90$$
$$3X^2－24X－60＝0$$
$$3(X＋2)(X－10)＝0$$
$$\therefore X＝-2, \ 10$$

本問では $X≧0$ と仮定されているので，この企業の利潤を最大にする生産量は10である。

よって，正答は**2**である。

正答 **2**

ある独占企業において供給されるある財の生産量を Q，価格を P，平均費用を AC とし，この財の需要曲線が，

$P=16-2Q$

で表され，また，平均費用曲線が，

$AC=Q+4$

で表されるとする。この独占企業が利潤を最大化する場合のラーナーの独占度の値はどれか。

1 $\dfrac{1}{3}$

2 $\dfrac{2}{3}$

3 $\dfrac{1}{4}$

4 $\dfrac{3}{4}$

5 $\dfrac{1}{6}$

解説

ラーナーの独占度に関する計算問題である。ラーナーの独占度は(価格−限界費用)÷価格で測定される指標であるので，独占企業の価格と限界費用を導出し，当該指標の値を計算すればよい。

初めに，独占企業の限界費用を求める。平均費用は総費用を生産量で除したものであるので，この独占企業の総費用は平均費用を生産量倍した $Q(Q+4)=Q^2+4Q$ である。限界費用は総費用を生産量で微分したものであるので，この独占企業の限界費用は $2Q+4$ である。

次に，独占企業にとって最適な価格を求める。独占企業は，「限界収入＝限界費用」を満たす生産量を選択し，この生産量における需要曲線の高さで価格を設定することによって利潤を最大にできる。縦軸に価格，横軸に生産量をとって描いた需要曲線 $P=16-2Q$ が右下がりの直線であるので，限界収入 MR は需要曲線の傾きを2倍にした $MR=16-4Q$ である。よって，「限界収入＝限界費用」を満たす生産量は次のとおりである。

$16-4Q=2Q+4$

$6Q=12$

$\therefore Q=2$

この生産量を需要曲線の Q に代入すると，独占企業にとって最適な価格は $16-2\times2=12$。

最後に，ラーナーの独占度を求める。生産量2を選択したときの限界費用は $2\times2+4=8$ であるので，ラーナーの独占度は $\dfrac{価格−限界費用}{価格}=\dfrac{12-8}{12}=\dfrac{4}{12}=\dfrac{1}{3}$ である。

よって，正答は**1**である。

正答 **1**

次の図は，点 E を自国の政策が発動される前の均衡点とし，資本移動が完全である場合のマンデル＝フレミングモデルを表したものであるが，これに関する記述として，妥当なのはどれか。ただし，このモデルにおいては，世界利子率に影響を与えることはない小国を仮定し，世界利子率は r_w で定まっているものとし，物価は一定とする。

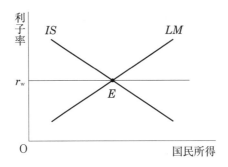

1 変動為替相場制の下で，金融緩和政策がとられると，LM 曲線が右にシフトし国内利子率が下落するので，資本流出が起こり，為替レートの減価により輸出が拡大し，需要が増加し IS 曲線が右にシフトする。

2 変動為替相場制の下で，拡張的な財政政策がとられると，IS 曲線が右にシフトし国内利子率が上昇するので，資本流出が起こり，貨幣供給量が増大するため，LM 曲線が右にシフトする。

3 変動為替相場制の下で，金融緩和政策がとられると，LM 曲線が右にシフトし国内利子率が下落するので，資本流出が起こり，為替レートの増価により輸入が拡大し，需要が増加し IS 曲線が右にシフトする。

4 固定為替相場制の下で，金融緩和政策がとられると，LM 曲線が右にシフトし国内利子率が下落するので，資本流出が起こり，貨幣供給量が増大するため，IS 曲線が右にシフトする。

5 固定為替相場制の下で，拡張的な財政政策がとられると，IS 曲線が右にシフトし国内利子率が上昇するので，資本流出が起こり，貨幣供給量が減少するため，LM 曲線が左にシフトする。

解 説

1. 妥当である。

2. 拡張的な財政政策がとられると，*IS*曲線が右にシフトし国内利子率が上昇するので，資本流入が起こる。変動為替相場制をとる場合，この資本流入による為替レートの増価を抑える金融政策はとられず，貨幣供給量の増大や*LM*曲線の右シフトは生じない。

3. 金融緩和政策がとられると，*LM*曲線が右にシフトし国内利子率が下落するので，資本流出が起き，為替レートの減価が起こる。この減価によって輸出が拡大し，*IS*曲線は右にシフトする。

4. 金融緩和政策がとられると，*LM*曲線が右にシフトし国内利子率が下落するので，資本流出が起き，為替レートに減価圧力がかかる。固定為替相場制の下では，この減価圧力を抑えるために貨幣供給量が縮小されるので，*LM*曲線が左（もとの位置）にシフトする。

5. 拡張的な財政政策がとられると，*IS*曲線が右にシフトし国内利子率が上昇するので，資本流入が起き，為替レートに増価圧力がかかる。固定為替相場制の下では，この増価圧力を抑えるために貨幣供給量が増大されるので，*LM*曲線が右にシフトする。

正答 **1**

憲法

行政法

民法

経済原論

No. 316　マクロ経済学　　信用創造乗数　　令和 3 年度

新規の預金100万円が，ある市中銀行に預けられたとき，この預金をもとに市中銀行全体で預金準備率を X として信用創造が行われ，900万円の預金額が創造された場合，信用創造乗数として，正しいのはどれか。ただし，全ての市中銀行は過剰な準備金をもたず，常にこの準備率が認めるところまでの貸出しを行うものとする。

1　0.1

2　0.9

3　 1

4　10

5　11

解 説

すべての市中銀行が過剰な準備預金を持たず，常に準備率が認めるところまで貸出しが行われる状況において市中銀行全体での預金準備率を X とするとき，無限等比級数の和の公式より，新規の預金＋信用創造の額と新規の預金の間では次式が成立する。

新規の預金＋信用創造の額＝信用創造乗数×新規の預金

したがって，信用創造乗数は

$$\frac{新規の預金＋信用創造の額}{新規の預金}＝\frac{100万＋900万}{100万}＝10$$

である。

よって，正答は**4**である。

正答 **4**

ある国の経済において，マクロ経済モデルが次のように表されているとする。

$Y=C+I+G$
$C=20+0.5\ (Y-T)$
$I=55-4r$
$G=20$
$T=40$
$L=100+Y-2r$
$M=150$
$L=M$

Y：国民所得，C：民間消費
I：民間投資，G：政府支出
r：利子率，T：租税
L：貨幣需要量，M：貨幣供給量

　このモデルにおいて，政府が税収を変えずに政府支出を20増加させる場合，国民所得はいくら増加するか。ただし，物価水準は一定であると仮定する。

1　　4
2　　6
3　　8
4　　10
5　　12

解　説

IS-LM モデルを用いた財政政策の効果に関する計算問題である．変化する財政政策の規模を変数のままにして均衡国民所得を求める式を導出し，政府支出増加前後の均衡国民所得を比較すればよい．

初めに，均衡国民所得の式を導出する．財市場の均衡条件式 $Y=C+I+G$ の消費 C に消費関数 $C=\sim$，投資 I に投資関数 $I=\sim$ を代入して *IS* 曲線を得る（政府支出 G は変化するので，G のままにしておく）．

$$Y=\{20+0.5(Y-T)\}+(55-4r)+G$$
$$Y=75+0.5Y-0.5T-4r+G$$
$$4r=75-0.5Y-0.5T+G$$
$$r=\frac{1}{4}(75-0.5Y-0.5T+G)$$

本問では税収 T は40で一定と仮定されているので，この式の T に40を代入すると，*IS* 曲線は次式である．

$$r=\frac{1}{4}(55-0.5Y+G)\qquad\cdots①$$

貨幣市場の均衡条件式 $L=M$ の貨幣需要量 L に貨幣需要関数 $L=\sim$，貨幣供給量 M に150を代入して *LM* 曲線を得る．

$$100+Y-2r=150$$
$$2r=Y-50$$
$$r=0.5Y-25\qquad\cdots②$$

よって，均衡国民所得は①式と②式からなる連立方程式を Y について解いた解である．

$$\frac{1}{4}(55-0.5Y+G)=0.5Y-25$$
$$55-0.5Y+G=2Y-100$$
$$2.5Y=155+G$$
$$Y=62+0.4G\qquad\cdots③$$

次に，財政政策の効果を計算する．当初の均衡国民所得は，③式の G に20を代入して$62+0.4\times20=70$である．政府支出増加後の均衡国民所得は，③式の G に$20+20=40$を代入して$62+0.4\times40=78$である．よって，政府支出の増加によって均衡国民所得は$78-70=8$増加する．

よって，正答は**3**である．

正答　**3**

No. 318 専門試験 **財政学** **戦後の日本財政史** 令和 **5年度** 区

戦後の我が国の財政に関する記述として、妥当なのはどれか。

1 戦後の傾斜生産方式によりデフレが進んだが、1949年のドッジ・ラインによる財政引締めによりデフレは収束した。

2 戦後初となる、1965年度の建設公債、1966年度の特例公債の発行により本格的な公債政策が開始され、1965年度以降、建設公債は毎年発行されている。

3 バブル経済により税収が増加した1990年度は、特例公債を発行することなく当初予算を編成した。

4 1989年4月に税率5％の消費税が導入されたが、地方消費税を含めた税率は、2014年4月には8％に、2019年10月には10％に段階的に引き上げられた。

5 1997年に制定された財政構造改革法は、翌年5月には、特例公債発行枠の抑制を図るために改正されたが、同年、当面の景気回復に向け、凍結された。

解説

1. 戦後の傾斜生産方式によりインフレが進んだ。また、ドッジ・ラインによる財政引締めによりインフレが収束した。

2. 1965年度に発行されたのは歳入補填債（特例公債）であり、建設国債は1966年度から発行された。

3. 妥当である。

4. 1989年4月に消費税が導入されたときの税率は3％である。その後、地方消費税を含めた消費税は1997年4月に5％、2014年4月に8％、2019年10月には10％に引き上げられた。

5. 1998年5月の改正では、特例公債発行枠の弾力化などが図られた。なお、同年（12月）に凍結された点は正しい。

正答　**3**

No. 319 財政学　地方財政計画

地方財政計画に関する記述として、妥当なのはどれか。

1　地方財政計画とは、地方財政法に基づく翌年度の地方団体の歳入歳出総額の見込額に関する書類のことであり、内閣が毎年度作成し、国会に提出するとともに、一般に公表しなければならない。

2　地方財政計画は、地方財政規模の把握や、地方団体に対し翌年度の財政運営の指針を示すという役割に加えて、地方財源を保障する役割などを担うものである。

3　地方財政計画に示される歳入歳出総額は、地方団体が翌年度において現実に収入及び支出する額を集計して見込んだものであり、実際の決算と差が生じることはない。

4　地方財政計画の歳出は、地方団体の営む全ての財政活動の分野を対象とすることから、普通会計のほか、国民健康保険事業や公営企業会計などの公営事業会計も全て含まれる。

5　地方財政計画の歳入には、一般財源である地方税、地方譲与税、地方交付税が主に計上されるが、特定財源である国庫支出金及び地方債は計上されない。

解説

1．地方財政計画は、地方財政法ではなく、地方交付税法（7条）に基づくものである。

2．妥当である。

3．地方財政計画に示される歳入歳出総額は、現実に収入および支出する額を集計して見込んだものではなく、標準的な水準をベースに算定されていることから、実際の決算と差が生じることがある。

4．地方財政計画には原則として公営事業会計は計上しないが、国民健康保険事業、後期高齢者医療制度関係事業費に関しては、公営事業会計ではあるが含まれる。

5．地方財政計画の歳入には、地方税、地方譲与税、地方交付税のほか、国庫支出金や地方債も含まれる。

正答　**2**

No. 320 財政学　租税理論　令和5年度

租税理論に関する記述として、妥当なのはどれか。

1 税負担における能力説は、租税を公共サービスの対価とみなし、各個人が公共サービスから得る利益の大きさに応じて租税を負担するのが公平であるという考え方である。

2 税負担の公平には、支払能力の等しい人は等しく負担をすべきであるという垂直的公平の概念と、支払能力の異なる人は異なる負担をすべきであるという水平的公平の概念がある。

3 アダム・スミスは、租税は国家経費を賄うのに十分なものでなければならず、その時々の財政需要の増減に応じて税収を伸縮的に増減できる制度でなければならないという財政政策上の原則を提唱した。

4 ラムゼイは、課税の効率性の観点から、課税に伴う超過負担を最小にするために、需要の価格弾力性がより低い財に対して、より高い税率をかけるべきであるという逆弾力性のルールを主張した。

5 サイモンズは、課税対象となる所得として、ある一定期間内における消費額及び資産の純増加額から成る包括的所得を定義したが、この資産の純増加額にはキャピタル・ゲインは含まれない。

解説

1. 能力説ではなく、利益説（応益説）に関する記述である。能力説は租税は国家の一般的利益のために徴収されるものであるとし、各個人の支払い能力に応じて負担するのが公平であるという考え方である。

2. 支払い能力の等しい人は等しく負担をすべきであるというのは水平的公平の概念であり、支払い能力の異なる人は異なる負担をすべきであるというのは垂直的公平の概念である。

3. 本肢で述べられている財政政策上の原則は、アダム・スミスではなく、ワグナーが提唱したものである。

4. 妥当である。

5. サイモンズは、キャピタル・ゲインも資産の純増加額に含むとした。

正答　4

東京都・特別区

専門試験

No. 321 財政学　　財政の機能　　令和 5 年度　区

憲法

行政法

民法

経済原論

財政学

財政の機能に関するA〜Dの記述のうち、妥当なものを選んだ組合せはどれか。

A　J.S.ミルは、財政の機能を、資源配分機能、所得再分配機能及び経済安定化機能の3つに分類した。

B　資源配分機能には、国防、警察のように、非排除性と非競合性を備え、市場では十分に供給できない公共財を供給するなどの役割がある。

C　所得再分配機能には、失業保険の給付や、一定税率の課税により、所得格差を是正する役割がある。

D　経済安定化機能には、フィスカル・ポリシーなどにより、インフレーションや失業を引き起こす景気変動を小さくする役割がある。

1　A　B
2　A　C
3　A　D
4　B　C
5　B　D

解説

A：本肢で述べられている分類はJ.S.ミルではなく、マスグレイブによるものである。

B：妥当である。

C：所得格差を是正できるのは、一定税率の課税ではなく、累進税率の課税である。

D：妥当である。

　よって、妥当なものはBとDであるので、正答は**5**である。

正答　**5**

No. 322 財政学　専門試験　**財政理論**　令和 5 年度　区

財政理論に関する記述として、妥当なのはどれか。

1　ルーカスは、国家や自治体などの政府活動は、社会の進歩に伴い、新しい多様な機能を拡大するだけでなく、旧来の機能をも充実させていくため、経費の膨張につながるとする経費膨張の法則を主張した。

2　ピグーは、支出により雇用、生産、所得等を変化させ、労働力と財購入に充てられる経費を移転的経費と呼び、支出により国民所得の総量に変化を与えない、補助金や社会保障給付などの経費を非移転的経費と呼んだ。

3　ブキャナンは、議会制民主主義のもとでは、財政支出の削減や増税が支持されにくく、拡張的な財政政策ばかりが実施されることにより、財政赤字が常態化するため、憲法に均衡財政原則を明記すべきと主張した。

4　マネタリストの理論では、民間の各経済主体は利用可能な情報を活用して将来を予想し、それに従って経済行動を決定するため、裁量的な財政政策は人々が予見しうる限り、長期的にも短期的にも無効であるとした。

5　サプライサイド経済学では、経済を活性化するためには、高い税率や累進課税によって、人々の勤労意欲や企業の投資意欲を刺激する供給面の政策が必要であるとした。

解説

1．経費膨張の法則を主張したのはルーカスでなく、ワグナーである。

2．支出により雇用、生産、所得等を変化させ、労働力と財購入に充てられる経費は非移転的経費である。また、国民所得の総量に変化を与えない、補助金や社会保障給付などの経費は移転的経費である。

3．妥当である。

4．本肢の主張はマネタリストでなく、ルーカスに代表される合理的期待形成学派によるものである。

5．サプライサイド経済学では、高い税率や累進課税でなく、減税や規制緩和などによって勤労意欲や投資意欲を刺激することの必要性を主張した。

正答　**3**

No. 323　財政学　日本の予算制度　令和4年度

憲法

行政法

民法

経済原論

財政学

我が国の予算制度に関する記述として，妥当なのはどれか。

1　予算の内容は，財政法に，予算総則，歳入歳出予算，継続費，繰越明許費，一時借入金及び国庫債務負担行為の6つが定められている。

2　歳入歳出予算は，担当の組織別に区分されており，国会の議決を要する目までの区分を議定課目という。

3　国庫債務負担行為は，支払が多年度に及ぶ契約を結ぶことを認めるものであり，予算原則のうち，それぞれの会計年度の支出はその会計年度の収入によって賄われなければならないという単一予算主義の例外である。

4　暫定予算は，会計年度発足後も予算が成立しない場合，一定期間に関わる暫定の予算を組むものであり，本予算の成立後も失効するものではない。

5　補正予算は，予算作成後に生じた事由に基づき特に緊要となった経費の支出を行うため必要な予算の追加を行う場合や，予算作成後に生じた事由に基づいて，予算に追加以外の変更を加える場合に組むことができる。

解　説

1．予算の内容は，予算総則，歳入歳出予算，継続費，繰越明許費および国庫債務負担行為の5つからなる。ちなみに，一時借入金の最高額については，予算総則において定められている。

2．前半は正しい。歳入予算は各省庁の名称で区分されているが，財務大臣が全面的に責任を負い，各省庁の長は歳入の事務を管理する（主管別）。他方，歳出予算については各省庁の名称で区分されており，各省庁の長がその執行責任を負う（所管別）。しかし，国会の議決を要するのは「項」までであり，「目」および「目の細分」については行政面の規制に委ねられた行政科目である。

3．国庫債務負担行為が「支払いが多年度に及ぶ契約を結ぶことを認めるもの」という記述は正しいが，継続費と異なり，支出権限については付与されない。また，「それぞれの会計年度の支出はその会計年度の収入によって賄われなければならない」は，単一予算主義ではなく，会計年度独立の原則の内容であり，国庫債務負担行為は，継続費と同様，予算の単年度主義（国会における予算の議決は毎会計年度行わなければならない）の例外である。

4．前半の記述は正しい。本予算が成立すると，暫定予算は失効し，本予算に吸収される。

5．妥当である。

正答　**5**

公債の負担に関するA～Dの記述のうち，妥当なものを選んだ組合せはどれか。

A　ラーナーらの新正統派は，内国債は，将来世代に償還のための租税負担をもたらすが，将来世代全体としてみると，償還のための租税を負担する納税者と償還を受ける公債保有者とは同一世代に属するため，両者の間で所得再分配が生じるにすぎず，負担は将来世代に転嫁されないとした。

B　ブキャナンは，租税による財源調達が民間貯蓄と民間消費を共に減少させるのに対し，公債による財源調達は民間貯蓄のみを減少させることから，租税による財源調達に比べて，より大きな民間投資の減少をもたらして将来所得を減少させ，負担は将来世代に転嫁されるとした。

C　ボーエン=デービス=コップは，現在世代においては，購入した公債を将来世代に売却して世代全体の生涯消費を一定に保つことができ負担は生じないが，将来世代においては，償還のための増税により公債を保有しない人々の消費が減少し，世代全体の生涯消費も減少するため，負担は将来世代に転嫁されるとした。

D　モディリアーニは，一方的な強制力による取引が負担を生じさせると考え，現在世代においては，個人が自発的に公債を購入することにより負担は生じないが，将来世代においては，償還のための租税負担によって個人の効用や利用可能な資源が強制的に減少させられるため，負担は将来世代に転嫁されるとした。

1　A　B
2　A　C
3　A　D
4　B　C
5　B　D

解説

A：妥当である。

B：記述の主張を行ったのはブキャナンではなく，モディリアーニである。ブキャナンの主張については，Dの解説を参照。

C：妥当である。

D：記述の主張を行ったのはモディリアーニではなく，ブキャナンである。モディリアーニの主張については，Bの解説を参照。

　よって，妥当なものはAとCであるので，正答は**2**である。

正答　**2**

東京都・特別区

専門試験 **財政学**　**日本の租税分類**　区　令和4年度

我が国の租税の分類に関する記述として，妥当なのはどれか。

1　直接税，間接税の分類は，使途が特定されているか否かによるものであり，揮発油税は直接税，たばこ税は間接税である。

2　普通税，目的税の分類は，転嫁が予定されているか否かによるものであり，所得税は普通税，消費税は目的税である。

3　所得課税，消費課税，資産課税の分類は，課税ベースによるものであり，法人税は所得課税，酒税は消費課税，相続税は資産課税である。

4　国税，地方税の分類は，課税を行う政府によるものであり，関税は国税，国際観光旅客税は地方税である。

5　比例税，累進税の分類は，税率によるものであり，相続税は比例税，所得税は累進税である。

解 説

1．直接税，間接税の分類は，転嫁が予定されているか否かによるものである。また，揮発油税は間接税である。

2．普通税，目的税の分類は，使途が特定されているか否かによるものである。また，消費税は普通税である。

3．妥当である。

4．前半の記述は正しい。国際観光旅客税は国税である。

5．前半の記述は正しい。相続税は累進税である。

正答　**3**

ピーコックとワイズマンの経費論に関するA～Dの記述のうち，妥当なものを選んだ組合せはどれか。

A　ピーコックとワイズマンは，1890年から1955年までのイギリスの政府支出を検証し，政府支出は1人当たり1.7倍の増大であったのに対し，GNPが7倍であったことを見いだした。

B　転位効果とは，戦争のような社会的動乱期に政府の財政支出は，より高い経費水準へ転位し，平時になっても元の水準へは戻らないことをいう。

C　集中過程とは，均一の公共サービス及び経済的能率の要求を理由に，中央政府の役割が増大し，その経費が膨張することをいう。

D　ピーコックとワイズマンは，中央国家又は上位機関の財政の吸引力に関する法則を提唱し，財政の中央集権化傾向を指摘したことから，財政調整の生みの親といわれている。

1　A　B
2　A　C
3　A　D
4　B　C
5　B　D

解説

A：ピーコックとワイズマンは，1890年から1955年までのイギリスの政府支出を検証し，1人当たり実質経費が7倍増大したのに対し，GNPは1.7倍の増大であったことを見出した。

B：妥当である。

C：妥当である。

D：記述はピーコックとワイズマンに関するものではなく，J.ポーピッツによる「中央財政の吸引力の法則」に関するものである。

　よって，妥当なものはBとCであるので，正答は**4**である。

正答　**4**

No. **327** 専門試験 政治学 **ウェーバーの支配の3類型** 令和 **5年度** 区

ウェーバーの支配の3類型に関する記述として、妥当なのはどれか。

1 ウェーバーは、服従者の自発的な承認ではなく、強制力によって権力が権威として受け入れられた状態を支配と呼んだ。

2 正しい手続で定められた法によって支配されている類型は、合法的支配に分類され、人々は法ではなく、法を制定した人物としての権力者に服従する。

3 支配者のもつ伝統的権威を永遠、不変のものとみなし、これに服従する類型は、伝統的支配に分類され、伝統、しきたり、先例が重んじられる官僚制による支配がこの類型の典型である。

4 支配者が特別な能力を有する人物とみなされ、それゆえその人に従うという類型は、カリスマ的支配に分類され、カリスマ性は支配者個人に属することから、権力継承は一切認められない。

5 ウェーバーによる支配の3類型は、理念型として設定されたものであり、現実の支配形態は、これらの混合型として存在しているとされる。

解 説

1. 権威とは強制力を用いないで人々を服従させる力のことをいう。ウェーバーも服従者の自発的な承認によって権力が権威として受け入れられた状態を支配と呼んだ。

2. 合法的支配では、人々は正しい手続で定められた法に服従する。権力者による支配を受け入れるのは、それが法に基づいたものだからである。

3. 近代官僚制による支配は合法的支配の典型である。伝統的支配の典型としては、家父長制や封建制などが挙げられる。

4. カリスマ性のある権力者から権力が継承されることはある。後継者が先代の権力者の子や側近だった人物で、その支配が先代の権力者の威光を笠に着る形で正統化されることもあるし、後継者自身にもカリスマ性が備わることもある。

5. 妥当である。理念型（理想型）とは、ウェーバーが社会認識の手法として提唱して広まったもので、複雑な現象から本質的な要素を抽出して純粋化した理論モデルのこと。ウェーバーが支配の3類型として示した、伝統的支配、カリスマ的支配、合法的支配も理念型なのであって、たとえば世襲による君主や選挙で選ばれた大統領が強烈なカリスマ性を持つ人物であるというように、実際の支配はこれらが混合されており、どれか一つに割り切れるものではない。

正答 **5**

議会の類型に関する記述として、妥当なのはどれか。

1 アメリカの政治学者レイプハルトは、議会をアリーナ型議会、変換型議会の2つに分類した。

2 アリーナ型議会は、アメリカ連邦議会などの、与野党が討論を通じて争点を明確にする機能を果たす議会であり、変換型議会は、イギリス議会などの、社会の要求を法律に変換していく機能を果たす議会である。

3 イギリス議会は、三読会制を採っており、第一読会で実質的な法案審議が行われ、第二読会、第三読会は形式的なものとなる。

4 日本の国会は、本会議中心主義を採っており、実質的な法案審議を委員会では行っていないことから、イギリス型の議会に分類される。

5 アメリカ連邦議会は、委員会の権限が大きい委員会中心主義を採っており、議員により提案された法案の多くは、委員会における法案審議で、否決や修正をされる。

解説

1. 議会をアリーナ型議会と変換型議会に分類したのは、レイプハルトではなく、ポルスビー。レイプハルトは、民主主義を多数決型（ウエストミンスター型）と合意型（コンセンサス型）に分類したことなどで知られる政治学者である。

2. アメリカ連邦議会が変換型議会、イギリス議会がアリーナ型議会の代表例である。イギリス議会下院では、与野党の議員が剣線（ソードライン）を挟んで向かい合い、論戦を行う。また、野党は内閣に対抗して「影の内閣（シャドウ・キャビネット）」を組織している。

3. 形式的なのは第一読会であり、実質的審議は第二読会から行われる。イギリス議会の三読会制では、第一読会で法案の上程と趣旨説明が行われ、第二読会で総括審議が行われたうえで委員会で逐条審議が行われる。最後の第三読会で、法案全体の可否が決せられる。

4. 法案の実質的審議を本会議で行うことを本会議中心主義、委員会で行うことを委員会中心主義というが、現在の日本の国会には委員会中心主義が採用されている。ちなみに、明治憲法下の帝国議会には、本会議中心主義と三読会制が採用されていた。

5. 妥当である。アメリカ連邦議会は、委員会中心主義を採用している議会の代表例である。アメリカでは、法案提出権は議員だけが持つが、議員は1人だけでも連邦議会に法案を提出することができる。ゆえに、連邦議会に提出される法案数は膨大で、その多くが委員会で廃案となる。また、公聴会などを通じて法案に関して各方面から数多くの意見が出されたうえで、法案の文言や内容の修正が行われる例が多い。

正答　**5**

No. 329 専門試験 **政治学** **政党・政党制** 令和 **5** 年度 区

政党又は政党制に関する記述として、妥当なのはどれか。

1 デュヴェルジェは、国民共同の利益のために特定の原理に基づいて結合した集団である政党を、個人的利益を追求する徒党と明確に区別して定義し、政党の積極的な役割を評価した。

2 リプセットとロッカンは、西欧諸国の1960年代の政党システムは、1920年代の社会的亀裂構造を反映しているとする凍結仮説を主張した。

3 ミヘルスは、民主主義的な政党においては、党内の少数者の手に組織運営の実質的権限が集中することはないため、寡頭制が確立されることはないとした。

4 シャットシュナイダーは、選挙制度と政党制の関係について、小選挙区制は二大政党制を生み出す確率が高く、比例代表制は多党制を生み出す傾向があるとした。

5 バークは、政党には、集団や個人が提起する政治的要求を政策上の主要選択肢に転換し、政策決定の場で処理しうるようにまとめ上げる利益表出機能があるとした。

解 説

1. デュヴェルジェではなく、バークに関する記述。バークは18世紀イギリスの政治家で、まだ政党が徒党と同一視されて否定的に捉えられていた時代にあって、その積極的な役割を唱えた先駆者である。

2. 妥当である。リプセットとロッカンは、西欧諸国では1920年代に中央 vs 地方、政府 vs 教会、都市 vs 農村、経営者 vs 労働者という近代化によって生じた社会の４つの亀裂に沿う形で政党システムが形成され、この政党システムは彼らがこの説を唱えた1960年代に至ってもなお続いているとする仮説を唱えた。これを凍結仮説という。

3. ミヘルスは「寡頭制の鉄則」を唱え、たとえ民主主義を唱える政党であっても、組織が拡大するにつれて権力が少数の幹部に集中することは免れないとした。

4. シャットシュナイダーではなく、デュヴェルジェに関する記述。小選挙区制は二大政党制、比例代表制は多党制をもたらすという経験則は、「デュヴェルジェの法則」と呼ばれている。シャットシュナイダーは、圧力団体政治を批判的に分析した政治学者である。

5. 政党の利益表出機能や利益集約機能を唱えたのは、バークではなく、アーモンド。それに、集団や個人の政治的要求を政策の形にまとめる機能は、利益集約機能と呼ばれる。利益表出機能とは、個人や集団の利益を顕在化させる機能のことをいう。

正答 **2**

専門試験

区

No. 330 政治学 近代の西洋政治思想 令和5年度

近代の西洋政治思想に関する記述として、妥当なのはどれか。

1 ボダンは、深刻な政争が続くフランスで「国家論」を著し、主権を国家の絶対的にして永続的な権力とし、国家秩序を維持するためには、絶対的権威をもった主権が必要不可欠であるとした。

2 イギリスでは、国王ジェームズ1世に仕えたボシュエやフィルマーが、君主は国家の主権を神から授けられたとする王権神授説を唱え、絶対王政を正当化した。

3 ロックは、自然状態である万人の万人に対する闘争の状態を回避するために、各人は社会契約を相互に結び、国家を形成するとし、国家が国民の信託した内容に反した場合には、国家に対する抵抗権が認められるとした。

4 モンテスキューは、立法権、執行権及び連合権による三権分立制を唱え、三権相互の抑制と均衡を保つことができれば、市民の権利と自由は保障されるとした。

5 ルソーは、共通の利益をめざす一般意志により営まれる国家では、人民が自由で平等な主権者となるとし、一般意志の表出の妨げにならないという理由で、代議政治を強調した。

解説

1. 妥当である。ボダンは、主権を国家の絶対的権力として初めて理論化したことにより、「主権理論の父」と呼ばれている。王権神授説の論者でもあった。

2. ボシュエやフィルマーは王権神授説の論者ではあるが、ボシュエはフランスの思想家であり、フィルマーが仕えたのはジェームズ1世の子のチャールズ1世である。フィルマーは『家父長権論』を著し、王権は神が人類の祖アダムに与えた支配権に由来するとした。

3. 「万人の万人に対する闘争」は、ホッブズの『リヴァイアサン』の一節。ロックは、『統治二論』において、人々は自然状態でもある程度は平和に共存できるが、自然権をより確実に保全するために、社会契約を結ぶとした。なお、ロックは人民は政府に自然権を信託しているにすぎないとして、人民の政府に対する抵抗権（革命権）を認めたのに対し、ホッブズは社会契約によって人民は自然権を国家に譲渡するとして、抵抗権を認めなかった。

4. 「連合権」の部分が誤りで、正しくは「裁判権」。国家権力を立法権、執行権、連合権（外交権）に分けたのは、ロックである。なお、モンテスキューは、『法の精神』において三権を対等としたが、ロックは、立法権は執行権および連合権に優位するとした。

5. ルソーは、『社会契約論』において「一般意志は代表されない」として、直接民主制を理想とした。また、イギリスの代議政治につき、イギリス人が「自由なのは議員を選ぶ間だけで、議員が選ばれてしまえば、ただちに奴隷となる」と批判した。

正答 **1**

No. 331　専門試験　**政治学**　**アーモンドとヴァーバの政治文化論**　令和 **5** 年度　区

アーモンドとヴァーバの政治文化論に関する記述として、妥当なのはどれか。

1　アーモンドとヴァーバは、「現代市民の政治文化」で、アメリカ、イギリス、西ドイツ、イタリア、日本の、政治システム、入力機構、出力機構、自己を対象として分析し、政治文化を参加型、臣民型、未分化型の3類型に分けた。

2　参加型政治文化は、国民の多くが政治システム、入力機構、出力機構、自己の全てを志向する場合であり、5か国でこれに最も近い政治文化を持つのがアメリカで、次はイギリスとした。

3　臣民型政治文化は、国民の多くが入力機構及び自己にのみ肯定的な態度をとり、政治システム及び出力機構に対しては信頼感を持っていない場合であり、西ドイツとイタリアがこれに近い政治文化を持つとした。

4　未分化型政治文化は、国民の多くが政治システム、入力機構、出力機構、自己の全てに明確な態度を形成していない場合であり、日本がこれに近い政治文化を持つとした。

5　現実の政治文化は各類型の混合であり、民主主義の安定に適合する政治文化は、参加型に近いものだが、臣民型が混合されたものとし、これを政治的社会化と呼んだ。

解説

1.「日本」の部分が誤りで、正しくは「メキシコ」。アーモンドとヴァーバは、アメリカ、イギリス、西ドイツ、イタリア、メキシコの5か国における政治的態度を調査した。

2. 妥当である。「入力」とは政治的要求を行うこと、「出力」とは政府による政策の決定や執行のこと、「自己」とは政治参加の主体としての自己を意味する。参加型政治文化では、国民の多くが政治システムや実施される政策だけでなく、政治への要求や政治参加にも高い意識を持っているとした。

3. 臣民型政治文化では、国民の多くは出力機構や政治システムには関心があっても、入力機構にはあまり関心がなく、政治参加にも消極的であるとされる。権威主義的体制で見られる。

4. アフリカの部族社会のような、前近代的な政治文化が、未分化型政治文化に近いとされている。

5.「政治的社会化」の部分が誤りで、正しくは「市民文化」。純粋な参加型だと過剰な政治参加により政治が安定しないので、参加型を基本としつつも臣民型が程よく融合された市民文化が理想的とされる。なお、政治的社会化とは、人々が自身の属する社会の政治文化を受け入れていく過程をいう。

正答　**2**

リースマン又はラスウェルの政治的無関心の分類に関する記述として，妥当なのはどれか。

1 リースマンは，身分に基づく特定の少数者が統治を行った前近代社会のように，庶民が自分の政治的責任を知りながらもそれを果たすには至らない状態を，伝統型無関心に分類した。

2 リースマンは，価値観が多様化したことで大衆が政治以外の対象に価値を見いだし，政治的な知識や情報を持たず非行動的で傍観者的な態度をとっている状態を，現代型無関心に分類した。

3 ラスウェルは，商売，芸術，恋愛などに関心を奪われ，政治に対する関心が低下する場合を，脱政治的態度に分類した。

4 ラスウェルは，かつては政治に関与したものの，自己の期待を充足できず政治に幻滅している場合を，無政治的態度に分類した。

5 ラスウェルは，無政府主義者のように，政治そのものを軽蔑したり否定する場合を，反政治的態度に分類した。

解説

1. 自分の政治的責任を知っているのに果たさないのは，現代型無関心である。伝統型無関心は，庶民が身分制度によって政治参加の道を閉ざされている状況にあって，政治を自分と無縁のこととする態度である。リースマンは，政治的無関心を伝統型と現代型に分類した。

2. 現代型無関心では，大衆は政治的な知識や情報を持っている場合もあれば，政治を理解不能なものとしてあえて理解を避けている場合もあるとした。現代型無関心は，普通選挙が実現し，大衆に政治参加の道が開かれた状況における政治的無関心である。

3. 脱政治的態度ではなく，無政治的態度とした。無政治的態度には，上記の伝統的なものと現代的なものがあるが，現代的な無政治的態度は，大衆に政治参加の道が開かれ，自らの政治的責任や政治参加の有効性を知りつつも，政治以外のことに関心が奪われてしまった態度をいう。

4. 無政治的態度ではなく，脱政治的態度とした。たとえば，かつてある新政党に改革を期待して投票したのに，その政党が政権を獲得すると公約違反や失政の連発で，もはやどの政党にも期待できずに政治に幻滅した状態をいう。

5. 妥当である。ラスウェルは現代的な政治的無関心を無政治的態度，脱政治的態度，反政治的態度の3種類に分類した。そのうち反政治的態度とは，政治そのものを軽蔑，否定の対象とすることである。

正答　**5**

No. 333 政治学 イギリスの政治制度 令和4年度

専門試験

区

イギリスの政治制度に関する記述として，妥当なのはどれか。

1 イギリスは，成文の憲法典を持たないが，マグナ・カルタなどの歴史的文書や慣習が基本法の役割を果たしており，裁判所が違憲立法審査権を持つ。

2 イギリスでは，下院議員が小選挙区比例代表併用制で選ばれており，二大政党制となっている。

3 イギリスの議会において，実質的な権限を有しているのは下院であるが，下院優位の原則は，法で明確にされているものではない。

4 イギリスの内閣は，下院第一党の党首が首相となり，また，全閣僚を下院議員から選ばなければならない。

5 イギリスでは，野党第一党が「影の内閣」を組織し，政権を取った場合に備えている。

解説

1. イギリスの裁判所は違憲立法審査権を持っていない。ちなみに，イギリスではかつて上院（貴族院）に終審裁判所としての機能があったが，分離され，現在は最高裁判所が設置されている。

2. 下院議員は単純小選挙区制で選ばれている。小選挙区比例代表併用制はドイツの連邦議会（下院）議員選挙に導入されており，基本的に比例代表選挙によって各政党に議席を配分する制度である。ゆえに，イギリスは保守党と労働党の二党制，ドイツは多党制になっていると考えられる。このように，小選挙区制は二党制，比例代表制は多党制をもたらしやすいとする経験則を，「デュヴェルジェの法則」という。

3. 下院優位の原則は，1911年制定の議会法によって確立した。議会法により，上院は予算の否決や修正が認められなくなるとともに，上院が否決した法律案も下院が3会期連続で可決すれば成立するようになった。

4. 首相は下院議員から選ばれる慣行が確立しているが，閣僚はそうではない。閣僚職の一つである貴族院院内総務は上院議員から選ばれることになっている。ただし，閣僚はすべて議員から選ばれなければならない。

5. 妥当である。イギリスの議会下院では与野党議員が剣線（ソードライン）を挟んで向かい合って議場に着席するが，内閣と「影の内閣（シャドウ・キャビネット）」は最前列に陣取って，論戦に挑む。下院総選挙の結果，野党が勝利すると，「影の内閣」がそのまま本物の内閣になるのが通例である。

正答 **5**

No. 334 専門試験　**政治学**　**マスメディアの影響**　令和4年度　区

マスメディアの影響に関する記述として，妥当なのはどれか。

1　ガーブナーらは，暴力行為が頻繁に出るテレビを長時間見る人ほど，現実社会で暴力に巻き込まれる可能性が大きいと考える比率が高く，他人への不信感が強まることを示し，培養理論を提起した。

2　コミュニケーションの2段階の流れ仮説では，マスメディアが発する情報は，オピニオン・リーダーを介して，パーソナル・コミュニケーションにより多くの人々に伝わるとし，マスメディアの限定効果説を否定した。

3　アイエンガーとキンダーは，マスメディアが特定の争点を強調すると，その争点が有権者の政治指導者等に対する評価基準の形成に影響を与えるとし，このことをフレーミング効果と名付けた。

4　クラッパーは，マスメディアの報道により，自分の意見が少数派だと感じた人は，孤立することを恐れて，他人の前で自分の意見の表明をためらうという沈黙の螺旋仮説を提起した。

5　アナウンスメント効果とは，マスメディアの選挙予測報道が，有権者の投票行動に影響を与えることをいい，アナウンスメント効果の1つであるバンドワゴン効果は，不利と報道された候補者に票が集まる現象である。

解説

1．妥当である。テレビでは，ニュースでの犯罪報道だけでなく，ドラマなどで犯罪や暴力のシーンが登場することが多い。このようなテレビを長時間視聴し続けることで人々が影響を受けることを，培養効果という。

2．「コミュニケーションの2段階の流れ仮説」は，マスメディアの報道はオピニオンリーダーを介することで大衆に間接的に影響を及ぼすにすぎないとするもので，限定効果説に属する。ラザースフェルドらのコロンビア大学の研究チームが，大統領選挙の投票行動に関する調査（エリー調査）結果に基づき，唱えた仮説である。

3．「フレーミング効果」の部分が誤りで，正しくは「プライミング効果」。フレーミング効果とは，マスメディアが報道に用いた表現方法などが人々の事実認識に影響を及ぼす効果である。

4．クラッパーではなく，ノエル＝ノイマンに関する記述。クラッパーは限定効果説の代表的論者であり，マスメディアの報道に人々の意見を変える効果（改変効果）はあまりないが，既存の意見を強化する効果（補強効果）はあるとした。

5．「不利」の部分が誤りで，正しくは「有利」。バンドワゴンとはパレードの先頭車のことだが，報道がバンドワゴンの役割を果たすことがあるというわけである。だが，逆に不利と報道された候補者に票が集まる現象もあり，これはアンダードッグ（負け犬）効果と呼ばれている。

正答　**1**

ロールズ又はノージックの政治思想に関する記述として，妥当なのはどれか。

1　ロールズは，原初状態の概念に示唆を得て，無知のヴェールに覆われた自然状態を想定し，そこから正義の 2 原理を導出した。

2　ロールズの正義の第 1 原理は，平等な自由原理と呼ばれ，各人は他の人々にとっての同様な自由と両立しうる最大限の基本的自由への平等な権利を持つべきであるとするものである。

3　ロールズの正義の第 2 原理には，格差原理と公正な機会均等原理の 2 つの要素が存在し，また，第 1 原理と第 2 原理が衝突した場合には，第 2 原理が優先される。

4　ノージックは，「アナーキー・国家・ユートピア」を著し，夜警国家を批判して，福祉国家に移行することを主張した。

5　ノージックは，平等な顧慮と尊重への権利としての平等権を提唱し，また，配分的平等の理論を，福利の平等論と資源の平等論に大別し，資源の平等論は実現不可能なものとした。

解説

1．「原初状態」と「自然状態」が入れ替わっているから，誤り。ロールズは，自己の社会的位置づけがわからない「無知のヴェール」に覆われた原初状態では，すべての人が同意せざるをえない正義の諸原理があるとした。自然状態は，市民革命期にける社会契約説の論者であるホッブズ，ロック，ルソーらが想定した，社会成立以前の状態のことをいう。

2．妥当である。ロールズの正義論は，私有財産制や市場競争などを否定するものではない。

3．第 1 原理は第 2 原理に優先するとした。なお，第 2 原理は，社会的・経済的不平等は最も不遇な人々にとって最大の利益になる場合にのみ認められるとする格差原理と，社会的・経済的な不平等は公正な機会均等の条件下ですべての人に開かれている職務・地位に付随するものである場合にのみ認められるとする機会均等原理からなる。この第 2 原理の中にも優先順位があり，機会均等原理は格差原理に優先するとされている。

4．ノージックはリバタリアニズムの代表的論者である。リバタリアニズムとは，自由至上主義などと訳されるが，国家の作用は夜警国家的なものに限定されるべきとして，福祉政策や所得再分配などを否定する思想である。

5．平等な配慮と尊重への権利や福利の平等と資源の平等を議論したのは，ドゥオーキンである。また，ドゥオーキンは資源の平等（自己の希望する人生を生きるために利用できる手段を平等に持てること）を主張し，福利の平等（人々が同程度に幸福であること）を批判した。

正答　**2**

東京都・特別区

No. 336　政治学　一元的国家論・多元的国家論　令和 4 年度

一元的国家論又は多元的国家論に関する記述として，妥当なのはどれか。

1　一元的国家論は，個人や社会集団に対する国家の独自性を強調し，国家は絶対的な主権を有するとして，ラスキらにより唱えられたものである。

2　一元的国家論は，国家を資本家階級が労働者階級を抑圧するための搾取機関であるとして，ヘーゲルらにより唱えられたものである。

3　多元的国家論は，国家と社会を区別し，国家は社会内の多くの集団と並立する一つの集団にすぎないとして，ホッブズらにより唱えられたものである。

4　多元的国家論は，第二次世界大戦後，国家が統制を強め，個人の自由への脅威となる中，国家の権力化に歯止めをかけるために出てきた政治思想である。

5　多元的国家論は，国家の絶対的優位性を認めず，社会を調整する機能としての相対的優位性のみ認めるものである。

解　説

1. ラスキは多元的国家論の代表的論者である。多元的国家論の論者としては，マッキーヴァーやパーカーなども有名である。なお，一元的国家論の論者としては，ヘーゲルが代表的である。

2. 国家を支配階級が被支配階級を抑圧し，搾取するための機関として捉えるのは，マルクス主義の国家観である。ゆえに，マルクスは，階級対立が消滅し，共産主義に至れば，国家は消滅するとした。なお，ヘーゲルは，国家を家族と市民社会が止揚した人倫の最高形態であるとした。

3. ホッブズは17世紀の社会契約説の論者であり，多元的国家論は唱えていない。ホッブズは，自然状態では「万人の万人に対する闘争」に陥るので，そこから脱するために人々は社会契約を結び，自然権を放棄して国家を創設するとした。

4. 多元的国家論は，第二次世界大戦よりも前の，20世紀初頭に唱えられるようになった理論である。なお，国家による統制が個人の自由への脅威となったことが，多元的国家論が唱えられる背景にあったというのは，事実である。

5. 妥当である。多元的国家論は，国家も社会集団の一つであり，他の社会集団どうしの利害対立を調整する点でのみ優位性を持っているにすぎないとして，国家主権の絶対性を否定する理論である。

正答　**5**

No. 337 行政学 ストリート・レベルの行政職員

専門試験 令和5年度 区

ストリート・レベルの行政職員に関するA～Dの記述のうち、妥当なものを選んだ組合せはどれか。

A　キングスレーは、広い裁量を持ち、対象者と直接接触してサービスを供給する行政職員を、ストリート・レベルの行政職員とした。

B　ストリート・レベルの行政職員には、外勤の警察官や福祉事務所のケースワーカーのほか、公立学校の教員などが挙げられる。

C　ストリート・レベルの行政職員はエネルギー振り分けの裁量を持つが、全ての業務を十分に遂行することはほぼ不可能であり、ディレンマに直面する。

D　ストリート・レベルの行政職員は広い裁量権を持つが、多様な法令等のルールによって拘束されているため、法適用の裁量はない。

1　A　B
2　A　C
3　A　D
4　B　C
5　B　D

解説

A：ストリート・レベルの行政職員の論者は、キングスレーではなく、リプスキー。キングスレーは、代表的官僚制の概念を示し、行政職員の社会的出自（特に階層）の構成比が社会全体の構成比に近似すれば、社会に対する行政の代表性（応答性）が高まるとした。

B：妥当である。ストリート・レベルの行政職員とは、役所の外で市民に直接接して行政サービスを提供する公務員のことである。上司の濃密な指揮監督を受けることはなく、独立性が高い状態で職務を執行している。

C：妥当である。ストリート・レベルの行政職員は、エネルギー振り分けの裁量を持っている。たとえば公立学校の教員だと、授業、部活動の指導、生徒の生活指導など、すべての業務に全力で取り組めるわけではなく、いずれに重点的に取り組むかは各自の判断に委ねられる。

D：ストリート・レベルの行政職員の業務には、法適用においても広い裁量の余地がある。ゆえに、たとえば交通違反について、厳しく対処する者もいれば軽微な違反は見逃す者もいるというように、警察官によって取り締まりの厳しさの程度に差が生じることがある。また、違反者が自分と親しい関係にある者や相手にするのが面倒な者であれば違反を見逃すというえこひいきが生じてしまうこともありうる。

よって、妥当なものはBとCであるので、正答は**4**である。

正答　**4**

専門試験

No. 338　行政学　　能率概念　　区　令和5年度

次の文は、行政の能率概念に関する記述であるが、文中の空所A～Cに該当する語又は人物名の組合せとして、妥当なのはどれか。

　　　　A　　　は、ある目的にとって能率的であるということは、必ずしも他の目的にとって能率的なことを意味しないと考え、能率概念を　　B　　と　　C　　に分ける二元的能率観を提唱した。

　すなわち、目標が明確で判断のしやすい場合には　　B　　が成立し、能率の判断基準が個人の主観に大きく依存している場合には　　C　　が成立するとした。

	A	B	C
1	ディモック	機械的能率	規範的能率
2	ディモック	客観的能率	社会的能率
3	ディモック	機械的能率	社会的能率
4	ワルドー	客観的能率	規範的能率
5	ワルドー	機械的能率	社会的能率

解説

A：「ワルドー」が該当する。ワルドーは、目的や状況に応じて能率の評価基準を使い分けるべきとする二元的能率観を唱えた。ディモックは、行政の社会的有効性、すなわち行政サービスを提供する職員や行政サービスを受ける市民らの満足度の高さをもって、能率は評価されるべきとする社会的能率概念を唱えた。社会的能率概念は、投入・算出比率の最大化をめざす、テイラーらの科学的管理法に基づく機械的能率概念が、行政にとって本来の目的を見失わせ、人間疎外を招いてしまうという批判から提起された能率概念である。ただし、社会的能率についても、評価基準が漠然としていて、税金の無駄遣いを正当化する言い訳になってしまうという欠点がある。

B：「客観的能率」が該当する。客観的能率は機械的能率と同じ意味の言葉だが、ワルドーは客観的能率と表現している。ワルドーは単純作業などは客観的能率を用いて評価すべきとした。つまり、一長一短がある2つの能率概念につき、対象に応じて使い分けることを主張したわけである。

C：「規範的能率」が該当する。規範的能率はディモックが唱えた社会的能率と同じ意味の言葉だが、ワルドーは規範的能率と表現している。ワルドーは、複雑な政策決定などは規範的能率をもって評価すべきとした。

　よって、正答は**4**である。

正答　4

東京都・特別区

専門試験

No. 339 行政学　行政統制の類型

区

令和5年度

政治学

行政学

社会学

経営学

次のA～Eの我が国の行政統制を、ギルバートの行政統制の類型に当てはめた場合、内在的・制度的統制に該当するものを選んだ組合せとして、妥当なのはどれか。

- A　上司による職務命令
- B　同僚職員の評価
- C　官房系統組織による管理統制
- D　議会による統制
- E　大臣の私的諮問機関による批判

1　A　C
2　A　D
3　B　D
4　B　E
5　C　E

解説

行政統制とは、行政責任を確保する手段のこと。この行政統制につき、行政内部にあるものを内在的統制、議会、裁判所、マスメディアなど、行政権に属さない立場からによるものを外在的統制という。また、法令によるものを制度的統制、法令によらないものを非制度的統制という。そして、ギルバートは行政統制を「内在的・制度的統制」「内在的・非制度的統制」「外在的・制度的統制」「内在的・非制度的統制」の4種類に分類した。この分類を「ギルバートのマトリックス」という。

A：妥当である。上司と部下の関係は法令に基づくもので、「内在的・制度的統制」である。

B：「内在的・非制度的統制」である。職員は法令で要請されて同僚を評価しているわけではない。

C：妥当である。官房とは、行政組織の長に直属して、組織管理や内部調整のために企画、会計、人事、文書管理などの事務を取り扱う部局のこと。法律に基づき、内閣や各府省に官房系統組織が置かれており、「内在的・制度的統制」である。

D：「外在的・制度的統制」である。日本の国会も憲法に基づいて立法権や国政調査権などを行使し、統制を行うことが期待されている。

E：「内在的・非制度的統制」である。私的諮問機関は、法令に基づいて設置されているわけではない。

よって、妥当なものはAとCであるので、正答は**1**である。

正答　**1**

No. 340　行政学　アメリカ行政学史　令和5年度

アメリカ行政学の展開に関する記述として、妥当なのはどれか。

1 1883年に、ガーフィールド大統領がペンドルトン法を制定し、スポイルズ・システムが見直され、公務員の資格任用制が導入された。

2 ウィルソンは、論文「行政の研究」において、行政の領域は、政治の固有の領域であるビジネスの領域の外にあるとして、政治・行政二分論を主張した。

3 グッドナウは、著書「政治と行政」において、国家の意思の表現を政治、国家の意思の執行を行政とし、行政から司法を除いた狭義の行政のうち、執行的機能についてのみ、政治の統制が必要とした。

4 ウィロビーは、ローズベルト大統領が設置したブラウンロー委員会に参画し、ライン・スタッフ理論を基に、大統領府の創設を提言した。

5 ホワイトは、ニューディール時代の実務経験から、「政策と行政」を著し、行政とは政策形成であり、政治過程の1つであるとし、政治と行政の関係は、連続的であると指摘した。

解説

1. ガーフィールド大統領は、ペンドルトン法制定前の1881年に暗殺されている。スポイルズ・システム（猟官制）とは、選挙の当選者が同じ政党に属する者に「戦利品」として官職を分配する政治的慣習のことだが、この暗殺事件は官職を獲得できなかったことに恨みを持つ者の犯行だった。そのため、それまで横行していたスポイルズ・システムへの反省の機運が高まり、資格任用制を導入するペンドルトン法が制定された。

2. ビジネス（経営）の領域にあるとしたのは、行政のほうである。なお、ウィルソンはアメリカ行政学の初期の行政学者である。

3. 妥当である。ウィルソンと同様、グッドナウもアメリカ行政学の初期の行政学者であり、政治・行政二分論を唱えた。

4. ウィロビーではなく、ギューリックに関する記述。ギューリックは、ウィルソンとグッドナウに始まる正統派行政学（技術的行政学）を発展させた行政学者。科学的管理法の影響を受けて能率を行政の価値尺度のナンバーワンの公理とし、最高管理者が果たすべき機能はPOSDCORB（P：計画、O：組織化、S：人事、D：指揮、CO：調整、R：報告、B：予算）であるとした。なお、ウィロビーも正統派行政学を発展させた行政学者である。

5. ホワイトではなく、アップルビーに関する記述。アップルビーは、行政国家化が進む現実を背景に、正統派行政学に異を唱えた行政学者の一人で、政治と行政は不可分とする政治・行政融合論を唱えた。なお、ホワイトは正統派行政学を発展させた行政学者の一人であり、行政学初の体系的教科書である『行政学研究序説』の執筆などで知られる。

正答　**3**

東京都・特別区

専門試験

No.
341

行政学

広域行政

区

令和5年度

政治学

行政学

社会学

経営学

我が国の広域行政に関する記述として、妥当なのはどれか。

1 広域行政とは、複数の地方公共団体が区域を越えて、事務を広域的に処理することをいい、事務の委託や事務組合などの方式があり、このうち、役場事務組合が、最も多く利用されている。

2 地方自治法に規定される普通地方公共団体の協議会は、普通地方公共団体が、その事務の一部を共同して管理し、及び執行するために設けることができ、法人格を有する。

3 地方自治法に規定される事務の委託は、普通地方公共団体が、その事務の一部を他の普通地方公共団体に管理し、及び執行させるものであるが、委託した事務の権限は、委託した普通地方公共団体が有する。

4 地方自治法に規定される一部事務組合は、市区町村間でその事務の一部を共同処理するために設けるものであり、都道府県と市区町村の間で設けることはできない。

5 地方自治法に規定される広域連合は、普通地方公共団体及び特別区が、その事務で、広域にわたり処理することが適当なものを処理するために設けることができ、また、国や都道府県から権限や事務の移譲を可能にするものである。

解説

1. 事務の委託が最も多く利用されている。役場事務組合は、全部事務組合や地方開発事業団の制度とともに、2011年の地方自治法改正によって廃止済である。しかも、役場事務組合は廃止以前から長らく利用例がなかった。

2. 協議会、連携規約、機関などの共同設置、事務の委託、事務の代替執行は、法人の設立を要しない、簡便な広域行政の仕組みである。これに対し、「地方公共団体の組合」である一部事務組合と広域連合は特別地方公共団体であり、法人格を有する。

3. 委託した事務の権限は事務を受託した普通地方公共団体に移り、委託した普通地方公共団体はその権限を失う。

4. 一部事務組合や広域連合は、都道府県と市区町村の間で設立することも可能であるとし、そうした実例は存在する。病院経営のために設立された県と市町村による一部事務組合（病院企業団）が全国にいくつかあるし、全国最大の人口を抱える関西広域連合は2府6県4市で構成されている。

5. 妥当である。広域連合は、国や都道府県から権限などの移譲の受け皿となることができるし、都道府県や市町村が同一の事務を持ち寄って共同処理するだけでなく、異なる事務を持ち寄って処理することも可能である。また、広域連合の長や議員は選挙で選ばれるし、住民による直接請求も可能である。これらの点につき、一部事務組合とは異なる。

正答 **5**

専門試験 　　　　　　　　　　　　　　　　　　　　　　　　　　区

No. 342 行政学　　行政委員会・庁　　令和4年度

我が国の中央行政機構における行政委員会又は庁に関する記述として，妥当なのはどれか。

1　行政委員会は，政治的中立性の確保や複数当事者の利害調整などを根拠に設置される独任制の行政機関である。

2　行政委員会は，内閣府又は省の外局として設置され，内閣府の長としての内閣総理大臣又は各省大臣の統括の下に置かれながら，内部部局とは異なる独立性を有する。

3　行政委員会は，主任の行政事務について，法律又は政令の制定を必要と認めるときには，案をそなえて，内閣総理大臣に提出して，閣議を求めることができる。

4　庁は，事務量が膨大である場合などに，事務処理上の便宜性に基づき，内部部局として設置されるものである。

5　庁の長官は，政令，内閣府令及び省令以外の規則その他の特別の命令を自ら発することができない。

解説

1．「独任制」の部分が誤りで，正しくは「合議制」。独任制とは内閣総理大臣などのように，行政機関が一人の者によって構成される制度のことをいう。これに対し，行政委員会は複数の委員によって構成される。

2．妥当である。行政運営の中立性や公正を確保するために，行政委員会は他の行政機関から独立した立場にある。なお，本肢には「内閣府又は省の外局として設置され」とあるが，これは内閣府設置法や国家行政組織法に基づき設置されている行政委員会に関する記述。人事院は，国家公務員法に基づき，内閣に設置されている行政委員会であり，外局ではない。

3．行政委員会に閣議を求める権限はない。なお，国務大臣は，案件の如何を問わず，内閣総理大臣に提出して，閣議を求めることができる。ちなみに，行政委員会は準立法的権限や準司法的権限を認められている例がある。

4．庁は，内閣府や省の内部部局ではなく，外局や特別の機関として設置されている。たとえば国土交通省には海上保安庁などの外局が設置されている。内部部局とは，内閣府や各省などを構成する部署のことである。たとえば内閣府には男女共同参画局などの内部部局がある。

5．庁の長官も，法律に基づいて命令を発出できる。これを庁令という。ただし，現在では庁令を発することができるのは，海上保安庁長官に限られている。

正答　**2**

政治学

行政学

社会学

経営学

我が国の会計検査院に関する記述として，妥当なのはどれか。

1　会計検査院は，検査官3人をもって構成する検査官会議と事務総局で組織されるが，検査官のうちから互選された会計検査院長が意思決定を行うことから，合議制の機関ではない。

2　会計検査院は，内閣に対し独立の地位を有する機関であり，検査官は両議院の同意を経て天皇が任命する。

3　会計検査院は，検査の結果，行政に関し改善を必要とする事項があると認めるときは，主務官庁その他の責任者に，意見を表示することができるが，改善の処置を要求することはできない。

4　会計検査院の検査は，正確性，緊急性，経済性，効率性及び有効性の観点その他会計検査上必要な観点から行うものであるが，特に，緊急性，経済性及び有効性については，3E基準と言われる。

5　会計検査院の検査対象機関には，国が資本金の2分の1以上を出資している法人のほか，国会や裁判所も含まれる。

解説

1．会計検査院長は会計検査院を代表し，検査官会議の議長を務めるが，意思決定は検査官会議によって行っているから，合議制の機関である。なお，会計検査院は，行政委員会と同じく合議制の行政機関ではあるが，憲法に基づいて設置されており，内閣を頂点とする一般行政部門には属さないので，講学上の行政委員会とはされていない。

2．検査官を任命するのは，内閣。天皇が行うのは認証である。なお，検査官の任命の同意につき，衆議院と参議院は対等の立場にあり，いずれかの議院の議決が優越することはない。

3．改善の処置の要求もできる。ちなみに，会計経理に関し法令違反または不当と認める事項がある場合には，是正改善の処置をさせることができる。

4．経済性，効率性，有効性の観点を3E基準という。英語で経済性はEconomy，効率性はEfficiency，有効性はEffectivenessというが，これらの単語の頭文字がすべてEなので，このように総称されている。

5．妥当である。中央省庁のほか，国会，裁判所，国が資本金の2分の1以上を出資している法人，NHK（日本放送協会）などの会計も，会計検査院は必ず検査しなければならないことになっている。また，国の出資が資本金の2分の1に満たない法人や，国が補助金などの財政援助を与えている地方公共団体などの会計も，必要があれば検査できる。

正答　**5**

政治学
行政学
社会学
経営学

行政責任に関する記述として，妥当なのはどれか。

1 足立忠夫は，本人と代理人の責任関係について4つの局面に分けて整理し，このうち任務的責任は，仕事を任された代理人が任務の遂行に関して本人の指示に従い，その指示どおりに任務を果たさなければならないというものである。

2 フリードリッヒは，「責任ある行政官とは，技術的知識と民衆感情という2つの有力な要素に応答的な行政官である」とし，民衆感情に対応して機能的責任を設定した。

3 ファイナーは，責任を2種類に分け，一方を「XはYの事項に関してZに対して説明・弁明しうる」という公式が成り立つ責任とし，もう一方を「道徳的義務への内在的・個人的感覚」とした。

4 ファイナーは，民主政における行政責任は内在的責任でなければならず，フリードリッヒの提唱する行政責任は外在的責任であり，役人の独断の増大を招くとした。

5 行政職員への多様な内在的統制が相互に矛盾，対立し，いずれの統制に応えて行動すべきかという問題を行政責任のジレンマといい，外在的統制と内在的統制の間において，行政責任のジレンマは生じない。

解説

1．「任務的責任」の部分が誤りで，正しくは「応答的責任」。任務的責任とは，本人が割り当てた任務を代理人が引き受ける責任をいう。足立忠夫は，本人と代理人の責任関係を，任務的責任，応答的責任，弁明責任，制裁責任の4つの局面に分けて整理した。

2．「機能的責任」の部分が誤りで，正しくは「政治的責任」。フリードリッヒは民衆感情に応えることを政治的責任とした。機能的責任とは，行政官は特定分野の技術的，科学的知識に優れていなければならないという責任である。

3．妥当である。「XがYの事項に対して説明・弁明しうる」という公式が成り立つ責任は外在的責任，「道徳的義務への内在的・個人的感覚」は内在的責任である。

4．「内在的責任」と「外在的責任」が入れ替わっているから，誤り。ファイナーは伝統的な議会などによる行政統制を重視し，行政国家化の現実を踏まえたフリードリッヒの提唱する行政責任は行政官の内在的責任にすぎず，独裁政治に帰結すると批判した。これに対し，フリードリッヒは専門家集団ら「科学の仲間」からの批判により，責任の客観性は確保されると反論した。

5．外在的統制と内在的統制の間でのジレンマも生じる。ギルバートによると，外在的統制とは行政機構の外部からの行政統制，内在的統制とは行政機構内部での行政統制をいうが，たとえば世論によって大々的に批判されている政策につき，上司から遂行を命じられる場合である。また，制度的統制と非制度的統制の間でもジレンマは生じる。

正答 **3**

専門試験　区

No. 345 行政学　シュタイン行政学　令和4年度

シュタインの行政学に関する記述として，妥当なのはどれか。

1 シュタインは，物質的資財とともに，国民の労働力，才能も含んだ国家資財を維持，増殖することを目的とした警察学を，財政学から分化させた。

2 シュタインの行政学は，官房学的行政学の集大成と位置付けられ，アメリカ行政学の形成に，直接的に強い影響を及ぼした。

3 シュタインは，国家をあらゆる個人の意思と行為が1つの人格にまで高められた共同体であるとし，階級による不平等を抱えた社会に国家が対立することはないとした。

4 シュタインは，国家は憲政と行政の2つの原理から成り立ち，憲政は国民の参加により国家意思を形成する過程であり，行政は国家意思を実現する過程であるとした。

5 シュタインは，憲政なき行政は無力であるとし，憲政と行政の関係は一方向的であり，行政に対する憲政の絶対的な優越を説いた。

解説

1. ユスティに関する記述。ドイツ官房学は前期と後期に分けられるが，前期官房学は財政学や経済学，農学などの内容をも含むものであった。だが，後期官房学の代表的論者であるユスティは，官房学から財政学などを分化して，警察学を樹立した。警察とは国家の一般的資材の維持と増殖のための国家の一切の内部事務処理のことであり，警察学は種をまき財政学はそれを刈り入れることを教える学問とされた。

2. 官房学的行政学の集大成者とされているのはユスティ。また，ウッドロウ＝ウィルソンを創始者とするアメリカ行政学は，行政の能率化という課題から生まれたのであり，ドイツ官房学やシュタイン行政学から直接的で強い影響を受けたわけでもない。

3. シュタインはヘーゲルや社会主義思想の影響を受けており，国家は社会の階級対立を止揚（アウフヘーベンの訳語で，対立関係にあるものをより高い次元で統合すること）し，社会の不平等や不自由を解決する任務を負う共同体とした。

4. 妥当である。なお，シュタインにとって，行政は国家意思を実現する過程であるが，中立的な君主による労働者階級の保護でもあった。

5. シュタインは「行政なき憲政は無内容であり，憲政なき行政は無力である」と説き，憲政は支配層のための政治に陥りやすいが，行政は中立的な立場からそれに歯止めをかけるべきと考えた。ゆえに，憲政と行政は相互優越の関係にあるとした。

正答　**4**

No. 346 専門試験

社会学 　　　　**家 族** 　　令和 **5**年度 　　区

家族に関する記述として、妥当なのはどれか。

1 バダンテールは、中世ヨーロッパにおいては、子ども期という特別な時間は存在せず、子どもが純粋無垢で特別な保護と教育を必要とするという観念は、近代社会で誕生したことを明らかにした。

2 グードは、1組の夫婦とその未婚の子どもから成る核家族を人間社会に普遍的に存在する最小の親族集団であるとし、性、経済、生殖、教育という社会の存続に必要な4つの機能を担うとした。

3 パーソンズは、核家族は親族組織からの孤立化によって、その機能を縮小し、子どもの基礎的な社会化と大人のパーソナリティの安定化という2つの機能を果たさなくなったとした。

4 リトワクは、修正拡大家族論を提唱し、孤立核家族よりも、むしろ相互に部分的依存状態にある核家族連合が、現代の産業社会に適合的な家族形態であるとした。

5 ショーターは、家族は近代化に伴って、法律や慣習などの社会的圧力によって統制された制度的家族から、相互の愛情を基礎にした平等で対等な関係である友愛的家族へと発展するとした。

解 説 ▬▬▬▬▬▬▬▬▬▬▬▬▬▬▬▬▬▬▬▬▬▬▬▬▬▬

1. バダンテールではなく、アリエスに関する記述。アリエスは、『子供の誕生』を著し、前近代においては、子どもは「小さな大人」として、大人と同列に扱われていたとした。バダンテールは、『母性という神話』を著し、母性愛を本能とする見解を否定した。

2. グードではなく、マードックに関する記述。マードックは、核家族はすべての社会に存在し（核家族普遍説）、社会の存続にとって必要な性、経済、生殖、教育の4機能を果たしているとした。なお、グードは、『世界革命と家族類型』を著し、核家族化の要因には産業化だけでなく、民主主義的な「夫婦家族イデオロギー」の浸透もあるとした。

3. パーソンズは、拡大家族の崩壊によって家族の社会的機能が衰退していた結果、現代家族に残された機能は、子どもの基礎的な社会化と大人のパーソナリティの安定化の2つだけになったとした。

4. 妥当である。リトワクは、産業化に伴って伝統的な拡大家族が衰退し、居住地や職業などは異なるようになってもなお、修正拡大家族として近親者の結びつきは存続しているとした。

5. ショーターではなく、バージェスとロックに関する記述。ショーターは、『近代家族の形成』を著し、性行為や結婚は愛する1人だけと行うべきことと考えるロマンティック・ラブの成立や、母性愛、家族愛といった家族に関する感情の変化が近代家族を生み出したとした。

正答 **4**

東京都・特別区

No. 347 社会学 ホーソン実験 令和5年度

次の文は、ホーソン実験に関する記述であるが、文中の空所A～Cに該当する語又は人物名の組合せとして、妥当なのはどれか。

1924年から1932年にかけて、アメリカのウェスタン・エレクトリック社のホーソン工場において実験が行われ、メイヨーや[　A　]などの研究者が参加した。

この実験では、継電器組立実験や面接計画などを通じて、[　B　]と呼ばれる視座を生み出し、テイラー的発想に対して異議を唱えた。

また、工場の現場で行われていた集団的生産制限の仕組みを追求するために行われたバンク配線実験では、集団内部の人間の行動を統制する[　C　]の存在が明らかにされた。

	A	B	C
1	イリイチ	人間関係論	シャドウ・ワーク
2	イリイチ	科学的管理法	インフォーマル・グループ
3	ホックシールド	人間関係論	インフォーマル・グループ
4	レスリスバーガー	人間関係論	インフォーマル・グループ
5	レスリスバーガー	科学的管理法	シャドウ・ワーク

解説

A：「レスリスバーガー」が該当する。ホーソン工場での生産性の向上に関する実験（ホーソン実験）には、臨床心理学者のメイヨーや経営学者のレスリスバーガーらが参加した。なお、イリイチは後述のシャドウ・ワークを論じた哲学者で、ホックシールドは感情の管理や表現が求められる労働を感情労働として考察した社会学者である。

B：「人間関係論」が該当する。人間関係論とは、職場内の人間関係が生産性に影響を及ぼすとする理論のこと。科学的管理法とは、テイラーが提唱した労働者の管理方法で、作業の標準化などによって能率を高め、生産性を向上させようとするものである。ところが、ホーソン実験により、照明の改善や休憩時間などといった、客観的な作業条件の改善が生産性の向上には結びつかず、むしろ従業員の労働意欲や職場内の人間関係などが生産性に影響することが明らかとなった。

C：「インフォーマル・グループ」が該当する。インフォーマル・グループとは、仲良しグループのように、集団の中で自然発生的に発生した小集団のこと。ホーソン実験の一環として行われたバンク配線実験では、こうしたインフォーマル・グループが従業員の労働意欲や生産性に影響を与えていることが明らかとなった。なお、シャドウ・ワークとは、家事労働のような、無報酬でありつつも、賃労働にとって不可欠な労働のことをいう。

よって、正答は**4**である。

正答 **4**

東京都・特別区

政治学
行政学
社会学
経営学

専門試験

No.
348 社会学 社会運動論 令和 5 年度 区

社会運動論に関するA〜Dの記述のうち、妥当なものを選んだ組合せはどれか。

A　オルソンは、価値付加プロセスにより一般化された信念が形成され、人々が非制度的な行動を行うとする集合行動論を提唱した。

B　マッカーシーらは、組織や資源の動員、戦略を重視して、社会運動の合理性を説明する資源動員論を提唱した。

C　トゥレーヌらは、ポスト産業社会において、社会運動の担い手が、マイノリティなど多様に変化したことに着目した新しい社会運動論を提唱した。

D　資源動員論と新しい社会運動論には、実証主義的で、組織レベルの分析に焦点を置くなどの共通性がある。

1 A　B
2 A　C
3 A　D
4 B　C
5 B　D

解説

A：オルソンではなく、スメルサーに関する記述。スメルサーは社会運動を非制度的な行動として、急激な社会変動がもたらす構造的緊張や大衆の不満といった、その発生に至るプロセスを論じた。オルソンは、経済学の公共財の概念を用いて利益集団について分析する集合行為論の提唱者であり、小規模集団に比べて、大規模集団ではフリーライダー（利益にただ乗りする人）が出現するため、かえって構成員の共通の利益は実現されにくいとした。

B：妥当である。集合行動論が社会心理学的な視点からなぜ社会運動は発生するのかを論じたのに対し、資源動員論は、社会運動を人々のネットワークや資金などといった、運動に必要なさまざまな資源が獲得されることによって発生する、合理的な行動として考察する理論であり、マッカーシーによって提唱された。

C：妥当である。トゥレーヌは、1960年代後半からの社会運動の新たな潮流を背景に、ポスト産業社会では、旧来の労働運動や政治運動とは異なる価値観や利益を求める「新しい社会運動」が現れるとする仮説を唱えた。

D：実証主義的で組織レベルの分析に焦点を置くのは、社会運動はいかにして発生するのかを考察する資源動員論のみである。新しい社会運動論は、なぜ社会運動が発生するのかを、運動の参加者のライフスタイルや価値観、アイデンティティの観点から捉える理論である。

よって、妥当なものはBとCであるので、正答は**4**である。

正答　**4**

東京都・特別区

専門試験

No.
349 社会学 デュルケームの自殺論 令和 5 年度

区

政治学

行政学

社会学

経営学

デュルケームの「自殺論」に関するA～Eの記述のうち、妥当なものを選んだ組合せはどれか。

　A　デュルケームは、死が当人自身による行為から生じ、当人がその結果の生じ得ることを予知していた場合を、自殺と定義した。

　B　デュルケームは、無規制あるいはアノミーの状態に陥る不況は自殺を増加させる一方、好況は自殺を減少させるとした。

　C　デュルケームは、自己本位的自殺は、宗教社会、家族社会、政治社会といった個人の属している社会の統合の強さに反比例して増減するとした。

　D　デュルケームは、過度の規制から生じる閉塞感から人々が図る自殺を宿命的自殺とし、このタイプは、今日でも、重要性をもつとした。

　E　デュルケームは、集団本位的自殺を、個人の自我が所属する集団に置かれているように、集団の凝集性が弱い状態で生じる自殺とした。

1　A　C
2　A　D
3　B　D
4　B　E
5　C　E

解説

A：妥当である。デュルケームは、なぜ人は自殺をするのかという問題につき、単なる個人の心理の問題とせずに、その社会的要因を論じようとした。

B：デュルケームが自殺の類型の一つとしてアノミー的自殺を挙げたのは事実だが、アノミーとは社会の規範が緩んで無秩序になった状態をいう。アノミーによって自己の欲望が膨張し、それを実現できないことに不満や幻滅を感じる人が増えることから、自殺者は不況期だけでなく、好況期でも増加することがあるとした。なお、アノミーはデュルケームが初めて社会学にもたらした概念である。

C：妥当である。自己本位的自殺は、社会の統合が弱まって孤独感や疎外感が強まったときに増加するとした。

D：宿命的自殺については、『自殺論』の脚注でわずかに言及しているだけであり、「今日でも、重要性をもつ」とはしていない。なお、宿命的自殺の意味については、正しい。恋仲にありながらも結婚を許されない者どうしによる心中などがこの例である。

E：集団本位的自殺は、個人と集団の結びつきが強すぎる状態で生じる自殺とした。つまり、集団自決のように、社会のために自己を犠牲にすることが美徳とされた状態で起きる、前近代的な自殺である。

　　よって、妥当なものはAとCであるので、正答は**1**である。

正答　**1**

次の文は、日本の社会集団に関する記述であるが、文中の空所Ａ〜Ｄに該当する語又は人物名の組合せとして、妥当なのはどれか。

　　　　Ａ　　　は、日本社会では、　　　Ｂ　　　を同じくするということよりも、　　　Ｃ　　　の共有が集団構成の重要な原理となっており、個人は　　　Ｄ　　　集団への一方的帰属を求められるとした。

　　　　Ｃ　　　によって形成される集団は、他の集団に対して明確な枠をつくり、「ウチの者」、「ヨソ者」といった意識を強める。こうした集団の内部では、人間関係は序列化され、先輩、後輩等の「タテ」の関係が発達するとした。

	Ａ	Ｂ	Ｃ	Ｄ
1	中根千枝	資格	場	単一
2	中根千枝	場	資格	複合
3	高田保馬	資格	場	単一
4	丸山眞男	場	資格	単一
5	丸山眞男	資格	場	複合

解説

Ａ：「中根千枝」が該当する。中根千枝は『タテ社会の人間関係』を著し、日本社会をタテ社会として論じた社会人類学者である。なお、高田保馬は、人口増加による社会的関係の変化が社会変動をもたらすとする第三史観を唱えた社会学者である。また、丸山眞男は日本思想を研究した政治学者で、西洋文化は根幹に共通の思想、文化を持つとしてこれをササラ型文化と表現する一方、日本文化は根幹に共通の思想、文化を持たないタコツボ型文化とした。

Ｂ：「資格」が該当する。同じ階級の人間どうしが仲間意識を強めやすいというように、個人の有する資格が集団構成にとって重要な原理なのは、欧米のヨコ社会であるとされる。

Ｃ：「場」が該当する。日本では、同じ会社の従業員や学校の生徒どうしが仲間意識を強めるというように、所属する「場」が集団構成にとって重要な原理となる。ゆえに、「ウチの者」と「ヨソ者」といった意識や、集団内での上司と部下、先輩と後輩などといったタテの関係が強まったとされる。

Ｄ：「単一」が該当する。「会社人間」という言葉があるが、タテ社会では一つの集団に全面的に帰属することが求められるとされる。また、「ヨソ者」である他の集団の人々とかかわることには消極的になりがちになるとされる。

　よって、正答は**1**である。

正答　**1**

次の文は，社会集団の類型に関する記述であるが，文中の空所A〜Dに該当する語の組合せとして，妥当なのはどれか。

マッキーヴァーは，集団を　A　と　B　に区別し，　A　を，一定の地域における自生的な共同生活の範囲であり，社会的類似性，共属感情を持つとし，例として，　C　を挙げている。

一方，　B　は，　A　の器官として働き，特定の関心を追求するために人為的に作られた機能集団とし，例として，　D　を挙げている。

	A	B	C	D
1	アソシエーション	コミュニティ	国家	都市
2	アソシエーション	コミュニティ	都市	国家
3	アソシエーション	コミュニティ	都市	家族
4	コミュニティ	アソシエーション	国家	都市
5	コミュニティ	アソシエーション	都市	家族

解説

A：「コミュニティ」が該当する。マッキーヴァーは集団をコミュニティとアソシエーションに分類した。このうち，コミュニティとは一定の地域において営まれる共同生活の範囲であり，一定の地域に共生することによって，人々は社会的類似性や共通の社会的思考，慣習，共属感情などの社会的特徴を持つようになるとした。マッキーヴァーが語るコミュニティは，地域性とコミュニティ感情によって成立する集団であり，コミュニティ感情は共属感情，役割意識，依存意識からなる。

B：「アソシエーション」が該当する。アソシエーションは，コミュニティの対概念であり，特定の目的や利害関心のために人為的に作られた機能集団であり，コミュニティの存在を前提としている。コミュニティはさまざまなアソシエーションによって成り立つ。コミュニティが人体ならば，アソシエーションは臓器にたとえられる。

C：「都市」が該当する。地域的広がりとコミュニティ感情によって成立しているからである。

D：「家族」または「国家」が該当する。そのほか，企業，労働組合，学校なども，都市や国などの構成要素となっているから，アソシエーションである。

よって，正答は**5**である。

正答　5

No. 352 専門試験 **社会学** **都 市** 令和 **4年度** 区

都市に関する記述として，妥当なのはどれか。

1 フィッシャーは，都市について，人口の集中している場所と定義し，都市では同類結合が容易になるため，非通念的な下位文化が生み出されやすいという特徴があるとした。

2 ワースは，都市について，社会的に同質な諸個人の，相対的に大きい，密度のある，永続的な集落と定義し，都市に特徴的な集団生活の様式をアーバニズムと呼んだ。

3 バージェスは，都市は中心業務地区から放射線状に拡大する傾向があり，中心業務地区から外へと，労働者住宅地帯，中流階級住宅地帯，通勤者地帯，遷移地帯の順に，同心円状に広がるとした。

4 ハリスとウルマンは，家賃を指標に収入階層ごとの居住地域の分布を調査した結果，都市の成長に伴い，同じタイプの地域が鉄道路線や幹線道路などの特定の軸に沿って，セクター状に広がっていくとした。

5 ホイトは，都市の土地利用のパターンは単一の中心の周囲ではなく，複数の核の周囲に構築されるとし，都市が成立した当初から複数の核が存在する場合と都市の成長と移動に伴い複数の核が生み出される場合があるとした。

解 説

1. 妥当である。フィッシャーは，都市は拡大するほど，非通念的で多様な下位文化が生み出されやすいとした。なお，非通念的とは既成の常識とは異なるという意味であり，下位文化（サブカルチャー）とは，社会において支配的な文化に対して，社会内部の集団が持つ独自の文化のことをいう。

2. 「同質」の部分が誤りで，正しくは「異質」。都市にはさまざまな地域から人口が流入するのだから，住民の異質性も高くなる。ワースは，大規模人口，高密度，住民の異質性により，近隣住民や親族との関係の希薄化や一時的で上辺だけの人間関係，低出生率，没個性化，不安感などといったアーバニズムが現れるとした。

3. 遷移地帯は中心業務地区（CBD）と労働者住宅地帯の間に位置する。遷移地帯とは，低所得者が居住している地域のことで，一般的にはインナーシティと呼ばれている。スラムと呼ばれることもあるが，スラムは中心業務地区周辺とは限らない。

4. ハリスとウルマンではなく，ホイトに関する記述。ホイトはバージェスが唱えた同心円理論を修正し，同じタイプの地域が都心部から放射線状に伸びる鉄道路線や幹線道路に沿って外側に向かってセクター（扇形）状に広がっていくとした。

5. ホイトではなく，ハリスとウルマンに関する記述。バージェスやホイトの理論では，都市の中心を一つとし，そこから外側に広がっていくとしているのに対し，ハリスとウルマンは，都市には複数の核心があり，そこから土地利用が決まるとする多核心モデルを提唱した。

正答 **1**

No. 353 社会学　社会構造・機能

社会の構造と機能に関する記述として，妥当なのはどれか。

1　ハーバーマスは，構造は行為によって再生産されるとし，構造の二重性などの概念からなる構造化理論を提唱した。

2　マートンは，機能について，社会システムの適応にプラスとなる順機能とマイナスとなる逆機能に，また，顕在的機能と潜在的機能に区別した。

3　ギデンズは，社会システムがその要素を自己において継続的に再生産するとしたオートポイエティック・システムの理論を提唱した。

4　パーソンズは，AGIL図式を示し，その中で社会システムの4機能要件を普遍，個別，業績及び所属とした。

5　ルーマンは，「コミュニケーション的行為の理論」において，合理的討議による合意により，秩序ある社会が構成されるとした。

解説

1. ハーバーマスではなく，ギデンズに関する記述。社会構造と行為を相互依存的に捉える構造化理論を唱えた。なお，「構造の二重性」とは，社会構造は人間の行為によって作られているとともに人間の行為を作り出してもいることをいう。

2. 妥当である。マートンは「官僚制の逆機能」の議論などでも有名である。なお，行為者が意図している機能を顕在的機能，意図していない機能を潜在的機能という。たとえば部族による雨乞いのダンスならば，雨を降らせるのが顕在的機能，ダンスを通じて部族の一体感を強めるのが潜在的機能である。

3. ギデンズではなく，ルーマンに関する記述。オートポイエーシスとは，もともとは生物学で唱えられた概念で，細胞や神経系などが自己産出を繰り返すことで自律的に秩序を生成することをいう。ルーマンはこの概念を社会学に導入し，機能的分化社会理論を唱えた。

4. パーソンズは，適応（Adaptation），目標達成（Goal attainment），統合（Integration），潜在的パターンの維持（Latency）の4つを，社会システムの機能要件をとした。AGIL図式とは，これらの単語の頭文字による。

5. ルーマンではなく，ハーバーマスに関する記述。フランクフルト学派の第二世代の社会哲学者であるハーバーマスは，人々が合理的討議によって合意に至る能力であるコミュニケーション的理性を重視する立場から，システム合理性による「生活世界の植民地化」を批判した。

正答　**2**

No. 354 専門試験 **社会学** **文　化** 令和 **4**年度 ⊠

次の文は，文化に関する記述であるが，文中の空所A～Dに該当する語又は人物名の組合せとして，妥当なのはどれか。

　　　A　　は，文化が受容される社会的範囲の観点から，普遍的文化，　　B　　文化及び　　C　　文化の3つのカテゴリーに区分し，普遍的文化は，　　D　　などのようにその社会のほとんどの成員に支持され受け入れられているもの，　　D　　文化は，ある特定の職業集団，世代，階級などに限ってみられるもの，　　C　　文化は，趣味などのように人々の嗜好によって個人的に選択されるものとした。

	A	B	C	D
1	リントン	任意的	特殊的	芸術
2	リントン	特殊的	任意的	道徳
3	タイラー	任意的	特殊的	道徳
4	タイラー	任意的	特殊的	芸術
5	タイラー	特殊的	任意的	道徳

解 説

A：「リントン」が該当する。リントンは文化人類学者で，文化とパーソナリティの関係に注目した研究を行ったことで知られている。また，個人の文化への参加のあり方から，文化を後述の3つに分類した。なお，タイラーは古典的な文化概念を確立し，「文化人類学の父」とされている学者である。また，宗教について，アニミズムを最も原始的とし，一神教に進化するとした。

B：「特殊的」が該当する。特殊的文化とは，同業者や同世代，同じ階級など，社会の中の特定の集団のみが支持し，参加する文化である。伝統工芸品の職人たちが共有している技能などが，特殊的文化の例である。

C：「任意的」が該当する。任意的文化は，個人が任意で支持し，参加する文化である。絵画や音楽などの芸術，文学，演劇，映画が任意的文化の例である。

D：「道徳」が該当する。普遍的文化とは，社会のほとんどの成員が支持し，参加している文化である。道徳や習慣，言語などが普遍的文化の例である。

　　よって，正答は**2**である。

正答 **2**

No. 355 専門試験 経営学 **リーダーシップ理論** 令和5年度 区

次の文は、リーダーシップ理論に関する記述であるが、文中の空所A～Dに該当する語又は人物名の組合せとして、妥当なのはどれか。

　　[　A　] が提唱したPM理論では、リーダーシップ行動をP機能（[　B　]）とM機能（[　C　]）に分類している。

　　リーダーシップは、P機能とM機能の強弱により、PM型、Pm型、Mp型及びpm型の4つに分類され、生産性が最も高いのは、[　D　] とした。

	A	B	C	D
1	三隅二不二	目標達成機能	集団維持機能	PM型
2	三隅二不二	集団維持機能	目標達成機能	PM型
3	三隅二不二	目的達成機能	集団維持機能	pm型
4	ハーシー=ブランチャード	集団維持機能	目的達成機能	pm型
5	ハーシー=ブランチャード	目的達成機能	集団維持機能	PM型

解説

リーダーシップのPM理論を提唱したのは三隅二不二（A）である。PM理論では、目標の達成に向けて職務上の指示や作業効率を重視するP機能（目標達成機能〈Performance〉）（B）と、集団を維持するために人間関係を重視するM機能（集団維持機能〈Maintenance〉）（C）という2つの因子の強弱によって、リーダーシップ行動を4種類に分類した。調査・分析の結果、両方の機能に優れたPM型（D）が、組織の業績の点で高いことが示されている。ちなみに、pm型は、目標達成にも人間関係の配慮にも消極的なリーダーシップを示している。

　なお、P. ハーシーとK. H. ブランチャードは、SL（Situational Leadership）理論を提唱した。SL理論では、部下の成熟度が高まるにつれて、適切なリーダーシップ行動は、教示的（指示的）→説得的→参加的→委譲的（委任的）へと段階的に移行することを示した。

　よって、正答は**1**である。

正答　**1**

政治学　行政学　社会学　経営学

政治学

行政学

社会学

経営学

経営戦略論に関する記述として、妥当なのはどれか。

1 ポーターは、企業の競争優位の源泉を経営資源とする考え方である、資源ベース論を提唱した。

2 資源ベース論が企業の内部を重視するものであるのに対し、バーニーが提唱したポジショニング論は、企業の外部環境を重視するものである。

3 VRIO フレームワークとは、経済価値、希少性、模倣困難性及びこれらを活用する組織を競争優位のための条件とし、経営資源を分析するものである。

4 VRIO フレームワークでは、企業の保有する資源に経済価値はあるが、希少性がない場合には、競争劣位になるとした。

5 ルメルトは、著書「コア・コンピタンス経営」で、コア・コンピタンスを、顧客に特定の利益を与え、他社にまねできない企業の核となる能力とした。

解 説

1. M. E. ポーターが唱えた競争戦略論は、ポジショニング論の代表的な学説である。経営戦略論では、企業の競争優位の源泉（他社に対して競争上の優位をもたらす要因）について、資源ベース論（Resource - based View）とポジショニング論（Positioning View）という 2 つの考え方がある。ポジショニング論では、市場における競争状況が企業の収益性を左右すると考える。そのため、業界の競争状況を分析し、市場で他社よりも優位な地位（ポジション）を獲得するために適切な戦略を選択することが重視される。

2. J. B. バーニーが提唱した VRIO フレームワークは、資源ベース論に該当する。資源ベース論では、競争優位を獲得するために、希少な経営資源や他社には容易に模倣されない技術、ノウハウなどの組織能力を重視する。言い換えれば、資源ベース論は、競争優位の源泉を企業が保有する経営資源に求める考え方であり、ポジショニング論は、競争優位の源泉を外部の市場に求める考え方である。

3. 妥当である。VRIO フレームワークは、企業の経営資源や組織能力が、どのように競争優位を生み出すかを分析する理論枠組みである。VRIO フレームワークでは、ある経営資源が持続的な競争優位をもたらすか否かは、経済価値（Value）、希少性（Rareness、Rarity）、模倣困難性（Imitability、模倣可能性とも表記される）、これらの経営資源を活用する組織（Organization）によって決まるとした。

4. 「競争劣位になる」が誤り。VRIO フレームワークでは、**3**で示した 4 つの要素をすべて保有している企業は、持続的な競争優位を獲得し、経営資源を最大限に活用している状況にある。逆にどの要素も保有していない企業は、競争優位がない状況、すなわち「競争劣位」

に該当する。なお、「企業の保有する資源に経済価値はあるが、希少性がない場合」は、ありふれた経営資源しか保有していないため、「競争均衡」の状況にあるとしている。

VRIO フレームワークと競争優位性

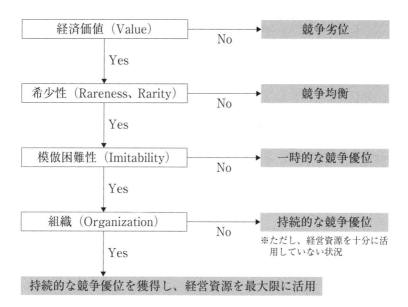

5. 『コア・コンピタンス経営』（1994年）の著者は、G. ハメルとC. K. プラハラードである。ハメルらによれば、コア・コンピタンスは、顧客に対して利益をもたらし、他社には真似のできない自社ならではの価値を持つ中核的な力（技術やスキル、経験などの集合体）を意味する。このことから、コア・コンピタンスの概念は資源ベース論に該当する。なお、R. P. ルメルトは、『多角化戦略と経済成果』（1974年）で、企業の多角化の程度と業績の関係を調査・分析した。その結果、中核となる技術を保有し、関連事業を展開する「中程度の多角化」を実施している企業の収益性が最も高いことを示した。

正答　**3**

投資決定論に関するA～Dの記述のうち、妥当なものを選んだ組合せはどれか。

A 投資利益率（ROI）とは、特定の投資案件に対して、どの程度の利益が生み出されているのかを示す指標であり、数値が低いほど投資効率が良く、有利な投資である。

B ポートフォリオ理論によると、危険回避的投資家は、ある収益率の期待値をもたらす有価証券の組合せの中から、最小のリスクのものを選択して、分散投資行動をとる。

C 正味現在価値法とは、資本コストを用いて割引計算される一定期間内の将来の収益の現在価値を足し合わせ、そこから投資額を差し引くことで正味現在価値を算定し、これがプラスになる場合に、投資案を採用する方法である。

D 回収期間法とは、投資した資金が何年で回収できるかを示す回収期間を計算し、回収期間の短い投資案を優先して採用する方法であるが、貨幣の時間価値を考慮しないため、日本企業では普及していない。

1 A B
2 A C
3 A D
4 B C
5 B D

解説

A：投資利益率（Return on Investment、ROI）の説明は妥当だが、「数値が低いほど投資効率が良く、有利な投資である」が誤り。投資利益率は、投下した資本に対してどの程度の利益が得られたかを示す指標であり、当期純利益÷投下資本×100で表される。したがって、数値が高いほど投資効率が良いことを示す。

B：妥当である。ポートフォリオ理論では、複数の有価証券をどのように選択し、組み合わせれば、リスクを最小化し、利益を最大化できるかを分析する。その際、危険回避的な投資家は、期待される利益が同じであれば、リスクのより少ない有価証券を選択すると仮定される。

C：妥当である。正味現在価値法とは、ある投資案において将来に期待される収益から、割引計算によって現在価値を算定し、その金額から初期投資額を差し引いて「正味現在価値」を求める投資決定の手法であり、「正味現在価値」＞0となる投資案を採用する。その際、現在価値の算定には、一般に資本コストが用いられる。資本コストは、企業の資金調達に要する費用（借入金に対する支払利息や株式の配当など）であり、投資決定では、資本コストを上回る収益をもたらす投資案が求められる。

D：「日本では普及していない」が誤り。回収期間法は、投資した資金が回収されるまでの期間を算定する投資決定の手法であり、その期間が最も短い投資案を採用する。回収期間法は計算が容易であるため、日本企業で広く普及している。しかし、貨幣の時間価値（現在と将来のある時点の間で、利息によって生じる貨幣価値の差）を考慮していないなどの問題点がある。よって、妥当なものはBとCであるので、正答は**4**である。

正答 **4**

東京都・特別区

No. 358

専門試験

経営学

マーケティング

区

令和5年度

政治学

行政学

社会学

経営学

マーケティングに関する記述として、妥当なのはどれか。

1 マーケティング・チャネルとは、業界の構造や収益力を分析するための手法であり、新規参入の脅威、業界内の競争状況、代替製品の圧力、売り手の交渉力、買い手の交渉力の5つの要因がある。

2 プロダクト・ポートフォリオ・マネジメントとは、縦軸に市場成長率、横軸に相対的市場占有率をとったマトリックスにより、企業の事業や製品がどこに位置付けられているかを分析するための手法であり、市場成長率が高いが、相対的市場占有率が低い製品は「金のなる木」に位置付けられる。

3 プロダクト・ライフサイクルとは、製品のたどる段階を成長期、成熟期、衰退期の3つにモデル化したものであり、成長期においては製品の用途や効能を顧客に丁寧に説明するプロモーションが有効である。

4 マーケティング・ミックスとは、企業が行うマーケティング手段の組合せのことであり、企業側の観点から見ると製品、価格、プロモーション、問題解決の4Pに、顧客側の観点から見ると対価、利便性、コミュニケーション、流通チャネルの4Cに分類することができる。

5 SWOT分析とは、経営戦略を分析するためのツールの1つであり、企業の内部環境に関する強みと弱み、企業の外部環境に関する機会と脅威の4つで、経営環境を整理し、分析するものである。

解説

1. 本肢はM.E.ポーターが示した業界の構造分析（ファイブ・フォース分析）の説明である。マーケティング・チャネルとは、製品やサービスを顧客に提供するための経路や供給網を意味する。その際、自社の製品やサービスを効率的かつ効果的に供給するために、流通・販売経路をどのように選択し、供給網を構築するかが課題となる。

2. 「市場成長率が高いが、相対的市場占有率が低い製品」は「問題児」である。経営コンサルティング会社のボストン・コンサルティング・グループ（BCG）が考案したプロダクト・ポートフォリオ・マネジメント（PPM）は、自社の製品や事業に対して経営資源を効率的に配分するための分析手法である。BCGのPPMでは、市場成長率と相対的市場占有率（最大の競争相手に対する自社事業のシェア）という2つの基準の高低によって、問題児（高成長率・低シェア）、花形（高成長率・高シェア）、金のなる木（低成長率・高シェア）、負け犬（低成長率・低シェア）と名づけられた4つのカテゴリーに製品や事業が位置づけられる。

3. 一般にプロダクト・ライフサイクル（製品ライフサイクル）は、製品の売上高や利益の推移に応じて、導入期、成長期、成熟期、衰退期の4段階に区分される。また、「製品の用途や効能を顧客に丁寧に説明するプロモーション」は、製品の知名度や普及率が低い導入期に有効な手段である。

4. マーケティング・ミックスは、市場のニーズを満たすために効果的に組み合わせたマーケティングの諸手段であり、その中核となる要素を、E.J.マッカーシーは、企業側の観点からProduct（製品）、Price（価格）、Place（立地、流通チャネル、物流）、Promotion（販売促進）の4Pとした。これに対して、R.ローターボーン（ラウターボーン）は、顧客側の観点からCustomer Value（顧客価値）、Cost（対価、コスト）、Convenience（利便性）、Communication（コミュニケーション）の4Cに集約した。

5. 妥当である。SWOT分析は、自社の強み（Strength）と弱み（Weakness）、外部環境の機会（Opportunity）と脅威（Threat）を比較・分析し、適切な戦略案を導き出す手法で、強みと弱みの分析では、自社が保有する経営資源の優劣を競合他社と比較して検討する。機会と脅威の分析では、外部環境のマクロ要因（法規制、政治・経済・社会状況など）とミクロ要因（市場規模や成長性、顧客のニーズ、競合他社の動向など）を検討し、自社にとってプラスとマイナスの要因を識別する。

正答 **5**

SECI モデルに関するA～Dの記述のうち、妥当なものを選んだ組合せはどれか。

A　野中郁次郎と竹内弘高は、ナレッジ・マネジメントにおける知識創造モデルとして、SECI モデルを提唱した。

B　SECI モデルにおいては、暗黙知とは、主観的、理性的な知であり、形式知とは、客観的、経験的な知である。

C　SECI モデルには、暗黙知と形式知を相互に変換する4つのモードとして、共同化、表出化、連結化及び内面化がある。

D　SECI モデルの4つのモードのうち、共同化は、暗黙知を言語などにより形式知に変換するプロセスである。

1　A　B
2　A　C
3　A　D
4　B　C
5　B　D

解説

A：妥当である。野中郁次郎と竹内弘高は、共著『知識創造企業』（1996年）において、個人の知識や経験、技術、ノウハウを組織全体で共有し、製品開発や生産性向上に活用するナレッジ・マネジメントの理論枠組みとして、SECIモデルを提唱した。

B：「理性的な知」と「経験的な知」の位置づけが逆である。SECIモデルでは、M.ポランニーの定義を援用して「知識」を暗黙知と形式知に区別している。ここでの暗黙知とは、概念化あるいは言語化されていない主観的な知（個人知）、経験的な知であり、形式知とは、概念化あるいは言語化されている客観的な知（組織知）、理性的な知を意味する。

C：妥当である。SECIモデルでは、組織における知識創造の過程を、共同化（Socialization）、表出化（Externalization）、連結化（Combination）、内面化（Internalization）の4つのモードで構成する。

SECIモデルの知識変換モード

D：本肢の内容は、共同化ではなく表出化の説明である。SECIモデルにおいて、共同化は、言語によらず観察や模倣、練習によって技術や経験を組織のメンバー間で共有することで、暗黙知を創り出すプロセスである。表出化は、暗黙知を言語などによって概念化し、形式知に変換するプロセス、連結化は、既存の異なる形式知を整理し、組み替えることで新たな形式知を創り出すプロセス、内面化は、連結化によって創出された形式知を組織メンバーが習得することで、新たな暗黙知として共有するプロセスである。

よって、妥当なものはAとCであるので、正答は**2**である。

正答　**2**

専門試験

区

No. 360 経営学 経営における意思決定 令和4年度

経営における意思決定に関するA～Dの記述のうち，妥当なものを選んだ組合せはどれか。

A　サイモンは，意思決定を定型的意思決定と非定型的意思決定に分類した上で，これらに適用する技法を伝統的なものと現代的なものに分類した。

B　アンゾフは，企業の意思決定を戦略的意思決定，管理的意思決定及び業務的意思決定の3つに分類した。

C　バーナードは，意思決定プロセスが情報活動，設計活動，選択活動及び検討活動の4段階から構成されると明らかにした。

D　コモンズは，組織的意思決定を選択機会，参加者，問題及び解という4つの流れが偶然に交錯した産物であるとするごみ箱モデルを提唱した。

1　A　B
2　A　C
3　A　D
4　B　C
5　B　D

解説

A：妥当である。H.A. サイモンは『意思決定の科学』(1971年) で，意思決定を「プログラム化できるか否か」という処理手続の観点から，決められた手続によって処理が可能な定型的（プログラム化できる）意思決定と，非反復的で毎回新たな処理を必要とする非定型的（プログラム化できない）意思決定に分類した。さらに，サイモンはこれらの意思決定に適用される技法として，伝統的および現代的の2種類があるとした。定型的意思決定の伝統的技法には「習慣」「事務上の慣例」「組織構造」があり，その現代的技法として数理・統計分析を用いたオペレーションズ・リサーチや電子計算機によるデータ処理を挙げている。これに対して，非定型的意思決定の伝統的な技法には「直観」「経験則」「創造力」などがあり，その現代的技法として「発見的（ヒューリスティック）なコンピュータ・プログラミングの作成」を示している。

B：妥当である。H.I. アンゾフは，組織の階層に応じて意思決定を3種類に分類した。戦略的意思決定は最高経営層（トップ・マネジメント）が担当する全社的な経営計画に関する決定であり，管理的意思決定は中間管理層が担当する経営資源の効率的な配分に関する決定，業務的意思決定は現場管理層が担当する定型的な業務処理に関する決定である。

C：本肢の内容は，バーナードではなくサイモンが唱えたものである。サイモンは意思決定のプロセスを，①情報活動（環境から情報を収集し，意思決定の対象となる問題を見出す），②設計活動（問題解決のために実現可能な代替案を策定する），③選択活動（一定の基準を満たす代替案を選択する），④検討活動（実施した代替案の結果を評価し，次の意思決定にフィードバックする）の4段階から構成されるとした。

D：意思決定のごみ箱モデルを提唱したのは，J.G. マーチと J.P. オルセン，M.D. コーエンである。マーチらによれば，組織における意思決定の状況は，ある「選択の機会」にさまざまな「参加者」「問題」「解」が投げ込まれるごみ箱にたとえられ，現実の意思決定はこれらの諸要素が偶発的に結びつくことで決まる曖昧な性格を持つとした。なお，J.R. コモンズは制度派経済学の論者であり，ごみ箱モデルとの関連はない。

よって，妥当なものはAとBであるので，正答は**1**である。

正答 **1**

経営組織に関する記述として，妥当なのはどれか。

1 プロジェクト・チームとは，ある特定の課題を解決するために，期間を区切らずに編成される組織であり，通常，目的に応じて組織横断的に選出されたメンバーで構成される。

2 ファンクショナル組織とは，職能別職長制に基づくものであり，部下の指導を専門的に行うことが可能となり，命令系統が一元化されるなどの長所を有する。

3 ライン・アンド・スタッフ組織とは，ライン組織に専門領域を担当するスタッフ部門を付け加え，ライン業務に対して専門的立場からアドバイスすることで，ライン組織の長所を生かしながら，短所を補おうとする組織である。

4 事業部制組織とは，製品別や地域別などにメンバーが編成される組織であり，事業部間で資源を共有することでコストを節約できるという長所がある一方，市場環境の変化に迅速に対応できないという短所がある。

5 マトリックス組織とは，製品と職能，製品と地域など複数の命令系統を持つ組織であり，複数の組織形態の長所を生かし，責任や権限が明確になりやすいという特徴がある。

解 説

1. 「期間を区切らずに編成される組織」が誤り。プロジェクト・チームは，既存の組織では対応できない特別な課題や緊急の問題解決のために編成される臨時的な組織形態である。この組織では，必要な人材を各部門から組織横断的に選出し，通常は課題の達成の後に解散する。

2. 「命令系統が一元化される」が誤り。ファンクショナル組織はF.W.テイラーが考案した職能別職長制を原型とし，各管理者が特定の職能を担当する「専門化の原則」に基づいて編成される。この組織の長所は，管理職能を専門化することで作業能率が向上し，従業員の熟練の形成が促進される点にある。しかし，命令系統が多元化するために責任や権限の所在が不明瞭になりやすい。

3. 妥当である。ライン・アンド・スタッフ組織は命令の一元化を保ちつつ，専門化の利点も活かすことができる。ただし，スタッフ部門は専門的立場から基幹業務を担当するラインに助言や勧告を行うのみであり，指揮・命令の権限はない。

4. 事業部制組織は，各事業部が製品別や地域別に編成される分権的な組織形態であり，事業部は本社に対して一定の利益責任を負うプロフィット・センター（利益責任単位）の役割を担う。事業部制組織では，各事業部が市場環境の変化に柔軟に対応できることから，複数の事業に多角化している企業に適している。その反面，組織が大規模化すると各事業部に類似の部門が設置され，経営資源の重複が生じやすいことや，複数の事業部にかかわる製品開発や技術革新にうまく対応できないなどの短所がある。

5. 「責任や権限が明確になりやすい」が誤り。マトリックス組織は複数の組織を組み合わせた形態であり，二重の命令系統を持つことから「ワンマン・ツーボス・システム」と呼ばれ，大規模なプロジェクトや事業をきめ細かく管理できる。その長所は，部門間での経営資源の重複が少なく，環境変化に対して柔軟に対応でき，効率的な資源配分を行える点にある。しかし，責任や権限の所在が分散しているため，部門間の調整に時間を要し，意思決定の迅速さに欠けやすいという短所がある。

正答 **3**

No. 362 専門試験　経営学　**人的資源管理**　令和4年度　区

人的資源管理に関する記述として，妥当なのはどれか。

1　フレックスタイム制とは，業務の性質上，その遂行方法等を労働者の裁量に委ねる必要がある場合に，実際に労働した時間とは関わりなく，労使協定等で定めた時間を働いたとみなす制度である。

2　ジョブ・ローテーションとは，労働者にいくつかの職務を定期的，計画的に経験させ，適性を把握する方法であり，経営管理者の育成を目的とすることはない。

3　ワークシェアリングとは，労働者間で仕事を分かち合うことによって，雇用の維持，拡大をする考え方であり，雇用維持型，雇用創出型，多様就業対応型などの類型がある。

4　OJTとは，従業員が個人の意思で能力開発に努めることであり，企業が費用負担等の支援をする場合もある。

5　目的管理制度とは，各従業員が自己の具体的な達成目標は設定せず，組織目標の達成度を評価する制度である。

解説

1．裁量労働制に関する説明である。フレックスタイム制は，「コアタイム」と呼ばれる一定の拘束時間以外の労働時間を従業員が自由に設定できる制度である。これに対して，裁量労働制では実際の労働時間とは関係なく，従業員は労使間で定めた時間を働いたとみなされ，「コアタイム」は設定されない。裁量労働制が適用される業務の範囲は，労働基準法によって専門業務型（研究開発，情報処理，出版編集など）と企画業務型（本社での企画，立案，調査・分析など）に規定されており，その導入には労使間の合意と所轄の労働基準監督署長への届け出が必要となる。

2．「経営管理者の育成を目的とすることはない」が誤り。ジョブ・ローテーションは，従業員が数年単位で複数の部門を異動する配置転換制度である。その目的は，各従業員の適性を把握することや基幹業務を計画的に習得し，将来の経営管理者を育成することなどにある。

3．妥当である。問題文のとおり，従業員の仕事を分かち合い，労働時間を短縮することで雇用を維持・拡大するワークシェアリングには，①雇用維持型，②雇用創出型，③多様就業対応型がある。①は企業の業績が悪化した場合に，一般従業員の雇用を維持するための緊急避難型と，中高年層の雇用を維持するための中高年対策型に分けられる。②は新規雇用の機会を確保するために短時間勤務を導入するタイプであり，③は在宅勤務あるいは介護や育児と仕事の両立など多様な働き方に対応することを目的とする。

4．自己啓発に関する説明である。OJT（On the Job Training）は，日常の仕事を通じて部下が上司から必要な知識や技能を学ぶ社内教育制度である。また，仕事を離れて社外の施設などで集中的に研修を行う制度をOff-JT（Off the Job Training）と呼ぶ。

5．目標管理制度（目標管理，目標による管理）は，組織目標と各従業員の達成目標を結びつけて，各自の動機づけや主体性，問題解決能力を高める手法である。具体的には，各従業員が上司と相談し，組織目標に基づいて自らが担当する業務の達成目標を設定する。そして，その目標を達成する過程も一任され，各自が自己統制によって管理する。

正答　**3**

No. 363 専門試験 経営学 **生産管理** 令和 4 年度 区

生産管理に関する記述として，妥当なのはどれか。

1 テイラー・システムとは，経営者の経験と勘に基づいていた現場の作業管理に，時間・動作研究により設定した課業に基づく管理法を取り入れたものであり，課業管理を推進するために，差率出来高賃金制度を導入した。

2 フォード・システムとは，人が仕事に向かって移動する移動組立方式と，製品，部品，生産工程の標準化による自動車の大量生産システムであり，生産コストの大幅な削減という生産性の向上をもたらした。

3 ジャスト・イン・タイムとは，必要なものを，必要な時に，必要な量だけ生産することであり，後工程が前工程の生産量を決定するプッシュ方式が採用される。

4 セル生産方式とは，1人又は数人の作業者で全ての工程を担当するものであり，ライン生産方式と比較して，作業者が受け持つ範囲が広く，少品種多量生産に適している。

5 シックスシグマとは，日本企業が開発した品質管理手法であり，統計の活用で問題の測定や分析をし，その問題点を改善し，製品不良の発生率を100万分の3.4回に抑える高レベルの目標を設定するもので，世界各国に普及している。

解説

1． 妥当である。F.W. テイラーが考案したテイラー・システム（科学的管理法）の主な要素は，課業管理（時間研究と動作研究に基づいて標準的な作業条件である課業を設定する），差率出来高賃金制度（課業を達成した者には高い賃率を，未達成の者には低い賃率を適用する），職能別職長制（工場現場の管理者である職長を特定の職務に専念させる）である。なお，差率出来高賃金制度は，差別的出来高給制度または異率出来高給制度とも呼ばれる。

2．「人が仕事に向かって移動する」が誤り。H. フォードが考案した自動車の大量生産方式であるフォード・システムは，「生産の標準化」と「移動組立方式」によって生産性の向上とコストの大幅な削減を実現した。「生産の標準化」とは，製品や部品，工具などを規格化し，互換性を持たせることである。「移動組立方式」はベルトコンベアを導入した流れ作業によって加工・組立てを行う仕組みであり，仕事（部品）が人に向かって移動することになる。

3．「プッシュ方式」が誤り。「ジャスト・イン・タイム」の考え方を中核とするトヨタ生産方式では，後工程（本社の最終的な組立工場や関連工場）が前工程（下請けの部品メーカー）の生産量を決定し，「必要なものを，必要なときに，必要な量だけ」調達するプル（引っ張り型，後工程引取型）方式が採用されている。

4．「少品種多量生産に適している」が誤り。セル生産方式は，「セル」と呼ばれるU字型やL字型のコンパクトな作業台で，少人数の多能工（複数の工程を担当する作業者）からなる作業チームが，製品の加工から組立て，検査まで担当する手法である。この生産方式は，①多品種少量生産に適している，②生産調整が容易なので在庫を圧縮できる，③従業員の士気が高められるなどのメリットがある。

5． 後半の説明は妥当だが，「日本企業が開発した品質管理手法」が誤り。シックスシグマ（Six Sigma）は，1980年代にアメリカのモトローラ社が開発した統計分析に基づく経営および品質管理の手法である。シックスシグマの目的は，経営上の課題に対する原因と解決策を見出し，製品不良の発生率を極力抑えることで，品質や顧客満足度を向上させることにある。

正答 **1**

東京都・特別区

専門試験

No.
364

経営学

日本的経営

区

令和 4 年度

日本的経営に関する記述として，妥当なのはどれか。

1 アベグレンは，「日本の経営」において，日本的経営の特徴として，終身雇用，年功制及び企業別労働組合を指摘した。

2 ヴォーゲルは，「ジャパン・アズ・ナンバーワン」において，日本的経営を高く評価し，そのトップダウン方式の経営を学ぶべきとした。

3 オオウチは，「日本的経営の系譜」において，旧来の日本的経営の効率性原理と競争性原理に，人間性原理と社会性原理を加えるべきとした。

4 マグレガーは，「セオリーZ」において，日本的経営の特徴として，緩やかな昇進，集団による意思決定，人に対する全面的な関わりを指摘した。

5 ヨーロッパ経済協力機構（OEEC）は，1972年の対日労働報告書の中で，日本的経営の特徴である三種の神器が，日本企業の強みであると取り上げた。

政治学

行政学

社会学

経営学

解 説

1. 妥当である。J.C.アベグレンは1955〜6年に日本の19の大工場と34の小工場を調査し，その結果を『日本の経営』（1958年）に著した。同著は「日本的経営」に関する先駆的な調査・研究であり，日本企業の経営上の特徴として終身雇用，年功的な賃金制度，企業別労働組合などを挙げた。ただし，同著でのアベグレンの評価は否定的であり，これらの特徴が当時の日本企業の低い生産性の一因であると位置づけている。その後，『日本の経営』の新版である『日本の経営から何を学ぶか』（1973年）では，アベグレンは「日本の終身雇用制は大きな強みを持っている」とし，肯定的な評価を与えている。

2. 「トップダウン方式の経営」が誤り。E.F.ヴォーゲルは『ジャパン・アズ・ナンバーワン』（1979年）で，第二次世界大戦後の日本の高度成長の要因を，日本人の学習意欲の高さや「日本的経営」にあると指摘した。同著では，当時の日本企業に特徴的な人事・労務慣行として，終身雇用，年功序列，新規学卒者の一括採用，協調性を重視した教育訓練などに加えて，中間管理層が企画を起案し，関係諸部門の合意を得て最終的にトップ・マネジメントが決定するボトムアップ方式による経営を挙げている。

3. 『日本的経営の系譜』（1963年）の著者は間宏（はざまひろし）である。同著では，第二次世界大戦前の日本企業の特質は，企業をひとつの「家」とみなし，経営者と従業員の関係を家制度における家父長とその家族になぞらえた「経営家族主義」にあるとした。さらに，その特質は戦後の民主的な制度改革に伴って，従業員に対する温情主義的な生活保障を中心とした「経営福祉主義」に転換したと述べている。なお，水谷雅一は『経営倫理学の実践と課題』（1995年）などの著書で，旧来の「効率性」と「競争性」に「人間性」と「社会性」を加えた4原理のバランスが，企業の経営倫理の向上に重要であると主張した。

4. 『セオリーZ』（1981年）の著者はW.G.オオウチである。オオウチは，当時の日本企業の組織の理念型（終身雇用，遅い人事考課と昇進，非専門的なキャリア・パス，集団による意思決定，集団責任，人に対する全面的なかかわりなど）をタイプJ，米国企業の組織の理念型（短期雇用，早い人事考課と昇進，専門的なキャリア・パス，個人による意思決定，個人責任，人に対する部分的なかかわりなど）をタイプAと名づけた。そして，米国企業の中でタイプJと似た特徴を持つ企業をタイプZと呼び，タイプZによる経営が一般の米国企業にも可能であると主張した。

5. 「ヨーロッパ経済協力機構（OEEC）」が誤り。経済協力開発機構（OECD）は，1972年に刊行した対日労働報告書の中で終身雇用，年功序列，企業別労働組合を「日本的経営の三種の神器」と指摘した。1960年代までは，日本企業の人事・労務慣行を前近代的とする評価が主流だったが，1970年代以降は，その特徴を積極的に評価する論考が増加し，多様な視点から「日本的経営」に関する研究が展開された。

正答　1

政治学

行政学

社会学

経営学

●**本書の内容に関するお問合せについて**

　本書の内容に誤りと思われるところがありましたら、まずは小社ブックスサイト（books.jitsumu.co.jp）中の本書ページ内にある正誤表・訂正表をご確認ください。正誤表・訂正表がない場合や訂正表に該当箇所が掲載されていない場合は、書名、発行年月日、お客様の名前・連絡先、該当箇所のページ番号と具体的な誤りの内容・理由等をご記入のうえ、郵便、FAX、メールにてお問合せください。

　〒163-8671　東京都新宿区新宿 1-1-12　　実務教育出版　受験ジャーナル編集部
　FAX：03-5369-2237　　　　E-mail：juken-j@jitsumu.co.jp

【ご注意】
　※電話でのお問合せは、一切受け付けておりません。
　※内容の正誤以外のお問合せ（詳しい解説・受験指導のご要望等）には対応できません。

公務員試験　合格の500シリーズ
東京都・特別区 [I 類] <教養・専門試験> 過去問500 [2026年度版]

2024年11月15日　初版第 1 刷発行　　　　　　　　　　　　　　　　〈検印省略〉

編　者　資格試験研究会
発行者　淺井亨

発行所　株式会社 実務教育出版
　　　　〒163-8671　東京都新宿区新宿1-1-12
　　　　☎編集　03-3355-1813　　販売　03-3355-1951
　　　　振替　00160-0-78270

印　刷　精興社
製　本　ブックアート

「公務員合格講座」の特徴

68年の伝統と実績

実務教育出版は、68年間におよび公務員試験の問題集・参考書・情報誌の発行や模擬試験の実施、全国の大学・専門学校などと連携した教室運営などの指導を行っています。その積み重ねをもとに作られた、確かな教材と個人学習を支える指導システムが「公務員合格講座」です。公務員として活躍する数多くの先輩たちも活用した伝統ある「公務員合格講座」です。

時間を有効活用

「公務員合格講座」なら、時間と場所に制約がある通学制のスクールとは違い、生活スタイルに合わせて、限られた時間を有効に活用できます。通勤時間や通学時間、授業の空き時間、会社の休憩時間など、今まで利用していなかったスキマ時間を有効に活用できる学習ツールです。

取り組みやすい教材

「公務員合格講座」の教材は、まずテキストで、テーマ別に整理された頻出事項を理解し、次にワークで、テキストと連動した問題を解くことで、解法のテクニックを確実に身につけていきます。初めて学ぶ科目も、基礎知識から詳しく丁寧に解説しているので、スムーズに理解することができます。

実戦力がつく学習システム

「公務員合格講座」では、習得した知識が実戦で役立つ「合格力」になるよう、数多くの演習問題で重要事項を何度も繰り返し学習できるシステムになっています。特に、eラーニング[Jトレプラス]は、実戦力養成のカギになる豊富な演習問題の中から学習進度に合わせ、テーマや難易度をチョイスしながら学習できるので、効率的に「解ける力」が身につきます。

eラーニング

［Jトレプラス］

豊富な試験情報

公務員試験を攻略するには、まず公務員試験のことをよく知ることが必要不可欠です。受講生専用の[Jトレプラス]では、各試験の概要一覧や出題内訳など、試験の全体像を把握でき、ベストな学習プランが立てられます。また、実務教育出版の情報収集力を結集し、最新試験情報や学習対策コンテンツなどを随時アップ！　さらに直前期には、最新の時事を詳しく解説した「直前対策ブック」もお届けします。

※KCMのみ

親切丁寧なサポート体制

受験に関する疑問や、学習の進め方や学科内容についての質問には、専門の指導スタッフが一人ひとりに親身になって丁寧にお答えします。模擬試験や添削課題では、客観的な視点からアドバイスをします。そして、受講生専用サイトやメルマガでの受講生限定の情報提供など、あらゆるサポートシステムであなたの学習を強力にバックアップしていきます。

受講生専用サイト

受講生専用サイトでは、公務員試験ガイドや最新の試験情報など公務員合格に必要な情報を利用しやすくまとめていますので、ぜひご活用ください。また、お問い合わせフォームからは、質問や書籍の割引購入などの手続きができるので、各種サービスを安心してご利用いただけます。

受講生専用メルマガも配信中!!

※サイトのデザインは変更する場合があります

志望職種別　講座対応表

各コースの教材構成をご確認ください。下の表で志望する試験区分に対応したコースを確認しましょう。

		教材構成			
		教養試験対策	専門試験対策	論文対策	面接対策
K	大卒程度 公務員総合コース［教養＋専門行政系］	●	●行政系	●	●
C	大卒程度 公務員総合コース［教養のみ］	●		●	●
L	大卒程度 公務員択一攻略セット［教養＋専門行政系］	●	●行政系		
D	大卒程度 公務員択一攻略セット［教養のみ］	●			
M	経験者採用試験コース	●		●	●
N	経験者採用試験［論文・面接試験対策］コース			●	●
R	市役所教養トレーニングセット［大卒程度］	●		●	●

	試験名［試験区分］		対応コース
国家公務員試験	国家一般職［大卒程度］	行政	教養*3＋専門対策 → **K** **L**
		技術系区分	教養*3対策 → **C** **D**
	国家専門職［大卒程度］	国税専門A（法文系）／財務専門官	教養*3＋専門対策 → **K** **L** *4
		皇宮護衛官［大卒］／法務省専門職員（人間科学）／国税専門B（理工・デジタル系）／食品衛生監視員／労働基準監督官／航空管制官／海上保安官／外務省専門職員	教養*3対策 → **C** **D**
	国家特別職［大卒程度］	防衛省 専門職員／裁判所 総合職・一般職［大卒］／国会図書館 総合職・一般職［大卒］／衆議院 総合職［大卒］・一般職［大卒］／参議院 総合職	教養*3対策 → **C** **D**
	国立大学法人等職員		教養対策 → **C** **D**
地方公務員試験	都道府県 特別区（東京23区） 政令指定都市*2 市役所［大卒程度］	事務（教養＋専門）	教養＋専門対策 → **K** **L**
		事務（教養のみ）	教養対策 → **C** **D** **R**
		技術系区分、獣医師 薬剤師 保健師など資格免許職	教養対策 → **C** **D** **R**
		経験者	教養＋論文＋面接対策 → **M** 論文＋面接対策 → **N**
	都道府県 政令指定都市*2 市役所［短大卒程度］	事務（教養＋専門）	教養＋専門対策 → **K** **L**
		事務（教養のみ）	教養対策 → **C** **D**
	警察官	大卒程度	教養＋論文対策 → *5
	消防官（士）	大卒程度	教養＋論文対策 → *5

＊１ 地方公務員試験の場合、自治体によっては試験の内容が対応表と異なる場合があります。

＊２ 政令指定都市…札幌市、仙台市、さいたま市、千葉市、横浜市、川崎市、相模原市、新潟市、静岡市、浜松市、名古屋市、京都市、大阪市、堺市、神戸市、岡山市、広島市、北九州市、福岡市、熊本市。

＊３ 国家公務員試験では、教養試験のことを基礎能力試験としている場合があります。

＊４ 国税専門A（法文系）、財務専門官は **K**「大卒程度 公務員総合コース［教養＋専門行政系］」、**L**「大卒程度 公務員択一攻略セット［教養＋専門行政系］」に『新スーパー過去問ゼミ 会計学』（有料）をプラスすると試験対策ができます（ただし、商法は対応しません）。

＊５ 警察官・消防官の教養＋論文対策は、「警察官 スーパー過去問セット［大卒程度］」「消防官 スーパー過去問セット［大卒程度］」をご利用ください（巻末広告参照）。

大卒程度 公務員総合コース
[教養＋専門行政系]

膨大な出題範囲の合格ポイントを的確にマスター！

※表紙デザインは変更する場合があります

教材一覧

- ● 受講ガイド（PDF）
- ● 学習プラン作成シート
- ● テキスト＆ワーク［教養試験編］知能分野（4冊）
  判断推理、数的推理、資料解釈、文章理解
- ● テキストブック［教養試験編］知識分野（3冊）
  社会科学［政治、法律、経済、社会］
  人文科学［日本史、世界史、地理、文学・芸術、思想］
  自然科学［数学、物理、化学、生物、地学］
- ● ワークブック［教養試験編］知識分野
- ● 数学の基礎確認ドリル
- ●［知識分野］要点チェック
- ● テキストブック［専門試験編］（12冊）
  政治学、行政学、社会学、国際関係、法学・憲法、行政法、
  民法、刑法、労働法、経済原論（経済学）・国際経済学、財政学、
  経済政策・経済学史・経営学
- ● ワークブック［専門試験編］（3冊）
  行政分野、法律分野、経済・商学分野
- ● テキストブック［論文・専門記述式試験編］
- ● 6年度　面接完全攻略ブック
- ●実力判定テスト ★（試験別 各1回）
  地方上級［教養試験、専門試験、論文・専門記述式試験（添削2回）］
  国家一般職大卒［基礎能力試験、専門試験、論文試験（添削2回）］
  市役所上級［教養試験、専門試験、論・作文試験（添削2回）］
  ＊教養、専門は自己採点　＊論文・専門記述式・作文は計6回添削
- ●［添削課題］面接カード（2回）
- ● 自己分析ワークシート
- ●［時事・事情対策］学習ポイント＆重要テーマのまとめ（PDF）
- ● 公開模擬試験 ★（試験別 各1回）＊マークシート提出
  地方上級［教養試験、専門試験］
  国家一般職大卒［基礎能力試験、専門試験］
  市役所上級［教養試験、専門試験］
- ● 本試験問題例集（試験別過去問1年分 全4冊）
  令和6年度 地方上級［教養試験編］★
  令和6年度 地方上級［専門試験編］★
  令和6年度 国家一般職大卒［基礎能力試験編］★
  令和6年度 国家一般職大卒［専門試験編］★
  ※平成27年度～令和6年度分は、「Jトレプラス」に収録
- ● 7年度　直前対策ブック★
- ● eラーニング［Jトレプラス］

★印の教材は、発行時期に合わせて送付（詳細は受講後にお知らせします）。

教養・専門・論文・面接まで対応

行政系の大卒程度公務員試験に出題されるすべての教養科目と専門科目、さらに、論文・面接対策教材までを揃え、最終合格するために必要な知識とノウハウをモレなく身につけることができます。また、汎用性の高い教材構成ですから、複数試験の併願対策もスムーズに行うことができます。

出題傾向に沿った効率学習が可能

出題範囲をすべて学ぼうとすると、どれだけ時間があっても足りません。本コースでは過去数十年にわたる過去問研究の成果から、公務員試験で狙われるポイントだけをピックアップ。要点解説と問題演習をバランスよく構成した学習プログラムにより初学者でも着実に合格力を身につけることができます。

受講対象	大卒程度 一般行政系・事務系の教養試験（基礎能力試験）および専門試験対策 ［都道府県、特別区（東京23区）、政令指定都市、市役所、国家一般職大卒 など］	申込受付期間	2024年3月15日～2025年3月31日
		学習期間のめやす	6か月 学習期間のめやすです。個人のスケジュールに合わせて、長くも短くも調整することが可能です。試験本番までの期間を考慮し、ご自分に合った学習計画を立ててください。
受講料	93,500円 （本体 85,000円＋税　教材費・指導費等を含む総額） ※受講料は2024年4月1日現在のものです。	受講生有効期間	2026年10月31日まで

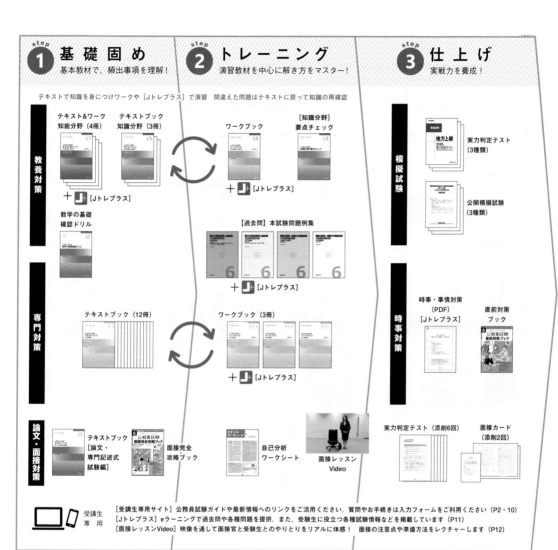

公務員合格！

---

success voice!!

通信講座を使い時間を有効的に活用すれば念願の合格も夢ではありません

奥村 雄司 さん
龍谷大学卒業

京都市 上級Ⅰ 一般事務職 合格

私は医療関係の仕事をしており平日にまとまった時間を確保することが難しかったため、いつでも自分のペースで勉強を進められる通信講座を勉強法としました。その中でも「Jトレプラス」など場所を選ばず勉強ができる点に惹かれ、実務教育出版の通信講座を選びました。

勉強は試験前年の12月から始め、判断推理・数的推理・憲法などの出題数の多い科目から取り組みました。特に数的推理は私自身が文系であり数字に苦手意識があるため、問題演習に苦戦しましたが、「Jトレプラス」を活用し外出先でも問題と正解を見比べ、問題を見たあとに正解を結びつけられるイメージを繰り返し、解ける問題を増やしていきました。

ある程度基礎知識が身についたあとは、過去問集や本試験問題例集を活用し、実際に試験で解答する問題を常にイメージしながら問題演習を繰り返しました。回答でミスした問題も放置せず基本問題であればあるほど復習を忘れずに日々解けない問題を減らしていくことを積み重ねていきました。

私のように一度就職活動中の公務員試験に失敗したとしても、通信講座を使い時間を有効的に活用すれば念願の合格も夢ではありません。試験直前も最後まであきらめず、落ちてしまったことがある方も、その経験を糧にぜひ頑張ってください。社会人から公務員へチャレンジされる全ての方を応援しています。

大卒程度 公務員総合コース

［教養のみ］

「教養」が得意になる、得点源にするための攻略コース！

受講対象	大卒程度 教養試験（基礎能力試験）対策 ［一般行政系（事務系）、技術系、資格免許職を問わず、都道府県、特別区（東京23区）、政令指定都市、市役所、国家一般職大卒など］	申込受付期間	2024年3月15日～2025年3月31日
		学習期間のめやす	**6か月** 学習期間のめやすです。個人のスケジュールに合わせて、長くも短くも調整することが可能です。試験本番までの期間を考慮し、ご自分に合った学習計画を立ててください。
受講料	**68,200円** （本体62,000円＋税　教材費・指導費等を含む総額） ※受講料は、2024年4月1日現在のものです。	受講生有効期間	2026年10月31日まで

※表紙デザインは変更する場合があります

教材一覧

- ●受講ガイド（PDF）
- ●学習プラン作成シート
- ●テキスト＆ワーク［教養試験編］知能分野（4冊）
  判断推理、数的推理、資料解釈、文章理解
- ●テキストブック［教養試験編］知識分野（3冊）
  社会科学［政治、法律、経済、社会］
  人文科学［日本史、世界史、地理、文学・芸術、思想］
  自然科学［数学、物理、化学、生物、地学］
- ●ワークブック［教養試験編］知識分野
- ●数学の基礎確認ドリル
- ●［知識分野］要点チェック
- ●テキストブック［論文・専門記述式試験編］
- ●6年度　面接完全攻略ブック
- ●実力判定テスト★（試験別 各1回）
  地方上級［教養試験、論文試験（添削2回）］
  国家一般職大卒［基礎能力試験、論文試験（添削2回）］
  市役所上級［教養試験、論・作文試験（添削2回）］
  ※教養は自己採点　※論文・作文は計6回添削
- ●［添削課題］面接カード（2回）
- ●自己分析ワークシート
- ●［時事・事情対策］学習ポイント＆重要テーマのまとめ（PDF）
- ●公開模擬試験★（試験別 各1回）※マークシート提出
  地方上級［教養試験］
  国家一般職大卒［基礎能力試験］
  市役所上級［教養試験］
- ●本試験問題例集（試験別過去問1年分 全2冊）
  令和6年度 地方上級［教養試験編］★
  令和6年度 国家一般職大卒［基礎能力試験編］★
  ※平成27年度～令和6年度分は、「Jトレプラス」に収録
- ●7年度　直前対策ブック★
- ●eラーニング［Jトレプラス］

★印の教材は、発行時期に合わせて送付します（詳細は受講後にお知らせします）

---

success voice!!

「Jトレプラス」では「面接レッスンVideo」と、直前期に「動画で学ぶ時事対策」を利用しました

伊藤 拓生さん
信州大学卒業

長野県 技術系 合格

私が試験勉強を始めたのは大学院の修士1年の5月からでした。研究で忙しい中でも自分のペースで勉強ができることと、受講料が安価のため通信講座を選びました。

まずは判断推理と数的推理から始め、テキスト＆ワークで解法を確認しました。知識分野は得点になりそうな分野を選んでワークを繰り返し解き、頻出項目を覚えるようにしました。秋頃から市販の過去問を解き始め、実際の問題に慣れるようにしました。また直前期には「動画で学ぶ時事対策」を追加して利用しました。食事の時間などに、繰り返し視聴していました。

2次試験対策は、「Jトレプラス」の「面接レッスンVideo」と、大学のキャリアセンターの模擬面接を利用し受け答えを改良していきました。

また、受講生専用サイトから質問ができることも大変助けになりました。私の周りには公務員試験を受けている人がほとんどいなかったため、試験の形式など気になったことを聞くことができてとてもよかったです。

公務員試験は対策に時間がかかるため、継続的に進めることが大切です。何にどれくらいの時間をかけるのか計画を立てながら、必要なことをコツコツと行っていくのが必要だと感じました。そして1次試験だけでなく、2次試験対策も早い段階から少しずつ始めていくのがよいと思います。またずっと勉強をしていると気が滅入ってくるので、定期的に気分転換することがおすすめです。

大卒程度 公務員択一攻略セット

[教養＋専門行政系]

教養＋専門が効率よく攻略できる

受講対象	大卒程度 一般行政系・事務系の教養試験（基礎能力試験）および専門試験対策 ［都道府県、特別区（東京23区）、政令指定都市、市役所、国家一般職大卒など］
受講料	**62,700円** （本体 57,000 円＋税　教材費・指導費等を含む総額） ※受講料は 2024 年 4 月 1 日現在のものです。
申込受付期間	**2024 年 3 月 15 日～ 2025 年 3 月 31 日**
学習期間のめやす	**6か月**　学習期間のめやすです。個人のスケジュールに合わせて、長くも短くも調整することが可能です。試験本番までの期間を考慮し、ご自分に合った学習計画を立ててください。
受講生有効期間	2026 年 10 月 31 日まで

教材一覧

- ●受講ガイド（PDF）
- ●テキスト＆ワーク［教養試験編］知能分野（4 冊）
  判断推理、数的推理、資料解釈、文章理解
- ●テキストブック［教養試験編］知識分野（3 冊）
  社会科学［政治、法律、経済、社会］
  人文科学［日本史、世界史、地理、文学・芸術、思想］
  自然科学［数学、物理、化学、生物、地学］
- ●ワークブック［教養試験編］知識分野
- ●数学の基礎確認ドリル
- ●［知識分野］要点チェック
- ●テキストブック［専門試験編］（12 冊）
  政治学、行政学、社会学、国際関係、法学・憲法、行政法、民法、刑法、労働法、経済原論（経済学）・国際経済学、財政学、経済政策・経済学史・経営学
- ●ワークブック［専門試験編］（3 冊）
  行政分野、法律分野、経済・商学分野
- ●［時事・事情対策］学習ポイント＆重要テーマのまとめ(PDF)
- ●過去問 平成27年度～令和6年度　［Jトレプラス］に収録
- ●eラーニング［J トレプラス］

教材は K コースと同じもので、面接・論文対策、模試がついていません。

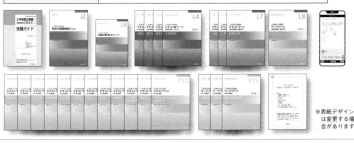

※表紙デザインは変更する場合があります

大卒程度 公務員択一攻略セット

[教養のみ]

教養のみ効率よく攻略できる

受講対象	大卒程度 教養試験（基礎能力試験）対策 ［一般行政系（事務系）、技術系、資格免許職を問わず、都道府県、政令指定都市、特別区（東京23区）、市役所など］
受講料	**46,200 円** （本体 42,000 円＋税　教材費・指導費等を含む総額） ※受講料は 2024 年 4 月 1 日現在のものです。
申込受付期間	**2024 年 3 月 15 日～ 2025 年 3 月 31 日**
学習期間のめやす	**6か月**　学習期間のめやすです。個人のスケジュールに合わせて、長くも短くも調整することが可能です。試験本番までの期間を考慮し、ご自分に合った学習計画を立ててください。
受講生有効期間	2026 年 10 月 31 日まで

教材一覧

- ●受講ガイド（PDF）
- ●テキスト＆ワーク［教養試験編］知能分野（4 冊）
  判断推理、数的推理、資料解釈、文章理解
- ●テキストブック［教養試験編］知識分野（3 冊）
  社会科学［政治、法律、経済、社会］
  人文科学［日本史、世界史、地理、文学・芸術、思想］
  自然科学［数学、物理、化学、生物、地学］
- ●ワークブック［教養試験編］知識分野
- ●数学の基礎確認ドリル
- ●［知識分野］要点チェック
- ●［時事・事情対策］学習ポイント&重要テーマのまとめ (PDF)
- ●過去問 平成 27 年度～令和 6 年度　［J トレプラス］に収録
- ●eラーニング［J トレプラス］

教材は C コースと同じもので、面接・論文対策、模試がついていません。

※表紙デザインは変更する場合があります

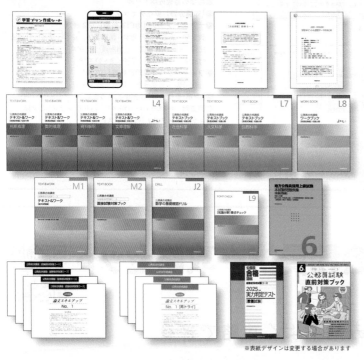
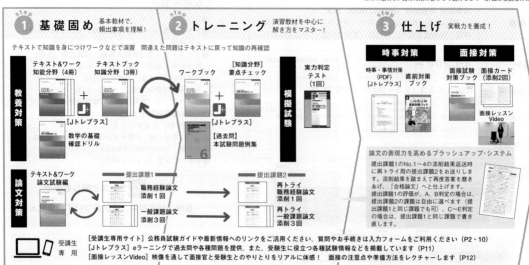

経験者採用試験 ［論文・面接試験対策］コース

経験者採用試験の論文・面接対策に絞って攻略！

POINT

8回の添削指導で
論文力をレベルアップ！

面接試験は、回答例を参考に
本番を想定した準備が可能！
面接レッスンVideoも活用しよう！

受講対象	民間企業等職務経験者・社会人採用試験対策
受講料	**39,600円** (本体 36,000 円＋税　教材費・指導費等を含む総額) ※受講料は、2024 年 4 月 1 日現在のものです。
申込受付期間	**2024 年 3 月 15 日～ 2025 年 3 月 31 日**
学習期間のめやす	**4 か月** 学習期間のめやすです。個人のスケジュールに合わせて、長くも短くも調整することが可能です。試験本番までの期間を考慮し、ご自分に合った学習計画を立ててください。
受講生有効期間	2026 年 10 月 31 日まで

教材一覧

- 受講のてびき
- 論文試験・集団討論試験等 実際出題例
- テキスト＆ワーク［論文試験編］
- 面接試験対策ブック
- 提出課題1（全4回）
  [添削課題] 論文スキルアップ No.1（職務経験論文）
  [添削課題] 論文スキルアップ No.2, No.3, No.4（一般課題論文）
- 提出課題2（以下は初回答案提出後発送　全4回）
  再トライ用[添削課題]論文スキルアップ No.1（職務経験論文）
  再トライ用[添削課題]論文スキルアップ No.2, No.3, No.4（一般課題論文）
- [添削課題] 面接カード（2回）
- [時事・事情対策] 学習ポイント＆重要テーマのまとめ（PDF）
- eラーニング［Jトレプラス］

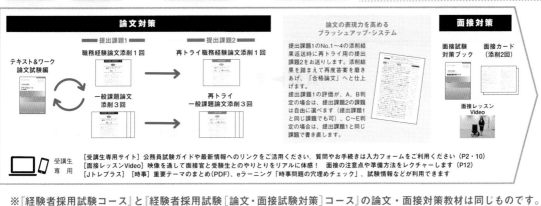

公務員合格！

論文対策

提出課題1

テキスト＆ワーク
論文試験編

職務経験論文添削1回

一般課題論文
添削3回

提出課題2

再トライ職務経験論文添削1回

再トライ
一般課題論文添削3回

論文の表現力を高める ブラッシュアップ・システム

提出課題1のNo.1～4の添削結果返送時に再トライ用の提出課題2をお送りします。添削結果を踏まえて再度答案を磨きあげ、「合格論文」へと仕上げます。
提出課題1の評価が、A、B判定の場合は、提出課題2の課題は自由に選べます（提出課題1と同じ課題でも可）。C～E判定の場合は、提出課題1と同じ課題で書き直します。

面接対策

面接試験対策ブック

面接カード（添削2回）

面接レッスンVideo

受講生専用

[受講生専用サイト] 公務員試験ガイドや最新情報へのリンクをご活用ください。質問やお手続きは入力フォームをご利用ください（P2・10）
[面接レッスンVideo] 映像を通して面接官と受験生とのやりとりをリアルに体感！　面接の注意点や準備方法をレクチャーします（P12）
[Jトレプラス] [時事] 重要テーマのまとめ(PDF)、eラーニング「時事問題の穴埋めチェック」、試験情報などが利用できます

※『経験者採用試験コース』と『経験者採用試験［論文・面接試験対策］コース』の論文・面接対策教材は同じものです。両方のコースを申し込む必要はありません。どちらか一方をご受講ください。

success voice!!

2025年度試験対応
市役所教養トレーニングセット
[大卒程度]

大卒程度の市役所試験を徹底攻略！

受講対象	**大卒程度 市役所 教養試験対策** 一般行政系（事務系）、技術系、資格免許職を問わず、大卒程度 市役所
受講料	**31,900円** （本体29,000円＋税 教材費・指導費等を含む総額） ※受講料は2024年8月1日現在のものです。
申込受付期間	**2024年8月1日〜2025年7月31日**
学習期間のめやす	**3か月** 学習期間のめやすです。個人のスケジュールに合わせて、長くも短くも調整することが可能です。試験本番までの期間を考慮し、ご自分に合った学習計画を立ててください。
受講生有効期間	2026年10月31日まで

教材一覧
- ●受講ガイド（PDF）
- ●学習のモデルプラン
- ●テキスト＆ワーク［教養試験編］知能分野（4冊）
  判断推理、数的推理、資料解釈、文章理解
- ●テキストブック［教養試験編］知識分野（3冊）
  社会科学［政治、法律、経済、社会］
  人文科学［日本史、世界史、地理、文学・芸術、思想］
  自然科学［数学、物理、化学、生物、地学］
- ●ワークブック［教養試験編］知識分野
- ●数学の基礎確認ドリル
- ●［知識分野］要点チェック
- ●面接試験対策ブック
- ●実力判定テスト★ ※教養は自己採点
  市役所上級［教養試験、論・作文試験（添削2回）］
- ●過去問（5年分）
  ［Jトレプラス］に収録 ※令和2年度〜6年度
- ●eラーニング［Jトレプラス］

★印の教材は、発行時期に合わせて送付（詳細は受講後にお知らせします）。

※表紙デザインは変更する場合があります

質問回答

学習上の疑問は、指導スタッフが解決！

マイペースで学習が進められる自宅学習ですが、疑問の解決に不安を感じる方も多いはず。でも「公務員合格講座」なら、学習途上で生じた疑問に、指導スタッフがわかりやすく丁寧に回答します。手軽で便利な質問回答システムが、通信学習を強力にバックアップします！

質問の種類	**学科質問** 通信講座教材の内容についてわからないこと	**一般質問** 志望先や学習計画に関することなど
回数制限	**10回まで無料** 11回目以降は有料となります。詳細は下記参照	**回数制限なし** 何度でも質問できます。
質問方法	受講生専用サイト、郵便、FAXで受け付けます。	受講生専用サイト、電話、郵便、FAXで受け付けます。

受講生特典

受講後、実務教育出版の書籍を当社に直接ご注文いただくとすべて10%割引になります！！

公務員合格講座受講生の方は、当社へ直接ご注文いただく場合に限り、実務教育出版発行の本すべてを10% OFFでご購入いただけます。書籍の注文方法は、受講生専用サイトでお知らせします。

いつでもどこでも学べる学習環境を提供！

e ラーニング
Jトレ＋
[J ト レ プ ラ ス]

Jトレプラスの活用法がご覧いただけます

時間や場所を選ばず学べます！

スマホで「いつでも・どこでも」学習できるツールを提供しています。本番形式の「五肢択一式」のほか、手軽な短答式で重要ポイントの確認・習得が効率的にできる「穴埋めチェック」や短時間でトライできる「ミニテスト」など、さまざまなシチュエーションで活用できるコンテンツをご用意しています。外出先などでも気軽に問題に触れることができ、習熟度がUPします。

ホーム	五肢択一式	穴埋めチェック	ミニテスト

スキマ時間で、問題を解く！　テキストで確認！

＼ 利用者の声 ／

[Jトレプラス]をスマートフォンで利用し、ゲーム感覚で問題を解くことができたので、飽きることなく進められて良かったと思います。

ちょっとした合間に手軽に取り組める[Jトレプラス]でより多くの問題に触れるようにしていました。

通学時間に利用した［Jトレプラス］は時間が取りにくい理系学生にも強い味方となりました。

テキスト自体が初心者でもわかりやすい内容になっていたのでモチベーションを落とさず勉強が続けられました。

テキスト全冊をひととおり読み終えるのに苦労しましたが、一度読んでしまえば、再読するのにも時間はかからず、読み返すほどに理解が深まり、やりがいを感じました。勉強は苦痛ではなかったです。

対応コースを記号で明記しています。　**K**…大卒程度公務員総合コース[教養＋専門行政系]　**C**…大卒程度公務員総合コース[教養のみ]　**L**…大卒程度公務員択一攻略セット[教養＋専門行政系]　**D**…大卒程度公務員択一攻略セット[教養のみ]　**M**…経験者採用試験コース　**N**…経験者採用試験[論文・面接試験対策]コース　**R**…市役所教養トレーニングセット

11

面接のポイントが動画や添削でわかる！

面接レッスン Video

K C M N R

面接試験をリアルに体感！

実際の面接試験がどのように行われるのか、自分のアピール点や志望動機をどう伝えたらよいのか？
面接レッスン Video では、映像を通して面接試験の緊張感や面接官とのやりとりを実感することができます。面接試験で大きなポイントとなる「第一印象」対策も、ベテラン指導者が実地で指南。対策が立てにくい集団討論やグループワークなども含め、準備方法や注意点をレクチャーしていきます。
また、動画内の面接官からの質問に対し声に出して回答し、その内容をさらにブラッシュアップする「実践編」では、「質問の意図」「回答の適切な長さ」などを理解し、本番をイメージしながらじっくり練習することができます。
[Jトレプラス] 内で動画を配信していますので、何度も見て、自分なりの面接対策を進めましょう。

面接レッスン Video の紹介動画公開中！

面接レッスン Video の紹介動画を公開しています。
実務教育出版 web サイト各コースページからもご覧いただけます。

紹介動画をご覧いただけます

- （1）個人面接編
- （2）集団討論編
- （3）実践編

の3つを見ることができます！
※コースによって異なる場合があります。
実務教育出版

指導者 Profile

坪田まり子先生

有限会社コーディアル代表取締役、東京学芸大学特命教授、プロフェッショナル・キャリア・カウンセラー®。
自己分析、面接対策などの著書を多数執筆し、就職シーズンの講演実績多数。

森下一成先生

東京未来大学モチベーション行動科学部コミュニティ・デザイン研究室 教授。
特別区をはじめとする自治体と協働し、まちづくりの実践に学生を参画させながら、公務員や教員など、公共を担うキャリア開発に携わっている。

面接試験対策テキスト / 面接カード添削

K C M N

テキストと添削で自己アピール力を磨く！

面接試験対策テキストでは、面接試験の形式や評価のポイントを解説しています。テキストの「質問例＆回答のポイント」では、代表的な質問に対する回答のポイントをおさえ、事前に自分の言葉で的確な回答をまとめることができます。面接の基本を学習した後は「面接カード」による添削指導で、問題点を確認し、具体的な対策につなげます。2回分の提出用紙を、「1回目の添削結果を踏まえて2回目を提出」もしくは「2回目は1回目と異なる受験先用として提出」などニーズに応じて利用できます。

▲面接試験対策テキスト

▲面接カード・添削指導

対応コースを記号で明記しています。
K …大卒程度公務員総合コース[教養＋専門行政系]　**C** …大卒程度公務員総合コース[教養のみ]　**L** …大卒程度公務員択一攻略セット[教養＋専門行政系]
D …大卒程度公務員択一攻略セット [教養のみ]　**M** …経験者採用試験コース　**N** …経験者採用試験 [論文・面接試験対策] コース　**R** …市役所教養トレーニングセット

お申し込み方法・受講料一覧

インターネット

実務教育出版ウェブサイトの「公務員合格講座 受講申込」ページへ進んでください。

● 受講申込についての説明をよくお読みになり【申込フォーム】に必要事項を入力の上［送信］してください。
● 【申込フォーム】送信後、当社から［確認メール］を自動送信しますので、必ずメールアドレスを入力してください。

■お支払方法

コンビニ・郵便局で支払う
教材と同送の「払込取扱票」でお支払いください。
お支払い回数は「1回払い」のみです。

クレジットカードで支払う
インターネット上で決済できます。ご利用いただけるクレジットカードは、VISA、Master、JCB、AMEXです。お支払い回数は「1回払い」のみです。

※クレジット決済の詳細は、各カード会社にお問い合わせください。

■複数コース受講特典

コンビニ・郵便局で支払いの場合
以前、公務員合格座の受講生だった方（現在受講中含む）、または今回複数コースを同時に申し込まれる場合は、受講料から3,000円を差し引いた金額を印字した「払込取扱票」をお送りします。
以前、受講生だった方は、以前の受講生番号を【申込フォーム】の該当欄に入力してください（ご本人様限定）。

クレジットカードで支払いの場合
以前、公務員合格講座の受講生だった方（現在受講中含む）、または今回複数コースを同時に申し込まれる場合は、後日当社より直接ご本人様宛にQUOカード3,000円分を進呈いたします。
以前、受講生だった方は、以前の受講生番号を【申込フォーム】の該当欄に入力してください（ご本人様限定）。

詳しくは、実務教育出版ウェブサイトをご覧ください。
「公務員合格講座 受講申込」　https://form.jitsumu.co.jp/contact/kouza_app/default.aspx?fcd=1203999

教材のお届け
あなたからのお申し込みデータにもとづき受講生登録が完了したら、教材の発送手配をいたします。

＊教材一式、受講生証などを発送します。　＊通常は当社受付日の翌日に発送します。
＊お申し込み内容に虚偽があった際は、教材の送付を中止させていただく場合があります。

受講料一覧 ［インターネットの場合］

コース記号	コース名	受講料	申込受付期間
K	大卒程度 公務員総合コース［教養＋専門行政系］	93,500円（本体85,000円＋税）	2024年3月15日 〜 2025年3月31日
C	大卒程度 公務員総合コース［教養のみ］	68,200円（本体62,000円＋税）	
L	大卒程度 公務員択一攻略セット［教養＋専門行政系］	62,700円（本体57,000円＋税）	
D	大卒程度 公務員択一攻略セット［教養のみ］	46,200円（本体42,000円＋税）	
M	経験者採用試験コース	79,200円（本体72,000円＋税）	
N	経験者採用試験［論文・面接試験対策］コース	39,600円（本体36,000円＋税）	
R	市役所教養トレーニングセット［大卒程度］	31,900円（本体29,000円＋税）	2024年8月1日 〜2025年7月31日

＊受講料には、教材費・指導費などが含まれております。　＊お支払い方法は、一括払いのみです。　＊受講料は、2024年8月1日現在の税込価格です。

［返品・解約について］

◇教材到着後、未使用の場合のみ2週間以内であれば、返品・解約ができます。
◇返品・解約される場合は、必ず事前に当社へ電話でご連絡ください（電話以外は不可）。
TEL：03-3355-1822（土日祝日を除く9：00〜17：00）
◇返品・解約の際、お受け取りになった教材一式は、必ず実務教育出版あてにご返送ください。教材の返送料は、お客様のご負担となります。
◇2週間を過ぎてからの返品・解約はできません。また、2週間以内でも、お客様による折り目や書き込み、破損、汚れ、紛失等がある場合は、返品・解約ができませんのでご了承ください。
◇全国の取扱い店（大学生協・書店）にてお申し込みになった場合の返品・解約のご相談は、直接、生協窓口・書店へお願いいたします。

公務員受験生を応援するwebサイト

実務教育出版は、68年の伝統を誇る公務員受験指導のパイオニアとして、常に新しい合格メソッドと学習スタイルを提供しています。最新の公務員試験情報や詳しい公務員試験ガイド、国の機関から地方自治体までを網羅した官公庁リンク集、さらに、受験生のバイブル・実務教育出版の公務員受験ブックスや通信講座など役立つ学習ツールを紹介したオリジナルコンテンツも見逃せません。お気軽にご利用ください。

※サイトのデザインは変更する場合があります

公務員試験ガイド

【公務員試験ガイド】は、試験別に解説しています。試験区分・受験資格・試験日程・試験内容・各種データ、対応コースや関連書籍など、盛りだくさん！

あなたに合ったお仕事は？
公務員クイック検索！

【公務員クイック検索！】は、選択条件を設定するとあなたに合った公務員試験を検索することができます。

公務員合格講座に関するお問い合わせ　　　実務教育出版 公務員指導部

「どのコースを選べばよいか」、「公務員合格講座のシステムのここがわからない」など、公務員合格講座についてご不明な点は、電話かwebのお問い合わせフォームよりお気軽にご質問ください。公務員指導部スタッフがわかりやすくご説明いたします。

 03-3355-1822 （土日祝日を除く 9：00〜17：00）
電話

 https://www.jitsumu.co.jp/contact/inquiry/
web　　　　　　　　　　　　　　　　　　（お問い合わせフォーム）

実務教育出版　www.jitsumu.co.jp
〒163-8671　東京都新宿区新宿1-1-12 / TEL：03-3355-1822（土日祝日を除く 9：00〜17：00）

警察官・消防官 ［大卒程度］ 一次試験対策セット！

大卒程度の警察官・消防官の一次試験合格に必要な書籍、教材、模試をセット販売します。問題集をフル活用することで合格力を身につけることができます。模試は自己採点でいつでも実施することができ、論文試験は対策に欠かせない添削指導を受けることができます。

警察官 スーパー過去問セット ［大卒程度］

教材一覧

- ●大卒程度 警察官・消防官 スーパー過去問ゼミ［改訂第3版］
  社会科学、人文科学、自然科学、判断推理、数的推理、文章理解・資料解釈
- ●数学の基礎確認ドリル
- ●［知識分野］要点チェック
- ●2026年度版 大卒警察官 教養試験 過去問350
- ●警察官・消防官［大卒程度］ 公開模擬試験
  ＊問題、正答と解説（自己採点）、論文（添削付き）

セット価格	18,150円（税込）
申込受付期間	2024年10月25日〜

消防官 スーパー過去問セット ［大卒程度］

教材一覧

- ●大卒程度 警察官・消防官 スーパー過去問ゼミ［改訂第3版］
  社会科学、人文科学、自然科学、判断推理、数的推理、文章理解・資料解釈
- ●数学の基礎確認ドリル
- ●［知識分野］要点チェック
- ●2025年度版 大卒・高卒消防官 教養試験 過去問350
- ●警察官・消防官［大卒程度］ 公開模擬試験
  ＊問題、正答と解説（自己採点）、論文（添削付き）

セット価格	18,150円（税込）
申込受付期間	2024年1月12日〜

▶ 動画で学ぶ
【公務員合格】シリーズ

公務員試験対策のプロから学べる動画講義
お得な価格で受験生を応援します！

「独学」合格のための
受験生を応援！

Check Point

動画で学ぶ【公務員合格】シリーズは
厳選されたポイントを
何度も見直すことができ
「独学」合格のための
確かなスタートダッシュが可能です

教養 + 専門パック
SPI(非言語)+教養+時事+専門

これだけ揃って格安価格！

▶ **9,680円**（税込）◀

◆動画時間：各90分

◆講義数：

SPI（非言語） 2コマ	憲法 10コマ
	民法 15コマ
	行政法 12コマ
数的推理 4コマ	ミクロ経済学 6コマ
判断推理 4コマ	マクロ経済学 6コマ
時事対策 3コマ	速攻ミクロ経済学 6コマ
[2024年度]	速攻マクロ経済学 6コマ

◆視聴可能期間：1年間

教養パック
SPI(非言語)+教養+時事

頻出テーマ攻略で得点確保！

▶ **5,940円**（税込）◀

◆動画時間：各90分

◆講義数：

SPI（非言語） 2コマ

数的推理 4コマ

判断推理 4コマ

時事対策 3コマ
[2024年度]

◆視聴可能期間：1年間

動画で学ぶ【公務員合格】時事対策 2024

2024年度試験 時事対策を徹底解説！

▶ **4,950円**（税込）◀

◆動画時間：各90分

◆講義数：時事対策 [2024年度] 3コマ

◆視聴可能期間：1年間

公務員 公開模擬試験

2025年度試験対応　**web限定申込**

主催：実務教育出版

自宅で受けられる模擬試験！直前期の最終チェックにぜひご活用ください！

▼日程・受験料

試験名	申込締切日 ※	問題発送日 当社発送日	答案締切日 当日消印有効	結果発送日 当社発送日	受験料（税込）	受験料[教養のみ]（税込）
地方上級 公務員	2/25	3/13	3/27	4/16	5,390 円 教養+専門	3,960 円 教養のみ
国家一般職大卒	2/25	3/13	3/27	4/16	5,390 円 基礎能力+専門	3,960 円 基礎能力のみ
[大卒程度] 警察官・消防官	2/25	3/13	3/27	4/16	4,840 円 教養+論文添削	
市役所上級 公務員	4/3	4/18	5/7	5/26	4,840 円 教養+専門	3,960 円 教養のみ
高卒・短大卒程度 公務員	6/5	6/23	7/11	8/1	3,850 円 教養+適性+作文添削	
[高卒・短大卒程度] 警察官・消防官	6/5	6/23	7/11	8/1	3,850 円 教養+作文添削	

※申込締切日後は【自己採点セット】を販売予定。詳細は4月上旬以降に実務教育出版webサイトをご覧ください。　＊自宅受験のみになります。

▼試験構成・対象

試験名	試験時間・問題数	対象
地方上級 公務員 ＊問題は2種類から選択	教養 [択一式/2時間30分/全問：50題 or 選択：55題中45題] 専門(行政系) [択一式/2時間/全問：40題 or 選択：50題中40題]	都道府県・政令指定都市・特別区(東京23区)の大卒程度一般行政系
国家一般職大卒	基礎能力試験 [択一式/1時間50分/30題] 専門(行政系) [択一式/3時間/16科目(80題) 中8科目(40題)]	行政
[大卒程度] 警察官・消防官	教養 [択一式/2時間/50題] 論文 [記述式/60分/警察官 or 消防官 いずれか1題] ＊添削付き	大卒程度 警察官・消防官(男性・女性)
市役所上級 公務員	教養 [択一式/2時間/40題] 専門(行政系) [択一式/2時間/40題]	政令指定都市以外の市役所の大卒程度一般行政系(事務系)
高卒・短大卒程度 公務員	教養 [択一式/1時間40分/45題]　適性 [択一式/15分/120題] 作文 [記述式/50分/1題] ＊添削付き	都道府県・市区町村、国家一般職(高卒者、社会人)事務、国家専門職(高卒程度、社会人)、国家特別職(高卒程度)など高卒・短大卒程度試験
[高卒・短大卒程度] 警察官・消防官	教養 [択一式/2時間/50題] 作文 [記述式/60分/警察官 or 消防官 いずれか1題] ＊添削付き	高卒・短大卒程度 警察官・消防官(男性・女性)

実務教育出版webサイトからお申し込みください
https://www.jitsumu.co.jp/

■模擬試験の特徴

●2025年度（令和7年度）試験対応の予想問題を用いた、実戦形式の試験です！

試験構成、出題数、試験時間など実際の試験と同形式です。マークシートの解答方法はもちろん時間配分に慣れることができ、本試験直前期に的確な最終チェックが可能です。

●自宅で本番さながらの実戦練習ができます！

全国規模の実施ですので、実力を客観的に把握できます。「正答と解説」には、詳しい説明が記述されていますので、周辺知識までが身につき、一層の実力アップがはかれます。

●全国レベルの実力がわかる、客観的な判定資料をお届けします！

マークシートご提出後に、個人成績表をお送りいたします。精度の高い合格可能度判定をはじめ、得点、偏差値、正答率などの成績データにより、学習の成果を確認できます。

▼ 個人成績表

▼ マークシート

▼ 教養試験・専門試験

▼ 正答と解説

■申込方法

公開模擬試験は、実務教育出版webサイトの公開模擬試験申込フォームからお申し込みください。

1. 受験料のお支払いは、クレジット決済、コンビニ決済の2つの方法から選べます。

2. コンビニ決済の場合、ご利用のコンビニを選択すると、お申込情報（金額や払込票番号など）とお支払い方法が表示されます。その指示に従い指定期日（ネット上でのお申込み手続き完了日から6日目の23時59分59秒）までにコンビニのカウンターにて受験料をお支払いください。この期限を過ぎますと、お申込み自体が無効となりますので、十分ご注意ください。

スマホから
簡単アクセス

【ご注意】決済後の受験内容の変更・キャンセル等、受験料の返金を伴うご要望には一切応じることができませんのでご了承ください。
　　　　　氏名は、必ず受験者ご本人様のお名前で、入力をお願いいたします。

◆公開模擬試験についてのお問い合わせ先

問題発送日より1週間経っても問題が届かない場合、下記「公開模擬試験」係までお問い合わせください。

実務教育出版　「公開模擬試験」係　TEL：03-3355-1822（土日祝日を除く9：00〜17：00）

当社 2025 年度 通信講座受講生 は下記の該当試験を無料で受験できます。

申込手続きは不要です。問題発送日になりましたら、自動的に問題、正答と解説をご自宅に発送します。
＊無料受験対象以外の試験をご希望の方は、当サイトの公開模擬試験申込フォームからお申し込みください。

▼各コースの無料受験できる公開模擬試験は下記のとおりです。

あなたが受講している通信講座のコース名	無料受験できる公開模擬試験
大卒程度公務員総合コース [教養＋専門行政系]	地方上級（教養＋専門）　国家一般職大卒（基礎能力＋専門） 市役所上級（教養＋専門）
大卒程度公務員総合コース [教養のみ]	地方上級（教養のみ）　国家一般職大卒（基礎能力のみ） 市役所上級（教養のみ）

【実力判定テスト】もあります！

詳細は、実務教育出版webサイトをご覧ください。